ר׳בנו משה חיים לוצאטו

דֶּרֶךְ ה׳

•

THE WAY OF GOD

רַבֵּנוּ מֹשֶׁה חַיִּים לוּצַּאטוֹ

דרך ה׳

Derech haShem

The Way of God

and

מַאֲמַר הָעִקָּרִים

Ma'amar haIkkarim

AN ESSAY ON FUNDAMENTALS

by

MOSHE CHAIM LUZZATTO

TRANSLATED AND ANNOTATED BY

ARYEH KAPLAN

fourth, revised edition

FELDHEIM PUBLISHERS

Jerusalem • New York

5748 — 1988

First published 1977
Second edition, 1978
Third edition, 1981
Fourth, revised edition, 1983
Hardcover: ISBN 0-87306-338-4
Paperback: ISBN 0-87306-344-9

Philipp Feldheim Inc.
200 Airport Executive Park
Spring Valley, New York 10977

Printed in Israel

לעילוי נשמת חותני

ר׳ ראובן ב״ר לייב זלמן גולדשטיין

תנצבה״א

CONTENTS

11

TRANSLATOR'S FOREWORD

There have been numerous attempts to systematize the basic principles of Jewish belief. The two great classic efforts are the *Emunos VeDeyos* (Doctrines and Beliefs) of Rabbi Saadia Gaon (882–942), and the *Sefer HaIkkarim* (Book of Fundamentals) of Rabbi Yosef Albo (1390–1435). Of course, there have been other great classics in Jewish philosophy, but none of them made any serious attempt at systemization. Thus, students who have sought a systematic approach to Jewish thought have had very few places to turn to.

One of these has been this book, *Derech HaShem* (The Way of God), by Rabbi Moshe Chaim Luzzatto. Here, the author begins with our most basic beliefs regarding the existence of God and His purpose in creation, and shows how most of the other important teachings of Judaism are a logical consequence of these concepts. The reader is led from thought to thought, from idea to idea, until the entire structure of Judaism is presented as a logical whole.

Although this work has been well known to scholars, the author's difficult style and language have made it virtually inaccessible to the average reader. It is for this reason too that translating this work has been a most formidable challenge. To have translated it literally would have been a much easier task, but then the style would have left the translation almost as inaccessible as the original. It was for this reason that a decision was made to translate it idiomatically and by ideas, rather than literally. While the content is in no way changed, readability has been greatly enhanced by this approach. Where clarifying comments have been needed, they have been inserted in brackets.

Another problem in the original is its almost total lack of references. When Rabbi Yosef Begon printed this work in Warsaw in 1936 as part of *Yalkut Yediyos HaEmes* (A Compilation of Concepts of Truth), he did include a number of references. These, however, covered only a very small percentage of important sources in this work. We hope that our notes, both to sources and to parallel works, will help make this classic more accessible to all readers. A Hebrew translation of these notes is under consideration.

13

Students of Jewish philosophy are often confused by the fact that most of the classical works seem to go against the mainstream of later Jewish thought. There is a very simple reason for this, and that was the increasing influence of Kabbalah upon almost all Jewish thinkers. Since such giants of Jewish philosophy as Maimonides, Saadia Gaon, Yehuda HaLevi and Yosef Albo had little if any access to Kabbalistic thought, they could not make it part of their system.

Besides being a most brilliant thinker, however, Rabbi Moshe Chaim Luzzatto was also a foremost Kabbalist. All his writings therefore take into account the teachings of Kabbalah with all their depth. To a large measure, the system presented in this work is that which is assumed by the Kabbalah, and therefore, it finds itself right in the center of the mainstream of Jewish thought. Besides this, even though this is not a Kabbalistic work, it can serve as an excellent introduction to the subject.

It is always very dangerous to speculate about influence, but after being intimately involved in this work, one gets a very definite impression that its author was strongly influenced by the revolution in science and in Western thought in general. What contemporary thinkers had accomplished was to take all observable phenomena in the universe and demonstrate that everything could be explained on the basis of a few fundamental principles. Rabbi Moshe Chaim Luzzatto took this a step further, and also included the spiritual realm in his system. Here too, with a few very basic principles, he provides us with a rational explanation for some of the most difficult aspects of Judaism.

One last thought about this work. Many of our classical works on Jewish philosophy seem to have a very medieval flavor when read by a contemporary student. While we cannot say that they are dated, the modern reader finds it very difficult to relate their ideas to contemporary thought. This, however, is not true of this, nor of any other of Luzzatto's works. They are as contemporary and meaningful today as they were when they were first written. Now as then, they provide the seeker with deep insight into many aspects of our great faith.

Translating this work has been a profound mind-opening

experience. It is our hope and prayer that the reader will share this, and gain new insight into the depths that the author elucidates.

ABOUT THE AUTHOR

Rabbi Moshe Chaim Luzzatto, also known as the RaMChaL after his initials, is best known for his classical work on piety, *Mesilas Yesharim* (Path of the Upright).* This book is studied in all Yeshivos and is considered the finest such work ever written. Indeed, Rabbi Yisroel Salanter, founder of the Mussar movement which stressed the study of such books on piety, said, "All the classical works of Mussar demonstrate that man must fear God. The *Mesilas Yesharim* tells us how."

More and more, however, people are also realizing that Rabbi Moshe Chaim Luzzatto was one of the most brilliant thinkers of the past several centuries. Both his depth of thought and systematic mind are evident in all his works, which are literally filled with important basic insights. Over two hundred years ago, Rabbi Eliahu, the famed Vilna Gaon, declared that Rabbi Moshe Chaim Luzzatto had the most profound understanding of Judaism that any mortal human could attain. He furthermore stated that if Luzzatto were alive in his generation, he would go by foot from Vilna to Italy to sit at his feet and learn from him.

If one were to choose one outstanding aspect of the RaMChaL's works, it is his systematic approach. He does not look at various teachings as isolated facts, but as parts of an all-encompassing system. Seeing them as part of such a system, he is able to point out insights and relationships that would otherwise not be at all obvious.

One can see this in Luzzatto's three major works. This work, *Derech HaShem* (The Way of God), is probably the most systematic exposition of Jewish fundamentals ever written. This is discussed briefly in our introduction, and will become immediately evident to the reader.

The *Mesilas Yesharim* (Path of the Upright) also reflects this approach. What the author essentially did was to explain the Tal-

---

* Published with English translation by Shraga Silverstein under the title, *The Path of the Just* (Feldheim Publishers).

mudic saying of Rabbi Pinchas ben Yair, which enumerates the ten steps of drawing close to God. He then systematically shows how many Talmudic teachings fit into Rabbi Pinchas' general framework, and discusses each one according to the level to which it pertains. In a sense, then, this work systematizes all the teachings regarding piety that are found in the scope of Talmudic literature.

His third major work, *Kalach Pis'chey Chochmah* (138 Gates of Wisdom) deals with the Kabbalah, and is therefore not as well known as the first two. Here again, however, Luzzatto shows his power as a systematizer. One may think that the esoteric teachings of Kabbalah would resist all attempts at systematization, but not so. To some extent, the underlying system already existed in the works of the earlier Kabbalists, but it had never been presented in a systematic fashion. In these 138 chapters, the RaMChaL presents the entire scope of the Kabbalah in what many authorities consider the most systematic manner ever achieved.

The source of the author's great talent for organization is not known for certain. Perhaps it is due to the fact that Luzzatto was a student of Rabbi Yitzchok Lampronti, author of the *Pachad Yitzchok* (Awe of Isaac), the first major Talmudic encyclopedia ever assembled. This consists of some twenty large volumes, and even today is unsurpassed as a standard reference. It is just possible that Luzzatto learned the art of organization and systematization from Rabbi Yitchok Lampronti, and then carried it to its logical conclusion when setting forth the most fundamental and profound concepts of Judaism.

Rabbi Moshe Chaim Luzzatto was born to Rabbi Yaakov Chay in Padua, Italy, in the year 1707. He was a student of Rabbi Yeshiah Basan, author of the *Lachmey Todah* (Breads of Thanksgiving), and, as mentioned earlier, of Rabbi Yitzchok Lampronti. At a very early age, he also began to study Kabbalah under the tutelage of Rabbi Moshe Zacuto, one of the foremost Kabbalists of his generation.

Young Moshe Chaim rapidly attained a reputation as a prodigy, and it is said that "he did not know what it meant to forget something." His contemporaries tell us that by the time he was 14 years old, he already knew by heart the entire Talmud and Midrash, as well as all the major classics of Kabbalah. At a time when the publication of a book was a major accomplishment even for a recognized scholar, Luzzatto published his first work (*Lashon Limudim*) at the age of seventeen.

At a very young age, Rabbi Moshe Chaim also organized a small group, whose main goal was to draw themselves as close as possible to God. Among their rules was that some member of the group should be engaged in Torah study at all times, day and night, and that they should make devotion to God their one goal in life.

During his early twenties, between 1730 and 1735, there is evidence from his letters that Luzzatto wrote more than 40 books and pamphlets. Many of these have been lost, but it appears that most of his best known works were written around this time. One of the few works that is dated, *Daas Tevunos* (Knowledge of Understandings),* bears the date, Thursday, 29 Adar I, 5494 (March 5, 1734). Likewise, his booklet *Kelaley Chochmas Emes* (Rules of Wisdom of Truth) is dated 9 Iyar, 5494 (May 13, 1734).

It seems probable that *Derech HaShem* was also written during this period. While many ideas appearing in this work are found in his other writings, one gets a definite feeling that the ideas are more fully developed, and the author often provides us here with deep insights that are not evident in his earlier works. The impression is therefore developed that *Derech HaShem* is one of the author's later works.

Many of Luzzatto's writings were circulated during this period, and the novelty of his approach drew opposition from a number of contemporary sages. Many thought it unseeming for one so young to write books on Kabbalah and other esoteric subjects. Partially as a result of this opposition, Luzzatto left his native Italy in 1735 and settled in Amsterdam.

Avoiding public life, Luzzatto set up shop as a gem cutter in Amsterdam. His fame nevertheless caught up with him, and in 5500 (1740), at the turn of the Jewish century, he published his most famous work, the *Mesilas Yesharim* (Path of the Upright).

Like many other great men of his age, Luzzatto longed for the

---

* Publication of this work in English translation by Shraga Silverstein under the title, *The Knowing Heart*, is scheduled by Feldheim Publishers.

holy land, and finally, in 1743, he realized his goal, settling in Acco. He was not to enjoy a long stay there, however, and on 26 Iyar 5506 (May 16, 1746), at the age of 39, he was killed by a plague. According to most traditions, he was buried in Tiberias, next to the tomb of Rabbi Akiba.

A disciple once asked Rabbi Dov Ber, the Maggid of Mezritch (the most important disciple of the Baal Shem Tov), why Rabbi Moshe Chaim Luzzatto died at such a young age. The Maggid replied that the RaMChaL's generation was not worthy of understanding his piety and saintliness.

ARYEH KAPLAN

10 Sivan, 5734

דרך ה'

Derech haShem

THE WAY OF GOD

הַקְדָּמָה

יִתְרוֹן יְדִיעַת הַדְּבָרִים עַל מַתְכֹּנֶת חֶלְקֵיהֶם, כְּפִי מַחְלְקוֹתָם וְסִדְרֵי יַחֲסֵיהֶם, מִידִיעָתָם שֶׁלֹּא בְּהַבְחָנָה; כְּיִתְרוֹן רְאִיַּת הַגַּן, הַמְּהֻדָּר בַּעֲרוּגוֹתָיו, וּמְיֻפֶּה בִּמְסִלּוֹתָיו וּבְשׁוּרוֹת מַטָּעָיו, מֵרְאִיַּת חֹרֶשׁ הַקָּנִים וְהַיַּעַר הַצּוֹמֵחַ בְּעִרְבּוּב. כִּי אָמְנָם צִיּוּר חֲלָקִים רַבִּים אֲשֶׁר לֹא נוֹדַע קִשְׁרָם וּמַדְרֵגָתָם הָאֲמִתִּי בְּבִנְיַן הַכֹּל הַמֻּרְכָּב מֵהֶם, אֵצֶל הַשֵּׂכֶל הַמִּשְׁתּוֹקֵק לָדַעַת, אֵינוֹ אֶלָּא מַשָּׂא כְבֵדָה בְּלֹא חֶמְדָּה, שֶׁיִּיגַע בּוֹ וְיַעֲמֹל, וְנִלְאֶה וְעָיֵף, וְאֵין נָחַת. כִּי הִנֵּה כָּל אֶחָד מֵהֶם שֶׁיַּגִּיעַ צִיּוּרוֹ אֶצְלוֹ, לֹא יָנִיחַ מֵהָעִיר בּוֹ הַתְּשׁוּקָה לָבוֹא עַד תַּכְלִיתוֹ, וְזֶה לֹא יַעֲלֶה בְיָדוֹ, כֵּיוָן שֶׁנֶּעְדַּר מִמֶּנּוּ תַּשְׁלוּם עִנְיָנוֹ; שֶׁהֲרֵי חֵלֶק גָּדוֹל מֵהַדָּבָר הוּא יְחָסָיו עִם הַמִּתְיַחֲסִים לוֹ, וּמַדְרֵגָתוֹ בַּמְּלֵאוּת, וְזֶה נֶעֱלָם מִמֶּנּוּ; וְנִמְצֵאת תְּשׁוּקָתוֹ טוֹרַדְתּוֹ מִבְּלִי שָׂבְעָתָהּ, וְחֶמְדָּתוֹ מַכְאִיבָתוֹ, וְאֵין מְנוּחָה. לֹא כֵן הַיּוֹדֵעַ דָּבָר עַל אָפְנָיו, שֶׁבִּהְיוֹת נוֹשְׂאוֹ מִתְגַּלֶּה לְעֵינָיו בַּעֲלִיל כְּמוֹת שֶׁהוּא, הָלוֹךְ יֵלֵךְ וְהַשֵּׂכֶל אֶל אֲשֶׁר יִפְנֶה שָׁם, וּבְיֹפִי מַלְאֲכוֹתָיו יִתְעַנֵּג וְיִשְׁתַּעֲשֵׁעַ.

וְהִנֵּה, כְּלָל מַה שֶּׁיִּצְטָרֵךְ לָאָדָם שֶׁיַּבְחִין בְּנוֹשְׂאוֹ, הוּא מַדְרֵגָתוֹ הָאֲמִתִּית שֶׁזָּכַרְנוּ. וְזֶה, כִּי הִנֵּה, כְּשֶׁנַּבְחִין כְּלַל הַנִּמְצָאוֹת, הַמּוּחָשִׁים וְהַמֻּשְׂכָּלִים, שֶׁהֵם כְּלַל כָּל מַה שֶּׁיִּצְטַיֵּר צִיּוּרוֹ בְּשִׂכְלֵנוּ, נִמְצָא שֶׁאֵין כֻּלָּם מִין אֶחָד וּמַדְרֵגָה אַחַת, אֶלָּא

Introduction

When one knows a number of things, and understands how they are categorized and systematically interrelated, then he has a great advantage over one who has the same knowledge without such distinction. It is very much like the difference between looking at a well-arranged garden, planted in rows and patterns, and seeing a wild thicket or forest growing in confusion.

When an individual is confronted by many details and does not know how they relate to one another or their true place in a general system, then his inquisitive intellect is given nothing more than a difficult unsatisfying burden. He may struggle with it, but he will tire and grow weary long before he attains any gratification. Each detail will arouse his curiosity, but not having access to the concept as a whole, he will remain frustrated.

If one wishes to understand something, it is therefore very important that he be aware of other things associated with it as well as its place among them. Without this, one's longing for truth will be frustrated and he will be pained by his unsatisfied desire.

The exact opposite is true when one knows something in relation to its context. Since he sees it within its framework, he can go on to grasp other concepts associated with it, and his success will bring him pleasure and elation.

When one studies a subject, he must therefore be aware of the place of each element within the most general scheme. When one takes into account existence as a whole, including everything imaginable, whether detectable by our senses or conceivable by our

מִינִים שׁוֹנִים וּמַדְרֵגוֹת מִתְחַלְּפוֹת, וּכְפִי הִתְחַלֵּף מִינָם כֵּן יִתְחַלְּפוּ מִשְׁפְּטֵיהֶם וְחֻקֵּיהֶם, וְזֶה מִמַּה שֶּׁיַּכְרִיחֵנוּ לְהַבְחִין בֵּינֵיהֶם בְּהַשְׂכָּלָתֵנוּ, לְמַעַן נַשִּׂיג אוֹתָם לַאֲמִתָּם, כָּל אֶחָד כְּפִי חָקוֹ. וְאָמְנָם, רָאשֵׁי הַמַּדְרֵגוֹת וְהַמִּינִים – אֶחָד, וְהֵם מַה שֶּׁרָאוּי שֶׁיִּבָּחֵן בַּנּוֹשֵׂא, לְהַכִּיר מֵאֵיזֶה מֵהֶם הוּא, וְהֵם: הַכֹּל וְהַחֵלֶק, הַכְּלָל וְהַפְּרָט, הַסִּבָּה וְהַמְסוּבָב, הַנּוֹשֵׂא וְהַמִּתְחַבֵּר; וְזֶה מַה שֶּׁנִּדְרָשׁ רִאשׁוֹנָה בַּנּוֹשֵׂא לָדַעַת, אִם הוּא כֹּל וְאִם הוּא חֵלֶק, אִם הוּא כְּלָל אוֹ פְּרָט, אִם הוּא סִבָּה אוֹ מְסוּבָב, אִם הוּא נוֹשֵׂא אוֹ מִתְחַבֵּר. וְהִנֵּה, כְּפִי מַדְרֵגָתוֹ, כֵּן יִבְחַן בּוֹ הַבְחָנוֹת, אֲשֶׁר כְּפִי טִבְעוֹ מִצְטָרְכוֹת לְהַשְׁלָמַת הַשְׂכָּלָתוֹ וְצִיּוּר עִנְיָנוֹ; אִם חֵלֶק הוּא, יְבַקֵּשׁ לָדַעַת הַכֹּל שֶׁהוּא חֵלֶק מִמֶּנּוּ, אִם הוּא פְּרָט, יַחְקֹר עַל כְּלָלוֹ, אִם סִבָּה – יַחְקֹר עַל מְסוּבָב, וְאִם מְסוּבָּב – אֶת סִבָּתוֹ, אִם מִתְחַבֵּר – יְבַקֵּשׁ עַל נוֹשְׂאוֹ; וְיַחְקֹר כְּמוֹ כֵן לָדַעַת אֵיזֶה מִין מִמִּינֵי הַמִּתְחַבְּרִים הוּא: אִם קוֹדֵם, אִם נִמְשָׁךְ וְאִם מִתְלַוֶּה, אִם עַצְמִי וְאִם מִקְרִי, אִם בְּכֹחַ וְאִם בְּפֹעַל; כֻּלָּן הַבְחָנוֹת לֹא יִשְׁלַם צִיּוּר עִנְיָנוֹ זוּלָתָם. וְאֶל הַכֹּל יִתְבּוֹנֵן עַל טֶבַע הָעִנְיָן, לָדַעַת אִם הוּא מֻחְלָט אוֹ מֻגְבָּל, וְאִם הוּא מֻגְבָּל, יַחְקֹר עַל גְּבוּלָיו; כִּי אוּלָם כָּל עִנְיָן אֲמִתִּי – יָשׁוּב כּוֹזֵב, אִם יְיֻחַס לְנוֹשֵׂא בִּלְתִּי הָגוּן לוֹ אוֹ אִם יִלָּקַח שֶׁלֹּא בִּגְבוּלוֹ.

וְאָמְנָם, צָרִיךְ שֶׁתִּתְבּוֹנֵן, שֶׁהִנֵּה מִסְפַּר הַפְּרָטִים עָצוּם מְאֹד מֵהָכִיל אוֹתָם שֵׂכֶל הָאָדָם, וְאִי אֶפְשָׁר לוֹ לָדַעַת כֻּלָּם. אוּלָם מַה שֶּׁרָאוּי לוֹ שֶׁיִּשְׁתַּדֵּל עָלָיו, הוּא יְדִיעַת כְּלָלִים. כִּי כָל כְּלָל בְּטִבְעוֹ כּוֹלֵל פְּרָטִים הַרְבֵּה, וּכְשֶׁיַּשִּׂיג כְּלָל אֶחָד – נִמְצָא מַשִּׂיג מֵאֵלָיו מִסְפָּר רַב מִן הַפְּרָטִים. וְאַף עַל פִּי שֶׁלֹּא הִבְחִין בָּם עֲדַיִן וְלֹא הִכִּיר הֱיוֹתָם פְּרָטֵי הַכְּלָל הַהוּא, כִּי, הִנֵּה,

minds, then he recognizes that things are not all in the same category and level. The categories are both varied and numerous, and as they vary, so do the rules and principles associated with them. In order to comprehend the true nature of each thing, one must also be able to recognize these distinctions.

There are, however, certain primary elements that must be recognized as part of the essential nature of each concept. Out of all the levels and categories, one should be able to distinguish the following: the whole and the part, the general and the particular, the cause and the effect, and the object itself and its associated qualities.

Thus, when one examines something, he should first determine whether it is a whole or a part, a general category or a detail, a cause or an effect, an object or a property. When he realizes its place in the general scheme, he can then recognize the elements needed to complete his understanding and provide a precise general picture. If it is a part, then he will seek to discover its whole. If it is a particular case, he will seek to find its general category. If it is a cause, he will seek its effect; if an effect, its cause. If he finds something to be a quality, he will seek to discover its subject. He will also strive to ascertain what kind of quality it is, whether it precedes, accompanies or follows its subject, and whether it is intrinsic or accidental, potential or actual. All these are distinctions without which one cannot have a complete picture of any thing's true nature.

Beyond this, one must look into the nature of the thing itself, determining whether it involves an absolute or limited concept. If the concept is limited, he should ascertain its limits, since even when a concept itself is true, it loses its veracity when placed in an improper framework or taken outside its area of validity.

It is also important to realize that the number of individual details is so great that it is beyond the power of the human mind to embrace them and know them all. One's goal should therefore be to attain knowledge of the most general concepts.

By its very nature, every general category includes many details. When a person grasps a single general concept, he automatically includes a large number of particular cases. Although he might not be sufficiently aware of them to recognize them as ele-

כְּשֶׁיָּבוֹא כָּל אֶחָד מֵהֶם לְיָדוֹ, לֹא יָנִיחַ מִלְּהַכִּיר אוֹתוֹ, כֵּיוָן שֶׁכְּבָר יָדוּעַ אֶצְלוֹ הָעִנְיָן הַכְּלָלִי, אֲשֶׁר אִי אֶפְשָׁר לָהֶם הֱיוֹת בִּלְתּוֹ. וְכֵן אָמְרוּ חֲכָמֵינוּ זִכְרוֹנָם לִבְרָכָה: ״לְעוֹלָם יִהְיוּ דִבְרֵי תוֹרָה בְּיָדֶיךָ כְּלָלִים וְלֹא פְּרָטִים״ (עַיֵּן סִפְרֵי הַאֲזִינוּ לב, ב).

אַךְ מַה שֶּׁיִּצְטָרֵךְ בִּידִיעַת הַכְּלָלִים, הוּא הַדַּעַת אוֹתָם בְּכָל גְּבוּלֵיהֶם וּבְחִינוֹתֵיהֶם, וַאֲפִלּוּ דְבָרִים שֶׁנִּרְאִים בִּתְחִלָּה נֶעְדְּרֵי הַתּוֹלָדָה, צָרִיךְ שֶׁתִּשְׁמֹר אוֹתָם, וְתָשִׁית לָהֶם לִבְּךָ, וְלֹא תִהְיֶה בָז לָהֶם, וּכְמוֹ שֶׁאָמְרוּ חֲכָמֵינוּ זִכְרוֹנָם לִבְרָכָה (עַיֵּן סִפְרֵי הַאֲזִינוּ לב, מז). כִּי אֵין לְךָ דָבָר קָטָן אוֹ גָּדוֹל בַּכְּלָל שֶׁאֵין לוֹ מְקוֹם תּוֹלָדָה בַּפְּרָטִים, וּמַה שֶּׁלֹּא יוֹסִיף וְלֹא יִגָּרַע בִּקְצָת הַפְּרָטִים, הִנֵּה יוֹלִיד תּוֹלָדָה רַבָּה בְּזוּלָתָם, וּבִהְיוֹת הַכְּלָל כְּלָל לְכֻלָּם צָרִיךְ שֶׁיִּהְיֶה בוֹ מַה שֶּׁיַּסְפִּיק לְכֻלָּם. עַל כֵּן צָרִיךְ שֶׁתְּדַקְדֵּק בָּזֶה מְאֹד, וְתִתְבּוֹנֵן עַל עִנְיָנָם וְעַל יַחֲסֵיהֶם וְקִשְׁרֵיהֶם בְּדִקְדּוּק גָּדוֹל, וְתִבְחַן יָפֶה יָפֶה הֶמְשֵׁכָם וְהִשְׁתַּלְשְׁלוּתָם, אֵיךְ נִמְשָׁכִים עִנְיָן מֵעִנְיָן, מִן הָרֹאשׁ וְעַד הַסּוֹף, וְאָז תַּצְלִיחַ וְאָז תַּשְׂכִּיל.

וְהִנֵּה, עַל פִּי הַדְּבָרִים הָאֵלֶּה חִבַּרְתִּי לְךָ, קוֹרֵא נָעִים, חִבּוּר קָטָן זֶה, וְכִוַּנְתִּי בוֹ לְהַצִּיעַ לְפָנֶיךָ כְּלָלֵי הָאֱמוּנָה וְהָעֲבוֹדָה עַל בֻּרְיָם, בְּאֹפֶן שֶׁתּוּכַל לַעֲמֹד עֲלֵיהֶם עַל נָכוֹן, וְיִצְטַיְּרוּ בְשִׂכְלְךָ צִיּוּר מַסְפִּיק, מֻצָּל מִן הָעִרְבּוּב וְהַמְּבוּכָה; וְתִרְאֶה שָׁרְשֵׁיהֶם וְעַנְפֵיהֶם בְּמַדְרֵגוֹתָם בְּבֵרוּר הָאֶפְשָׁרִי; שֶׁיִּתְיַשְּׁבוּ עַל לִבְּךָ וְתִקְנֶה אוֹתָם בְּשִׂכְלְךָ בַּמִּבְחַר שֶׁבְּפָנִים; וּמִשָּׁם וָהָלְאָה יֵקַל לְךָ לִמְצֹא דַעַת אֱלֹקִים בְּכָל חֶלְקֵי הַתּוֹרָה וּפֵרוּשֶׁיהָ, וְלַעֲמֹד עַל כָּל סְתָרֶיהָ, כְּבִרְכַּת ה׳ אֱלֹקֶיךָ אֲשֶׁר יִתֶּן לָךְ.

וְהִנֵּה, נִשְׁתַּדַּלְתִּי לְסַדֵּר הַדְּבָרִים בַּסִּדּוּר שֶׁנִּרְאָה לִי יוֹתֵר נָאוֹת, וּבַמִּלּוֹת שֶׁחָשַׁבְתִּים הַיּוֹתֵר הֲגוּנוֹת, לָתֵת לְךָ צִיּוּר שָׁלֵם

ments of the general concept, he has the ability to do so when confronted by them. Once he is aware of the general principle, he will not be at a loss to recognize the details that cannot exist without it. This is what our sages meant when they taught us, "Words of the Torah should always be in your hands as general principles rather than as individual details."[1]

When dealing with general principles, however, one must be very careful to grasp all their aspects and areas of validity. Even elements that initially may seem superfluous should not be ignored, but should be carefully preserved and taken to heart. Our sages thus said, "There is nothing in the Torah that is empty — that if expounded does not yield reward in this world, with the principal remaining intact in the World to Come."[2] For there is no general principle, great or small, that does not have the potential for teaching something about its particulars.

Even when a general principle does not apply to some of its particulars, it may still be very important with respect to others. Every general rule must contain necessary information regarding all [of its particular cases].

A person must therefore be very careful when dealing with such principles. He should be very precise in examining their concepts, relationships and connections, as well as the manner in which one concept is inferred from the other, from the beginning to the end. If one does this, he will be successful and gain insight.[3]

Taking all of this into consideration, I have written this small book. My intent was to set forth the general principles of Jewish belief and religion, expounding its true nature in such a way that it can be clearly understood to provide an adequate picture, free of ambiguity and confusion. The roots and branches are presented according to their place in the general scheme, so that the concept as a whole should be absorbed and understood with the greatest possible clarity. This book should thus provide a basis from which the general theological concepts found in the Torah and its commentaries should be readily discerned. All its secrets will then be within your grasp, according to the blessing of God, which He bestows upon you.[4]

I have worked to arrange these concepts in the order that

מֵהַדְּבָרִים הָאֵלֶּה אֲשֶׁר גָּמַרְתִּי לְהַשְׂכִּילְךָ. עַל כֵּן גַּם אַתָּה, עַתָּה, צָרִיךְ אַתָּה לְדַקְדֵּק עַל כָּל זֶה, וְלִשְׁמֹר אֶת כָּל זֶה שְׁמִירָה מְעֻלָּה, עַד תִּמְצָא מָקוֹם שֶׁיּוֹעִיל לְךָ; וְאַל תְּוַתֵּר עַל שׁוּם דִּקְדּוּק, פֶּן יִתְעַלֵּם מִמְּךָ עִנְיָן הֶכְרֵחִי, אֲבָל זֶה אֲשֶׁר תַּעֲשֶׂה, תְּדַקְדֵּק עַל כָּל הַמִּלּוֹת, וְתִשְׁתַּדֵּל לַעֲמֹד עַל תֹּכֶן הָעִנְיָנִים וְלַעֲצֹר כָּל אֲמִתָּתָם בְּשִׂכְלְךָ, וּמָצָאתָ לְךָ מָנוֹחַ אֲשֶׁר יִיטַב לָךְ.

וְהִנֵּה, קָרָאתִי שֵׁם הַסֵּפֶר הַזֶּה "דֶּרֶךְ ה'", כִּי הִנֵּה הוּא כְּלַל מִדְּרָכָיו יִתְבָּרַךְ שְׁמוֹ, שֶׁגִּלָּה לָנוּ עַל יְדֵי נְבִיאָיו וְהוֹדִיעָנוּ בְּתוֹרָתוֹ, וּבָהֶם מְנַהֲלֵנוּ וּמְנַהֵל כָּל בְּרִיּוֹתָיו. וְחִלַּקְתִּי אוֹתוֹ לְאַרְבָּעָה חֲלָקִים, חֵלֶק רִאשׁוֹן אֲדַבֵּר בּוֹ עַל כְּלַל יְסוֹדוֹת הַמְּצִיאוּת וּפְרָטוּתָיו, חֵלֶק שֵׁנִי – בְּהַשְׁגָּחָתוֹ יִתְבָּרַךְ שְׁמוֹ, חֵלֶק שְׁלִישִׁי – בַּנְּבוּאָה, וְחֵלֶק רְבִיעִי – בָּעֲבוֹדָה. וְאַתָּה, אָחִי, כָּל מְבַקֵּשׁ ה', בַּדֶּרֶךְ הַזֶּה לֵךְ, וַה' יִהְיֶה עִמְּךָ וְנָתַן לְךָ עֵינַיִם לִרְאוֹת וְאָזְנַיִם לִשְׁמֹעַ נִפְלָאוֹת מִתּוֹרָתוֹ. אָמֵן, כֵּן יְהִי רָצוֹן.

seemed most suitable and in language considered most appropriate to provide a complete picture of what I deemed necessary. You should therefore go through this work carefully, diligently remembering each fact until you find use for it. Do not overlook any detail, for you may be neglecting a vital concept. Read each word carefully, try to grasp the essence of each idea, and remember each thing accurately. You will then attain the greatest benefit and gratification from this book.

I have called this book "The Way of God" (*Derech HaShem*), since it speaks of God's ways as revealed by His prophets and taught in His Torah. These are the ways in which God directs both ourselves and everything else He created.

This book is divided into four sections. The first discusses the general basis of all existence and its details. The second section deals with God's providence, the third with prophecy, and the fourth with religious observance.

And now, fellow seekers of God, go on your way. May God be with you, giving you eyes to see and ears to hear the wonders of His Torah. Amen. May this be His will.

PART 1 חלק

•

עַל יְסוֹדוֹת הַמְּצִיאוּת

•

FUNDAMENTALS

א פרק ראשון

בַּבּוֹרֵא יִתְבָּרֵךְ שְׁמוֹ

[א] כָּל אִישׁ מִיִּשְׂרָאֵל צָרִיךְ שֶׁיַּאֲמִין וְיֵדַע, שֶׁיֵּשׁ שָׁם מָצוּי רִאשׁוֹן, קַדְמוֹן וְנִצְחִי, וְהוּא שֶׁהִמְצִיא וּמַמְצִיא כָּל מַה שֶּׁנִּמְצָא בַּמְּצִיאוּת, וְהוּא הָאֱלוֹהַּ (בָּרוּךְ הוּא).

[ב] עוֹד צָרִיךְ שֶׁיֵּדַע, שֶׁהַמָּצוּי הַזֶּה יִתְבָּרַךְ שְׁמוֹ, אֵין אֲמִתַּת מְצִיאוּתוֹ מֻשֶּׂגֶת זוּלָתוֹ כְּלָל, וְרַק זֶה נוֹדַע בּוֹ, שֶׁהוּא מָצוּי שָׁלֵם בְּכָל מִינֵי שְׁלֵמוּת וְלֹא נִמְצָא בוֹ חִסָּרוֹן כְּלָל.

וְאוּלָם, דְּבָרִים אֵלֶּה יְדַעְנוּם בְּקַבָּלָה מִן הָאָבוֹת וּמִן הַנְּבִיאִים; וְהִשִּׂיגוּם כָּל יִשְׂרָאֵל בְּמַעֲמַד הַר סִינַי וְעָמְדוּ עַל אֲמִתָּתָם בְּבֵרוּר, וְלִמְּדוּם לִבְנֵיהֶם דּוֹר אַחַר דּוֹר – כַּיּוֹם הַזֶּה; שֶׁכֵּן צִוָּם מֹשֶׁה רַבֵּנוּ עָלָיו הַשָּׁלוֹם מִפִּי הַגְּבוּרָה: ״פֶּן־תִּשְׁכַּח אֶת־הַדְּבָרִים אֲשֶׁר־רָאוּ עֵינֶיךָ וְגוֹ׳ וְהוֹדַעְתָּם לְבָנֶיךָ וְלִבְנֵי בָנֶיךָ״ (דברים ד, ט).

אָמְנָם, גַּם מִצַּד הַחֲקִירָה בַּמּוֹפְתִים הַלִּמּוּדִיִּים יְאֻמְּתוּ כָּל הָעִנְיָנִים הָאֵלֶּה, וְיוּכַח הֱיוֹתָם כֵּן מִכֹּחַ הַנִּמְצָאוֹת וּמַשִּׂיגֵיהֶם אֲשֶׁר אֲנַחְנוּ רוֹאִים בְּעֵינֵינוּ עַל פִּי חָכְמַת הַטֶּבַע, הַהַנְדָּסָה, הַתְּכוּנָה וּשְׁאָר הַחָכְמוֹת, שֶׁמֵּהֶם תִּלָּקַחְנָה הַקְדָּמוֹת אֲמִתִּיּוֹת אֲשֶׁר יִוָּלֵד מֵהֶן בֵּרוּר הָעִנְיָנִים הָאֲמִתִּיִּים הָאֵלֶּה. וְאָמְנָם, לֹא נַאֲרִיךְ עַתָּה בָּזֶה, אֶלָּא נַצִּיעַ הַקְדָּמוֹת לַאֲמִתָּם וּנְסַדֵּר

I CHAPTER 1

The Creator

[1] Every Jew must know and believe that there exists a first Being, without beginning or end, who brought all things into existence and continues to sustain them. This Being is God.[1]

[2] It is furthermore necessary to know that God's true nature cannot be understood at all by any being other than Himself. The only thing that we know about Him is that He is perfect in every possible way and devoid of every conceivable deficiency.[2]

These things are known by tradition from the Patriarchs and prophets. With the revelation at Sinai, all Israel perceived them and gained a clear grasp of their true nature. They then taught them to their children, generation after generation until this very day. Moses had thus commanded them (*Deuteronomy* 4:9), "You shall not forget the things that you saw with your own eyes . . . and you shall make them known to your children and to your children's children."

These concepts can also be logically verified by demonstrable proofs. Their veracity can be demonstrated from what we observe in nature and its phenomena. Through such scientific disciplines as physics and astronomy, certain basic principles can be derived, and on the basis of these, clear evidence for these concepts deduced. We will not occupy ourselves with this, however, but will rather set forth the well-known basic principles handed down by tradition.

הַדְּבָרִים עַל בֻּרְיָם, כְּפִי הַמָּסֹרֶת שֶׁבְּיָדֵינוּ וְהַמְפֻרְסָם בְּכָל אֻמָּתֵנוּ.

[ג] עוֹד צָרִיךְ שֶׁיֵּדַע, שֶׁהַמָּצוּי הַזֶּה יִתְבָּרַךְ שְׁמוֹ, הִנֵּה מְצִיאוּתוֹ מֻכְרַחַת, שֶׁאִי אֶפְשָׁר הֶעְדֵּרוֹ כְּלָל.

[ד] עוֹד צָרִיךְ שֶׁיֵּדַע, שֶׁמְּצִיאוּתוֹ יִתְבָּרַךְ שְׁמוֹ אֵינוֹ תָלוּי בְּזוּלָתוֹ כְּלָל, אֶלָּא מֵעַצְמוֹ הוּא מֻכְרַח הַמְּצִיאוּת.

[ה] וְכֵן צָרִיךְ שֶׁיֵּדַע, שֶׁמְּצִיאוּתוֹ יִתְבָּרַךְ שְׁמוֹ מְצִיאוּת פָּשׁוּט, בְּלִי הַרְכָּבָה וְרִבּוּי כְּלָל, וְכָל הַשְּׁלֵמֻיּוֹת כֻּלָּם נִמְצָאִים בּוֹ בְּדֶרֶךְ פָּשׁוּט, פֵּרוּשׁ – כִּי, הִנֵּה, בַּנֶּפֶשׁ יִמָּצְאוּ כֹחוֹת רַבִּים שׁוֹנִים שֶׁכָּל אֶחָד מֵהֶם גִּדְרוֹ בִּפְנֵי עַצְמוֹ; דֶּרֶךְ מָשָׁל, הַזִּכָּרוֹן כֹּחַ אֶחָד, וְהָרָצוֹן כֹּחַ אַחֵר, וְהַדִּמְיוֹן כֹּחַ אַחֵר, וְאֵין אֶחָד מֵאֵלֶּה נִכְנָס בְּגֶדֶר חֲבֵרוֹ כְּלָל; כִּי, הִנֵּה, גֶּדֶר הַזִּכָּרוֹן – גֶּדֶר אֶחָד, וְגֶדֶר הָרָצוֹן – גֶּדֶר אַחֵר, וְאֵין הָרָצוֹן נִכְנָס בְּגֶדֶר הַזִּכָּרוֹן וְלֹא הַזִּכָּרוֹן בְּגֶדֶר הָרָצוֹן, וְכֵן כֻּלָּם. אַךְ הָאָדוֹן בָּרוּךְ הוּא אֵינֶנּוּ בַעַל כֹּחוֹת שׁוֹנִים, אַף עַל פִּי שֶׁבֶּאֱמֶת יֵשׁ בּוֹ עִנְיָנִים שֶׁבָּנוּ הֵם שׁוֹנִים, כִּי הֲרֵי הוּא רוֹצֶה וְהוּא חָכָם וְהוּא יָכוֹל וְהוּא שָׁלֵם בְּכָל שְׁלֵמוּת. אָמְנָם אֲמִתַּת מְצִיאוּתוֹ הוּא עִנְיָן אֶחָד שֶׁכּוֹלֵל בַּאֲמִתָּתוֹ וְגִדְרוֹ כָּל מַה שֶּׁהוּא שְׁלֵמוּת. וְנִמְצָא שֶׁיֵּשׁ בּוֹ כָּל הַשְּׁלֵמוּת לֹא כְּדָבָר נוֹסָף עַל מַהוּתוֹ וַאֲמִתַּת עִנְיָנוֹ, אֶלָּא מִצַּד אֲמִתַּת עִנְיָנוֹ בְּעַצְמוֹ – שֶׁכּוֹלֵל בַּאֲמִתּוֹ כָּל הַשְּׁלֵמוּת; שֶׁאִי אֶפְשָׁר לְעִנְיָן הַהוּא מִבִּלְתִּי כָּל הַשְּׁלֵמוּת, מִצַּד עַצְמוֹ.

וְהִנֵּה, בֶּאֱמֶת הַדֶּרֶךְ הַזֶּה רָחוֹק מְאֹד מֵהַשָּׂגוֹתֵינוּ וְצִיּוּרֵינוּ, וְכִמְעַט שֶׁאֵין לָנוּ דֶּרֶךְ לְבָאֲרוֹ וּמִלּוֹת לְפָרְשׁוֹ; כִּי אֵין צִיּוּרֵינוּ וְדִמְיוֹנוֹתֵינוּ תּוֹפְסִים אֶלָּא עִנְיָנִים מֻגְבָּלִים בִּגְבוּל הַטֶּבַע

These we will present in an authentic framework, arranged in a comprehensive manner.

[3]   It is also necessary to know that God's existence is imperative. It is absolutely impossible that He should cease to exist.

[4]   It is furthermore necessary to know that God's existence does not depend on anything else at all. His existence is intrinsically imperative.[3]

[5]   It is likewise necessary to know that God's essence is absolutely simple, without any structure or additional qualities whatsoever.[4] Every possible perfection exists in Him, but in an absolutely simple manner.

[We can understand this with an example.] The human mind has many different faculties, each with its own area of activity. Thus, for example, memory is one domain, desire another, and imagination still another, and none of them impinge on the other. Memory, for example, has its own domain, as does desire, and desire does not penetrate the domain of memory, nor does memory enter that of desire. The same is true of all the mind's faculties. [The human mind can therefore be said to have structure and is not simple.]

When we speak of God, however, these are not different faculties. There exist in Him qualities that in a human being would be different, since He has desire, wisdom and ability,[5] and is perfect in every conceivable way. Nevertheless, the true nature of His essence is a Oneness that intrinsically contains and encompasses everything that can be considered perfection. All perfection therefore exists in God, not as something added on to His existence, but as an integral part of His intrinsic identity, whose essence includes all types of perfection. By virtue of its intrinsic nature, it is impossible that His essence not include all perfection.

Admittedly, this is something far beyond the grasp of our understanding and imagination, and there hardly exists a way to express it and put it into words. Our intellect and imagination are only capable of grasping things bound by the natural limitations created by God, since these are the only things that our senses can

הַנִּבְרָא מִמֶּנּוּ יִתְבָּרַךְ שְׁמוֹ, שֶׁזֶּה מַה שֶּׁחוּשֵׁינוּ מַרְגִּישִׁים וּמְבִיאִים צִיּוּרוֹ אֶל הַשֵּׂכֶל. וּבַבְּרוּאִים הִנֵּה הָעִנְיָנִים רַבִּים וְנִפְרָדִים.

אוּלָם כְּבָר הִקְדַּמְנוּ, שֶׁאֲמִתַּת מְצִיאוּתוֹ יִתְבָּרַךְ שְׁמוֹ אֵינָהּ מֻשֶּׂגֶת, וְאֵין לְהַקִּישׁ מִמַּה שֶּׁרוֹאִים בַּבְּרוּאִים עַל הַבּוֹרֵא יִתְבָּרַךְ שְׁמוֹ, כִּי אֵין עִנְיָנָם וּמְצִיאוּתָם שָׁוֶה כְּלָל, שֶׁנּוּכַל לָדוּן מִזֶּה עַל זֶה.

אֲבָל, זֶה גַם כֵּן מִן הַדְּבָרִים הַנּוֹדָעִים מִקַּבָּלָה כְּמוֹ שֶׁזָּכַרְנוּ וּמְאֻמָּתִים בַּחֲקִירָה עַל פִּי הַטֶּבַע עַצְמוֹ בְּחֻקּוֹתָיו וּמִשְׁפָּטָיו שֶׁאִי אֶפְשָׁר עַל כָּל פָּנִים שֶׁלֹּא יִמָּצֵא מָצוּי אֶחָד מְשֻׁלָּל מִכָּל הַטֶּבַע, חֻקּוֹתָיו וּגְבוּלָיו, מִכָּל הֶעְדֵּר וְחִסָּרוֹן, מִכָּל רִבּוּי וְהַרְכָּבָה, מִכָּל יַחַס וָעֵרֶךְ וּמִכָּל מִקְרֵי הַבְּרוּאִים, שֶׁיִּהְיֶה הוּא הַסִּבָּה הָאֲמִתִּית לְכָל הַנִּמְצָאוֹת וּלְכָל הַמִּתְיַלֵּד בָּם, כִּי זוּלַת זֶה, מְצִיאוּת הַנִּמְצָאוֹת שֶׁאָנוּ רוֹאִים, וְהַתְמָדָתָם, הָיָה בִּלְתִּי אֶפְשָׁר.

[ו] וּמִמַּה שֶּׁצָּרִיךְ שֶׁיֵּדַע עוֹד, שֶׁהַמָּצוּי הַזֶּה יִתְבָּרַךְ שְׁמוֹ, מֻכְרָח שֶׁיִּהְיֶה אֶחָד וְלֹא יוֹתֵר. פֵּרוּשׁ – שֶׁאִי אֶפְשָׁר שֶׁיִּמָּצְאוּ מְצוּיִים רַבִּים שֶׁמְּצִיאוּתָם מֻכְרָח מֵעַצְמוֹ, אֶלָּא אֶחָד בִּלְבַד צָרִיךְ שֶׁיִּמָּצֵא בִּמְצִיאוּת הַמֻּכְרָח וְהַשָּׁלֵם הַזֶּה. וְאִם שֶׁיִּמָּצְאוּ נִמְצָאִים אֲחֵרִים, לֹא יִמָּצְאוּ אֶלָּא מִפְּנֵי שֶׁהוּא מַמְצִיאָם בִּרְצוֹנוֹ, וְנִמְצָאִים כֻּלָּם תְּלוּיִים בּוֹ, וְלֹא מְצוּיִים מֵעַצְמָם.

נִמְצָא: כְּלַל הַיְדִיעוֹת הַשָּׁרְשִׁיּוֹת הָאֵלֶּה שֵׁשׁ, וְהֵן: אֲמִתַּת מְצִיאוּתוֹ יִתְבָּרַךְ שְׁמוֹ, שְׁלֵמוּתוֹ, הֶכְרַח הַמְּצִאוֹ, הֱיוֹתוֹ בִּלְתִּי נִתְלֶה בְּזוּלָתוֹ, פַּשְׁטוּתוֹ וְיִחוּדוֹ.

detect and convey to our minds. [We are incapable of conceiving these different qualities as a single simple essence, since] among created things, they are different, separate concepts.

We began our discussion, however, by acknowledging that God's true nature is beyond comprehension. No inference can be drawn to the Creator from what we see among created things. The nature and essence of the two are not the same at all, and it is therefore impossible to draw any parallel between them.

This, however, is also among the things that we know from the tradition discussed earlier. It can also be verified from the laws and principles of nature that it is impossible that some Being not exist, unbound by the laws and limitations of nature. It must be impossible that this Being cease to exist or have any deficiency. This Being must furthermore be divorced from all addition, structure, relationship, comparison, or any other quality that exists in created things. Finally, this Being must be the true cause of everything that exists and happens. Unless all this is true, the existence and continuance of things as we know them would be utterly impossible.

[6]   Among the things that it is also necessary to know is that God must be absolutely one.

It is impossible that there exist more than one being whose existence is intrinsically imperative. Only one Being can possibly exist with this necessarily perfect essence, and therefore the only reason all other things have the possibility of existence is that God wills them to exist. All other things therefore depend on Him, and do not have intrinsic existence.[6]

We therefore see that there are six basic principles [involved in our understanding of God].[7] They are:

> The fact of His existence
> His perfection
> The necessity of His existence
> His absolute independence
> His simplicity
> His unity.

בְּתַכְלִית הַבְּרִיאָה

[א] הִנֵּה, הַתַּכְלִית בַּבְּרִיאָה הָיָה לְהֵיטִיב מִטּוּבוֹ יִתְבָּרַךְ שְׁמוֹ לְזוּלָתוֹ.

וְהִנֵּה תִּרְאֶה, כִּי הוּא לְבַדּוֹ יִתְבָּרַךְ שְׁמוֹ הַשְּׁלֵמוּת הָאֲמִתִּי הַמְּשׁוּלָל מִכָּל הַחֶסְרוֹנוֹת, וְאֵין שְׁלֵמוּת אַחֵר כָּמוֹהוּ כְּלָל. וְנִמְצָא שֶׁכָּל שְׁלֵמוּת שֶׁיְּדֻמֶּה, חוּץ מִשְּׁלֵמוּתוֹ יִתְבָּרַךְ שְׁמוֹ, הִנֵּה אֵינֶנּוּ שְׁלֵמוּת אֲמִתִּי, אֶלָּא יִקָּרֵא שְׁלֵמוּת – בְּעֵרֶךְ אֶל עִנְיָן חָסֵר מִמֶּנּוּ, אַךְ הַשְּׁלֵמוּת בְּהֶחְלֵט אֵינוֹ אֶלָּא שְׁלֵמוּתוֹ יִתְבָּרַךְ שְׁמוֹ.

וְעַל כֵּן בִּהְיוֹת חֶפְצוֹ יִתְבָּרַךְ שְׁמוֹ לְהֵיטִיב לְזוּלָתוֹ, לֹא יַסְפִּיק לוֹ בִּהְיוֹתוֹ מֵטִיב קְצָת טוֹב, אֶלָּא בִּהְיוֹתוֹ מֵטִיב תַּכְלִית הַטּוֹב שֶׁאֶפְשָׁר לַבְּרוּאִים שֶׁיְּקַבְּלוּ, וּבִהְיוֹתוֹ הוּא לְבַדּוֹ יִתְבָּרַךְ שְׁמוֹ הַטּוֹב הָאֲמִתִּי, לֹא יִסְתַּפֵּק חֶפְצוֹ הַטּוֹב אֶלָּא בִּהְיוֹתוֹ מְהַנֶּה לְזוּלָתוֹ בַּטּוֹב הַהוּא עַצְמוֹ שֶׁהוּא בּוֹ יִתְבָּרַךְ שְׁמוֹ מִצַּד עַצְמוֹ, שֶׁהוּא הַטּוֹב הַשָּׁלֵם וְהָאֲמִתִּי.

וְהִנֵּה מִצַּד אַחֵר, הַטּוֹב הַזֶּה אִי אֶפְשָׁר שֶׁיִּמָּצֵא אֶלָּא בּוֹ. עַל כֵּן גָּזְרָה חָכְמָתוֹ שֶׁמְּצִיאוּת הַהֲטָבָה הָאֲמִתִּית הַזֹּאת יִהְיֶה בְּמַה שֶּׁיִּתֵּן מָקוֹם לַבְּרוּאִים לְשֶׁיִּתְדַּבְּקוּ בּוֹ יִתְבָּרַךְ שְׁמוֹ, בְּאוֹתוֹ הַשִּׁעוּר שֶׁאֶפְשָׁר לָהֶם שֶׁיִּתְדַּבְּקוּ; וְאָז נִמְצָא שֶׁמַּה שֶּׁמִּצַּד עַצְמָם אִי אֶפְשָׁר שֶׁיִּתָאֲרוּ בִּשְׁלֵמוּתוֹ יִתְבָּרַךְ שְׁמוֹ, הִנֵּה מִצַּד הִתְדַּבְּקָם

I CHAPTER 2

The Purpose of Creation

[1] God's purpose in creation was to bestow of His good to another.[8]

God alone is true perfection, free of all deficiency, and there is no perfection comparable to Him. Any imaginable perfection, with the exception of God's, is therefore not true perfection. Other things may be said to have perfection, but it is only relative to something less perfect. Absolute perfection, however, is only that of God.

Since God desired to bestow good, a partial good would not be sufficient. The good that He bestows would have to be the ultimate good that His handiwork could accept. God alone, however, is the only true good, and therefore His beneficent desire would not be satisfied unless it could bestow that very good, namely the true perfect good that exists in His intrinsic essence.

This is also true in another way. True good exists only in God. His wisdom therefore decreed that the nature of this true benefaction be His giving created things the opportunity to attach themselves to Him to the greatest degree possible for them.

Therefore, even though created things cannot emulate God's perfection in their own right, the fact that they can be attached to Him allows them to partake of it, since they can be considered part of God's perfection as a result of their association with Him. They

בּוֹ, יַגִּיעַ לָהֶם, בְּאוֹתוֹ הַשִּׁעוּר שֶׁאֶפְשָׁר לְתָאֵר בִּשְׁלֵמוּת הַהוּא מִצַּד הֱיוֹתָם מִתְדַּבְּקִים בּוֹ יִתְבָּרַךְ שְׁמוֹ, וְיִמָּצְאוּ נֶהֱנִים בַּטּוֹבָה הָאֲמִתִּית הַהִיא, בְּעֵרֶךְ שֶׁאֶפְשָׁר לָהֶם לֵהָנוֹת בָּהּ.

וְנִמְצָא הֱיוֹת כַּוָּנָתוֹ בַּבְּרִיאָה שֶׁבָּרָא, לִבְרֹא מִי שֶׁיִּהְיֶה נֶהֱנֶה בְּטוּבוֹ יִתְבָּרַךְ שְׁמוֹ, בְּאוֹתוֹ הַדֶּרֶךְ שֶׁאֶפְשָׁר שֶׁיֵּהָנֶה בּוֹ.

[ב] וְאוּלָם גָּזְרָה חָכְמָתוֹ, שֶׁלִּהְיוֹת הַטּוֹב שָׁלֵם, רָאוּי שֶׁיִּהְיֶה הַנֶּהֱנֶה בּוֹ, בַּעַל הַטּוֹב הַהוּא, פֵּרוּשׁ – מִי שֶׁיִּקְנֶה הַטּוֹב בְּעַצְמוֹ, וְלֹא מִי שֶׁיִּתְלַוֶּה לוֹ הַטּוֹב בְּדֶרֶךְ מִקְרֶה. וְתֵרָאֶה שֶׁזֶּה נִקְרָא קְצָת הִתְדַּמּוּת, בַּשִּׁעוּר שֶׁאֶפְשָׁר, אֶל שְׁלֵמוּתוֹ יִתְבָּרַךְ שְׁמוֹ. כִּי הִנֵּה הוּא יִתְבָּרַךְ שְׁמוֹ שָׁלֵם בְּעַצְמוֹ, וְלֹא בְּמִקְרֶה, אֶלָּא מִצַּד אֲמִתַּת עִנְיָנוֹ מֻכְרָח בּוֹ הַשְּׁלֵמוּת, וּמְשׁוּלָּלִים מִמֶּנּוּ הַחֶסְרוֹנוֹת בְּהֶכְרֵחַ. וְאוּלָם זֶה אִי אֶפְשָׁר שֶׁיִּמָּצֵא בְּזוּלָתוֹ, שֶׁיִּהְיֶה אֲמִתּוּתוֹ מַכְרַחַת לוֹ הַשְּׁלֵמוּת וּמַעְדֶּרֶת מִמֶּנּוּ הַחֶסְרוֹנוֹת. אַךְ לְהִתְדַּמּוֹת לָזֶה בְּמִקְצָת, צָרִיךְ שֶׁלְּפָחוֹת יִהְיֶה הוּא הַקּוֹנֶה הַשְּׁלֵמוּת שֶׁאֵין אֲמִתַּת עִנְיָנוֹ מַכְרִיחַ לוֹ, וְיִהְיֶה הוּא מַעְדִּיר מֵעַצְמוֹ הַחֶסְרוֹנוֹת שֶׁהָיוּ אֶפְשָׁרִיִּים בּוֹ.

וְעַל כֵּן גָּזַר וְסִדֵּר שֶׁיִּבָּרְאוּ עִנְיְנֵי שְׁלֵמוּת וְעִנְיְנֵי חִסָּרוֹן, וְתִבָּרֵא בְּרִיָּה שֶׁיִּהְיֶה בָהּ הָאֶפְשָׁרוּת לִשְׁנֵי הָעִנְיָנִים בְּשָׁוֶה, וְיִתְּנוּ לַבְּרִיָּה אֶמְצָעִים שֶׁעַל יָדָם תִּקְנֶה לְעַצְמָהּ אֶת הַשְּׁלֵמוּת וְתַעְדִּיר מִמֶּנָּה אֶת הַחֶסְרוֹנוֹת, וְאָז יִקָּרֵא שֶׁנִּתְדַּמְּתָה בְּמַה שֶּׁהָיָה אֶפְשָׁר לָהּ לְבוֹרְאָהּ, וְתִהְיֶה רְאוּיָה לְדָבֵק בּוֹ וְלֵהָנוֹת בְּטוּבוֹ.

[ג] וְאָמְנָם, מִלְּבַד הֱיוֹת הַבְּרִיָּה הַזֹּאת שֶׁקָּנְתָה הַשְּׁלֵמוּת רְאוּיָה לְדָבֵק בְּבוֹרְאָהּ יִתְבָּרַךְ שְׁמוֹ מִצַּד הִתְדַּמּוּתָהּ לוֹ, הִנֵּה עַל יְדֵי קְנוֹתָהּ הַשְּׁלֵמוּת לָהּ, נִמְצֵאת מִתְדַּבֶּקֶת וְהוֹלֶכֶת בּוֹ, עַד שֶׁסּוֹף קְנוֹתָהּ הַשְּׁלֵמוּת וְהִמָּצְאָהּ מִתְדַּבֶּקֶת בּוֹ יִהְיֶה הַכֹּל עִנְיָן אֶחָד.

can thus derive pleasure from that true good to the greatest degree possible for them.[9]

The purpose of all that was created was therefore to bring into existence a creature who could derive pleasure from God's own good, in a way that would be possible for it.

[2] God's wisdom, however, decreed that for such good to be perfect, the one enjoying it must be its master. He must be one who has earned it for himself, and not one associated with it accidentally [and without reason].[10]

In a way, this can be said to partially resemble God's own perfection, at least to the degree that this is possible. God is perfect because of His intrinsic nature, and not without cause. His true essence makes perfection imperative and precludes any fault.

No other being, however, can have such a quality, where its essential nature requires its perfection and precludes all deficiency. In order to resemble God to some degree, it is at least necessary that this creature earn the perfection that its essence does not require, and avoid deficiency that its nature does not preclude.

God therefore arranged and decreed the creation of concepts of both perfection and deficiency, as well as a creature with equal access to both. This creature would then be given the means to earn perfection and avoid deficiency.

Having accomplished this, the creature could then be said to have made itself resemble its Creator, at least to the degree that this is possible. As a result, it is then worthy of being drawn close to Him and deriving pleasure from His goodness.

[3] When this creature earns perfection, it is fit to become drawn close to its Creator by virtue of resembling Him. Besides this, however, through its very earning of perfection it becomes drawn to Him continually—until, ultimately, its earning of perfection and its bonding in closeness to Him are all one condition.

וְזֶה, כִּי בִהְיוֹת מְצִיאוּתוֹ, יִתְבָּרַךְ שְׁמוֹ, הַשְּׁלֵמוּת הָאֲמִתִּי, כְּמוֹ שֶׁאָמַרְנוּ, הִנֵּה, מַה שֶּׁהוּא שְׁלֵמוּת אֵינוֹ מִתְיַחֵס אֶלָּא לוֹ – כְּעָנָף אֶל הַשֹּׁרֶשׁ, כִּי אַף עַל פִּי שֶׁאֵינוֹ מַגִּיעַ אֶל הַשְּׁלֵמוּת הַשָּׁרְשִׁי, הִנֵּה הֶמְשֵׁךְ וְתוֹלָדָה מִמֶּנּוּ הוּא; וְהִנֵּה תִרְאֶה, כִּי הַשְּׁלֵמוּת הָאֲמִתִּי הִנֵּה הוּא מְצִיאוּתוֹ יִתְבָּרַךְ שְׁמוֹ – וְכָל חִסָּרוֹן אֵינוֹ אֶלָּא הֶעְלֵם טוּבוֹ יִתְבָּרַךְ שְׁמוֹ וְהֶסְתֵּר פָּנָיו; וְנִמְצָא שֶׁהֶאָרַת פָּנָיו יִתְבָּרַךְ שְׁמוֹ וְקִרְבָתוֹ תִּהְיֶה הַשֹּׁרֶשׁ וְהַסִּבָּה לְכָל שְׁלֵמוּת שֶׁתִּהְיֶה, וְהֶסְתֵּר פָּנָיו – הַשֹּׁרֶשׁ וְהַסִּבָּה לְכָל חִסָּרוֹן, אֲשֶׁר כְּשִׁעוּר הַהֶסְתֵּר כָּךְ יִהְיֶה שִׁעוּר הַחִסָּרוֹן הַנִּמְשָׁךְ מִמֶּנּוּ.

וְעַל כֵּן הַנִּבְרָא הַזֶּה הָעוֹמֵד בְּשִׁקּוּל בֵּין הַשְּׁלֵמוּת וְהַחֶסְרוֹנוֹת, שֶׁהֵם תּוֹלְדוֹת הַהֶאָרָה וְהַהֶסְתֵּר, בְּהִתְחַזְּקוֹ בַּשְּׁלֵמֻיּוֹת וְהַקְנוֹתָם אוֹתָם בְּעַצְמוֹ, הִנֵּה הוּא אוֹחֵז בּוֹ יִתְבָּרַךְ שְׁמוֹ שֶׁהוּא הַשֹּׁרֶשׁ וְהַמָּקוֹר לָהֶם, וּכְפִי מַה שֶּׁיַּרְבֶּה בַּשְּׁלֵמֻיּוֹת כָּךְ הוּא מַרְבֶּה הָאֲחִיזָה וְהַהִתְדַּבְּקוּת בּוֹ, עַד שֶׁבְּהַגִּיעוֹ אֶל תַּכְלִית קְנִיַּת הַשְּׁלֵמֻיּוֹת, הִנֵּה הוּא מַגִּיעַ אֶל תַּכְלִית הָאֲחִיזָה וְהַהִתְדַּבְּקוּת בּוֹ יִתְבָּרַךְ שְׁמוֹ, וְנִמְצָא מִתְדַּבֵּק בּוֹ יִתְבָּרַךְ שְׁמוֹ, וְנֶהֱנֶה בְטוּבוֹ, וּמִשְׁתַּלֵּם בּוֹ, וְהוּא עַצְמוֹ בַּעַל טוּבוֹ וּשְׁלֵמוּתוֹ.

[ד] וְהִנֵּה – לְשֶׁיִּהְיוּ בִּמְצִיאוּת הָעִנְיָנִים הַשּׁוֹנִים הָאֵלֶּה שֶׁל שְׁלֵמוּת וְחִסָּרוֹן שֶׁזָּכַרְנוּ, וְתִמָּצֵא הַבְּרִיָּה שֶׁזָּכַרְנוּ בַּתְּכוּנָה שֶׁהִיא צְרִיכָה לִהְיוֹת, פֵּרוּשׁ – בְּאֶפְשָׁרוּת לִשְׁנֵי הָעִנְיָנִים וּבִיכֹלֶת עֲלֵיהֶם, שֶׁתִּקְנֶה הַשְּׁלֵמוּת וְתֵעָדֵר מִן הַחֶסְרוֹנוֹת, וְשֶׁיִּמָּצְאוּ לָהּ הָאֶמְצָעִים לַדָּבָר הַזֶּה, פֵּרוּשׁ – לִקְנוֹת זֶה הַשְּׁלֵמוּת, הִנֵּה וַדַּאי שֶׁפְּרָטִים רַבִּים וְשׁוֹנִים צָרִיךְ שֶׁיִּמָּצְאוּ בַּבְּרִיאָה, וְיִחוּסִים רַבִּים בֵּין הַפְּרָטִים הָאֵלֶּה, עַד שֶׁיַּצְלִיחַ הַתַּכְלִית הַמְכֻוָּן בָּהּ.

וְאוּלָם הַבְּרִיָּה אֲשֶׁר הִתְעַתְּדָה לָעִנְיָן הַגָּדוֹל הַזֶּה, הַיְנוּ לַדְּבֵקוּת בּוֹ יִתְבָּרַךְ שְׁמוֹ כְּמוֹ שֶׁזָּכַרְנוּ, הִיא תִקָּרֵא הָעִקָּרִית

The reason for this is that God's essence is true perfection. All perfection must therefore be associated with Him, as a branch is attached to its root. Therefore, even though the Root of perfection cannot be attained, all true perfection is ultimately derived and transmitted from this Root.

In order to understand this, one must realize that true perfection is God's essence. Every fault is merely the absence of His good and the concealment of His presence. The closeness of God and illumination of His presence is therefore the root and cause of every perfection that exists. The concealment of His presence, on the other hand, is the root and cause of every fault, the degree of deficiency depending on the degree of this concealment.

This creature then stands balanced between perfection and deficiency, which in turn are the result of this illumination or concealment. When he grasps elements of perfection and makes them his inner gains, he actually grasps Him (blessed be His name), as He is their Root and Source. The more elements of perfection he gains, the greater becomes his grasp and bond of closeness to Him. Finally, as he attains the goal of earning perfection, he thereby attains the goal of an ultimate grasp and bond of perfection to Him, and he thus becomes attached to Him, deriving both pleasure and perfection from His goodness, while he is himself the master of his own good and perfection.

[4]   In order for all this to be possible, various different concepts of perfection and deficiency must exist. This creature must then be placed in an environment with access to them all, and thus have the the ability to earn perfection and avoid deficiency.

For the intended purpose to be successfully achieved, means must exist through which this creature can earn perfection. This, in turn, will require that creation contain many different elements, interconnected by a multitude of relationships.

The creature destined for this great condition, namely, a bond of

שֶׁבְּכָל הַבְּרִיאָה, וְכָל שְׁאָר מַה שֶּׁיִּמָּצֵא בַּמְּצִיאוּת לֹא יִהְיֶה אֶלָּא עוֹזֵר בְּאֵיזֶה צַד אוֹ בְּאֵיזֶה בְּחִינָה – אֶל הַתַּכְלִית, לְשֶׁיִּצְלַח וְיִמָּצֵא, וְעַל כֵּן יִקָּרְאוּ טְפֵלִים לַבְּרִיָּה הָעִקָּרִית שֶׁזָּכַרְנוּ.

[ה] אַךְ הַבְּרִיָּה הָעִקָּרִית בֶּאֱמֶת הִיא הַמִּין הָאֱנוֹשִׁי, וְכָל שְׁאָר הַנִּבְרָאִים, בֵּין הַשְּׁפָלִים בֵּין הַגְּבוֹהִים מִמֶּנּוּ, אֵינָם אֶלָּא בַּעֲבוּרוֹ, לְהַשְׁלָמַת עִנְיָנָיו, לְפִי כָל הַבְּחִינוֹת הָרַבּוֹת וְהַשּׁוֹנוֹת הָרְאוּיוֹת לְמָצֵא בָּהֶם, וּכְמוֹ שֶׁאֲבָאֵר עוֹד לְפָנִים בְּסִיַּעְתָּא דִשְׁמַיָּא.

וְהִנֵּה, הַהַשְׂכָּלָה וְכָל הַמִּדּוֹת טוֹבוֹת הֵם עִנְיָנֵי שְׁלֵמוּת שֶׁנִּמְצְאוּ לְהִשְׁתַּלֵּם בָּהֶם הָאָדָם, וְעִנְיְנֵי הַחֹמֶר וּמִדּוֹת הָרָעוֹת הֵם עִנְיְנֵי הַחִסָּרוֹן שֶׁזָּכַרְנוּ, שֶׁהָאָדָם מוּשָּׂם בֵּינֵיהֶם, לִקְנוֹת לוֹ הַשְּׁלֵמוּת.

closeness to Him, is considered the main element of all creation. All else in existence is only an aid, in some aspect or regard, toward this goal, to have it succeed and become reality. They are therefore all considered secondary to this primary creature.

[5]   This primary, essential creature is man.[11]

All other created things, whether above or below man, only exist for his sake, to complete his environment through their various different qualities, appropriate for each of them. This will be discussed later in more detail.[12]

The elements of perfection through which man can perfect himself are his intellectual powers and all good human traits. Material matters and evil human traits, on the other hand, are the elements of deficiency among which man is placed to earn perfection.

א פרק שלישי

בַּמִּין הָאֱנוֹשִׁי

[א] כְּבָר זָכַרְנוּ, הֱיוֹת הָאָדָם אוֹתָהּ הַבְּרִיָּה הַנִּבְרֵאת לְדָבֵק בּוֹ יִתְבָּרַךְ שְׁמוֹ, וְהִיא הַמּוּטֶּלֶת בֵּין הַשְּׁלֵמוּת וְהַחֶסְרוֹנוֹת, וְהַיְּכֹלֶת בְּיָדוֹ לִקְנוֹת הַשְּׁלֵמוּת. וְאוּלָם צָרִיךְ שֶׁיִּהְיֶה זֶה בִּבְחִירָתוֹ וּרְצוֹנוֹ, כִּי אִלּוּ הָיָה מֻכְרָח בְּמַעֲשָׂיו לִהְיוֹת בּוֹחֵר עַל כָּל פָּנִים בַּשְּׁלֵמוּת, לֹא הָיָה נִקְרָא בֶּאֱמֶת בַּעַל שְׁלֵמוּתוֹ, וְלֹא הָיְתָה הַכַּוָּנָה הָעֶלְיוֹנָה מִתְקַיֶּמֶת. עַל כֵּן הֶכְרֵחַ שֶׁיֻּנַּח הַדָּבָר לִבְחִירָתוֹ, שֶׁתִּהְיֶה נְטִיָּתוֹ שְׁקוּלָה לִשְׁנֵי הַצְּדָדִים וְלֹא מֻכְרַחַת לְאֶחָד מֵהֶם, וְיִהְיֶה בּוֹ כֹּחַ הַבְּחִירָה לִבְחֹר בְּדַעַת וּבְחֵפֶץ בְּאֵיזֶה מֵהֶם שֶׁיִּרְצֶה, וְהַיְּכֹלֶת גַּם כֵּן בְּיָדוֹ לִקְנוֹת אֵיזֶה מֵהֶם שֶׁיִּרְצֶה. עַל כֵּן נִבְרָא הָאָדָם בְּיֵצֶר טוֹב וּבְיֵצֶר רַע, וְהַבְּחִירָה בְּיָדוֹ לְהַטּוֹת עַצְמוֹ לַצַּד שֶׁהוּא רוֹצֶה.

[ב] אוּלָם הֱיוֹת הַדָּבָר הַזֶּה נִשְׁלָם כָּרָאוּי, גָּזְרָה הַחָכְמָה הָעֶלְיוֹנָה שֶׁיִּהְיֶה הָאָדָם מֻרְכָּב מִשְּׁנֵי הֲפָכִים, דְּהַיְנוּ, מִנְּשָׁמָה שִׂכְלִית וְזַכָּה, וְגוּף אַרְצִיִּי וְעָכוּר, שֶׁכָּל אֶחָד מֵהֶם יִטֶּה בְּטֶבַע לְצִדּוֹ, דְּהַיְנוּ הַגּוּף לַחָמְרִיּוּת וְהַנְּשָׁמָה לַשִּׂכְלִיּוּת, וְתִמָּצֵא בֵּינֵיהֶם מִלְחָמָה, בְּאֹפֶן שֶׁאִם תִּגְבַּר הַנְּשָׁמָה, תִּתְעַלֶּה הִיא וּתְעַלֶּה הַגּוּף עִמָּהּ, וְיִהְיֶה אוֹתוֹ הָאָדָם – הַמִּשְׁתַּלֵּם בַּשְּׁלֵמוּת הַמְּעֻתָּד, וְאִם יַנִּיחַ הָאָדָם שֶׁיְּנַצַּח בּוֹ הַחֹמֶר, הִנֵּה יִשְׁפַּל הַגּוּף

I CHAPTER 3

Man

[1] As we have discussed, man is the creature created for the purpose of being drawn close to God. He is placed between perfection and deficiency, with the power to earn perfection.

Man must earn this perfection, however, through his own free will and desire. If he were compelled to choose perfection, then he would not actually be its master, and God's purpose would not be fulfilled. It was therefore necessary that man be created with free will.[13]

Man's inclinations are therefore balanced between good and evil, and he is not compelled toward either of them. He has the power of choice, and is able to choose either side, knowingly and willingly, as well as to possess whichever one he wishes.

Man was therefore created with both a Good Urge (*Yetzer Tov*) and an Evil Urge (*Yetzer HaRa*). He has the power to incline himself in whichever direction he desires.

[2] In order that this goal be best achieved, the Highest Wisdom decreed that man should consist of two opposites. These are his pure spiritual soul and his unenlightened physical body. Each one is drawn toward its nature, so that the body inclines toward the material, while the soul leans toward the spiritual.

The two are then in a constant state of battle. If the soul prevails, it not only elevates itself, but elevates the body as well, and the individual thereby attains his destined perfection. If he allows the physical to prevail, on the other hand, then besides lowering his

וְתִשְׁפַּל נִשְׁמָתוֹ עִמּוֹ, וְיִהְיֶה אוֹתוֹ הָאָדָם בִּלְתִּי הָגוּן לַשְּׁלֵמוּת וְנִדְחֶה מִמֶּנּוּ חַס וְשָׁלוֹם. וְלָאָדָם הַזֶּה יְכֹלֶת לְהַשְׁפִּיל חָמְרוֹ לִפְנֵי שִׂכְלוֹ וְנִשְׁמָתוֹ, וְלִקְנוֹת שְׁלֵמוּתוֹ כְּמוֹ שֶׁזָּכַרְנוּ.

[ג] וְאָמְנָם, גָּזַר טוּבוֹ יִתְבָּרַךְ שְׁמוֹ, שֶׁיִּהְיֶה גְּבוּל לַהִשְׁתַּדְּלוּת הַזֶּה הַמִּצְטָרֵךְ לָאָדָם לְהַשִּׂיג הַשְּׁלֵמוּת, וּכְשֶׁהִשְׁלִים הִשְׁתַּדְּלוּתוֹ, יַשִּׂיג שְׁלֵמוּתוֹ וְיָנוּחַ בַּהֲנָאָתוֹ לְנֵצַח נְצָחִים. עַל כֵּן הֻחְקְקוּ לוֹ שְׁנֵי זְמַנִּים: אֶחָד זְמַן הָעֲבוֹדָה, וְאֶחָד זְמַן קִבּוּל הַשָּׂכָר.

וְאוּלָם מִדַּת הַטּוֹב מְרֻבָּה, שֶׁהָעֲבוֹדָה יֵשׁ לָהּ זְמַן מְחֻקָּק, כְּמוֹ שֶׁגָּזְרָה חָכְמָתוֹ יִתְבָּרַךְ שְׁמוֹ הֱיוֹתוֹ נָאוֹת לָזֶה, וְקִבּוּל הַשָּׂכָר אֵין לוֹ תַּכְלִית, אֶלָּא לְנֵצַח נְצָחִים הוּא מִתְעַנֵּג וְהוֹלֵךְ בַּשְּׁלֵמוּת אֲשֶׁר קָנָה לוֹ.

[ד] וְאוּלָם כְּפִי הִתְחַלֵּף זְמַנּוֹ, כָּךְ רָאוּי שֶׁיִּתְחַלֵּף מַצָּבוֹ וּשְׁאָר מִקְרָיו. כִּי כָּל זְמַן הַהִשְׁתַּדְּלוּת, הִנֵּה, צָרִיךְ שֶׁיִּהְיֶה בִּתְכוּנָה אַחַת, שֶׁיּוּכְלוּ לִמָּצֵא בוֹ כָּל הָעִנְיָנִים הַמִּצְטָרְכִים לוֹ לְפִי עִנְיַן הַהִשְׁתַּדְּלוּת הַזֶּה: פֵּרוּשׁ – כִּי הִנֵּה, מֻכְרָח שֶׁתִּמָּצֵא לוֹ הַמִּלְחָמָה שֶׁזָּכַרְנוּ בֵּין הַשֵּׂכֶל וְהַחֹמֶר, וְלֹא יִהְיֶה לוֹ דָּבָר שֶׁיְּעַכֵּב אֶת הַחֹמֶר מִלִּשְׁלֹט וְלַעֲשׂוֹת אֶת שֶׁלּוֹ, כְּפִי הַשִּׁעוּר הָרָאוּי לוֹ, וְלֹא דָּבָר שֶׁיְּעַכֵּב אֶת הַשֵּׂכֶל מִלִּשְׁלֹט וְלַעֲשׂוֹת אֶת שֶׁלּוֹ, כְּפִי הַשִּׁעוּר הָרָאוּי לוֹ; וְכֵן לֹא יִהְיֶה דָּבָר שֶׁיִּגְרֹם לַחֹמֶר לְהִתְחַזֵּק יוֹתֵר מִן הָרָאוּי וְגַם לֹא יִגְרֹם לַשֵּׂכֶל לְהִתְחַזֵּק יוֹתֵר מִן הָרָאוּי, כִּי אַף עַל פִּי שֶׁמִּצַּד אֶחָד הָיָה נִרְאֶה זֶה יוֹתֵר טוֹב, הִנֵּה, לְפִי הַכַּוָּנָה הָאֲמִתִּית וְהָעִנְיָן הַנִּרְצֶה בָּאָדָם, שֶׁהוּא קְנִיַּת הַשְּׁלֵמוּת בְּהִשְׁתַּדְּלוּתוֹ, אֵינֶנּוּ טוֹב. וּבִזְמַן קִבּוּל שָׂכָר הִנֵּה רָאוּי לוֹ שֶׁיִּהְיֶה בְּמַצָּב הֶפֶךְ לָזֶה, כִּי הִנֵּה, כָּל מַה שֶּׁיִּהְיֶה הַחֹמֶר שׁוֹלֵט בְּאוֹתוֹ זְמַן, הִנֵּה לֹא הָיָה אֶלָּא מַחְשִׁיךְ וּמְעַכֵּב עַל הַנְּשָׁמָה שֶׁלֹּא תִתְדַּבֵּק בַּבּוֹרֵא יִתְבָּרַךְ שְׁמוֹ, וְעַל כֵּן הִנֵּה רָאוּי

body, he also debases his soul. Such an individual makes himself unworthy of perfection, and thus divorces himself from God. He still has the ability, however, to subjugate the physical to his soul and intellect, and thereby achieve perfection.

[3] God's goodness decreed that there be a limit to man's effort required to attain perfection. After this period of effort is completed, he attains his level of perfection and is then allowed to enjoy it for all eternity.

God therefore created two distinct periods, one as a time of earning, and the other as a time of receiving reward.

[As a general rule, however,] that which pertains to good is [always] greater.[14] The period of earning is therefore limited, and lasts no longer than God's wisdom decreed suitable for His purpose. The period of reward, on the other hand, has no limit, and man continues to derive pleasure from his earned perfection for all eternity.

[4] Since the period of earning and that of reward are different, it is appropriate that man's environment and experiences be different in the two. While he is striving toward perfection, he must be in a setting containing elements necessary for such effort. The period of earning must therefore be one [where a maximum challenge exists and] where the spiritual and physical are in constant strife.

In this environment, there must be nothing to prevent the material from prevailing and doing what it can, and conversely, there must be nothing to prevent the spiritual from doing likewise. Nothing should exist that would give either one an inappropriate advantage. Although it might seem best to make the spiritual stronger than the physical, in the light of man's true purpose and what God desires of him, namely, that he earn perfection through his own effort, it would not be good at all.

In the period of reward, however, the exact opposite is appropriate. The more the physical would prevail, the more it would darken the soul and prevent it from being drawn close to God. During the

47

הוּא שֶׁלֹּא תִשְׁלֹט אָז אֶלָּא הַנְּשָׁמָה, וְהַחֹמֶר יִהְיֶה נִמְשָׁךְ אַחֲרֶיהָ לְגַמְרֵי בְּאֹפֶן שֶׁלֹּא יְעַכֵּב עַל יָדָהּ כְּלָל.

וְאָמְנָם עַל כֵּן נִבְרְאוּ שְׁנֵי הָעוֹלָמוֹת, עוֹלָם הַזֶּה וְעוֹלָם הַבָּא. עוֹלָם הַזֶּה – הַמָּקוֹם וְהַחֻקִּים הַטִּבְעִיִּים שֶׁלּוֹ, הֵם מַה שֶּׁרָאוּי לָאָדָם כָּל זְמַן הַהִשְׁתַּדְּלוּת, וְהָעוֹלָם הַבָּא – הַמָּקוֹם וְהַחֻקִּים שֶׁלּוֹ, הֵם מַה שֶּׁרָאוּי לוֹ בִּזְמַן קִבּוּל הַשָּׂכָר.

[ה] וּמִמַּה שֶּׁיִּצְטָרֵךְ עוֹד לָדַעַת, שֶׁהִנֵּה הַמִּין הָאֱנוֹשִׁי, אֵין עִנְיָנוֹ הָרִאשׁוֹן כְּמוֹ שֶׁאָנוּ רוֹאִים וּמַבְחִינִים אוֹתוֹ עַתָּה, כִּי אוּלָם שִׁנּוּי גָּדוֹל הָיָה בוֹ, וְהוּא עִנְיַן חֶטְאוֹ שֶׁל אָדָם הָרִאשׁוֹן, שֶׁנִּשְׁתַּנָּה בוֹ הָאָדָם וְהָעוֹלָם מִמַּה שֶּׁהָיָה בַּתְּחִלָּה. וְאוּלָם פְּרָטֵי הַשִּׁנּוּי הַזֶּה וְתוֹלְדוֹתֵיהֶם רַבִּים, וְעוֹד נְדַבֵּר בָּם לְפָנִים. וְנִמְצָא שֶׁהַדִּבּוּר בַּמִּין הָאֱנוֹשִׁי וְהַהַבְחָנָה בִּנְשׂוּאָיו – כְּפוּלִים, כִּי יְדֻבַּר בּוֹ וּבִנְשׂוּאָיו בִּבְחִינָתוֹ קֹדֶם הַחֵטְא, וִידֻבַּר בּוֹ וּבִנְשׂוּאָיו כִּבְחִינָתוֹ אַחַר הַחֵטְא, וּכְמוֹ שֶׁנְּבָאֵר עוֹד בְּעֶזְרַת הַשֵּׁם.

[ו] הִנֵּה אָדָם הָרִאשׁוֹן בְּעֵת יְצִירָתוֹ הָיָה מַמָּשׁ בְּאוֹתוֹ הַמַּצָּב שֶׁזָּכַרְנוּ עַד הֵנָּה, דְּהַיְנוּ שֶׁהוּא הָיָה מֻרְכָּב מִן שְׁנֵי הַחֲלָקִים הַהֲפַכִּיִּים שֶׁאָמַרְנוּ – שֶׁהֵם הַנְּשָׁמָה וְהַגּוּף, וּבַמְּצִיאוּת הָיוּ שְׁנֵי הָעִנְיָנִים – הַטּוֹב וְהָרַע, וְהוּא עוֹמֵד בְּשִׁקּוּל בֵּינֵיהֶם, לְהִדָּבֵק בְּמַה שֶּׁיִּרְצֶה מֵהֶם; וְהִנֵּה הָיָה רָאוּי לוֹ שֶׁיִּבְחַר בַּטּוֹב, וְיַגְבִּיר נִשְׁמָתוֹ עַל גּוּפוֹ, וְשִׂכְלוֹ עַל חָמְרוֹ, וְאָז הָיָה מִשְׁתַּלֵּם מִיָּד, וְנָח בִּשְׁלֵמוּת לָנֶצַח.

[ז] וְצָרִיךְ שֶׁתֵּדַע, שֶׁאַף עַל פִּי שֶׁאֵין אָנוּ מַרְגִּישִׁים לַנְּשָׁמָה בַּגּוּף פְּעֻלָּה אַחֶרֶת – זוּלַת הַחִיּוּת וְהַהַשְׂכָּלָה, הִנֵּה, בֶּאֱמֶת יֵשׁ בְּחֻקָּהּ שֶׁתְּזַכֵּךְ עֶצֶם הַגּוּף וְחָמְרוֹ וּתְעַלֵּהוּ עִלּוּי אַחַר עִלּוּי, עַד שֶׁיִּהְיֶה רָאוּי לְהִתְלַוּוֹת עִמָּהּ בַּהֲנָאָה בִּשְׁלֵמוּת. וְאָמְנָם לְדָבָר זֶה הָיָה אָדָם הָרִאשׁוֹן מַגִּיעַ אִלּוּ לֹא חָטָא, שֶׁהָיְתָה

time of reward, it is therefore appropriate that the soul prevail, and that the physical be totally subjugated to it and not restrain it at all.

It is for this reason that God created two worlds, this world (*Olam HaZeh*), and the World to Come (*Olam HaBah*). The environment and natural laws of this world are necessary for man during his period of striving. The environment and principles of the World to Come, on the other hand, are what are necessary for man during his period of reward.

[5]   Among the things that one must realize is the fact that man has been radically altered. As a result of Adam's sin, a great change took place, transforming both man and his world to a large degree, entailing many things and having numerous effects. When we speak of man and his environment, we must therefore distinguish between his state before the sin and that which existed afterwards.

[6]   When Adam was first formed, he was precisely in the state that we have discussed until now, composed of two equal opposites, the body and the soul. His environment contained both good and evil, and he was balanced between the two to choose whichever he wished.

The appropriate thing for him to have done would have been to choose the good. Had he done so, his soul would have overcome his body, and the spiritual would have dominated the physical. He would have then immediately attained perfection, and it would have remained with him forever.

[7]   We are normally aware of the soul's existence only because it provides us with life and the ability to think. It is necessary to realize, however, that the soul also has another function, and that is to purify even the physical matter of the body. The soul has the power to elevate the body step by step, until even the body can derive pleasure from perfection along with the soul.

If Adam had not sinned, he would have been able to attain this without restraint. His soul would have purified his body step by step,

נִשְׁמָתוֹ מְזַכֶּכֶת אֶת גּוּפוֹ זִכּוּךְ אַחַר זִכּוּךְ, עַד שֶׁהָיָה מִזְדַּכֵּךְ
הַשִּׁעוּר הַמִּצְטָרֵךְ וְנִקְבָּע בַּתַּעֲנוּג הַנִּצְחִי.

[ח] וְכֵיוָן שֶׁחָטָא אָדָם הָרִאשׁוֹן נִשְׁתַּנּוּ הַדְּבָרִים שִׁנּוּי גָּדוֹל.
וְהוּא, כִּי הִנֵּה, בַּתְּחִלָּה הָיוּ בַּבְּרִיאָה הַחֶסְרוֹנוֹת שֶׁהָיוּ, בְּשִׁעוּר
מַה שֶׁהָיָה מִצְטָרֵךְ לְשֶׁיִּהְיֶה אָדָם הָרִאשׁוֹן בְּמַצָּב הַשָּׁקוּל
שֶׁזָּכַרְנוּ, וְיִהְיֶה לוֹ מָקוֹם לְהַרְוִיחַ אֶת הַשְּׁלֵמוּת בִּיגִיעַ כַּפָּיו.
אָמְנָם עַל יְדֵי חֶטְאוֹ נוֹסְפוּ וְנִתְרַבּוּ חֶסְרוֹנוֹת בְּעַצְמוֹ שֶׁל אָדָם
וּבַבְּרִיאָה כֻּלָּהּ, וְעוֹד נִתְקַשָּׁה הַתִּקּוּן מִמַּה שֶׁהָיָה קֹדֶם;
פֵּרוּשׁ – כִּי, הִנֵּה, בַּתְּחִלָּה הָיָה נָקֵל לוֹ לָצֵאת מִן הַחִסָּרוֹן
הַמֻּטְבָּע בּוֹ וְלִקְנוֹת הַשְּׁלֵמוּת; שֶׁכָּךְ סִדְּרָה הַחָכְמָה הָעֶלְיוֹנָה
אֶת הַדְּבָרִים – עַל פִּי מִדַּת הַטּוֹב וְהַיֹּשֶׁר, כִּי יַעַן לֹא הָיָה
סִבָּה לָרַע וְלַחִסָּרוֹן שֶׁבּוֹ, אֶלָּא שֶׁכָּךְ הַטְבַּע בִּיצִירָתוֹ, הִנֵּה,
בְּמַה שֶׁיָּסִיר עַצְמוֹ מִן הָרַע וְיִפְנֶה אֶל הַטּוֹב, יַשִּׂיג מִיָּד צֵאתוֹ
מִן הַחִסָּרוֹן וּקְנוֹתוֹ הַשְּׁלֵמוּת; אָמְנָם בְּחָטְאוֹ, כֵּיוָן שֶׁעַל יָדוֹ
נִסְתְּרָה הַשְּׁלֵמוּת יוֹתֵר מִשֶּׁהָיְתָה, וְנִתְרַבּוּ הַחֶסְרוֹנוֹת, וְהָיָה הוּא
הַגּוֹרֵם רָעָה לְעַצְמוֹ, הִנֵּה, לֹא יִהְיֶה עוֹד כָּל כָּךְ קַל לוֹ לָשׁוּב
לָצֵאת מִן הַחִסָּרוֹן וְלִקְנוֹת הַשְּׁלֵמוּת, כְּמוֹ שֶׁהָיָה בָּעֵת שֶׁלֹּא
הָיָה הוּא גָרְמַת חֶסְרוֹנוֹ אֶלָּא שֶׁכָּךְ נוֹצַר מֵעִקָּרוֹ, וּכְמוֹ שֶׁזָּכַרְתִּי,
וְכָל שֶׁכֵּן שֶׁבְּהֶכְרֵחַ – הִשְׁתַּדְּלוּתוֹ הַמִּצְטָרֵךְ עַתָּה לְהַגִּיעַ
לַשְּׁלֵמוּת הִנֵּה הוּא כָפוּל, כִּי יִצְטָרֵךְ תְּחִלָּה שֶׁיָּשׁוּבוּ הָאָדָם
וְהָעוֹלָם אֶל הַמַּצָּב שֶׁהָיָה בָּרִאשׁוֹנָה קֹדֶם הַחֵטְא, וְאַחַר כָּךְ
שֶׁיִּתְעַלּוּ מִן הַמַּצָּב הַהוּא אֶל מַצַּב הַשְּׁלֵמוּת שֶׁהָיָה רָאוּי לָאָדָם
שֶׁיַּעֲלֶה.

[ט] וְאוּלָם מִלְּבַד כָּל זֶה, גָּזְרָה מִדַּת דִּינוֹ יִתְבָּרַךְ שְׁמוֹ, שֶׁלֹּא
יוּכְלוּ לֹא הָאָדָם וְלֹא הָעוֹלָם מֵעַתָּה הַגִּיעַ אֶל הַשְּׁלֵמוּת –
עוֹדָם בַּצּוּרָה שֶׁנִּתְקַלְקְלָה, דְּהַיְנוּ הַצּוּרָה שֶׁיֵּשׁ לָהֶם עַכְשָׁו,
שֶׁבָּהּ נִתְרַבָּה הָרַע, אֶלָּא יִצְטָרֵךְ לָהֶם בְּהֶכְרֵחַ עֲבוֹר מַעֲבַר
הַהֶפְסֵד, דְּהַיְנוּ הַמּוּתָה לָאָדָם, וְהַהֶפְסֵד לְכָל שְׁאָר הַהֹוִים

until he reached the level required to permanently partake of the everlasting bliss.[15]

[8]   When Adam sinned, however, this was greatly altered.

The amount of evil that existed initially was just enough to assure that man would be in a perfect balance, allowing him to gain perfection through his own efforts. When man sinned, he caused evil to increase, both in himself and in all creation, and as a result, it became much more difficult for him to achieve this good.

At first it was very easy for man to overcome his natural faults and attain perfection. The Highest Wisdom had arranged things in the best and fairest manner. The only reason why evil and deficiency existed in man was that it was made part of his nature when he was created, and therefore, as soon as he would abandon evil and choose good, he would immediately disassociate himself from his faults and earn perfection. [No further effort would be necessary.]

When Adam sinned, however, he himself caused the further concealment of perfection and increase of evil. Man himself thus became the cause of the evil that existed in him, and it therefore became much more difficult for him to abandon it. He could no longer earn perfection as easily as when he himself bore no responsibility for his own faults.

The effort required to earn perfection was therefore doubled. Man must first bring both himself and the world back to the state in which they existed before the first sin. Only then can he raise himself from that state to his destined level of perfection.

[9]   Besides this, justice decreed that neither man nor the world could ever attain perfection while still in their degenerate state. Both man and the world were in their present form when they caused evil to increase, and therefore, both must go through a stage of destruction before perfection can be attained.

Man must therefore die, and everything else that was corrupted

51

שֶׁנִּתְקַלְקְלוּ עִמּוֹ; וְלֹא תוּכַל הַנְּשָׁמָה לְזַכֵּךְ הַגּוּף, אֶלָּא אַחַר שֶׁתֵּצֵא מִמֶּנּוּ תְּחִלָּה וְיָמוּת הַגּוּף וְיִפָּסֵד, וְאָז יַחֲזוֹר וְיִבָּנֶה בִּנְיָן חָדָשׁ, וְתִכָּנֵס בּוֹ הַנְּשָׁמָה וּתְזַכְּכֵהוּ; וְכֵן הָעוֹלָם כֻּלּוֹ יִתְחָרֵב מִצּוּרָתוֹ שֶׁל עַתָּה, וְיָשׁוּב וְיִכָּנֵס בְּצוּרָה אַחֶרֶת רְאוּיָה לַשְּׁלֵמוּת. וְעַל כֵּן נִגְזַר עַל הָאָדָם שֶׁיָּמוּת וְיַחֲזוֹר וְיִחְיֶה, וְהוּא עִנְיַן תְּחִיַּת הַמֵּתִים; וְעַל הָעוֹלָם שֶׁיֶּחֱרַב וְיַחֲזוֹר וְיִתְחַדֵּשׁ, וְהוּא עִנְיַן מַה שֶּׁאָמְרוּ חֲכָמֵינוּ זִכְרוֹנָם לִבְרָכָה: "שִׁתָּא אַלְפֵי שְׁנֵי הֲוֵי עָלְמָא וְחַד חָרוּב וּלְסוֹף אֶלֶף שָׁנָה הַקָּדוֹשׁ בָּרוּךְ הוּא חוֹזֵר וּמְחַדֵּשׁ אֶת עוֹלָמוֹ" (סנהדרין צ"ז).

[י] וְהִנֵּה, לְפִי שֹׁרֶשׁ זֶה, זְמַן הַגְּמוּל הָאֲמִתִּי – דְּהַיְנוּ זְמַן קִבּוּל הַשָּׂכָר שֶׁזָּכַרְנוּ לְמַעְלָה – וּמְקוֹמוֹ, הוּא אַחַר הַתְּחִיָּה, בָּעוֹלָם שֶׁיִּתְחַדֵּשׁ, וְהָאָדָם יֵהָנֶה בוֹ בְּגוּפוֹ וּבְנִשְׁמָתוֹ, בִּהְיוֹת גּוּפוֹ מְזֻכָּךְ עַל יְדֵי נִשְׁמָתוֹ וּמוּכָן עַל יָדָהּ לִהְיוֹת נֶהֱנֶה בַּטּוֹב הַהוּא.

וְאוּלָם יִבָּחֲנוּ שָׁם הָאֲנָשִׁים, וְתִתְחַלֵּף מַדְרֵגָתָם וּמַעֲלָתָם, כְּפִי הַשִּׁעוּר מַה שֶּׁטָּרְחוּ בָּעוֹלָם הָעֲבוֹדָה וּכְפִי מַה שֶּׁהִשְׁתַּדְּלוּ לְהַשִּׂיג מִן הַשְּׁלֵמוּת, כִּי כְּפִי שִׁעוּר זֶה תִּזְדַּהֵר הַנְּשָׁמָה בְּעַצְמָהּ – וְתָאִיר בַּגּוּף וּתְזַכְּכֵהוּ, וְיִקְנוּ שְׁנֵיהֶם יְקָר וּמַעֲלָה, וְיִהְיוּ רְאוּיִים לְהִתְקָרֵב אֶל הָאָדוֹן בָּרוּךְ הוּא וְלֵאוֹר בְּאוֹר פָּנָיו וְלֵהָנוֹת בְּטוּבוֹ הָאֲמִתִּי.

[יא] וְאָמְנָם, בִּהְיוֹת שֶׁנִּגְזְרָה הַמִּיתָה עַל הָאָדָם, וּכְמוֹ שֶׁזָּכַרְנוּ, וְנִמְצָא שֶׁהַמֻּרְכָּב הַזֶּה צָרִיךְ שֶׁיִּפָּרֵד לִזְמַן מָה, וְאַחַר כָּךְ יָשׁוּב לְהִתְחַבֵּר, הִנֵּה, גַּם בִּזְמַן הַפֵּרוּד הַזֶּה – רָאוּי שֶׁיִּהְיֶה מָקוֹם לִשְׁנֵי הַחֲלָקִים הַמִּתְפָּרְדִים נָאוֹת לְמַה שֶּׁנִּרְצָה לַפֵּרוּד הַהוּא. וְהִנֵּה הַגּוּף צָרִיךְ שֶׁיַּחֲזוֹר לִיסוֹדוֹ וְתִתְפָּרֵד הַרְכָּבָתוֹ וְתִפָּסֵד צוּרָתוֹ, וְהוֹאִיל וְהָיָה מִן הֶעָפָר – אֵלָיו יָשׁוּב, וְהוּא מַה שֶּׁאָמַר יִתְבָּרַךְ שְׁמוֹ לְאָדָם: "כִּי עָפָר אַתָּה וְאֶל עָפָר תָּשׁוּב". אַךְ הַנְּשָׁמָה הַזּוֹכָה בְּמַעֲשֶׂיהָ, הִנֵּה אֵין לָהּ אֶלָּא לְצַפּוֹת עַד שֶׁיֵּעָשֶׂה

with him must also be destroyed. The soul cannot purify the body until the body dies and deteriorates and a new structure is composed that the soul can enter and purify. The entire world must likewise be destroyed and cease to exist in its present form, and it must then be renewed in a new state worthy of perfection.

It was therefore decreed that man should die and then be brought back to life. This is the concept of the Resurrection of the Dead (*Techiyas HaMesim*).

The entire world must similarly be destroyed and then renewed. This is the meaning of what our sages taught, "Six thousand years will the world exist, and for one thousand it will be desolate. At the end of this thousand years, God will again renew His world."[16]

The true time and place of reward will therefore be after the resurrection in this renewed world.[17] Man will then enjoy his reward with both body and soul. The body will be purified by the soul, and will therefore also be in a proper state to enjoy that good.

[10] People will not all be equal in this time of reward. They will attain different levels, depending on their work to attain perfection in this world of effort and striving.[18] This will determine how much the soul can radiate and thus purify and enlighten the body, so that both of them can gain excellence and elevation. This in turn will delimit how worthy they are of bringing themselves close to God, basking in His light and enjoying His true good.

[11] Since it has been decreed that man must die, body and soul must remain separated until the time comes for them to be recombined.

During this period of separation, an appropriate place must exist for each of the two separate parts. The body thus returns to its element, decomposing and losing its form. Since the body originated from the dust, it must return to it, and this is what God told Adam (*Genesis* 3:19), "You are dust, and to dust you must return."

A worthy soul, however, has only to look forward to the time when what must be done with the resurrected body will have been

בַּגּוּף מַה שֶּׁצָּרִיךְ לַעֲשׂוֹת, דְּהַיְנוּ הַהִתָּכָה וְהַהֶפְסֵד בָּרִאשׁוֹנָה, וְהַהִשָּׁאֵר בֶּעָפָר כָּל הַזְּמַן שֶׁצָּרִיךְ, וְהַהִבָּנוּת מְחֻדָּשׁ אַחַר כָּךְ, לְכְשֶׁתָּשׁוּב לְכָּנֵס בּוֹ. וְאָמְנָם צָרִיךְ שֶׁיִּהְיֶה לָהּ מָקוֹם בֵּין כָּךְ וּבֵין כָּךְ, וְאוּלָם לְצֹרֶךְ זֶה הוּכַן עוֹלַם הַנְּשָׁמוֹת, שֶׁבּוֹ תִּכָּנַסְנָה הַנְּשָׁמוֹת הַזַּכּוֹת אַחֲרֵי צֵאתָן מִן הַגּוּף וְתִשְׁכֹּנָּה שָׁם בִּמְקוֹם מְנוּחָה, כָּל זְמַן הִתְגַּלְגֵּל עַל הַגּוּף הַדִּינִים הָרְאוּיִים לְהִתְגַּלְגֵּל עָלָיו.

וְהִנֵּה, כָּל הַזְּמַן הַהוּא תִּשְׁכֹּנָּה הַנְּשָׁמוֹת הָהֵן בְּמַעֲלָה וּבְתַעֲנוּג, מֵעֵין מַה שֶּׁיִּנָּתֵן לָהֶן אַחַר כָּךְ בִּזְמַן הַגְּמוּל הָאֲמִתִּי שֶׁזָּכַרְנוּ לְמַעְלָה. כִּי גַּם מַעֲלָתוֹ בְּעוֹלַם הַנְּשָׁמוֹת וַדַּאי שֶׁתִּמָּדֵד לְפִי הַמַּעֲשִׂים שֶׁעָשָׂה, שֶׁלְּפִיהֶם יִמָּדֵד גַּם הַגְּמוּל אַחַר כָּךְ בִּזְמַנּוֹ. אַךְ הַשְּׁלֵמוּת הָאֲמִתִּי הַמְּעֻתָּד לַזּוֹכִים לוֹ, לֹא יַשִּׂיגוּהוּ לֹא הַגּוּף וְלֹא הַנְּשָׁמָה, אֶלָּא בְּהִתְחַבְּרָם שֵׁנִית אַחַר הַתְּחִיָּה.

[יב] וְאוּלָם מִלְּבַד הֱיוֹת עוֹלַם הַנְּשָׁמוֹת מָקוֹם לַנְּשָׁמוֹת, לָשֶׁבֶת בּוֹ כָּל זְמַן הֱיוֹתָן מְצַפּוֹת לַגּוּף, הִנֵּה, עוֹד תּוֹעֶלֶת גְּדוֹלָה נִמְצֵאת בּוֹ לַנְּשָׁמוֹת עַצְמָן וְאַחֲרֵיהֶן לַגּוּף, לְמַה שֶּׁיִּצְטָרֵךְ אַחַר כָּךְ בִּזְמַן הַתְּחִיָּה. וְזֶה, כִּי אַחַר שֶׁהָיְתָה הַגְּזֵרָה עַל הָאָדָם שֶׁלֹּא יַגִּיעַ לִשְׁלֵמוּתוֹ אֶלָּא אַחַר הַמָּוֶת, אַף עַל פִּי שֶׁכְּבָר נִרְאָה לוֹ מִצַּד מַעֲשָׂיו עוֹדֶנּוּ חַי – כִּי זוּלַת זֶה לֹא הָיָה מַגִּיעַ לוֹ מֵעוֹלָם, שֶׁהֲרֵי אֵין זְמַן קְנִיַּת הַשְּׁלֵמוּת אֶלָּא בָּעוֹלָם הַזֶּה טֶרֶם הַמָּוֶת וּכְמוֹ שֶׁזָּכַרְנוּ – עוֹד נִמְשָׁךְ מִן הַגְּזֵרָה הַזֹּאת, שֶׁהַנְּשָׁמָה כָּל זְמַן הֱיוֹתָהּ בַּגּוּף בָּעוֹלָם הַזֶּה, שֶׁהָרַע דָּבוּק בּוֹ, שֶׁאִי אֶפְשָׁר שֶׁיִּפָּרֵד מִמֶּנּוּ לְגַמְרֵי, תִּהְיֶה גַּם הִיא חֲשׁוּכָה וַעֲמוּמָה. וְאַף עַל פִּי שֶׁעַל יְדֵי הַמַּעֲשִׂים הַטּוֹבִים שֶׁהָאָדָם עוֹשֶׂה קוֹנָה הִיא בְּעַצְמָהּ שְׁלֵמוּת וִיקָר, לֹא יוּכַל הַדָּבָר לְהִגָּלוֹת, וְלֹא תּוּכַל לְהִזְדַּהֵר בַּזֹּהַר שֶׁהָיָה רָאוּי לָהּ לְהִזְדַּהֵר, כְּפִי הַיְקָר הַהוּא שֶׁהִיא מַשֶּׂגֶת בֶּאֱמֶת, אֶלָּא הַכֹּל נִשְׁאָר כָּבוּשׁ בְּעַצְמוּתָהּ עַד הַזְּמַן שֶׁיִּנָּתֵן

done. The body must undergo decay and decomposition, remain in the earth for an appropriate time, and finally be reconstructed anew so that the soul can re-enter it. During this intermediate time, however, the soul also needs a place.

It is for this reason that God prepared a Soul World.[19]

When a soul leaves its body, it enters this Soul World and remains there in a state of rest while the body undergoes what it must. During this period, the soul experiences sublime delight, very much like that which will be bestowed on the individual later in the period of genuine reward. Its level in the Soul World is also determined by its accomplishments, just as is the ultimate reward.

The true perfection destined for those worthy of it, however, is not attained by either the body or soul alone, but by [the complete man, consisting of] both of them combined after the resurrection.[20]

[12]   Besides being a place for the soul to await the resurrection, the Soul World also provides another benefit for the soul, and ultimately for the resurrected body as well.

It was decreed that man could attain perfection only after death, even though his deeds may be such as to have made him worthy of it while he was still alive. For without life in this world, man would never attain it at all, since the only time of earning perfection is in this world before death.

As a result of this decree, the body must remain immersed in evil in this world, and can never completely disassociate itself from it. The soul, which is associated with the body, is therefore also darkened and dimmed.

Through the good deeds that one has done, the soul might have earned in itself perfection and excellence, but this cannot be expressed. The soul cannot shine with radiance appropriate to the excellence that it actually attains, but it all remains concealed in the soul's essence until the time comes for it to be revealed.

לְהִגָּלוֹת. וְאוּלָם אֵין הָעַכָּבָה מִצִּדָּהּ כְּלָל, כִּי אִם מִצַּד הַגּוּף, וְהוּא עַצְמוֹ מַפְסִיד בָּזֶה, שֶׁלֹּא יְקַבֵּל כָּל אוֹתוֹ הַזִּמּוּן הַזִּכּוּךְ שֶׁהָיָה רָאוּי שֶׁיְּקַבֵּל. אָמְנָם גַּם הִיא מַפְסֶדֶת, שֶׁהִיא כְבוּשָׁה בְּעַצְמָהּ וְאֵינָהּ יְכוֹלָה לִפְשֹׁט זָהֳרֶיהָ, וְעוֹד, שֶׁאֵינָהּ פּוֹעֶלֶת הַפְּעֻלָּה הָרְאוּיָה לָהּ שֶׁהִיא זִכּוּךְ הַגּוּף; וְאִלּוּ הָיְתָה פּוֹעֶלֶת אוֹתָהּ, הָיְתָה מִשְׁתַּלֶּמֶת בָּזֶה שְׁלֵמוּת גָּדוֹל מִצַּד מַהוּת הַפְּעֻלָּה עַצְמָהּ, שֶׁהֲרֵי פְּעֻלַּת הַשְּׁלֵמוּת הִיא הֱיוֹת מֵיטִיב וּמַשְׁלִים זוּלָתוֹ, וְעוֹד, שֶׁזֹּאת הִיא הַפְּעֻלָּה הַנְּאוֹתָה לָהּ לְפִי טִבְעָהּ וְחָקָּהּ, שֶׁלְּכָךְ נוֹצְרָה, וְכָל נִבְרָא מִשְׁתַּלֵּם כְּשֶׁפּוֹעֵל מַה שֶּׁחָקַק לוֹ הַבּוֹרֵא יִתְבָּרַךְ שְׁמוֹ שֶׁיִּפְעַל – וְחָסֵר מִשְּׁלֵמוּת כָּל זְמַן שֶׁלֹּא יִפְעָלֵהוּ.

וְאָמְנָם בְּצֵאת הַנְּשָׁמָה מֵהַגּוּף וְלֶכְתָּהּ אֶל עוֹלַם הַנְּשָׁמוֹת, הִנֵּה שָׁם מִתְפַּשֶּׁטֶת וּמִזְדַּהֶרֶת בְּזָהֳרֶיהָ, כְּפִי מַה שֶּׁרָאוּי לָהּ עַל פִּי מַעֲשֶׂיהָ, וּבְמַה שֶּׁהִיא מַשֶּׂגֶת שָׁם כָּל זְמַן הֱיוֹתָהּ שָׁם, מִתְחַזֶּקֶת מִמַּה שֶּׁנִּתְחַלְּשָׁה בַּגּוּף, וּמִזְדַּמֶּנֶת יוֹתֵר לְמַה שֶּׁרָאוּי שֶׁתַּעֲשֶׂה בִּזְמַן הַתְּחִיָּה, עַד שֶׁכְּשֶׁתָּשׁוּב בַּגּוּף בַּזְּמַן הָרָאוּי תּוּכַל לִפְעֹל בּוֹ הַפְּעֻלָּה הַנְּאוֹתָה לָהּ, הַיְנוּ – הַזִּכּוּךְ שֶׁזָּכַרְנוּ.

[יג] וְאוּלָם צָרִיךְ שֶׁתֵּדַע, כִּי גַּם עַתָּה, בְּהִכָּנֵס הַנְּשָׁמָה בַּגּוּף הָעוֹבֵר, אַף עַל פִּי שֶׁלֹּא קָנְתָה עֲדַיִן שְׁלֵמוּת בְּמַעֲשֶׂיהָ, הִנֵּה מִצַּד יְקָרָהּ וְזָהֳרָהּ הָעַצְמִי הָיָה רָאוּי שֶׁתִּתֵּן זִכּוּךְ גָּדוֹל לַחֹמֶר, עַד שֶׁיִּהְיֶה יוֹצֵא מִגֶּדֶר הַמִּין הָאֱנוֹשִׁי; אָמְנָם גְּזֵרָתוֹ יִתְבָּרַךְ שְׁמוֹ כּוֹבֶשֶׁת אוֹתָהּ, וּמַעְלֶמֶת כֹּחָהּ וּמְמַעֶטֶת זָהֳרָהּ בְּאֹפֶן שֶׁלֹּא יִמָּשֵׁךְ מִמֶּנָּה עִנְיָן זֶה; אֲבָל תֵּשֵׁב שָׁמָּה לוּטָה בְּעַצְמָהּ, בְּאוֹתוֹ הַשִּׁעוּר הַמִּצְטָרֵךְ לְפִי הַכַּוָּנָה הָעֶלְיוֹנָה, וּפוֹעֶלֶת בַּגּוּף בְּאוֹתוֹ הַסֵּדֶר וְהַשִּׁעוּר הַנִּרְצֶה מֵחָכְמָתוֹ יִתְבָּרַךְ שְׁמוֹ. וְהִנֵּה,

The soul, however, bears no blame whatsoever for this. It is only the nature of the body that prevents its full expression. The body, however, also suffers a great loss because of this, since during man's physical lifetime it cannot be appropriately purified by the soul.

Nevertheless, the soul also loses. During man's physical lifetime it is imprisoned and cannot spread its radiance. It furthermore cannot perform its proper task, which is the purification of the body. If the soul were able to do this, it would also perfect itself through this very act. In purifying the body, the soul would resemble its Creator in doing good and bestowing perfection on another, and this itself would further enhance the soul.

The soul was furthermore created for the very purpose of purifying the body, and therefore, in doing so, it would be fulfilling its purpose. This, in turn, would further enhance the soul, since everything is perfected by doing what was ordained for it by God. On the other hand, every entity loses perfection as long as it is not fulfilling its purpose, [and therefore, the soul loses a great deal of its power during man's physical lifetime].

When the soul leaves the body and enters the Soul World, however, it can then radiate freely with a brightness that befits it as a result of its good deeds [while associated with the body]. Through both this and what it can attain in the Soul World, the soul is able to regain the power that it lost while associated with the body. This in turn makes it more qualified for its ultimate function after the resurrection, namely, the purification of the body.

[13] Even before a soul enters the body and attains perfection through its deeds, it already has a high degree of intrinsic perfection. This intrinsic perfection and brilliance is so great that it should be able to purify man's physical being to such an extent that he would no longer be considered a mortal human being.

The soul, however, is held back by God's decree. Its power is obstructed and its brilliance reduced, so that it cannot do anything at all to accomplish this. The soul thus remains imprisoned and restrained to the degree required by God's plan, and it can only act upon the body to the extent that God's wisdom allows.

כְּפִי מַעֲשֶׂיהָ הַטּוֹבִים שֶׁעוֹשָׂה וְהוֹלֶכֶת, הָיָה לָהּ לְהִתְפַּשֵּׁט וּלְהִזְדַּהֵר כְּמוֹ שֶׁזָּכַרְנוּ, וְאָז הָיָה מַגִּיעַ מִמֶּנָּה הַזִּכּוּךְ לַגּוּף. וְאָמְנָם לְפִי הַגְּזֵרָה שֶׁבֵּאַרְנוּ לְמַעְלָה, לֹא יִתָּכֵן לָהּ זֶה אֶלָּא בִּהְיוֹתָהּ בְּעוֹלַם הַנְּשָׁמוֹת.

אָכֵן בְּשׁוּבָהּ בַּגּוּף אַחַר הַתְּחִיָּה לֹא תִּתְמַעֵט וְלֹא תִתְעַלֵּם, אֶלָּא תִכָּנֵס בְּכָל זָהֳרֶיהָ וּבְכָל כֹּחָהּ, וְאָז מִיָּד תְּזַכֵּךְ אֶת הַגּוּף הַהוּא זִכּוּךְ גָּדוֹל, וְלֹא יִצְטָרֵךְ לוֹ הַגִּדּוּל מְעַט מְעַט, שֶׁצָּרִיךְ עַתָּה לִילָדִים, אֶלָּא מִיָּד בִּשְׁעָתוֹ תָּאִיר בּוֹ, וּמִיָּד תְּזַכְּכֵהוּ זִכּוּךְ גָּדוֹל. וְאָמְנָם לֹא יִמָּנַע זֶה שֶׁיִּהְיוּ לַגּוּף וְלַנְּשָׁמָה יַחַד/עִלּוּיִים אַחַר עִלּוּיִים,/ אֲבָל הָעִנְיָן הוּא, שֶׁמִּיָּד בְּבוֹא הַנְּשָׁמָה בַּגּוּף, יִהְיֶה הָאָדָם הַהוּא יָקָר וְנַעֲלֶה, וְגוּפוֹ יְקַבֵּל מִיָּד זִכּוּךְ רִאשׁוֹן, יִתְעַלֶּה בּוֹ מִכָּל מַה שֶּׁהָיָה כָּל יְמֵי חַיָּיו הָרִאשׁוֹנִים – וְיִהְיֶה הַזִּכּוּךְ הַהוּא כְּפִי כָּל הַמַּעֲשִׂים הַטּוֹבִים שֶׁעָשָׂה כְּבָר – וְיָשִׂים אוֹתוֹ בַּמַּדְרֵגָה שֶׁרָאוּי לוֹ לִהְיוֹת בֵּין הַזּוֹכִים לֵהָנוֹת בַּשְּׁלֵמוּת, וְאַחַר כָּךְ יִתְעַלּוּ שְׁנֵיהֶם עִלּוּיִים כְּפִי מַה שֶּׁרָאוּי לְמִי שֶׁהוּא בַּמַּדְרֵגָה הַהִיא.

As the soul continues to participate in good deeds, it should likewise be able to spread out and radiate, thus purifying the body. The same decree, however, holds it back and prevents it from functioning freely until it reaches the Soul World.

When the soul is recombined with the body after the resurrection, however, it will no longer be bound or restricted, and will enter the body with all its brilliance and strength. The body will then experience a great enlightenment, and will not have to develop gradually as a child now does. The soul will immediately shine forth and purify it to a very great degree.[21]

This does not mean, however, that the resurrected man will not be able to continue to elevate himself.

The instant that the soul re-enters the body, the individual is raised to a high spiritual level and the body experiences its initial enlightenment. At this point, the body will immediately be on a higher level than it could ever possibly attain in its first life.

The degree of enlightenment will depend on the individual's good deeds in his first life, and accordingly, he will be placed on an appropriate level among those worthy of enjoying this ultimate perfection. [This level, however, is not permanent,] and the complete man, both body and soul, will still be able to elevate himself in relation to the initial level upon which he is placed.[22]

בְּמַצָּבוֹ שֶׁל הָאָדָם בָּעוֹלָם הַזֶּה
וְהַדְּרָכִים שֶׁלְּפָנָיו – בְּדֶרֶךְ פְּרָט

[א] בְּמַצָּבוֹ שֶׁל הָאָדָם בָּעוֹלָם הַזֶּה יִבָּחֲנוּ שְׁנֵי עִנְיָנִים: תְּכוּנַת עַצְמוֹ שֶׁל הָאָדָם בַּחֲלָקָיו וְהַרְכָּבָתָם, וְהַמָּקוֹם אֲשֶׁר הוּא מוּשָׂם בּוֹ, בְּכָל מַה שֶּׁמִּתְלַוֶּה לוֹ.

[ב] בִּבְחִינַת הָאָדָם עַצְמוֹ, הִנֵּה, כְּבָר זָכַרְנוּ אֵיךְ הוּא מֻרְכָּב שֶׁנִּתְּכוּ בוֹ שְׁנֵי הֲפָכִים, וְהַיְנוּ הַנְּשָׁמָה וְהַגּוּף. וְאוּלָם, הִנֵּה אֲנַחְנוּ רוֹאִים בְּעֵינֵינוּ, שֶׁהַחָמְרִיּוּת רִאשׁוֹנִי בוֹ, וְתוֹלְדוֹתָיו חֲזָקוֹת בּוֹ מְאֹד, כִּי הִנֵּה, מִיָּד אַחַר לֵדָתוֹ, כִּמְעַט כֻּלּוֹ חָמְרִי, וְאֵין הַשֵּׂכֶל פּוֹעֵל בּוֹ אֶלָּא מְעַט, וּכְפִי הִתְגַּדְּלוֹ יֵלֵךְ הַשֵּׂכֶל הָלוֹךְ וְחָזֵק, בְּכָל אֶחָד כְּפִי עִנְיָנוֹ, וְעַל כָּל פָּנִים לֹא יָסוּר הַחָמְרִיּוּת מִמְּשֹׁל בּוֹ וּמֵהַטּוֹת אוֹתוֹ אֶל עִנְיָנָיו, אֶלָּא שֶׁאִם יִגְדַּל בְּחָכְמָתוֹ וְיִלְמַד בָּהּ וְיִתְחַזֵּק בִּדְרָכֶיהָ, הִנֵּה, יִתְאַמֵּץ לִכְבֹּשׁ אֶת טִבְעוֹ, וְלֹא יְשַׁלַּח רֶסֶן תַּאֲווֹתָיו מִיָּדוֹ, וְיִתְעַצֵּם לָלֶכֶת בְּהֲלִיכוֹת הַשֵּׂכֶל. וְאוּלָם תּוֹכִיּוּת הָעִנְיָנִים הָאֵלֶּה שֶׁאָנוּ רוֹאִים, הִנֵּה הוּא, שֶׁבִּמְצִיאוּת הַחֹמֶר וְעַצְמוּתוֹ נִמְצָא הָעֲכִירוּת וְהַחֹשֶׁךְ בְּטֶבַע, וְהוּא מְצִיאוּת רָחוֹק מְאֹד וְהָפְכִּי לְמַה שֶּׁהוּא הָעִנְיָן בֶּאֱמֶת לַקְּרֵבִים אֶל הָאֵל יִתְבָּרַךְ שְׁמוֹ וּמִתְדַּבְּקִים בִּקְדֻשָּׁתוֹ; וְהַנְּשָׁמָה עַצְמָהּ, אַף עַל פִּי שֶׁבְּעַצְמָהּ הִיא זַכָּה וְעֶלְיוֹנָה, הִנֵּה, בְּהִכָּנְסָהּ בַּגּוּף הַחָמְרִי וְהִסְתַּבְּכָהּ בּוֹ, נִמְצֵאת גְּרוּשָׁה וּדְחוּיָה מֵעִנְיָנָהּ

I CHAPTER 4

Human Responsibility

[1] Man's condition in this world depends on two things. First, there is his own nature, consisting of the elements of his being and their structure. Secondly, there is his environment and everything associated with it.

[2] As discussed earlier, man consists of two opposites: a body and a soul. It is obvious, however, that the physical is dominant in man, and its influence is very strong.

When an individual is born, he is almost completely physical, with the mind having only a very small influence. As he matures, his mind continues to gain influence, depending on the individual's nature.

[Even after an individual matures,] however, the physical does not automatically relinquish its influence and stop inclining the individual toward its nature. The only way he can overcome the physical is by growing in wisdom, becoming versed in it and abiding by its ways. He can then overcome his physical nature, keep his desires firmly bridled, and fortify himself to follow his intellect.

The core of these visible concepts, however, is due to the fact that sin and darkness exist as part of the very intrinsic nature of the physical world. The physical is therefore at opposite poles from the direction of those who would bring themselves close to God and experience His holiness.

Even though the soul is intrinsically pure and lofty, as soon as it associates itself with the physical body and becomes entangled

הַטִּבְעִי אֶל עִנְיָן הָפְכִּי לוֹ, וּכְבוּשָׁה בּוֹ בְּכֹחַ מַכְרִיחַ, לֹא תוּכַל לָצֵאת מִמֶּנּוּ אֶלָּא אִם כֵּן תִּתְאַמֵּץ בְּכֹחַ חָזָק מִן הַכֹּחַ הַמַּכְרִיחָהּ; וּבִהְיוֹת שֶׁגָּזַר הָאָדוֹן בָּרוּךְ הוּא, שֶׁהַרְכָּבָה זוֹ שֶׁל גּוּף הָאָדָם וְנִשְׁמָתוֹ לֹא תִּפָּרֵד לְעוֹלָם – פֵּרוּשׁ – כִּי פֵּרוּד הַמִּיתָה אֵינוֹ אֶלָּא דָּבָר לְפִי שָׁעָה עַד תְּחִיַּת הַמֵּתִים, אַךְ אַחַר כָּךְ צְרִיכָה לָשׁוּב לַגּוּף, וּשְׁנֵיהֶם יִתְקַיְּמוּ יַחַד לָנֶצַח נְצָחִים – הִנֵּה מֻכְרָח, שֶׁתִּשְׁתַּדֵּל הַנְּשָׁמָה וְתִתְחַזֵּק, וְתִהְיֶה הוֹלֶכֶת וּמַחֲלֶשֶׁת אֶת כֹּחַ חֹשֶׁךְ הַחָמְרִיּוּת, עַד שֶׁיִּשָּׁאֵר הַגּוּף בִּלְתִּי חָשֵׁךְ, וְאָז יוּכַל לְהִתְעַלּוֹת הוּא עִמָּהּ וְלֵאוֹר בָּאוֹר הָעֶלְיוֹן, תַּחַת מַה שֶּׁהָיְתָה הִיא מִתְחַשֶּׁכֶת וְנִשְׁפֶּלֶת עִמּוֹ בַּתְּחִלָּה; וְאוּלָם הָאָדָם בָּעוֹלָם הַזֶּה הוּא בְּמַצָּב אֶחָד שֶׁהַחֹמֶר חָזָק בּוֹ וּכְמוֹ שֶׁזָּכַרְנוּ, וּבִהְיוֹת הַחֹמֶר עָכוּר וְחָשֵׁךְ, נִמְצָא הָאָדָם בְּחֹשֶׁךְ גָּדוֹל, וְרָחוֹק מְאֹד מִמָּה שֶׁרָאוּי לוֹ שֶׁיִּהְיֶה, לִהְיוֹת מִתְדַּבֵּק בּוֹ יִתְבָּרַךְ שְׁמוֹ, וְאָמְנָם בָּזֶה צָרִיךְ שֶׁיָּשִׂים הִשְׁתַּדְּלוּתוֹ, לְחַזֵּק אֶת נִשְׁמָתוֹ נֶגֶד כֹּחַ חָמְרוֹ, וּלְהֵיטִיב אֶת מַצָּבוֹ, לְהַעֲלוֹת עַצְמוֹ עִלּוּי עַד הַשִּׁעוּר הָרָאוּי לוֹ.

[ג] וְהַמָּקוֹם אֲשֶׁר הוּא בְּתוֹכוֹ, גַּם הוּא חָמְרִי וְחָשֵׁךְ, וְכָל הַנִּמְצָאִים שֶׁבּוֹ חָמְרִיִּים, וְהָעֵסֶק שֶׁל אָדָם בּוֹ וּבְעוֹלָמוֹ אִי אֶפְשָׁר שֶׁיִּהְיֶה אֶלָּא עֵסֶק חָמְרִי וְגוּפָנִי, כֵּיוָן שֶׁכֻּלָּם חָמְרִיִּים וְגוּפָנִיִּים, וּתְכוּנָתוֹ שֶׁל אָדָם עַצְמוֹ וְהַרְכָּבַת חֲלָקָיו מַכְרִיחִים לוֹ הָעֵסֶק הַזֶּה, כִּי אִי אֶפְשָׁר לוֹ מִבְּלִי אֲכִילָה וּשְׁתִיָּה וּשְׁאָר כָּל הָעִנְיָנִים הַטִּבְעִיִּים, וְאִי אֶפְשָׁר לוֹ מִבְּלִי הוֹן וְקִנְיָן וְשֶׁיּוּכַל לְהַשִּׂיג צְרָכָיו אֵלֶּה. וְנִמְצָא, שֶׁבֵּין מִצַּד גּוּפוֹ שֶׁל הָאָדָם, בֵּין מִצַּד עוֹלָמוֹ, וּבֵין מִצַּד עֲסָקָיו, הוּא טָבוּעַ בַּחֹמֶר וּמְשֻׁקָּע בְּחֶשְׁכּוֹ, וְעָמָל גָּדוֹל וְהִשְׁתַּדְּלוּת חֲזָקָה יִצְטָרֵךְ לוֹ לְהִתְעַלּוֹת אֶל מַצָּב זַךְ מִזֶּה, וְהוּא מֻכְרָח בְּטִבְעוֹ בָּעִנְיָנִים הַחָמְרִיִּים הָאֵלֶּה.

[with the material world], it becomes divorced from its true nature and is influenced toward something that is its precise opposite. As long as the soul remains in the body, it is imprisoned by a restraining power, and unless it can overcome this power, it cannot act freely.

God decreed that this combination of body and soul must ultimately be a permanent one. Even though the two separate at death, this is only a temporary state, existing only until the resurrection. After the resurrection, body and soul must coexist forever.

The soul must therefore be able to work, strengthen itself, gradually weaken the occluding power of the physical, and thus bring enlightenment to the body. The body then becomes able to elevate itself together with the soul, so that they can both experience the Highest Light. This is the exact opposite of man's present condition, where the soul is dimmed and depressed because of the body.

As long as man is in this world, however, he is in a state where his physical nature is very strong. Since the physical is opaque and unenlightened, man exists in a state of great darkness, far from his rightful state of closeness to God. Man must therefore make every effort to make his soul overcome the physical, and thereby improve his condition and elevate himself to his rightful state.

[3] Man's environment and everything in it are also physical and filled with darkness. Since they relate to his environment, his activities also cannot be other than physical.

Because of its physical nature, man's very constitution forces him to engage in worldly pursuits. It is impossible for him to live without eating, drinking and other essential bodily functions, and he must therefore also have property and possessions with which to obtain these necessities.

Because of his body, environment and activities, man is therefore embedded in the physical and immersed in its darkness. As long as he is compelled to pursue the material, both great effort and a powerful struggle will be required if he is to elevate himself to a more enlightened state.

[ד] וְאוּלָם מֵעֹמֶק עֲצַת חָכְמָתוֹ, יִתְבָּרַךְ שְׁמוֹ, הָיָה לְסַדֵּר הַדְּבָרִים בְּאֹפֶן, שֶׁאַף בִּהְיוֹת הָאָדָם שָׁקוּעַ בַּחֹמֶר בְּהֶכְרֵחַ, כְּמוֹ שֶׁכָּתַבְנוּ, יוּכַל מִתּוֹךְ הַחֹמֶר עַצְמוֹ וְהָעֵסֶק הַגּוּפָנִי הַשִּׂיג אֶת הַשְּׁלֵמוּת וְהַהִתְעַלּוּת אֶל הַזֹּךְ וְאֶל הַמַּעֲלָה, וְאַדְּרַבָּה, הַשְׁפָּלָתוֹ תִּהְיֶה הַגְבָּהָתוֹ, וּמִשָּׁם יִקְנֶה יְקָר וְכָבוֹד שֶׁאֵין כָּמוֹהוּ, בִּהְיוֹתוֹ הוֹפֵךְ אֶת הַחֹשֶׁךְ לְאוֹר, וְאֶת הַצַּלְמָוֶת לְנֹגַהּ יַזְרִיחַ.

וְזֶה, כִּי הַבּוֹרֵא יִתְבָּרַךְ שְׁמוֹ שָׂם גְּבוּלוֹת וּסְדָרִים לָאָדָם, בְּתַשְׁמִישׁ שֶׁיִּשְׁתַּמֵּשׁ בּוֹ מֵהָעוֹלָם וּבְרִיּוֹתָיו, וּבְכַוָּנָה שֶׁיִּתְכַּוֵּן בָּהֶם, אֲשֶׁר בְּהִשְׁתַּמֵּשׁ מֵהֶם הָאָדָם, בְּאוֹתָם הַגְּבוּלוֹת וּבְאוֹתָם הַסְּדָרִים וּבְאוֹתָהּ הַכַּוָּנָה שֶׁצִּוָּה הַבּוֹרֵא יִתְבָּרַךְ שְׁמוֹ, יִהְיֶה אוֹתוֹ הַפֹּעַל הַגּוּפָנִי וְהַחָמְרִי עַצְמוֹ, פּוֹעֵל שְׁלֵמוּת, וּבוֹ יִתְעַצֵּם בָּאָדָם מְצִיאוּת שְׁלֵמוּת וּמַעֲלָה רַבָּה, יִתְעַלֶּה בּוֹ מִמַּצָּבוֹ הַשָּׁפָל, וְיִתְרוֹמֵם מִמֶּנּוּ. וְאוּלָם, הִשְׁקִיפָה הַחָכְמָה הָעֶלְיוֹנָה עַל כָּל כְּלָלֵי הַחֶסְרוֹנוֹת הַמֻּטְבָּעִים בְּעִנְיָנוֹ שֶׁל הָאָדָם, וְעַל כָּל עִנְיְנֵי הַמַּעֲלָה וְהַיְּקָר הָאֲמִתִּי הַמִּצְטָרְכִים לוֹ לִהְיוֹת רָאוּי לְשֶׁיִּהְיֶה מִתְדַּבֵּק בּוֹ יִתְבָּרַךְ שְׁמוֹ וְנֶהֱנֶה בְּטוּבוֹ, וּכְנֶגֶד כָּל זֶה סִדְּרָה לוֹ סְדָרִים, וְהִגְבִּילָה לוֹ גְּבוּלוֹת, אֲשֶׁר בְּשָׁמְרוֹ אוֹתָם, יִתְעַצֵּם בּוֹ כָּל מַה שֶּׁצָּרִיךְ מִן הַמַּעֲלָה הָאֲמִתִּית שֶׁזָּכַרְנוּ וְיִשַּׁלֵּל מֵעִנְיָנוֹ כָּל מַה שֶּׁהוּא הַרְחָקָה מִן הַדְּבֵקוּת הָעֶלְיוֹן.

וְאִלּוּ לֹא הָיְתָה הַגְּזֵרָה גְּזוּרָה שֶׁיָּמוּת, כְּמוֹ שֶׁזָּכַרְנוּ לְעֵיל, עַל יְדֵי הַמַּעֲשִׂים הָאֵלֶּה הָיְתָה הַנְּשָׁמָה מִתְחַזֶּקֶת, וְחֹשֶׁךְ הַגּוּף מִתְחַלֵּשׁ, בְּאֹפֶן שֶׁהָיָה מִזְדַּכֵּךְ עַל יָדָהּ זִכּוּךְ גָּמוּר, וּמִתְעַלִּים שְׁנֵיהֶם אֶל הַדְּבֵקוּת בּוֹ יִתְבָּרַךְ שְׁמוֹ; וּלְפִי שֶׁהַגְּזֵרָה גְזוּרָה, אֵין הַדָּבָר נַעֲשֶׂה בְּפַעַם אַחַת, אַךְ עַל כָּל פָּנִים מִתְחַזֶּקֶת הַנְּשָׁמָה בְּעַצְמָהּ, וְהַגּוּף מִזְדַּכֵּךְ בְּכֹחַ, אַף עַל פִּי שֶׁאֵינוֹ נַעֲשֶׂה בְּפֹעַל, וְקוֹנֶה הָאָדָם מַצָּב שְׁלֵמוּת בְּכֹחַ, שֶׁיֵּצֵא אַחַר כָּךְ לַפֹּעַל בַּזְּמַן הָרָאוּי לוֹ.

[4] The deeper plan of God's wisdom, however, was to arrange things so that even though man must be immersed in the physical, he should be able to attain perfection through his worldly activities and the physical world itself. It is precisely through these that he attains a pure and lofty state, and it is therefore his very lowliness that elevates him.[23] For when he transforms darkness into light and deathly shadow into sparkling brilliance, he is then able to attain unparalleled excellence and glory.[24]

This is a result of the fact that God arranged and circumscribed the ways in which man should make use of the world and its creatures according to their intended purpose. When man abides by the limits, arrangements and intentions ordained by the Creator, then the mundane activities themselves become acts of perfection. Through them, man can incorporate in himself perfection and great excellence, and thus elevate himself and raise himself from his lowly state.

The Highest Wisdom took into account all the categories of man's natural faults as well as all the concepts of true excellence and value required by man in order to become worthy of being drawn close to God and enjoying His good. Taking everything into account, He set up patterns and restraints through which everything excellent should be incorporated in man and everything separating him from God, removed.

If it were not for the decree that man must die, these deeds would allow the soul to strengthen itself and dispel the body's opaqueness to such an extent that the soul would be able to completely enlighten and purify the body. Both together would then be elevated to a state of closeness to God.

Because of the decree, however, this cannot be done in a single stage. The soul still strengthens itself through these observances, and the body is potentially enlightened, even though its enlightenment cannot be immediately realized. What man therefore earns in this manner is a potential state of perfection, and at the proper time, this potential is realized.

[ה] אַךְ הַסְּדָרִים וְהַגְּבוּלוֹת הָאֵלֶּה, הִנֵּה הֵם כְּלַל הַמִּצְוֹת, הָעֲשִׂין וְהַלָּאוִין, אֲשֶׁר כָּל אַחַת מֵהֶן מְכֻוֶּנֶת אֶל תַּכְלִית הַקְנוֹת בָּאָדָם וְהַעֲצִים בּוֹ אַחַת מִמַּדְרֵגוֹת הַמַּעֲלָה הָאֲמִתִּית שֶׁזְּכַרְנוּ, וַהֲסָרַת אֶחָד מֵעִנְיְנֵי הַחֹשֶׁךְ וְהַחֶסְרוֹנוֹת, עַל יְדֵי פֹּעַל הַמִּצְוַת-עֲשֵׂה הַהִיא, אוֹ הַמְּנִיעָה מִן הַלֹּא-תַעֲשֶׂה. וְאוּלָם פְּרָט הַמִּצְוֹת כֻּלָּם, וְכֵן פְּרָטֵי כָּל מִצְוָה וּמִצְוָה, הִנֵּה, הֵם מְיֻסָּדִים עַל אֲמִתַּת מְצִיאוּתוֹ וְעִנְיָנוֹ שֶׁל הָאָדָם בְּכָל בְּחִינוֹתָיו, וַאֲמִתַּת עִנְיְנֵי הַשְּׁלֵמוּת הַמִּצְטָרְכִים, כָּל דָּבָר בִּתְנָאָיו וּגְבוּלָיו מַה שֶּׁצָּרִיךְ לְהַשְׁלָמָתוֹ. וְאָמְנָם, הַחָכְמָה הָעֶלְיוֹנָה שֶׁיּוֹדַעַת כָּל זֶה לַאֲמִתּוֹ, וְיוֹדַעַת כָּל עִנְיְנֵי הַבְּרוּאִים כֻּלָּם וְשִׁמּוּשֵׁיהֶם כְּמוֹ שֶׁבְּרָאָתַם – בֶּאֱמֶת, הִשְׁקִיפָה עַל הַכֹּל, וְכָלְלָה כָּל הַמִּצְטָרֵךְ בַּמִּצְוֹת שֶׁצִּוָּנוּ בְּתוֹרָתוֹ, וּכְמוֹ שֶׁכָּתוּב, "וַיְצַוֵּנוּ ה' לַעֲשׂוֹת אֶת כָּל הַחֻקִּים וכו' לְטוֹב לָנוּ וכו'" (דברים ו, כד).

[ו] וְהִנֵּה, שֹׁרֶשׁ כָּל עִנְיַן הָעֲבוֹדָה הוּא, הֱיוֹת הָאָדָם פּוֹנֶה תָּמִיד לְבוֹרְאוֹ, וְהוּא, שֶׁיֵּדַע וְיָבִין, שֶׁהוּא לֹא נִבְרָא אֶלָּא לִהְיוֹת מִתְדַּבֵּק בְּבוֹרְאוֹ, וְלֹא הוּשַׂם בָּזֶה הָעוֹלָם אֶלָּא לִהְיוֹת כּוֹבֵשׁ אֶת יִצְרוֹ וּמְשַׁעְבֵּד עַצְמוֹ לְבוֹרְאוֹ בְּכֹחַ הַשֵּׂכֶל, הֵפֶךְ תַּאֲוַת הַחֹמֶר וּנְטִיָּתוֹ, וְיִהְיֶה מַנְהִיג אֶת כָּל פְּעֻלּוֹתָיו לְהַשָּׂגַת הַתַּכְלִית הַזֶּה, וְלֹא יִטֶּה מִמֶּנּוּ.

[ז] אַךְ הַהַנְהָגָה מִתְחַלֶּקֶת לִשְׁנֵי חֲלָקִים: הָאֶחָד הוּא בְּמַה שֶּׁיַּעֲשֶׂה מִפְּנֵי שֶׁצֻּוָּה בּוֹ, וְהַשֵּׁנִי בְּמַה שֶּׁיַּעֲשֶׂה מִפְּנֵי שֶׁהוּא מֻכְרָח בּוֹ וְצָרִיךְ; פֵּרוּשׁ – הָאֶחָד הוּא כְּלַל מַעֲשֵׂה הַמִּצְוֹת, וְהַשֵּׁנִי – כְּלַל מַה שֶּׁהָאָדָם מִשְׁתַּמֵּשׁ מִן הָעוֹלָם לְצָרְכּוֹ. מַעֲשֵׂה הַמִּצְוֹת, הִנֵּה, הַתַּכְלִית בּוֹ לָאָדָם שֶׁיַּעֲשֵׂהוּ מְבֹאָר הוּא, שֶׁהוּא לְקַיֵּם מִצְוַת בּוֹרְאוֹ וְלַעֲשׂוֹת חֶפְצוֹ. וְהִנֵּה הוּא מְקַיֵּם חֶפְצוֹ יִתְבָּרַךְ שְׁמוֹ בָּזֶה בִּשְׁנֵי דְּרָכִים נִמְשָׁכִים זֶה מִזֶּה, וְהַיְנוּ כִּי הוּא מְקַיֵּם

[5]   These patterns and restraints are God's commandments. They include both positive commands and prohibitions.

The purpose of each commandment is either to allow man to earn and incorporate in himself a particular level of true excellence, or to remove an area of deficiency and darkness. This is accomplished through doing what the commandments require and avoiding what they forbid.

The nature and details of each individual commandment, however, are based on all the aspects of man's true nature and character, as well as that of the necessary perfection. Each thing then has its conditions and limits as required for man's attaining this perfection.

The Highest Wisdom knows all this, as well as the true nature and purpose of everything that exists. God therefore took everything into account, and included everything necessary in the commandments of the Torah. It is thus written (*Deuteronomy* 6:24), "God commanded us to follow all these rules . . . that He may grant us good . . ."

[6]   Now the root purpose of the entire matter of religious service and worship is to have man constantly aware of his Creator. He is to realize that he was created for the sole purpose of being drawn close to his Creator, and hence he was put into this world only to overcome his Evil Urge and subjugate himself to his Creator through the power of the intellect. He must oppose his physical desire and tendencies, and direct all his activities toward attaining this goal, not deviating from it.

[7]   Everything that man should do can be divided into two categories. First, there is what he does as the result of a commandment. The second is what is done out of necessity.

The first category includes all the divine commandments. The second, on the other hand, includes all things that man does in making use of the world to satisfy his needs.

The purpose of the divine commandments has already been discussed, namely that man should obey God's orders and fulfill His will. In doing so, he conforms to God's will in two interrelated ways.

חֶפְצוֹ, בְּמַה שֶּׁצִּוָּהוּ שֶׁיַּעֲשֶׂה הַמַּעֲשֶׂה הַהוּא וְהוּא עוֹשֵׂהוּ, וְשֵׁנִית, כִּי הִנֵּה, בַּמַּעֲשֶׂה הַהוּא הִנֵּה הוּא מִשְׁתַּלֵּם בְּאַחַת מִמַּדְרֵגוֹת הַשְּׁלֵמוּת שֶׁהִיא תוֹלֶדֶת הַמִּצְוָה הַהִיא, וּכְמוֹ שֶׁזָּכַרְנוּ. וְהִנֵּה מִתְקַיֵּם חֶפְצוֹ יִתְבָּרַךְ שְׁמוֹ, שֶׁהוּא חָפֵץ שֶׁיִּהְיֶה הָאָדָם מִשְׁתַּלֵּם וּמַגִּיעַ לֵהָנוֹת בְּטוּבוֹ, יִתְבָּרַךְ שְׁמוֹ. אָכֵן, מַה שֶּׁהָאָדָם מִשְׁתַּמֵּשׁ מִן הָעוֹלָם לִצְרָכוֹ, הִנֵּה צָרִיךְ תְּחִלָּה שֶׁיִּהְיֶה מֻגְבָּל בִּגְבוּל רְצוֹנוֹ יִתְבָּרַךְ שְׁמוֹ, דְּהַיְנוּ שֶׁלֹּא יִהְיֶה בּוֹ דָּבָר מִמַּה שֶּׁמְּנָעוֹ וַאֲסָרוֹ הָאֵל יִתְבָּרַךְ שְׁמוֹ, וְשֶׁלֹּא יִהְיֶה אֶלָּא הָרָאוּי לִבְרִיאוּת הַגּוּף וְקִיּוּם חִיּוּתוֹ עַל הַצַּד הַיּוֹתֵר טוֹב, וְלֹא כְּפִי נְטִיַּת הַחֹמֶר וּתְשׁוּקָתוֹ לְמוֹתָרוֹת, וְיִהְיֶה הַכָּוָנָה בּוֹ לִהְיוֹת הַגּוּף מוּכָן וּמְזֻמָּן שֶׁתִּשְׁתַּמֵּשׁ מִמֶּנּוּ הַנְּשָׁמָה לְצֹרֶךְ עֲבוֹדַת בּוֹרְאוֹ, שֶׁלֹּא תִמָּצֵא לָהּ עִכּוּב בְּהֶעְדֵּר הֲכָנָתוֹ וְחֻלְשָׁתוֹ; וּכְשֶׁיִּהְיֶה הָאָדָם מִשְׁתַּמֵּשׁ מִן הָעוֹלָם עַל הַדֶּרֶךְ הַזֶּה, הִנֵּה יִמָּצֵא הַתַּשְׁמִישׁ הַהוּא בְּעַצְמוֹ פּוֹעֵל הַשְּׁלֵמוּת – כְּמוֹ שֶׁזָּכַרְנוּ, וְיִקְנֶה בּוֹ מַעֲלָה אֲמִתִּית כְּמוֹ שֶׁיִּקְנֶה בְּמַעֲשֵׂה כָּל הַמִּצְווֹת כֻּלָּן; כִּי גַּם זֶה מִצְוָה עָלֵינוּ, לִשְׁמֹר אֶת גּוּפֵנוּ בַּהֲכָנָה הַגּוּנָה לְשֶׁנּוּכַל לַעֲבֹד בּוֹ אֶת בּוֹרְאֵנוּ, וְנִשְׁתַּמֵּשׁ מֵהָעוֹלָם לְכַוָּנָה זוֹ וּלְתַכְלִית זֶה כְּפִי הַמִּצְטָרֵךְ לָנוּ, וְנִמְצֵינוּ אֲנַחְנוּ מִתְעַלִּים בַּמַּעֲשֶׂה הַזֶּה, וְהָעוֹלָם עַצְמוֹ יִתְעַלֶּה בָּזֶה, בִּהְיוֹתוֹ עוֹזֵר לָאָדָם לְשֶׁיַּעֲבֹד אֶת בּוֹרְאוֹ יִתְבָּרַךְ שְׁמוֹ.

[ח] וְהִנֵּה, מִמַּה שֶּׁצָּרִיךְ שֶׁיַּגְבִּיר הָאָדָם בְּעַצְמוֹ, הוּא הָאַהֲבָה וְהַיִּרְאָה לְבוֹרְאוֹ יִתְבָּרַךְ שְׁמוֹ וְהַיְנוּ שֶׁיִּהְיֶה מִתְבּוֹנֵן עַל גֹּדֶל רוֹמְמוּתוֹ יִתְבָּרַךְ שְׁמוֹ וְעֹצֶם שִׁפְלוּת הָאָדָם, וְיַכְנִיעַ עַצְמוֹ לְפָנָיו יִתְבָּרַךְ שְׁמוֹ, וְיֵבוֹשׁ מֵרוֹמְמוּתוֹ, וְיִהְיֶה חוֹשֵׁק וּמִתְאַוֶּה לִהְיוֹת מִן הָעוֹבְדִים לְפָנָיו, לְהִתְהַלֵּל בִּתְהִלָּתוֹ וּלְהִשְׁתַּבֵּחַ בִּגְדֻלָּתוֹ, כִּי אֵלֶּה הֵם אֶמְצָעִים חֲזָקִים הַמְקָרְבִים הָאָדָם אֶל בּוֹרְאוֹ, הַמְזַכְּכִים אֶת חֹשֶׁךְ הַחֹמֶר וּמַזְהִירִים זָהֳרֵי הַנְּשָׁמָה,

First of all, he obeys God's will in doing what he was commanded to do. Secondly, however, he also perfects himself to that certain degree associated with that particular commandment. In doing so, he is conforming to God's will all the more, since God desires that man be perfected and attain the enjoyment of His good.

Man's use of the world for his own needs, however, should also be circumscribed by the limits imposed by God's will and not include anything forbidden by God. It should be motivated by the need to best maintain his health and preserve his life, and not merely to satisfy his physical urges and superfluous desires. One's motivation in maintaining his body should furthermore be so that the soul should be able to use it to serve its Creator, without being hampered by the body's weakness and incapability.[25]

When man makes use of the world in this manner, this in itself becomes an act of perfection, and through it one can attain the same virtue as in keeping the other commandments. Indeed, one of the commandments requires that we keep our bodies fit so that we can serve God, and that we derive our needs from our environment to achieve this goal.[26]

In this manner, we elevate ourselves even through such activities. The world itself is also elevated, since it is then also helping man to serve God.

[8]   One of the things that one must strengthen within himself is his love and fear of God. He should consider the unimaginable loftiness of God and the great lowliness of man, and humble himself before God, standing in awe before His greatness. He should then yearn and desire to be among those who serve Him, to exult in His praise and be exalted by His greatness.[27]

[The love and fear of God] are powerful means which draw an individual close to God. They enlighten the physical darkness in man, cause his soul to radiate in all its brightness, and thus elevate him step by step until he attains a state of closeness to God.

וּמַעֲלִים אֶת הָאָדָם מֵעִלּוּי לְעִלּוּי עַד שֶׁיַּשִּׂיג קִרְבָתוֹ יִתְבָּרַךְ שְׁמוֹ.

[ט] וְאָמְנָם, אֶמְצָעִי אֶחָד נָתַן לָנוּ הָאֵל יִתְבָּרַךְ שְׁמוֹ, שֶׁמַּדְרֵגָתוֹ לְמַעְלָה מִכָּל שְׁאָר הָאֶמְצָעִים הַמְקָרְבִים הָאָדָם אֵלָיו, וְהוּא תַלְמוּד הַתּוֹרָה, וְהוּא בִשְׁתֵּי בְחִינוֹת: הָאַחַת – בִּבְחִינַת הַהִגָּיוֹן וְהַלִּמּוּד, וְהַשֵּׁנִיָּה – בִּבְחִינַת הַהֶשְׂכֵּל. כִּי, הִנֵּה, רָצָה בְחַסְדּוֹ וְחִבֵּר לָנוּ חִבּוּר דְּבָרִים כְּמוֹ שֶׁגָּזְרָה חָכְמָתוֹ, וּמְסָרָם לָנוּ, וְהַיְנוּ – כְּלַל סֵפֶר הַתּוֹרָה, וְאַחֲרָיו סִפְרֵי הַנְּבִיאִים, שֶׁבִּסְגֻלַּת הַדְּבָרִים הָהֵם יִהְיֶה, שֶׁמִּי שֶׁיֶּהְגֶּה בָּהֶם בִּקְדֻשָּׁה וּבְטָהֳרָה, עַל הַכַּוָּנָה הַנְּכוֹנָה, שֶׁהִיא עֲשִׂיַּת חֶפְצוֹ יִתְבָּרַךְ שְׁמוֹ – יִתְעַצֵּם בּוֹ עַל יָדָם מַעֲלָה עֶלְיוֹנָה וּשְׁלֵמוּת גָּדוֹל עַד מְאֹד. וְכֵן מִי שֶׁיִּשְׁתַּדֵּל בַּהֲבָנָתוֹ, וּבִידִיעַת מַה שֶּׁמָּסַר לָנוּ מִפֵּרוּשֵׁיהֶם, יִקְנֶה – כְּפִי הִשְׁתַּדְּלוּתוֹ – שְׁלֵמוּת עַל שְׁלֵמוּת, כָּל שֶׁכֵּן אִם יַגִּיעַ אֶל הַשְׂכָּלַת סִתְרֵיהֶם וְרָזֵיהֶם, שֶׁכָּל עִנְיָן מֵהֶם שֶׁיַּשְׂכִּיל, יִקָּבַע וְיִתְעַצֵּם בְּנִשְׁמָתוֹ מַדְרֵגָה מִן הַמַּדְרֵגוֹת הַיּוֹתֵר רָמוֹת שֶׁבַּמַּעֲלָה וְהַשְּׁלֵמוּת הָאֲמִתִּי.

וּבְכָל אֵלֶּה הָעִנְיָנִים, לֹא דַי מַה שֶּׁקּוֹנֶה הָאָדָם בְּעַצְמוֹ מַעֲלָה וּשְׁלֵמוּת, אֶלָּא שֶׁמְּצִיאוּת הַבְּרִיאָה כֻּלָּהּ בִּכְלָלָהּ וּבִפְרָטָהּ מִתְעַלֶּה וּמִשְׁתַּלֵּם, וּבִפְרָט עַל יְדֵי הַתּוֹרָה.

[י] וְאוּלָם סִבַּת כָּל מַצְּבֵי הָאָדָם, חֶשְׁכָתוֹ וּבְהִירוּתוֹ, הִנֵּה הִיא הֶאָרַת פָּנָיו יִתְבָּרַךְ שְׁמוֹ אֵלָיו, אוֹ הִתְעַלְּמוֹ מִמֶּנּוּ, וּכְמוֹ שֶׁזְּכַרְנוּ לְעֵיל, כִּי הִנֵּה, כָּל מַה שֶּׁהָאָדוֹן בָּרוּךְ הוּא מֵאִיר פָּנָיו, מִתְרַבֶּה הַזֹּךְ וְהַשְּׁלֵמוּת בְּמִי שֶׁהִגִּיעָה לוֹ הֶאָרָתוֹ, וּכְפִי שִׁעוּר הַהֶאָרָה כָּךְ הוּא שִׁעוּר הַשְּׁלֵמוּת וְהַזֹּךְ הַנִּמְשָׁךְ מִמֶּנָּה, וְהֵפֶךְ זֶה הַהֶעְלֵם.

וְאָמְנָם הָאָדוֹן בָּרוּךְ הוּא מֵאִיר תָּמִיד לְמִי שֶׁיִּתְקָרֵב אֵלָיו,

[9] God granted us one particular means which can bring man close to God more than anything else. This is the study of His revealed Torah.[28]

Such study accomplishes this in two ways: first through the reading of the Torah, and secondly through its comprehension.

In His love, God composed a volume of words decreed by His wisdom and bestowed it upon us. This is the Torah and later works of the Prophets, making up the Bible as we know it.

These words have the unique property of causing one who reads them to incorporate in himself the highest excellence and greatest perfection. [The only condition is that they be read] with holiness and purity, with the proper intent of fulfilling God's will.

Similarly, when one strives to understand these works, either through his own intellect or through the explanations provided in their commentaries, he can earn even greater perfection, according to his effort. This is even more true when one attains a grasp of the secrets and mysteries contained in these works, since each of these concepts that one understands fixes and integrates a certain degree of the highest levels of excellence and perfection in his soul.

Through all these acts, man not only earns excellence and perfection for himself, but he also elevates and perfects the entire fabric of creation.[29] This is particularly true in the case of the study of the Torah.

[10] Every state in which an individual exists, whether it be one of darkness or enlightenment, is a result of either the presence or absence of God's light.

When anything is illuminated by God's presence, its purity and perfection are increased according to the degree of this illumination. The opposite is true when His light is concealed.

God does not withhold His good, and therefore, when a person draws close to God, he is continuously enlightened by Him. It is

וְאֵין מְנִיעַת טוֹב מִצִּדּוֹ כְּלָל, אֶלָּא מִי שֶׁלֹּא יִתְקָרֵב אֵלָיו יֶחְסַר הֶאָרָתוֹ, וְהַמְּנִיעָה מִצַּד הַמְקַבֵּל, לֹא מִצַּד הַשֵּׁם יִתְבָּרַךְ.

וְהִנֵּה, גָּזְרָה הַחָכְמָה הָעֶלְיוֹנָה, שֶׁהָעוֹשֶׂה אוֹתָם הָעִנְיָנִים שֶׁצִּוָּה, דְּהַיְנוּ – כְּלַל כָּל הַמִּצְוֹת כֻּלָּן כְּמוֹ שֶׁזָּכַרְנוּ לְעֵיל, בְּכָל מַעֲשֶׂה מֵהֶן שֶׁיַּעֲשֶׂה, יִהְיֶה מִתְקָרֵב עַל יָדוֹ מַדְרֵגָה מָה מִמַּדְרֵגוֹת הַקִּרְבָה שֶׁאֵלָיו יִתְבָּרַךְ שְׁמוֹ, וְתַגִּיעַ לוֹ עַל יְדֵי זֶה מַדְרֵגָה מָה מִמַּדְרֵגוֹת הֶאָרַת פָּנָיו, כְּפִי הַקִּרְבָה שֶׁאֵלָיו יִתְבָּרַךְ שְׁמוֹ, וְתִתְעַצֵּם בּוֹ מַדְרֵגָה מִן הַשְּׁלֵמוּת, שֶׁהִיא תוֹלֶדֶת מַדְרֵגַת הַהֶאָרָה הַהִיא; וְהֵפֶךְ זֶה הָעֲבֵרוֹת, כָּל מַעֲשֶׂה מֵהֶן שֶׁיַּעֲשֶׂה הָאָדָם חַס וְשָׁלוֹם, הִנֵּה יִתְרַחֵק עַל יָדוֹ מִמֶּנּוּ יִתְבָּרַךְ שְׁמוֹ מַדְרֵגָה מָה, וְיִתּוֹסֵף עָלָיו עַל יְדֵי זֶה מַדְרֵגָה מִמַּדְרֵגוֹת הֶעְלֵם הֶאָרָתוֹ יִתְבָּרַךְ שְׁמוֹ וְהֶסְתֵּר פָּנָיו, וְיִתְעַצֵּם בּוֹ עַל יְדֵי זֶה מַדְרֵגָה מִן הַחִסָּרוֹן, שֶׁהִיא תוֹלֶדֶת מַדְרֵגַת הַהֶעְלֵם הַהוּא.

[יא] נִמְצָא לְפִי כָל מַה שֶּׁהִקְדַּמְנוּ, שֶׁהַכַּוָּנָה בֶּאֱמֶת בְּכָל הַמִּצְוֹת תִּהְיֶה הַפְּנִיָּה אֵלָיו יִתְבָּרַךְ שְׁמוֹ, לְהִתְקָרֵב לוֹ וְלֵאוֹר בְּאוֹר פָּנָיו, וְהַמְּנִיעָה מִן הָעֲבֵרוֹת – לְהִמָּלֵט מִן הַהִתְרַחֵק מִמֶּנּוּ, וְזֶה הַתַּכְלִית הָאֲמִתִּי שֶׁבָּהֶן. אַךְ הָעִנְיָנִים בִּפְרָט, יֵשׁ בָּהֶם עֹמֶק גָּדוֹל, כְּפִי פְּרָטֵי עִנְיְנֵי הָאָדָם וְהַבְּרִיאָה וּכְמוֹ שֶׁזָּכַרְנוּ לְעֵיל, וּנְדַבֵּר עוֹד בִּקְצָת מֵהֶם, בְּחֵלֶק בִּפְנֵי עַצְמוֹ, בְּעֵזֶר הָאֵל יִתְבָּרַךְ שְׁמוֹ.

only when an individual does not bring himself close to God that he is deprived of His light. The deprivation, however, is due to the recipient, and not to God.

The Highest Wisdom decreed that every act of observing God's commandments should bring a person closer to God to a particular determined degree. The individual then attains a degree of God's light corresponding to this degree of closeness, and this in turn causes a degree of perfection resulting from that enlightenment to become an integral part of him.

The opposite is true of sin. Every sinful act removes an individual from God by a corresponding degree. This results in bringing him to a certain degree of concealment away from God's light, causing His presence to be correspondingly hidden. As a result of that concealment, a degree of deficiency becomes an integral part of that individual.

[11] We therefore see that the true purpose of the commandments is to turn us toward God, bring ourselves near to Him, and thus be enlightened by His presence. The avoidance of sin likewise enables one to avoid matters that would lead him away from God. This is the true purpose of all the commandments.[30]

The particular details of the commandments, however, have extremely deep significance with relation to the details of both man and creation in general. This will be discussed in a separate section.[31]

בְּחֶלְקֵי הַבְּרִיאָה וּמַצְּבֵיהֶם

[א] חֶלְקֵי כְּלַל הַבְּרִיאָה הֵם גַּשְׁמִיִּים וְרוּחָנִיִּים. הַגַּשְׁמִיִּים הֵם הַמֻּרְגָּשִׁים מֵחוּשֵׁינוּ, וּמִתְחַלְּקִים לְעֶלְיוֹנִים וְתַחְתּוֹנִים. הָעֶלְיוֹנִים הֵם כְּלַל הַגְּרָמִים, הַשְּׁמֵימִיִּים, דְּהַיְנוּ הַגַּלְגַּלִּים וְכוֹכְבֵיהֶם. הַתַּחְתּוֹנִים הֵם כְּלַל מַה שֶּׁבַּחֲלַל הַגַּלְגַּל הַתַּחְתּוֹן, דְּהַיְנוּ: הָאָרֶץ, הַמַּיִם, הָאֲוִיר, וְכָל מַה שֶּׁבָּהֶם מִן הַגּוּפִים הַמֻּרְגָּשִׁים. וְהָרוּחָנִיִּים הֵם נִבְרָאִים מְשֻׁלָּלִים מִגֶּשֶׁם, בִּלְתִּי מֻרְגָּשִׁים מֵחוּשֵׁינוּ, וּמִתְחַלְּקִים לִשְׁנֵי מִינִים: הָאֶחָד נְשָׁמוֹת, וְהַשֵּׁנִי נִבְדָּלִים. הַנְּשָׁמוֹת הֵם מִין נִבְרָאִים רוּחָנִיִּים, הִתְעַתְּדוּ לָבוֹא בְּתוֹךְ גּוּף, לְגַבֵּל בְּתוֹכוֹ וְלִקָּשֵׁר בּוֹ בְּקֶשֶׁר אַמִּיץ, וְלִפְעֹל בּוֹ פְּעֻלּוֹת שׁוֹנוֹת, בִּזְמַנִּים שׁוֹנִים. הַנִּבְדָּלִים הֵם מִין נִבְרָאִים רוּחָנִיִּים, בִּלְתִּי מְעֻתָּדִים לְגוּפוֹת כְּלָל, וְנֶחְלָקִים לִשְׁנֵי חֲלָקִים: הָאֶחָד נִקְרָאִים כֹּחוֹת, וְהַשֵּׁנִי מַלְאָכִים, וְגַם הֵם מִמַּעֲלוֹת רַבּוֹת וְשׁוֹנוֹת, וְלָהֶם חֻקִּים טִבְעִיִּים בִּמְצִיאוּתָם, כְּפִי מַעֲלוֹתֵיהֶם וּמַדְרֵגוֹתָם, עַד שֶׁבֶּאֱמֶת נוּכַל לִקְרוֹתָם מִינִים רַבִּים שֶׁל סוּג אֶחָד, שֶׁהוּא הַסּוּג הַמַּלְאָכִי.

וְאוּלָם נִמְצָא מִין אֶחָד שֶׁל נִבְרָאִים, שֶׁהוּא כְּמוֹ אֶמְצָעִי בֵּין

I CHAPTER 5

The Spiritual Realm

[1] Creation in general consists of two basic parts: the physical and the spiritual.

The physical is that which we experience with our senses, and this in turn is divided into the terrestrial and the astronomical. The astronomical includes such heavenly bodies as the stars and their planets. The terrestrial includes everything in the lowest sphere: the earth, water and atmosphere, and every detectable thing they contain.[32]

The spiritual consists of all entities which are not physical and which cannot be detected by physical means. These in turn are also divided into two categories: souls and transcendental beings.

Souls comprise a class of spiritual entities destined to enter physical bodies. They are meant to be circumscribed by and strongly bound to these bodies, acting upon them in various ways at different times.

Transcendental beings comprise a class of spiritual entities that are not meant to be associated with physical bodies. These in turn are also divided into two categories. The first category consists of Forces (*Kochos*), and the second, of angels.[33]

These transcendental beings also exist on different levels, each having an inherent nature depending on its level and place in the general scheme. So great is the variation between these beings that each group can be considered as belonging to a different species in a general class. This general class is the Angelic.

There is, however, another class that is like an intermediate

רוּחָנִי וְגַשְׁמִי, וְהַיְנוּ שֶׁבֶּאֱמֶת אֵינוֹ מֻרְגָּשׁ מֵחוּשֵׁינוּ, וְגַם אֵינוֹ נִגְבָּל בְּכָל גְּבוּלֵי הַגֶּשֶׁם הַמֻּרְגָּשׁ וְחֻקָּיו, וּמִצַּד זֶה נִקְרָאֵהוּ שֶׁלֹּא בְדִקְדּוּק רוּחָנִי, אֲבָל נִבְדָּל בְּעִנְיָנוֹ מִן הַסּוּג הַמַּלְאָכִי, אַף עַל פִּי שֶׁיִּתְדַּמֶּה לוֹ בְּאֵיזֶה בְּחִינוֹת, וְיֵשׁ לוֹ חֻקִּים פְּרָטִיִּים וּגְבוּלִים מְיֻחָדִים, כְּפִי מְצִיאוּתָם בֶּאֱמֶת, וְנִקְרָא זֶה הַמִּין – הַשֵּׁדִי, שֶׁהוּא מִין הַשֵּׁדִים, וְאוּלָם גַּם הוּא יִתְחַלֵּק לִפְרָטִים אֲחָדִים, שֶׁיָּשׁוּב הַמִּין הַכְּלָלִי סוּג לְגַבֵּיהֶם וְהֵם מִינִים אֵלָיו.

וְהִנֵּה נִבְחַן וְנִבְדַּל מִין הָאָדָם לְבַדּוֹ, לִהְיוֹת מֻרְכָּב מִשְּׁנֵי מִינֵי בְרִיאָה נִבְדָּלִים לְגַמְרֵי, דְּהַיְנוּ הַנְּשָׁמָה הָעֶלְיוֹנָה וְהַגּוּף הַשָּׁפָל, מַה שֶּׁלֹּא נִמְצָא בְּשׁוּם נִבְרָא אַחֵר. וְכָאן צָרִיךְ שֶׁתִּזָּהֵר שֶׁלֹּא תִטְעֶה לַחְשֹׁב, שֶׁיִּהְיֶה עִנְיַן שְׁאָר הַבַּעֲלֵי חַיִּים כְּעִנְיַן הָאָדָם, כִּי אֵין נֶפֶשׁ הַבַּעֲלֵי חַיִּים אֶלָּא דָּבָר גַּשְׁמִי, מִן הַדַּקִּים שֶׁבַּגַּשְׁמִיּוּת, וּמֵעִנְיָנוֹ נִמְצָא גַּם כֵּן בָּאָדָם, בִּבְחִינַת הֱיוֹתוֹ בַּעַל חַי; אָמְנָם זוּלַת כָּל זֶה יֵשׁ בָּאָדָם נְשָׁמָה עֶלְיוֹנָה – שֶׁהִיא מִין בְּרִיאָה בִּפְנֵי עַצְמוֹ, נִבְדָּל מִן הַגּוּף לְגַמְרֵי וְרָחוֹק מִמֶּנּוּ עַד מְאֹד – שֶׁבָּאָה וְנִקְשְׁרָה בוֹ בִּגְזֵרָתוֹ יִתְבָּרַךְ שְׁמוֹ, עַל הַכַּוָּנָה שֶׁזָּכַרְנוּ בַּפְּרָקִים שֶׁקָּדְמוּ.

[כ] הַנִּבְרָאִים הַגַּשְׁמִיִּים יְדוּעִים הֵם אֶצְלֵנוּ, וְחֻקּוֹתֵיהֶם וּמִשְׁפְּטֵיהֶם הַטִּבְעִיִּים בִּכְלָלָם מְפֻרְסָמִים, אַךְ הָרוּחָנִיִּים אִי אֶפְשָׁר לָנוּ לְצַיֵּר עִנְיָנָם הֵיטֵב, כִּי הֵם חוּץ מִדִּמְיוֹנֵנוּ, וּנְדַבֵּר בָּהֶם וּבְעִנְיְנֵיהֶם רַק כְּפִי הַמָּסֹרֶת שֶׁבְּיָדֵינוּ.

וְהִנֵּה, מִן הָעִקָּרִים הַגְּדוֹלִים שֶׁבְּיָדֵינוּ בְּעִנְיָן זֶה, הוּא שֶׁכְּנֶגֶד כָּל מַה שֶּׁנִּמְצָא בַּנִּמְצָאִים הַשְּׁפָלִים, נִמְצָאִים לְמַעְלָה כֹּחוֹת נִבְדָּלִים, שֶׁמֵּהֶם מִשְׁתַּלְשְׁלִים וְיוֹצְאִים – בְּסֵדֶר אֶחָד שֶׁל הִשְׁתַּלְשְׁלוּת שֶׁגָּזְרָה חָכְמָתוֹ יִתְבָּרַךְ שְׁמוֹ – הַשְּׁפָלִים הָאֵלֶּה הֵם וּמִקְרֵיהֶם, וְנִמְצָאִים הַכֹּחוֹת הָהֵם שָׁרָשִׁים לַנִּמְצָאִים

between the spiritual and the physical. This consists of entities that cannot be detected by physical means and are not bound by the limitations and laws of ordinary detectable matter. For this reason, they might improperly be considered spiritual. Their essence, however, is very different than that of the angelic class, even though they may resemble them in some ways. These entities also have specific attributes and unique limitations, based on their true nature. They are therefore considered a separate class, namely that of *Shedim* (demons).[34] This class also contains certain individual types, where each type may be considered a separate species belonging to the general class of *Shedim*.

Of all the things that exist, however, only man alone consists of two absolute opposites, namely a spiritual soul and a physical body. Nothing else in all creation shares this quality.

One must be careful not to erroneously consider that other animals are the same as man in this respect. Although animals may have a soul, it is not a spiritual entity. Although an animal's soul may be the most ethereal of all physical entities, it still does not enter the realm of the spiritual.[35]

Man is also a living creature, and therefore also has a similar animal soul. Besides this animal soul, however, man also has a transcendental soul. This transcendental soul is a separate entity, completely different from the body and far removed from the physical. It is only through God's decree that the two are bound together, for the purpose outlined in the previous chapters.[36]

[2]   We are well aware of physical things, and their natural properties and laws are well known. Spiritual concepts, on the other hand, are outside of our realm of experience, and therefore cannot be adequately described. When we speak of spiritual entities and phenomena, we must therefore rely completely on the traditions handed down to us.

One of these fundamentals is that everything in the physical world has a counterpart among the transcendental Forces. Every entity and process in the physical world is linked to these Forces, following a system decreed by God's wisdom. These Forces are therefore the roots of all physical things, and everything in the

הַשְּׁפָלִים הָאֵלֶּה, וְהַנִּמְצָאִים הַשְּׁפָלִים עֲנָפִים וְתוֹלָדוֹת לַכֹּחוֹת הָהֵם, וְנִקְשָׁרִים זֶה בָּזֶה כְּטַבְּעוֹת הַשַּׁלְשֶׁלֶת.

עוֹד מְסֹרֶת בְּיָדֵינוּ, שֶׁעַל כָּל עֶצֶם וְכָל מִקְרֶה שֶׁבַּנִּמְצָאִים הַשְּׁפָלִים הָאֵלֶּה הֻפְקְדוּ פְקִידִים מִן הַסּוּג הַמַּלְאָכִי שֶׁזָּכַרְנוּ לְמַעְלָה, וּמַשָּׂאָם לְקַיֵּם הָעֶצֶם הַהוּא אוֹ הַמִּקְרֶה הַהוּא בַּנִּמְצָאוֹת הַשְּׁפָלִים כְּפִי מַה שֶּׁהוּא, וּלְחַדֵּשׁ מַה שֶּׁרָאוּי לְהִתְחַדֵּשׁ בַּשְּׁפָלִים כְּפִי הַגְּזֵרָה הָעֶלְיוֹנָה.

[ג] וְאָמְנָם עִקַּר מְצִיאוּת הָעוֹלָם וּמַצָּבוֹ הָאֲמִתִּי הוּא בַּכֹּחוֹת הָהֵם הָעֶלְיוֹנִים, וְתוֹלָדוֹת מַה שֶּׁבָּהֶם הוּא מַה שֶּׁבַּגַּשְׁמִיִּים הַשְּׁפָלִים, וְזֶה – בֵּין מַה שֶּׁמַּתְחֶלֶת וּבֵין מַה שֶּׁמִּתְחַדֵּשׁ בְּהִתְחַלְּפוּת הַזְּמַנִּים; וְהַיְנוּ, כִּי כְּפִי מַה שֶּׁנִּבְרָא מִן הַכֹּחוֹת הָהֵם וּכְפִי הַסִּדּוּר שֶׁנִּסְדְּרוּ וְהַגְּבוּלִים שֶׁהֻגְבְּלוּ, כָּךְ הָיוּ מַה שֶּׁנִּשְׁתַּלְשְׁלוּ אַחַר כָּךְ לְפִי חֹק הַהִשְׁתַּלְשְׁלוּת שֶׁרָצָה בּוֹ הַבּוֹרֵא יִתְבָּרַךְ שְׁמוֹ, וּכְפִי מַה שֶּׁנִּתְחַדֵּשׁ וּמִתְחַדֵּשׁ בָּהֶם, כָּךְ הוּא מַה שֶּׁנִּתְחַדֵּשׁ וּמִתְחַדֵּשׁ בַּשְּׁפָלִים. אָכֵן, הַמְּצִיאוּת, הַמַּצָּב וְהַסֵּדֶר, וְכָל שְׁאָר הַהַבְחָנוֹת בַּכֹּחוֹת, הֵם כְּפִי מַה שֶּׁשַּׁיָּךְ בָּהֶם לְפִי אֲמִתַּת עִנְיָנָם, וְהַמְּצִיאוּת, וְהַמַּצָּב וְהַסֵּדֶר וְכָל שְׁאָר הַמִּקְרִים בַּשְּׁפָלִים, מִשְׁתַּלְשֵׁל וְנֶעְתָּק לְמַה שֶּׁשַּׁיָּךְ בָּהֶם לְפִי אֲמִתַּת עִנְיָנָם.

[ד] וְהִנֵּה לְפִי שֹׁרֶשׁ זֶה, תְּחִלַּת כָּל הַהֲוָיוֹת – לְמַעְלָה בַּכֹּחוֹת הָעֶלְיוֹנִים, וְסוֹפָם לְמַטָּה; אָמְנָם פְּרָט אֶחָד יֵשׁ שֶׁיּוֹצֵא מִן הַכְּלָל הַזֶּה, וְהוּא מַה שֶּׁנּוֹגֵעַ לִבְחִירַת הָאָדָם. כִּי כֵּיוָן שֶׁרָצָה הָאָדוֹן יִתְבָּרַךְ שְׁמוֹ שֶׁיִּהְיֶה הַיְכֹלֶת לָאָדָם לִבְחֹר בְּמַה שֶּׁיִּרְצֶה מִן הַטּוֹב וּמִן הָרָע, הִנֵּה עָשָׂהוּ בִּלְתִּי תָלוּי בָּזֶה בְּזוּלָתוֹ, וְאַדְּרַבָּה, נָתַן לוֹ כֹּחַ לִהְיוֹת מֵנִיעַ לָעוֹלָם עַצְמוֹ וְלִבְרִיּוֹתָיו, כְּפִי מַה שֶּׁיִּבְחַר בְּחֶפְצוֹ.

physical world is a branch and result of these Forces. The two are thus bound together like links in a chain.

We also know from tradition that every physical entity and process is under the charge of some type of angel.[37] These angels have the responsibility of maintaining each of them, as well as bringing about changes within them according to God's decree.

[3] The main existence and true state of the physical universe thus emanate from these highest Forces. Whatever exists in the physical world is a result of something that takes place among these Forces. This is true of both what existed in the beginning and what transpires with the passage of time.

These Forces were the first things created, and they were arranged in various systems and placed in different domains. Everything that came about later was a result of this, following rules willed by God, linking these Forces to the physical world. Everything that happens in the past or present thus has its origin in processes taking place between these Forces.

The existence, state, pattern, and every other quality that exists among these Forces are a result of what is relevant to them by virtue of their essential nature. The existence, state, arrangement, and other phenomena involving physical things in turn depend on what is transmitted and reflected to them by these Forces, following the essential nature of these physical entities.

[4] According to this principle, every physical phenomenon originates among these highest Forces.

There is, however, one exception to this rule, and that includes all things that depend on man's free will. God willed that man should be able to choose freely between good and evil, and therefore made man absolutely independent in this respect. Man was thus given the power to influence the world and its creatures in any manner his free will desires.

וְנִמְצְאוּ בָעוֹלָם שְׁתֵּי תְנוּעוֹת כְּלָלִיּוֹת הָפְכִּיּוֹת: הָאַחַת טִבְעִית מֻכְרַחַת וְהַשְּׁנִיָּה בְּחִירִיִּית, הָאַחַת מִלְמַעְלָה לְמַטָּה וְהַשְּׁנִיָּה מִלְּמַטָּה לְמַעְלָה; הַמֻּכְרַחַת הִיא הַתְּנוּעָה שֶׁמִּתְנוֹעֲעִים הַשְּׁפָלִים מֵהַכֹּחוֹת הָעֶלְיוֹנִים, וְהִנֵּה הִיא מִלְמַעְלָה לְמַטָּה; הַבְּחִירִיִּית הִיא מַה שֶּׁהָאָדָם מֵנִיעַ בִּבְחִירָתוֹ, וְהִנֵּה, מַה שֶּׁהוּא מֵנִיעַ אִי אֶפְשָׁר שֶׁיִּהְיֶה אֶלָּא גֶשֶׁם מִן הַגַּשְׁמִיִּים, כִּי הָאָדָם גַּשְׁמִי וּמַעֲשָׂיו גַּשְׁמִיִּים, אֲבָל מִפְּנֵי הַקֶּשֶׁר וְהַהִצְטָרְפוּת הַנִּמְצָא בֵּין הַכֹּחוֹת הָעֶלְיוֹנִים וְהַגַּשְׁמִיִּים, הִנֵּה, בְּהִתְנוֹעֵעַ הַגַּשְׁמִי יַגִּיעַ בְּהֶמְשֵׁךְ הַהִתְפַּעֲלוּת אֶל הַכֹּחַ הָעֶלְיוֹן שֶׁעָלָיו, וְנִמְצֵאת הַתְּנוּעָה הַזֹּאת מִלְּמַטָּה לְמַעְלָה, הֵפֶךְ הַטִּבְעִית הַמֻּכְרַחַת, שֶׁזָּכַרְנוּ.

וְאוּלָם צָרִיךְ שֶׁתֵּדַע, כִּי גַם הָאָדָם עַצְמוֹ אֵין כָּל מַעֲשָׂיו בְּחִירִיִּים, אֲבָל יֵשׁ מֵהֶם שֶׁיִּהְיוּ מִצַּד בְּחִירָתוֹ, וְיֵשׁ אֲחֵרִים שֶׁיְּסוֹבַב לָהֶם מִצַּד גְּזֵרָה עֶלְיוֹנָה לִשְׂכָרוֹ אוֹ לְעָנְשׁוֹ, וּכְמוֹ שֶׁנִּבְאַר בִּמְקוֹמוֹ בְּסִיַּעְתָּא דִשְׁמַיָּא. וְאוּלָם בַּמֶּה שֶׁהוּא נִמְשָׁךְ אַחַר הַגְּזֵרָה שֶׁעָלָיו, יִהְיֶה מִשְׁפָּטוֹ כִּשְׁאָר עִנְיְנֵי הָעוֹלָם, שֶׁתְּנוּעָתָם מִלְמַעְלָה לְמַטָּה כְּפִי מַה שֶּׁיְּנִיעוּם הַכֹּחוֹת הָעֶלְיוֹנִים, וּבַמֶּה שֶּׁמִּצַּד בְּחִירָתוֹ, תִּהְיֶה תְנוּעָתוֹ מִלְּמַטָּה לְמַעְלָה וּכְמוֹ שֶׁבֵּאַרְנוּ.

[ה] וְהִנֵּה סֵדֶר הָאָדוֹן בָּרוּךְ הוּא, שֶׁכָּל הָעִנְיָנִים אֲשֶׁר תִּפֹּל בָּהֶם בְּחִירָתוֹ שֶׁל הָאָדָם, יַגִּיעוּ לְהָנִיעַ בִּתְנוּעָה הַבְּחִירִיִּית אֶת הַכֹּחוֹת הָהֵם, בְּאוֹתוֹ הַשִּׁעוּר וְהַמַּדְרֵגָה שֶׁחָקַק לָהֶם; וְהַיְנוּ – כִּי לֹא מַעֲשָׂיו לְבַדָּם יְנִיעוּם אֶלָּא אֲפִלּוּ דִבּוּרוֹ וַאֲפִלּוּ מַחֲשַׁבְתּוֹ; אַךְ שִׁעוּר הַתְּנוּעָה וּמַדְרֵגָתָהּ לֹא יִהְיֶה אֶלָּא בְּאוֹתוֹ הַגְּבוּל שֶׁגָּזְרָה וְהִגְבִּילָה הַחָכְמָה הָעֶלְיוֹנָה.

[ו] וְאָמְנָם אַחַר הַתְּנוּעָה הַבְּחִירִיִּית תִּמָּשֵׁךְ בְּכֹחַ תְּנוּעָה

The world therefore contains two opposite general influences. The first is that of natural determinism, while the second is indeterministic.

The deterministic influence is directed downward from on high, while the indeterministic is directed upward from below. This is because the deterministic is the influence that stems from the highest Forces, and therefore, when it is directed toward the physical world, it is directed downward. The indeterministic influence, on the other hand, is the result of man's free will here in the physical world.

Since both man and his actions are physical, the only direct influence that he can have is on physical things. Because of the linkage between the physical world and the highest Forces, however, every time a physical thing is influenced, it also has an effect on its counterpart among these Forces. [Since man's deeds in the world below are what influence these Forces on high,] man's influence is said to be directed upward. It is thus the exact opposite of the natural deterministic influences.[38]

It is necessary to know, however, that even man's deeds are not all the result of his free will. While this is true of most of his actions, there are some that result from a divine decree to reward or punish him, as will be discussed in detail in a later section.[39] Such decrees take place in the same manner as other natural phenomena, where the influence is directed downward from the highest Forces.

Nevertheless, [even in such cases,] the elements resulting from the individual's own free will are still directed upward, in the manner discussed earlier.

[5] God arranged things so that every matter falling within the realm of man's free will should be able to affect the transcendental Forces through this indeterministic influence according to the measure and degree set forth by God. This is true not only of man's deeds, but even of his speech and thoughts. The amount and degree of this influence, however, cannot exceed the limits decreed and circumscribed by the Highest Wisdom.

[6] Every indeterministic influence, however, also results in deter-

מְכֻרַחַת, כִּי כֵּיוָן שֶׁהִתְנוֹעֲעוּ הַכֹּחוֹת הָעֶלְיוֹנִים מִצַּד הָאָדָם, הִנֵּה יַחְזְרוּ וְיָנוּעֲעוּ בַּתְּנוּעָה הַטִּבְעִית אֶת הַשְּׁפָלִים הַמִּשְׁתַּלְשְׁלִים מֵהֶם.

וְאוּלָם יֵשׁ בְּכָל הָעִנְיָנִים הָאֵלֶּה חֻקִּים פְּרָטִיִּים רַבִּים, כְּפִי מַה שֶּׁגָּזְרָה הַחָכְמָה הָעֶלְיוֹנָה בְּעֹמֶק עֲצָתָהּ הֱיוֹתוֹ נָאוֹת לִבְרִיאָתוֹ; וְשִׁעֲרוּ הַדְּבָרִים בְּשִׁעוּרִים רַבִּים, בֵּין בְּהַגָּעַת הַתְּנוּעָה מֵהָאָדָם לַכֹּחוֹת, בֵּין בְּהַגָּעַת הַתְּנוּעָה מֵהַכֹּחוֹת לַשְּׁפָלִים; וְעַל פִּי הָרָזִים הָעֲמֻקִּים הָאֵלֶּה סוֹבְבִים כָּל גִּלְגּוּלֵי הַנְהָגָתוֹ יִתְבָּרַךְ שְׁמוֹ בְּכָל מַה שֶּׁהָיָה וְשֶׁיִּהְיֶה.

[ז] וְהִנֵּה, בִּהְיוֹת שֶׁגָּזְרָה חָכְמָתוֹ יִתְבָּרַךְ שֶׁיִּהְיֶה בָּעוֹלָם מְצִיאוּת הַטּוֹב וְהָרָע כְּמוֹ שֶׁזָּכַרְנוּ, הִנֵּה, תְּחִלַּת עִנְיָן זֶה צָרִיךְ שֶׁיִּהְיֶה בַּכֹּחוֹת הָאֵלֶּה הַשָּׁרְשִׁיִּים, וְאַחֲרֵיהֶם יִמָּשֵׁךְ הַדָּבָר בַּשְּׁפָלִים. וְהִנֵּה, סִדְּרָה חָכְמָתוֹ יִתְבָּרַךְ אֶת הַכֹּחוֹת הַנִּבְדָּלִים שָׁרְשֵׁי הַנִּבְרָאִים שֶׁזָּכַרְנוּ, בְּסֵדֶר וּבִתְכוּנָה, שֶׁיִּפֹּל בָּהֶם – כְּפִי מַה שֶּׁשַּׁיָּךְ בָּהֶם – תִּקּוּן וְקִלְקוּל, וְהַיְנוּ שֶׁיִּמָּצֵא בָהֶם מַצָּב טוֹב וְלֹא טוֹב, וַאֲמִתַּת טוּב הַמַּצָּב יִהְיֶה, שֶׁיִּהְיוּ בַּהֲכָנָה לָאוֹר בְּאוֹר פָּנָיו יִתְבָּרַךְ, וְיָאִיר לָהֶם. וְהֶפְכּוֹ, שֶׁתֶּחְסַר מֵהֶם הַהֲכָנָה הַזֹּאת, וְיִתְעַלֵּם מֵהֶם; וְתוֹלְדוֹת תִּקּוּנָם בַּשְּׁפָלִים הוּא – הַטּוֹב בָּהֶם, וְהַהֶפֶךְ – בַּהֶפֶךְ.

[ח] וְצָרִיךְ שֶׁתֵּדַע, כִּי הִנֵּה, אַף עַל פִּי שֶׁבֶּאֱמֶת סִבַּת כָּל עִנְיְנֵי הַטּוֹב בְּכָל מָקוֹם שֶׁהֵם, פֵּרוּשׁ – בֵּין בַּכֹּחוֹת בֵּין בְּתוֹלְדוֹתֵיהֶם, הִנֵּה הִיא הֶאָרַת פָּנָיו יִתְבָּרַךְ כְּמוֹ שֶׁזָּכַרְנוּ, וְסִבַּת הָרָע בְּכָל מָקוֹם שֶׁהוּא – הֶעְלֵם הֶאָרָתוֹ. אָמְנָם לַטּוֹב יְתֹאַר הָאָדוֹן בָּרוּךְ הוּא בְּשֵׁם סִבָּה מַמָּשׁ לִכְלָלָיו וְלִפְרָטָיו, אֲבָל לָרָע לֹא נְתָאֲרֵהוּ סִבָּה מַמָּשׁ, כִּי אָמְנָם "אֵין הַקָּדוֹשׁ בָּרוּךְ הוּא מְיַחֵד שְׁמוֹ עַל הָרָעָה"; אֶלָּא הֶעְלֵם אוֹרוֹ וְהֶסְתֵּר פָּנָיו יֵחָשֵׁב לְשֹׁרֶשׁ לוֹ, כִּי

ministic influences. When the highest Forces are influenced by man's free will, they in turn influence the physical things that are inherently linked to them.

All these processes, however, follow many detailed laws, as decreed by the Highest Wisdom as being best for creation. Both the ways through which man's influence reaches the highest Forces, and the manner in which these Forces react toward the physical world, all depend on many factors. All this constitutes the deep mystery of how God's providence works and brings about everything that was and will be.

[7]   As discussed earlier, God's wisdom decreed that both good and evil exist in the world.[40] Like all other things, these concepts must begin among these fundamental Forces, and then have effects in the physical world.

God's wisdom arranged the transcendental Forces, the roots of all that was created, and set them in an order and system in which it would be possible that there should pertain to them either rectification (*Tikkun*) or [spiritual] damage (*Kilkul*). They therefore have states that are good and otherwise.

The essence of a state of good is when a Force has the capacity to be illuminated by the Light of God's presence. The opposite state is that which lacks this capacity, and where this Light is therefore withheld from a given Force.

The result of the rectification of these Forces is everything good that exists in the physical world. Its converse is the opposite.

[8]   It is necessary to realize that the true cause of everything good, whether among the Forces or their effects, is the Light of God's presence. The cause of all evil, on the other hand, is the absence of this Light.

With regard to good, however, God is considered its actual cause, both in general and in particular. God is not considered the direct cause of evil, on the other hand, and we are thus taught that "God does not relate His name to evil."[41] God is nevertheless still the indirect cause even of evil, since its actual cause is the absence of

זֶהוּ סִבָּתוֹ בֶּאֱמֶת, וְזֶה עַל צַד הֶעְדֵּר הַטּוֹב; אֲבָל לְפָרְטֵי עִנְיָנוֹ בִּמְצִיאוּתָם, הִנֵּה הָאָדוֹן בָּרוּךְ הוּא, שֶׁהוּא כֹּל יָכוֹל וְאֵין לִיכָלְתּוֹ מְנִיעָה וְלֹא גְבוּל כְּלָל, בָּרָא שֹׁרֶשׁ וּמָקוֹר פְּרָטִי, מְכֻוָּן בּוֹ הַתַּכְלִית הַזֶּה שֶׁל הוֹצָאַת פְּרָטֵי עִנְיְנֵי הָרָע, כְּפִי מַה שֶּׁשִּׁעֲרָה הַחָכְמָה הָעֶלְיוֹנָה הֱיוֹתוֹ מִצְטָרֵךְ לַמַּצָּב הַנִּרְצֶה בָּאָדָם וּבָעוֹלָם; וְהוּא מַה שֶּׁאָמַר הַכָּתוּב: "יוֹצֵר אוֹר וּבוֹרֵא חֹשֶׁךְ עֹשֶׂה שָׁלוֹם וּבוֹרֵא רָע" (ישעיהו מה, ז).

וְעִנְיַן הַשֹּׁרֶשׁ הַזֶּה, הוּא כְּלַל כֹּחוֹת שׁוֹנִים, יִשְׁתַּלְשְׁלוּ מֵהֶם עִנְיְנֵי הַחִסָּרוֹן וְהָרָעוֹת כֻּלָּם בְּכָל בְּחִינוֹתֵיהֶם, בֵּין מַה שֶּׁנּוֹגֵעַ לַנֶּפֶשׁ בֵּין מַה שֶּׁנּוֹגֵעַ לַגּוּף, בְּכָל פְּרָטֵיהֶם לְמַחְלְקוֹתָם, וְעוֹד נְדַבֵּר מִזֶּה בַּחֵלֶק הַשֵּׁנִי, בְּסִיַּעְתָּא דִשְׁמַיָּא. וְהִנֵּה, כְּלַל הַכֹּחוֹת הָאֵלֶּה מִתְנַהֵג לִפְעֹל אוֹ שֶׁלֹּא לִפְעֹל, בֵּין בְּכֻלּוֹ בֵּין בַּחֲלָקָיו, אַחַר הֶעְלֵם אוֹרוֹ יִתְבָּרַךְ שְׁמוֹ וְהֶסְתֵּר פָּנָיו, כִּי כְּפִי שִׁעוּר הַהֶעְלֵם, כָּךְ בְּשִׁעוּר זֶה תִּנָּתֵן שְׁלִיטָה וּמֶמְשָׁלָה אֶל כְּלַל הַכֹּחוֹת הָאֵלֶּה אוֹ אֶל חֲלָקִים מִמֶּנּוּ שֶׁיִּפְעֲלוּ. וְהִנֵּה, בְּהִתְגַּבֵּר הַכֹּחוֹת הָאֵלֶּה וּבְמָשְׁלָם – יִכָּחֵשׁ כֹּחַ הַטּוֹב וְיִתְקַלְקֵל מַצַּב הַכֹּחוֹת שָׁרְשֵׁי הַנִּבְרָאִים שֶׁזָּכַרְנוּ, וְיִתְחַלְּשׁוּ הֵם וַעֲנָפֵיהֶם; וּכְשֶׁיִּכָּנְעוּ הַכֹּחוֹת הָאֵלֶּה וְתִנָּטֵל מֵהֶם הַשְּׁלִיטָה וְהַפְּעֻלָּה – יִגְבַּר הַטּוֹב, וְיִתָּקְנוּ שָׁרְשֵׁי הַנִּבְרָאִים, וְיִתְיַצְּבוּ בַּמַּצָּב הַטּוֹב, וְיִתְחַזְּקוּ הֵם וַעֲנְפֵיהֶם. וְאוּלָם כָּל מַה שֶּׁזָּכַרְנוּ מֵעִנְיְנֵי הַטּוֹב וְהָרָע וּמִלְחֶמֶת הַשֵּׂכֶל וְהַחֹמֶר וְכָל עִנְיְנֵי תִּקּוּן וְקִלְקוּל, שֹׁרֶשׁ כָּל הָעִנְיָנִים כֻּלָּם, הֵם הִתְגַּבְּרוּת הַכֹּחוֹת הָאֵלֶּה וְהַגִּיעַ עִנְיָנָם וְתוֹלְדוֹתָם בַּנִּבְרָאִים, בְּשָׁרָשִׁים אוֹ בַּעֲנָפִים, אוֹ הַכְנָעָתָם וּבִטּוּל פְּעֻלָּתָם, וְהָסִיר עִנְיָנָם וְתוֹלְדוֹתָם מִן הַנִּבְרָאִים – שָׁרָשִׁים וַעֲנָפִים.

good, and it therefore results from the absence of God's Light and the concealment of His presence.

No bounds or limits can be placed on God's omnipotence, [and therefore, there is nothing preventing Him from creating even evil if He so desires]. In order for the various concepts of evil to exist, He created a particular root and source. The purpose of the Source of Evil was to give rise to particular concepts, to the extent that the Highest Wisdom determined necessary so that both man and the world be in its desired state. Regarding this Source of Evil, the Scripture states (*Isaiah* 45:7), "[God] forms light and creates darkness, make peace and creates evil."[42]

This Source of Evil includes many different Forces, from which all concepts of deficiency and evil originate. It can affect both body and soul, in all their various categories, and we will discuss this further in the second section.[43]

In general, the activity of these evil Forces, both individually and as a whole, depends on the extent to which God's Light is absent and His presence concealed. The greater this absence of Light, the more authority and power these Forces have to act, both in general and in particular.

When these evil Forces gain power and authority, the Force of good is weakened, and those Forces which are the roots of all created things are damaged. This in turn weakens both the Forces and their [derivative] branches, [which are the physical things associated with them].

When these evil Forces are subjugated and deprived of their authority and power to act, on the other hand, then the good becomes strengthened. The Roots of all created things are then rectified and are set in a good state so that both they and their branches are strengthened.

Everything therefore depends on the strengthening of these Forces, whether it be the concepts of good and evil, the battle between the physical and spiritual, or other matters of perfection and deficiency. When either the Force of good or that of evil gains power, its qualities and effects influence all created things, both through their Roots and their branches. When either one is subjugated, on the other hand, its activity is nullified, and its attributes

[ט] וְהִנֵּה חִלּוּקֵי מַדְרֵגוֹת הַרְבֵּה יֵשׁ בְּעִנְיַן כֹּחוֹת הָרָע שֶׁזָּכַרְנוּ וְהַנִּשְׁפָּע מֵהֶם; וּבְדֶרֶךְ כְּלָל נִקְרָא לַנִּשְׁפָּע מֵהֶם: טֻמְאָה, חֹשֶׁךְ וְזֻהֲמָא, אוֹ חֹל, וְכַיּוֹצֵא בוֹ; וְלַנִּשְׁפָּע מֵהֶאָרַת פָּנָיו יִתְבָּרַךְ שְׁמוֹ נִקְרָא: קְדֻשָּׁה וְטָהֳרָה, אוֹר וּבְרָכָה, וְכַיּוֹצֵא בָזֶה; אֲבָל בְּהַבְחָנַת פְּרָטֵי הָעִנְיָנִים, נַבְחִין מִינֵי הַסּוּגִים הָאֵלֶּה וּפְרָטֵיהֶם – שֶׁעֲלֵיהֶם סוֹבֶבֶת כָּל הַהַנְהָגָה שֶׁהָאָדוֹן בָּרוּךְ הוּא מְנַהֵג אֶת עוֹלָמוֹ.

וְאָמְנָם, הִנֵּה לְכָל עִנְיָן מֵעִנְיָנִים אֵלֶּה, נִמְצְאוּ פְּקִידִים מְמֻנִּים, מִסּוּג הַמַּלְאָכִי שֶׁבֵּאַרְנוּ לְמַעְלָה, לְהוֹצִיא הַדְּבָרִים לַפֹּעַל עַד הַגַּשְׁמִיּוּת, אִם לְטוֹב וְאִם לְמוּטָב, וְהִנֵּה הֵם מְשָׁרְתָיו יִתְבָּרַךְ עוֹשֵׂי דְבָרוֹ, שֶׁכֵּן רָצָה וְסִדֵּר, שֶׁתִּהְיֶינָה גְזֵרוֹתָיו יוֹצְאוֹת לְמַעֲשֶׂה עַל יְדֵי מַלְאָכָיו, כְּפִי מַה שֶּׁהִפְקִידָם וּמָסַר בְּיָדָם.

and effects are removed from the Roots and branches of all creation.

[9]   There are many levels among the qualities of these evil Forces and what results from them. In general, their effects are called corruption (*Tum'ah*), darkness, pollution (*Zohamah*), mundane (*Chol*), and the like.

Things resulting from the illumination of God's presence, on the other hand, are called holiness, purity, light, blessing, and the like.

These are all general categories. When we consider their elements, however, we are able to distinguish the specific categories and details of these general classes. Around these revolves all of God's providence, through which He directs His world.

For each one of these concepts, however, there are Agents (or Overseers) belonging to the general class of angels, appointed to translate them into action in the physical world. This is true of both good concepts and their opposite. These angelic Agents are God's servants, obeying His word.[44] God had thus willed and organized things so that His decrees should be translated into action through angels, each in its own appointed area of influence.

PART 2 חלק

•

בְּהַשְׁגָּחַת הַבּוֹרֵא

•

PROVIDENCE

א פרק ראשון

בְּעִנְיַן הַשְׁגָּחָתוֹ יִתְבָּרַךְ שְׁמוֹ בִּכְלָל

[א] יָדוּעַ וּמְבֹאָר הוּא, שֶׁכָּל הַנִּבְרָאִים כֻּלָּם שֶׁנִּבְרְאוּ, בֵּין הָעֶלְיוֹנִים וּבֵין הַתַּחְתּוֹנִים, הִנֵּה נִבְרְאוּ לְפִי שֶׁרָאֲתָה בָהֶם הַחָכְמָה הָעֶלְיוֹנָה צֹרֶךְ וְתוֹעֶלֶת לְמַה שֶּׁהוּא הַתַּכְלִית הַכְּלָלִי שֶׁל הַבְּרִיאָה; וְכָל חֻקּוֹתֵיהֶם וּמִשְׁפְּטֵיהֶם הַטִּבְעִיִּים הוּחְקוּ וְהֻטְבְּעוּ כְּפִי מַה שֶּׁגָּזְרָה הַחָכְמָה הָעֶלְיוֹנָה הֱיוֹתוֹ נָאוֹת, לְפִי הַכַּוָּנָה שֶׁכִּוְּנָה בַּנִּבְרָא הַהוּא. וְאוּלָם מֵאוֹתוֹ הַטַּעַם עַצְמוֹ שֶׁנִּבְרְאוּ, רָאוּי גַּם כֵּן שֶׁיִּתְקַיְּמוּ כָּל זְמַן הֱיוֹת בָּם תּוֹעֶלֶת לִכְלַל הַבְּרִיאָה כְּמוֹ שֶׁזָּכַרְנוּ; וְעַל כֵּן הָאָדוֹן בָּרוּךְ הוּא, שֶׁבָּרָא כָּל הַנִּבְרָאִים הָאֵלֶּה, לֹא יִמָּנַע גַּם כֵּן מִלְּהַשְׁגִּיחַ עֲלֵיהֶם, לְקַיְּמָם בְּאוֹתוֹ הַמַּצָּב שֶׁהוּא רוֹצֶה אוֹתָם בּוֹ.

[ב] וְאוּלָם, כְּבָר הִקְדַּמְנוּ בְּחֵלֶק רִאשׁוֹן פֶּרֶק חֲמִישִׁי, שֶׁתְּחִלַּת הַנִּבְרָאִים כֻּלָּם הֵם הַכֹּחוֹת הַנִּבְדָּלִים, וּמֵהֶם מִשְׁתַּלְשְׁלִים הַגְּשָׁמִים, וְהַדְּבָרִים בַּגְּשָׁמִים בְּכָל פְּרָטֵיהֶם הִנֵּה הֵם כְּפִי מַה שֶּׁנֶּעְתָּק אֲלֵיהֶם מִן הַכֹּחוֹת הָהֵם בִּפְרָטֵי בְּחִינוֹתֵיהֶם, וְאֵין דָּבָר קָטָן אוֹ גָדוֹל בַּגַּשְׁמִיִּים שֶׁלֹּא יִהְיֶה לוֹ סִבָּה וְשֹׁרֶשׁ בַּכֹּחוֹת הַנִּבְדָּלִים, כְּפִי בְּחִינוֹתֵיהֶם; וְהָאָדוֹן בָּרוּךְ הוּא הִנֵּה הוּא מַשְׁגִּיחַ עַל כָּל אֵלֶּה הָעִנְיָנִים, כְּפִי מַה שֶּׁבְּרָאָם, דְּהַיְנוּ עַל הַכֹּחוֹת הַנִּבְדָּלִים בָּרִאשׁוֹנָה, וְעַל כָּל הִשְׁתַּלְשְׁלוּתָם כְּפִי מַה

II CHAPTER 1

Providence in General

[1] It is clearly evident that everything that exists, both above and below, was created only because the Highest Wisdom deemed it necessary and useful in furthering the general purpose of creation. The natural laws and properties of all things were thus ordained by the Highest Wisdom so that they should be best fitted for the purpose for which they were created.

Since each thing was initially created for a reason, it is appropriate that it be maintained so that it can serve its intended purpose. After God created all things, He therefore continued to oversee them and maintain them in their desired state.

[2] As we have discussed earlier (1:5:3), the beginnings of all created things are the transcendental Forces. All physical things result from them, and all their details are a consequence of what is reflected to them by these Forces, following their own detailed qualities. There is nothing large or small in the physical world that does not have its cause and origin among some aspect of these Forces.

The One who oversees all these concepts is God Himself, and He does so in the same way that He created them. Accordingly, He first oversees the array of transcendental Forces and everything that results from their essential nature. He then supervises the [angelic]

שֶׁהוּא בֶּאֱמֶת, וְכֵן הוּא מַשְׁגִּיחַ גַּם כֵּן עַל הַפְּקִידִים שֶׁהִפְקִיד עַל הַנִּמְצָאוֹת כְּמוֹ שֶׁזָּכַרְנוּ שָׁם, לְקַיֵּם אוֹתָם וְאֶת פְּקֻדָּתָם, לְהַתְמִיד לָהֶם הַכֹּחַ שֶׁיִּפְעֲלוּ פְּעֻלָּתָם.

[ג] וְאָמְנָם בִּהְיוֹת שֶׁנִּשְׁתַּנָּה הַמִּין הָאֱנוֹשִׁי מִכָּל שְׁאָר הַמִּינִים – שֶׁנִּתְּנָה לוֹ הַבְּחִירָה וְהַיְכֹלֶת בְּמַה שֶּׁהוּא לוֹ קְנִיַּת הַשְּׁלֵמוּת אוֹ חִסָּרוֹן, וְנִמְצָא בִּבְחִינָה זוֹ פּוֹעֵל וּמֵנִיעַ, וְלֹא נִפְעָל – גַּם הַהַשְׁגָּחָה עָלָיו, מֻכְרָח שֶׁתִּשְׁתַּנֶּה מֵהַהַשְׁגָּחָה עַל שְׁאָר הַמִּינִים; כִּי הִנֵּה יִצְטָרֵךְ לְהַשְׁגִּיחַ וּלְהַשְׁקִיף עַל פְּרָטֵי מַעֲשָׂיו, לְהַמְצִיא לוֹ כִּדְרָכָיו וְכִפְרִי מַעֲלָלָיו; וְנִמְצָא שֶׁיֻּשְׁגְּחוּ מַעֲשָׂיו כֻּלָּם וְתוֹלְדוֹתֵיהֶם, וְיָשׁוּב וְיֻשְׁגַּח עָלָיו כְּפִי הָרָאוּי לְתוֹלְדוֹת הַמַּעֲשִׂים הָהֵם, בִּפְרָט, וּמִדָּה כְּנֶגֶד מִדָּה, וּכְמוֹ שֶׁזָּכַרְנוּ לְפָנִים; וְזֶה מִמַּה שֶּׁאֵין שַׁיָּךְ בִּשְׁאָר הַמִּינִים, שֶׁאִישֵׁיהֶם נִפְעָלִים וְלֹא פוֹעֲלִים, וְאֵינָם אֶלָּא כְּפִי מַה שֶּׁרָאוּי לְתַשְׁלוּם הַמִּין הַהוּא, כְּפִי מַה שֶּׁהַשֹּׁרֶשׁ בְּשָׁרְשׁוֹ, שֶׁהִנֵּה תִהְיֶה הַהַשְׁגָּחָה לְקַיֵּם הַשֹּׁרֶשׁ הַהוּא וַעֲנָפָיו, כְּפִי מַה שֶּׁטֶּבַע וְחֹק הַשֹּׁרֶשׁ נוֹתֵן שֶׁיִּהְיֶה; אֲבָל הַמִּין הָאֱנוֹשִׁי, שֶׁאִישָׁיו פּוֹעֲלִים וּמְנִיעִים כְּמוֹ שֶׁזָּכַרְנוּ, הִנֵּה צָרִיךְ שֶׁיֻּשְׁגְּחוּ בִּפְרָט, כְּפִי מַה שֶּׁיִּגְרְמוּ לָהֶם מַעֲשֵׂיהֶם, לֹא פָּחוֹת וְלֹא יוֹתֵר. וְעוֹד נַרְחִיב בֵּאוּר הַדָּבָר הַזֶּה לְפָנִים בְּסִיַּעְתָּא דִשְׁמַיָּא.

Agents who are appointed to maintain the existence and function of all that exists, giving them power to do their tasks.

[3] The human race, however, is different from all other species, since it was given free will and the ability to involve itself with both perfection and deficiency. Man is therefore an active, moving influence, and not something that is merely acted upon.

The providence dealing with man must therefore also be different from that concerning other species. In the case of man, it must oversee and scrutinize every detail of his activities, and bring about things that are the result of his ways and the fruit of his deeds.[1] Each one of a person's deeds, as well as their results, are scrutinized, and providence is then extended to him in the particular manner that suits their consequences, and [the individual is judged] measure for measure, as will be discussed in a later chapter.[2]

This is not true, however, of any species other than man. The members of other species are acted upon, but have no influence themselves. They merely exist to maintain the species as a whole, according to the nature of its spiritual Root. Providence is thus merely extended to maintain the Root and its branches, according to the inherent nature and function of that Root.[3]

Human beings, on the other hand, act and exert influence as individuals. They therefore require individual providence, and everything must be the result of their deeds, no more and no less. We will expand upon this further in the following chapters.

ב פרק שני

בְּמִקְרֵי הַמִּין הָאֱנוֹשִׁי בָּעוֹלָם הַזֶּה

[א] הִנֵּה, כְּבָר הִקְדַּמְנוּ הֱיוֹת תַּכְלִית בְּרִיאַת הַמִּין הָאֱנוֹשִׁי לְשֶׁיִּזְכֶּה וְיַגִּיעַ לַטּוֹב הָאֲמִתִּי, שֶׁהוּא הַהִתְדַּבְּקוּת בּוֹ יִתְבָּרַךְ לָעוֹלָם הַבָּא; וְנִמְצָא שֶׁסּוֹף כָּל גִּלְגּוּלָיו, הִנֵּה הוּא הַמְּנוּחָה לָעוֹלָם הַבָּא; אָמְנָם גָּזְרָה הַחָכְמָה הָעֶלְיוֹנָה הֱיוֹת רָאוּי וְנָאוֹת, שֶׁיִּקְדַּם לָזֶה מַצָּבוֹ בָּעוֹלָם הַזֶּה נִקְשָׁר וְנִגְבָּל בְּחֻקּוֹת טֶבַע זֶה הָעוֹלָם, שֶׁזֶּה תִּהְיֶה הַהֲכָנָה הָאֲמִתִּית וְהָרְאוּיָה לְהַגִּיעַ אֶל הַתַּכְלִית הַנִּרְצֶה; וּלְפִי הַשֹּׁרֶשׁ הַזֶּה סִדְּרָה כָּל עִנְיְנֵי זֶה הָעוֹלָם, לִהְיוֹת לַהֲכָנָה וּלְהַזְמָנָה, לְמַה שֶּׁיִּהְיֶה אַחַר כָּךְ בָּעוֹלָם הַתַּכְלִיתִי, שֶׁהוּא הָעוֹלָם הַבָּא.

[ב] אַךְ הַהֲכָנָה הַזֹּאת הִנֵּה הִיא סוֹבֶבֶת עַל שְׁנֵי קְטָבִים, הָאֶחָד אִישִׁיִּי וְהַשֵּׁנִי כְּלָלִי. הָאִישִׁיִּי, הוּא עִנְיַן קְנִיַּת הָאָדָם אֶת שְׁלֵמוּתוֹ בְּמַעֲשָׂיו, וְהַכְּלָלִי, הוּא הִתְכּוֹנֵן הַמִּין הָאֱנוֹשִׁי בִּכְלָלוֹ לָעוֹלָם הַבָּא.

וּפֵרוּשׁ זֶה הָעִנְיָן הוּא, כִּי בִּהְיוֹת הַמִּין הָאֱנוֹשִׁי נִבְרָא בְּיֵצֶר טוֹב וּבְיֵצֶר רָע וּבִבְחִירָה, הִנֵּה לֹא יִמָּנַע הָאֶפְשָׁרוּת בַּחֲלָקָיו לִהְיוֹת מֵהֶם טוֹבִים וּמֵהֶם רָעִים, וְסוֹף הַגִּלְגּוּל צָרִיךְ שֶׁיִּהְיֶה שֶׁיִּדָּחוּ הָרָעִים, וְיִקָּבְצוּ הַטּוֹבִים וְיֵעָשֶׂה מֵהֶם כְּלָל אֶחָד, שֶׁלַּכְּלָל הַהוּא יְעֻתַּד הָעוֹלָם הַבָּא בַּטּוֹב הָאֲמִתִּי הַמֻּשָּׂג בּוֹ.

II CHAPTER 2

Man in This World

[1] We have stated earlier that the purpose of the creation of the human species is that man should become worthy of attaining true good, namely, being drawn close to Him in the World to Come. Hence the ultimate end of all his evolvements is the tranquility in the World to Come.

The Highest Wisdom decreed, however, that this would best be attained if man would first exist in the present world, bound and limited by its natural laws. This is actually the true and proper preparation necessary for the desired goal, and everything in this world was therefore arranged so that it should serve as a means of preparing and readying man for this ultimate purpose.

[2] This preparation involves two aspects, one concerning individuals, and the other, humanity as a whole.

The preparation of the individual is his attainment of perfection through his deeds. That of humanity as a whole involves the preparation of the entire human race for the World to Come.

Man was created with a Good Urge (*Yetzer Tov*), an Evil Urge (*Yetzer HaRa*) and free will.[5] This then allows the human race to include some individuals who are good as well as others who are evil. Ultimately, the evil ones must be cast aside, and the good ones gathered to form one [Perfected] Community. It is for this Community that the Future World and all its attained good are intended.

[ג] וְאוּלָם חֹק הַבְּחִירָה שֶׁמַּכְרִיחַ הָאֶפְשָׁרוּת שֶׁזָּכַרְנוּ בְּחֶלְקֵי הַמִּין הָאֱנוֹשִׁי, לִהְיוֹתָם טוֹבִים אוֹ רָעִים, וְכֵן לִהְיוֹת קְצָתָם טוֹבִים וּקְצָתָם רָעִים, הוּא עַצְמוֹ מַכְרִיחַ אֶפְשָׁרוּת זוֹ גַּם כֵּן בְּמַעֲשֵׂי כָל אִישׁ מֵאִישֵׁי הַמִּין, שֶׁאוּלָם אֶפְשָׁר שֶׁיִּהְיוּ כֻלָּם טוֹבִים אוֹ כֻלָּם רָעִים, וְאֶפְשָׁר שֶׁיִּהְיוּ קְצָתָם טוֹבִים וּקְצָתָם רָעִים, וְזֶה מִמָּה שֶׁמְּעַכֵּב קִבּוּץ הַשְּׁלֵמִים שֶׁזָּכַרְנוּ, כִּי כְבָר יִמָּצֵא בְּאִישׁ אֶחָד עַצְמוֹ עִנְיָנִים טוֹבִים וְעִנְיָנִים רָעִים, וּלְהַשְׁגִּיחַ עַל קְצָתָם וְלֹא עַל הַשְּׁאָר, אֲפִלּוּ אִם אוֹתָם שֶׁיַּשְׁגִּחַ עֲלֵיהֶם יִהְיֶה הָרֹב, הִנֵּה אֵינוֹ מִמִּשְׁפַּט הַצֶּדֶק, כִּי שׁוּרַת הַדִּין נוֹתֶנֶת שֶׁכָּל הַמַּעֲשִׂים יְגֻמְלוּ, הֵן גְּדוֹלִים הֵן קְטַנִּים, הֵן הַרְבֵּה הֵן מְעַט.

עַל כֵּן גָּזְרָה הַחָכְמָה הָעֶלְיוֹנָה לְחַלֵּק הַגְּמוּל, בֵּין לְשָׂכָר בֵּין לְעֹנֶשׁ, בִּשְׁנֵי זְמַנִּים וּבִשְׁנֵי מְקוֹמוֹת; וְהַיְנוּ – שֶׁהִנֵּה, כְּלָל הַמַּעֲשִׂים יִתְחַלֵּק לְרֹב וּלְמִעוּט, וְיִדּוֹן הָרֹב לְבַדּוֹ, בְּמָקוֹם וּזְמַן הָרָאוּי לוֹ, וְהַמִּעוּט לְבַדּוֹ, בְּמָקוֹם וּזְמַן הָרָאוּי לוֹ.

וְאוּלָם הַגְּמוּל הָאֲמִתִּי וְעִקָּרוֹ יִהְיֶה בָּעוֹלָם הַבָּא, וּכְמוֹ שֶׁזָּכַרְנוּ, וְיִהְיֶה הַשָּׂכָר – הִשָּׁאֵר הָאָדָם הַזּוֹכֶה נִצְחִי לְהִתְדַּבְּקוּת בּוֹ יִתְבָּרַךְ לָנֶצַח, וְהָעֹנֶשׁ – הֱיוֹתוֹ נִדְחֶה מֵהַטּוֹב הָאֲמִתִּי וְאוֹבֵד; אָמְנָם הַדִּין לְעִנְיָן זֶה, לֹא יִהְיֶה אֶלָּא עַל פִּי רֹב הַמַּעֲשֶׂה; אַךְ לְמַעֲשִׂים טוֹבִים אֲשֶׁר לָרָשָׁע וְלַמַּעֲשִׂים הָרָעִים אֲשֶׁר לַצַּדִּיק עַל צַד הַמִּעוּט, יִמָּצֵא הָעוֹלָם הַזֶּה בְּהַצְלָחוֹתָיו וְצָרוֹתָיו, שֶׁבּוֹ יְקַבֵּל הָרָשָׁע גְּמוּל מִעוּט הַזְּכוּת אֲשֶׁר לוֹ בְּהַצְלָחוֹתָיו, וְהַצַּדִּיק – עֹנֶשׁ עֲווֹנוֹתָיו בַּיִּסּוּרִין שֶׁבּוֹ, בְּאֹפֶן שֶׁיִּשְׁלַם הַמִּשְׁפָּט בַּכֹּל, וְיִשָּׁאֵר הָעִנְיָן לָעוֹלָם הַבָּא כְּמוֹ שֶׁרָאוּי לַמַּצָּב הַשָּׁלֵם הַהוּא; דְּהַיְנוּ, שֶׁיִּשָּׁאֲרוּ הַצַּדִּיקִים לְבַדָּם בְּלִי תַּעֲרוּבוֹת רָעִים בֵּינֵיהֶם, וְהֵם – בְּלִי עִכּוּבִים בְּעַצְמָם

[3]   It is the principle of free will that assures the possibility of good and evil in the human race, allowing some of its members to be good and others to be evil. This same principle, moreover, also has the same consequence with respect to the deeds of each individual. Although a person's deeds may be either all good or all evil, it is also possible that some be good and others evil.

This very fact, however, would have the power to prevent the existence of the Perfected Community that we have mentioned. Elements of both good and evil can exist in a single individual, and if only some were considered and not others, man's judgment would not be righteous. This would be true even if the ones taken into account formed the majority. Proper judgment would require that *all* of a person's deeds be judged, great and small alike, whether they constitute the majority or the minority.

The Highest Wisdom therefore decreed that man's recompense be divided into two periods and places, with regard to reward as well as punishment. All of a person's deeds are divided into two groups, that of the majority and that of the minority. After the majority and minority are determined, the majority are judged by themselves in the proper time and place. The same is true of the minority of one's deeds.

Now the true, main reward is in the World to Come, as we noted. The everlasting recompense of the worthy individual is a bond of closeness with Him forever; whereas the punishment is being thrust away from this true good and perishing.

This judgment was set up, however, to be in accordance with the majority of one's deeds. The good deeds of the wicked and evil deeds of the righteous, which constitute a minority, are dealt with in this world through its gratifications and sufferings. It is in this world that the wicked are rewarded with prosperity for their few virtues, while the righteous are punished with suffering for their [few] faults.[6]

As a result of this, everyone's judgment is perfect. The Future World likewise remains suitable for its intended perfect state. It is inhabited only by the righteous, and the wicked are totally absent. Those who inhabit the Future World are furthermore free of any obstacle within themselves that might restrict the delight intended

לְהַנָּאָה הַמְעֻתֶּדֶת לָהֶם, וְהָרְשָׁעִים יִדָּחוּ וְיֹאבְדוּ, בְּלִי שֶׁיִּשָּׁאֵר לָהֶם טַעֲנָה כְּלָל.

[ד] וְאָמְנָם גָּזַר עוֹד חַסְדּוֹ יִתְבָּרַךְ לְהַרְבּוֹת הַהַצְלָחָה לִבְנֵי הָאָדָם; שֶׁיִּמָּצֵא עוֹד מִין צֵרוּף אַחֵר לְמִי שֶׁיִּתָּכֵן בּוֹ הַצֵּרוּף, דְּהַיְנוּ לְמִי שֶׁגָּבַר בּוֹ הָרַע תִּגְבֹּרֶת גָּדוֹל, אַךְ לֹא כָּל כָּךְ שֶׁיִּהְיֶה מִשְׁפָּטוֹ לְהַאֲבִידוֹ לְגַמְרֵי, וְהוּא כְּלַל עֳנָשִׁים, שֶׁהַיּוֹתֵר רָשׁוּם בָּהֶם הוּא הַדִּין בַּגֵּיהִנֹּם, וְהַכַּוָּנָה בּוֹ הוּא לְהַעֲנִישׁ הַחוֹטֵא כְּפִי חֲטָאָיו, בְּאֹפֶן שֶׁאַחֲרֵי הֵעָנְשׁוֹ לֹא יִהְיֶה עוֹד חוֹב עָלָיו עַל הַמַּעֲשֶׂה הָרַע שֶׁעָשָׂה, וְיוּכַל אַחֲרֵי כֵן לְקַבֵּל הַגְּמוּל הָאֲמִתִּי כְּפִי שְׁאָר מַעֲשָׂיו הַטּוֹבִים; וְנִמְצָא שֶׁעַל יְדֵי זֶה, הָאוֹבְדִים מַמָּשׁ יִהְיוּ מִזְעָר לֹא כַבִּיר, כִּי הִנֵּה לֹא יִהְיוּ אֶלָּא אוֹתָם שֶׁגָּבַר בָּהֶם הָרַע שִׁעוּר כָּל כָּךְ גָּדוֹל, שֶׁאִי אֶפְשָׁר שֶׁיִּמָּצֵא לָהֶם מָקוֹם בְּשׁוּם פָּנִים לִהְיוֹת נִשְׁאָרִים בַּגְּמוּל הָאֲמִתִּי וּבַהֲנָאָה הַנִּצְחִית.

וְהִנֵּה נִמְצָא הַדִּין מִתְחַלֵּק לִשְׁלֹשָׁה חֲלָקִים, כִּי עִקָּרוֹ הוּא לָעוֹלָם שֶׁאַחַר הַתְּחִיָּה כְּמוֹ שֶׁזָּכַרְנוּ, אַךְ הַמַּעֲשִׂים הָרְאוּיִים לִגְמֹל קֹדֶם לָכֵן, הִנֵּה יֵשׁ מֵהֶם שֶׁיִּגָּמְלוּ בָּעוֹלָם הַזֶּה, וְיֵשׁ מֵהֶם שֶׁיִּגָּמְלוּ בְּעוֹלַם הַנְּשָׁמוֹת.

אָכֵן מִשְׁפְּטֵי הַדִּין הַזֶּה בִּפְרָטָיו אֵינֶנּוּ נוֹדָע כִּי אִם לַשּׁוֹפֵט הָאֲמִתִּי לְבַדּוֹ, כִּי הוּא הַיּוֹדֵעַ אֲמִתַּת מְצִיאוּת הַמַּעֲשִׂים וְתוֹלְדוֹתֵיהֶם, בְּכָל בְּחִינוֹתֵיהֶם וּפְרָטֵיהֶם, וְיוֹדֵעַ מַה מֵּהֶם רָאוּי שֶׁיִּגָּמֵל בִּזְמַן אֶחָד וּבְדֶרֶךְ אֶחָד וּמַה בִּזְמַן אַחֵר וּבְדֶרֶךְ אַחֵר; וּמַה שֶּׁיָּדַעְנוּ אֲנַחְנוּ, הוּא רַק כְּלַל דַּרְכֵי הַהַנְהָגָה הַזֹּאת, עַל מָה הִיא מְיֻסֶּדֶת וְאֶל מָה הִיא סוֹבֶבֶת, וְהוּא מַה שֶּׁבֵּאַרְנוּ, שֶׁתַּכְלִית כָּל הָעִנְיָן הוּא לְקַבֵּץ קִבּוּץ שְׁלֵמִים שֶׁיִּהְיוּ רְאוּיִים לְהִקָּבַע לָנֶצַח בְּהִתְדַּבְּקוּתוֹ יִתְבָּרַךְ. וּכְדֵי שֶׁעִנְיָן זֶה יִשְׁתַּלֵּם כָּרָאוּי, הֻצְרְכוּ הָעִנְיָנִים הַקּוֹדְמִים הָאֵלֶּה כֻּלָּם, לְהָכִין וּלְהַזְמִין הָעִנְיָן הַזֶּה הַתַּכְלִיתִי, וּכְמוֹ שֶׁזָּכַרְנוּ.

for them. The wicked, on the other hand, are cast aside and anni-
hilated, but they have no cause to complain [since they have already
been rewarded for their few virtues in the present world].

[4]   In His mercy, God maximized man's chances of successfully
attaining his ultimate goal. He therefore decreed that there should
be another type of purification for those who could benefit from it.
This was intended for those who have been surmounted by evil, but
not to such a great extent that they should be utterly annihilated.

This purification includes a number of [spiritual] punishments
the most prominent being that of Gehenom (Purgatory).[7] The pur-
pose of these punishments is to penalize the individual for his sins in
such a way that he is subsequently free of any liability for the evil
that he may have done. As a result, he can then receive the true
reward for his good deeds.

Because of this, the number of people who are actually anni-
hilated is small and insignificant.[8] It only consists of those who are
dominated by evil so completely that it is utterly impossible for them
to have any chance of experiencing the true reward and everlasting
delight.[9]

We therefore see that man's judgment is divided into three
stages. His main judgment is in the [Future] World that will exist
after the resurrection, as discussed earlier.[10] There are also deeds that
are judged before this, however, and of these, some are recompensed
in this world and others in the Soul World.

The details of man's judgment, however, are not known to
anyone other than God, who is the True Judge. He is the only One
who knows the true nature and results of all deeds on every level
and in each detail. He therefore knows which should be recom-
pensed in each particular period and manner.

All that we therefore know is the general nature and basis of
this process. We know that it ultimately revolves around one basic
principle, namely the assembling of a Perfected Community fit to
exist in an eternal state of intimacy with God. In order for this
Community to be appropriately perfected, all these provisions are
necessary to prepare and ready this ultimate situation.

99

[ה] וְהִנֵּה כְּשֶׁתְּעַיֵּן עוֹד בָּעִנְיָן הַזֶּה, תִּרְאֶה שֶׁמִּלְּבַד הֱיוֹת עִנְיָן זֶה נִמְשָׁךְ עַל פִּי הַמִּשְׁפָּט וְהַדִּין כְּמוֹ שֶׁזָּכַרְנוּ, הִנֵּה הוּא מְיֻסָּד עוֹד עַל פִּי הַמְּצִיאוּת הַנִּבְרָא. וְזֶה, כִּי הִנֵּה כְּבָר בֵּאַרְנוּ שֶׁהַמַּעֲשִׂים הַטּוֹבִים מַעֲצִימִים הֵם בָּאָדָם, בְּגוּפוֹ וְנַפְשׁוֹ, מְצִיאוּת שְׁלֵמוּת וּמַעֲלָה, וְהַפְּכָם הַמַּעֲשִׂים הָרָעִים מַעֲצִימִים בּוֹ מְצִיאוּת עֲכִירוּת וְחִסָּרוֹן, וְהַכֹּל בְּשִׁעוּר מְדֻקְדָּק כְּפִי מַה שֶּׁהֵם הַמַּעֲשִׂים, לֹא פָּחוֹת וְלֹא יוֹתֵר, וְהִנֵּה הָאִישׁ הַצַּדִּיק שֶׁהִרְבָּה בְּעַצְמוֹ שִׁעוּר גָּדוֹל מִן הַזֹּהַר וְהַמַּעֲלָה, אַךְ מִצַּד אַחֵר, מִפְּנֵי מִעוּט מַעֲשִׂים רָעִים שֶׁעָשָׂה הִנֵּה נִמְצָא בּוֹ תַּעֲרוּבוֹת קְצָת חֹשֶׁךְ וַעֲכִירוּת, כָּל זְמַן שֶׁיֵּשׁ בּוֹ תַּעֲרֹבֶת הַזֶּה, אֵינֶנּוּ מוּכָן וְהָגוּן לִדְבֵקוּת בּוֹ יִתְבָּרֵךְ, עַל כֵּן גָּזַר הַחֶסֶד הָעֶלְיוֹן שֶׁיִּמָּצֵא לוֹ צֵרוּף, וְהוּא כְּלַל הַיִּסּוּרִין, שֶׁשָּׂם יִתְבָּרַךְ שְׁמוֹ בִּסְגֻלָּתָם, לְהָסִיר מֵאוֹתוֹ הָאָדָם הָעֲכִירוּת הַהוּא, וְיִשָּׁאֵר זַךְ וּבָהִיר מוּכָן לַטּוֹבָה בַּזְּמַן הָרָאוּי. וְאָמְנָם כְּפִי שִׁעוּר הָעֲכִירוּת שֶׁקִּבֵּל הָאָדָם בְּמַעֲשָׂיו כָּךְ יִהְיוּ הַיִּסּוּרִין שֶׁיִּצְטָרְכוּ לְצֵרוּפוֹ, וְאֶפְשָׁר שֶׁלֹּא יִהְיֶה בְּכֹחַ הַיִּסּוּרִין הַגּוּפָנִיִּים לְהָסִיר הָעֲכִירוּת מִמֶּנּוּ, וְיִצְטָרְכוּ לוֹ יִסּוּרִין נַפְשִׁיִּים, וְהַכְּלָל מִתְפָּרֵט לִפְרָטִים הַרְבֵּה, אִי אֶפְשָׁר לְשֵׂכֶל הָאָדָם לְהַקִּיף עַל כֻּלָּם.

[ו] אָכֵן הָרְשָׁעִים הַגְּמוּרִים, הֵם אוֹתָם שֶׁנִּתְעַצֵּם בָּם בְּעֹצֶם רֹעַ מַעֲשֵׂיהֶם עֲכִירוּת כָּל כָּךְ גָּדוֹל וְחֹשֶׁךְ כָּל כָּךְ רַב, עַד שֶׁנִּשְׁחֲתוּ בְּגוּפָם וְנַפְשָׁם בֶּאֱמֶת, וְשָׁבוּ בִּלְתִּי רְאוּיִים בְּשׁוּם פָּנִים לְהִדָּבֵק בּוֹ יִתְבָּרַךְ. וְהִנֵּה אֶפְשָׁר שֶׁיִּמָּצְאוּ בְּיָדָם קְצָת מַעֲשִׂים טוֹבִים, אֲבָל הֵם מַעֲשִׂים, שֶׁבַּעֲלוּתָם בְּמֹאזְנֵי צִדְקוֹ יִתְבָּרַךְ אֵינָם מַכְרִיעִים אֶת בַּעֲלֵיהֶם לְצַד הַטּוֹב הָאֲמִתִּי כְּלָל, לֹא מִצַּד כַּמּוּתָם וְלֹא מִצַּד אֵיכוּתָם, כִּי הֲרֵי אִלּוּ הָיוּ מַכְרִיעִים אוֹתָם לָזֶה, כְּבָר לֹא הָיוּ נֶחְשָׁבִים רְשָׁעִים גְּמוּרִים, אֶלָּא מֵאוֹתָם

[5] Looking into this more deeply, we see that besides the fact that this is required by fairness and justice, it is also based on the essential concept of man.

We have already discussed how good deeds incorporate an intrinsic quality of perfection and excellence into man's body and soul. Evil deeds, on the other hand, incorporate in him a quality of insensitivity and deficiency, all with a precise measure depending on the deeds, no more and no less.[11]

The righteous man may attain in himself a large measure of brilliance and excellence. Yet on the other hand, because of the minority of evil deeds that he has done, there is in him an admixture of darkness and repugnance. As long as he still has this admixture, he is neither prepared nor suited to become drawn close to God.

The Highest Mercy therefore decreed that some sort of purification exist. This is the general category of suffering.[12]

God gave suffering the power to dispel the insensitivity in man, allowing him to become pure and clear, prepared for the ultimate good at its appointed time. The amount of suffering needed to purify the individual would then depend on the amount of insensitivity that he has acquired as a result of his deeds.

In many cases, it is possible that physical suffering alone would not have the power to dispel this insensitivity, and in such cases, spiritual purification [in the Soul World] is also necessary. The details involved in this are so numerous that the particulars are beyond the grasp of the human intellect.

[6] There still are some people, however, who are absolutely wicked as a result of their deeds, and have incorporated in themselves such great darkness and insensitivity that their bodies and souls are actually corrupted. They are therefore unfit to become drawn close to God in any manner whatsoever.

It is possible, nevertheless, that even such people should have some good deeds. When placed on God's honest balance, however, these deeds cannot bring the individual to the side of true good, neither by virtue of their quality or quantity. If his deeds could so balance him, then this individual would not be considered absolutely wicked, but would be counted among those who are continually

שֶׁמִּצְטָרְפִים וְהוֹלְכִים עַד שֶׁמַּגִּיעִים אֶל מַצָּב מוּכָן לַטּוֹב. אָכֵן, כְּדֵי שֶׁלֹּא תִהְיֶה מִדַּת הַדִּין לוֹקָה, שֶׁיִּשָּׁאֲרוּ מַעֲשִׂים אֵלֶּה בְּלִי גְמוּל, הוּחַק שֶׁיִּנָּתֵן לָהֶם שְׂכָרָם בָּעוֹלָם הַזֶּה כְּמוֹ שֶׁזָּכַרְנוּ, וְנִמְצָא הַזְּכוּת הַהוּא כָּלֶה וְאֵינוֹ מַגִּיעַ לְהָעֵצִים בָּהֶם שׁוּם מַעֲלָה אֲמִתִּית.

[ז] וְאָמְנָם עוֹד פְּרָט אֶחָד עִקָּרִי מְאֹד יֵשׁ בָּזֶה הָעִנְיָן, וְהוּא – כִּי הִנֵּה בְקִבּוּץ הַשְּׁלֵמִים שֶׁזָּכַרְנוּ שֶׁיִּהְיֶה לֶעָתִיד לָבוֹא, אֵין הַכַּוָּנָה שֶׁיִּהְיוּ כֻלָּם בְּמַדְרֵגָה אַחַת וְיַשִּׂיגוּ הַשָּׂגָה אַחַת, אַךְ הַדָּבָר הוּא, שֶׁהִנֵּה שִׁעֲרָה הַחָכְמָה הָעֶלְיוֹנָה עַד הֵיכָן יָכוֹל לְהַגִּיעַ הַקָּצֶה הָאַחֲרוֹן, פֵּרוּשׁ – הַשִּׁעוּר הַיּוֹתֵר פָּחוּת שֶׁבְּהִתְדַּבְּקוּת בּוֹ יִתְבָּרַךְ וְהַהֲנָאָה בִשְׁלֵמוּתוֹ, וּכְנֶגֶד זֶה, סִדְּרָה שֶׁכָּל מִי שֶׁמַּעֲשָׂיו יַגִּיעוּ לְפָחוֹת אֶל הַשִּׁעוּר הַקָּטָן הַהוּא, כְּבָר יוּכַל לִמָּנוֹת בַּקִּבּוּץ הַזֶּה שֶׁזָּכַרְנוּ, וְיִהְיֶה מִן הַנִּשְׁאָרִים לַנִּצְחִיּוּת לְהִתְעַנֵּג בּוֹ. אַךְ מִי שֶׁאֲפִלּוּ לָזֶה לֹא יַגִּיעַ, הִנֵּה זֶה יִהְיֶה נִדְחֶה לְגַמְרֵי וְאוֹבֵד. וְאָמְנָם כָּל מִי שֶׁיִּזְכֶּה יוֹתֵר, הִנֵּה יִהְיֶה בַּקִּבּוּץ עַצְמוֹ יוֹתֵר גָּדוֹל וְיוֹתֵר עֶלְיוֹן.

וְהָיָה מֵעֹמֶק עֲצָתוֹ יִתְבָּרַךְ שֶׁיִּהְיֶה הָאָדָם עַצְמוֹ בַּעַל טוּבוֹ לְגַמְרֵי, בֵּין בִּכְלָל בֵּין בִּפְרָט, פֵּרוּשׁ – שֶׁלֹּא דַי שֶׁלֹּא יִזְכֶּה לַטּוֹב אֶלָּא אַחַר שֶׁהִשִּׂיגוּ בַּעֲמָלוֹ, אֶלָּא אֲפִלּוּ פְּרָט הַחֵלֶק שֶׁיִּתֵּן לוֹ, לֹא יִהְיֶה אֶלָּא כְּפִי מַעֲשָׂיו בְּדִקְדּוּק. וְנִמְצָא שֶׁלֹּא יִהְיֶה הָאָדָם בְּמַדְרֵגָה, זוּלַת מַה שֶּׁבָּחַר וְשָׂם הוּא עַצְמוֹ אֶת עַצְמוֹ בָהּ, וּכְבָר יִמָּצְאוּ בַקִּבּוּץ הַהוּא עֶלְיוֹנִים וְתַחְתּוֹנִים, גְּדוֹלִים וּקְטַנִּים, אֲבָל לֹא יִהְיֶה לְגֹבַהּ מַעֲלַת הָאָדָם וְשִׁפְלוּתָהּ, לִגְדֻלָּהּ וְלִקְטַנּוּתָהּ, סִבָּה אַחֶרֶת אֶלָּא הוּא עַצְמוֹ, בְּאֹפֶן שֶׁלֹּא יִהְיֶה לוֹ תַּרְעוֹמוֹת עַל אַחֵר כְּלָל.

[ח] וְהִנֵּה עַל פִּי הַשֹּׁרֶשׁ הַזֶּה, תִּמָּצֵא עוֹד הַבְחָנָה גְּדוֹלָה בְּדִין

purified until they reach a state suitable for the ultimate good.

Still, if these good deeds were totally unrewarded, the attribute of justice would be flawed. It was therefore decreed that these good deeds be rewarded in this world, as discussed earlier.[13] Their merit is therefore used up, and does not have any effect in incorporating true excellence in such an individual.

[7] This principle contains another important concept. In the Perfected Community of the ultimate future, not everyone will attain the same level.

The Highest Wisdom determined the lowest level upon which a person can exist and still attain perfection and an attachment of closeness to God. When an individual's deeds bring him up to this minimum level, he can then be a member of this Perfected Community and delight in God forever. One who does not attain this minimum level, on the other hand, is destined to be cast aside completely and annihilated.

Nevertheless [even within this Community, different levels exist]. The greater one's merit, the higher the level he will attain within this Community.

God's plan was that man himself should be the complete master of his own good, both in general and in particular.[14] In general, man can therefore not attain good unless he achieves it through his own effort. This is also true, however, of each element of this good, which is only meted out according to the individual's precise deeds.[15] Each individual's ultimate level is therefore the result of his own choice and attainment.

The members of the Perfected Community will therefore be divided into many levels, high and low, great and small. Each individual's level will not be the result of anything other than his own choice, and no one will therefore have any complaint against another.

[8] This principle contains another important concept, involving how one's deeds are judged [to correctly ascertain their effects in

103

הַמַּעֲשִׂים, לִשְׁפֹּט אוֹתָם שֶׁרָאוּי שֶׁתַּגִּיעַ תּוֹלְדוֹתָם לָתֵת עִלּוּי
לָאָדָם בְּקִבּוּץ הַשְּׁלֵמִים שֶׁזָּכַרְנוּ, וְשִׁעוּר הָעִלּוּי שֶׁיִּתְּנוּ; כִּי כְּבָר
יִמָּצְאוּ מַעֲשִׂים שֶׁכְּפִי הַמִּשְׁפָּט הָעֶלְיוֹן הַמְדֻקְדָּק וְהַיָּשָׁר לֹא
יַגִּיעוּ לָתֵת לָאָדָם עִלּוּי לַזְּמָן הַהוּא, אֶלָּא יִגָּמְלוּ בָּעוֹלָם הַזֶּה,
וְאָז יִשָּׁאֵר אוֹתוֹ אָדָם מִשִּׁפְלֵי הַנִּצְחִיִּים, בִּקְטַנֵּי הַקִּבּוּץ הַהוּא.
וְהִנֵּה זֶה דוֹמֶה קְצָת לְאוֹתָם שֶׁזָּכַרְנוּ לְמַעְלָה, שֶׁמְּקַבְּלִים שְׂכָרָם
בָּעוֹלָם הַזֶּה וְנֶאֱבָדִים לָעוֹלָם הַבָּא, אַךְ נִבְדָּלִים מֵהֶם הֶבְדֵּל
גָּדוֹל, וְהוּא כִּי אוֹתָם שֶׁזָּכַרְנוּ שֶׁהֵם הָרְשָׁעִים הַגְּמוּרִים, הִנֵּה
כָּלֶה כָּל כֹּחַ מַעֲשֵׂיהֶם הַטּוֹבִים בַּשָּׂכָר שֶׁבָּעוֹלָם הַזֶּה וְאֵינָם
מַגִּיעִים אֶל הַנִּצְחִיּוּת כְּלָל, וְאִלּוּ, הִנֵּה כְּבָר מַעֲשֵׂיהֶם מַגִּיעִים
אוֹתָם אֶל הַנִּצְחִיּוּת, וַאֲפִלּוּ שֶׁיִּצְטָרֵךְ לָהֶם צֵרוּף נַפְשִׁי רַב
מְאֹד, הִנֵּה עַל כָּל פָּנִים יֵשׁ לָהֶם חֵלֶק בַּהִשָּׁאֲרוּת הַנִּצְחִי,
אֶלָּא שֶׁמִּפְּנֵי קִלְקוּל מַעֲשֵׂיהֶם, אֵין מִצְווֹתֵיהֶם מַגִּיעוֹת אֶלָּא
לָתֵת לָהֶם שָׁם אוֹתוֹ הַחֵלֶק הַקָּטָן שֶׁאָמַרְנוּ, וְרַבִּים מִזְכִיּוֹתֵיהֶם
מְקַבְּלִים אוֹתָם בָּעוֹלָם הַזֶּה, שֶׁאִלּוּ הָיָה הַדִּין נוֹתֵן עֲלֵיהֶם
שֶׁיִּגָּמְלוּ בָּעוֹלָם הַבָּא וְלֹא בָּעוֹלָם הַזֶּה, כְּבָר הָיוּ נִמְצָאִים
הָאֲנָשִׁים הָהֵם בְּמַדְרֵגָה מִן הַגְּבוֹהוֹת בְּקִבּוּץ הַשְּׁלֵמִים.

[ט] וְאוּלָם בְּכָל מַה שֶּׁזָּכַרְנוּ עַד הֵנָּה, הִנֵּה נִתְבָּאֵר עִנְיַן יִסּוּרֵי
הַצַּדִּיקִים בָּעוֹלָם הַזֶּה וְשַׁלְוַת הָרְשָׁעִים, וְכֵן הָעֲנָשִׁים הַנַּפְשִׁיִּים,
מִצַּד מָה שֶׁל הֲכָנָה לַגְּמוּל הָאֲמִתִּי שֶׁלֶּעָתִיד לָבוֹא. אַךְ טוֹבַת
הַצַּדִּיקִים בָּעוֹלָם הַזֶּה נִמְשֶׁכֶת עַל דֶּרֶךְ אַחֵר, וּנְבָאֲרָהּ לְפָנִים
בְּסִיַּעְתָּא דִשְׁמַיָּא. וְכָל זֶה שֶׁבֵּאַרְנוּ, הוּא כְּפִי הַקֹּטֶב הַשֵּׁנִי

determining his level in the Perfected Community]. Every deed is judged as to whether or not it should benefit the individual's status in this Community, as well as the extent to which it should do so.

There will therefore be certain deeds which, according to the fair and precise Highest Judgment, should not provide the individual any benefit whatsoever in the ultimate future, but should rather be rewarded in this world. An individual whose deeds are judged in this manner will receive the reward for his deeds in this world, and then remain in a permanently inferior state, among the lowest of the Perfected Community.[16]

In some respects, this is very much like the case of those who are completely rewarded in this world, and then annihilated in the World to Come. There is, however, a great difference between the two.

In the case of the absolutely wicked discussed earlier, the benefit of their deeds is completely used up through their reward in this world, and they therefore do not experience eternal life at all. The class that we are now discussing, on the other hand, does attain eternity through their deeds. Even though they may require great spiritual purification, they nevertheless retain a portion in this eternal existence. Because of the spiritual damage caused by their sins, however, the only thing their good deeds can attain for them is the minimal level mentioned earlier. A great portion of their merit, however, is rewarded in this world.

This is so even though these individuals' deeds would normally result in their having a higher level in the Perfected Community. [The fact that they are judged to be rewarded in this world prevents them from attaining that level.]

[9] According to everything discussed in this section, we can understand why the righteous suffer and the wicked prosper.[17] We also see how spiritual punishments are also part of the preparation for the ultimate true reward.

The good that the righteous attain in this world, however, involves a completely different concept, and this will be discussed presently.[18]

Everything that we have discussed in this chapter deals with the

הַכְּלָלִי שֶׁזָּכַרְנוּ לַהֲכָנָה, אֲבָל עִנְיָנֶיהָ כְּפִי הַקֹּטֶב הָאִישִׁי הוֹלְכִים מַהֲלָךְ שׁוֹנֶה מִכָּל זֶה, וּנְבָאֲרֵהוּ עַתָּה בְּפֶרֶק בִּפְנֵי עַצְמוֹ בְּסִיַּעְתָּא דִשְׁמַיָּא.

second aspect discussed in the chapter's beginning, namely, the preparation of humanity as a whole for the Future World.[19] That which involves individuals, however, entails a completely different approach, and this will be the subject of the next chapter.

ב פרק שלישי

בַּהַשְׁגָּחָה הָאִישִׁיִּית

[א] הִנֵּה כְּבָר הִקְדַּמְנוּ, שֶׁעִנְיַן הָעֲבוֹדָה שֶׁנִּמְסְרָה לָאָדָם, תָּלוּי בְּמַה שֶּׁנִּבְרְאוּ בָּעוֹלָם עִנְיְנֵי טוֹב וְעִנְיְנֵי רַע וְהוּשַׂם הָאָדָם בֵּינֵיהֶם לִבְחֹר לוֹ אֶת הַטּוֹב. וְאוּלָם פְּרָטֵי עִנְיְנֵי הַטּוֹב רַבִּים הֵם, וְכֵן פְּרָטֵי עִנְיְנֵי הָרָע, כִּי הֲלֹא כָּל מִדָּה טוֹבָה מִכְּלַל הַטּוֹב, וְהֵפֶךְ זֶה – כָּל מִדָּה רָעָה; דֶּרֶךְ מָשָׁל: הַגַּאֲוָה – אֶחָד מֵעִנְיְנֵי הָרָע, וְהָעֲנָוָה – מֵעִנְיְנֵי הַטּוֹב; הָרַחֲמָנוּת – מֵעִנְיְנֵי הַטּוֹב, וְהַפְּכָהּ הָאַכְזָרִיּוּת; הַהִסְתַּפְּקוּת וְהַשִּׂמְחָה בְּחֶלְקוֹ – מֵעִנְיְנֵי הַטּוֹב, וְהַפְּכָהּ – מֵעִנְיְנֵי הָרָע, וְכֵן כָּל שְׁאָר פְּרָטֵי הַמִּדּוֹת.

וְהִנֵּה שִׁעֲרָה הַחָכְמָה הָעֶלְיוֹנָה כָּל פְּרָטֵי הָעִנְיָנִים מִזֶּה הַמִּין – שֶׁרְאוּיִים לִמְצֹא וּלְפִי אֶפְשָׁרוּתָם בְּחֹק הָאֱנוֹשִׁיּוּת לְפִי הַתַּכְלִית הָעִקָּרִי שֶׁזָּכַרְנוּ בִּמְקוֹמוֹ – וְהִמְצִיאָה אוֹתָם בְּכָל בְּחִינוֹתֵיהֶם, סִבּוֹתֵיהֶם וּמְסוֹבְבֵיהֶם, וְכָל הַמִּתְלַוֶּה לָהֶם, וְחָקְקָה אֶפְשָׁרוּתָם בָּאָדָם. וְאָמְנָם לְשֶׁיִּמָּצְאוּ כָּל אֵלֶּה הָעִנְיָנִים, הֻצְרְכוּ מַצָּבִים שׁוֹנִים בִּבְנֵי הָאָדָם, שֶׁכֻּלָּם יִהְיוּ נִסָּיוֹן לָהֶם, בְּמַה שֶּׁיִּתְּנוּ מָקוֹם לְכָל פְּרָטֵי בְּחִינוֹת הָרַע הָאֵלֶּה, וּמָקוֹם לָאָדָם לְהִתְחַזֵּק כְּנֶגְדָּם וּלְתְפֹּס בַּטּוֹבוֹת, דֶּרֶךְ מָשָׁל: אִם לֹא הָיוּ עֲשִׁירִים וַעֲנִיִּים, לֹא הָיָה מָקוֹם לְשֶׁיִּהְיֶה הָאָדָם לֹא מְרַחֵם וְלֹא אַכְזָרִי, אַךְ עַתָּה, הִנֵּה יְנֻסֶּה הֶעָשִׁיר בְּעָשְׁרוֹ, אִם יִתְאַכְזֵר

II CHAPTER 3

Individual Providence

[1] We have already discussed the fact that man's task is to exist and choose good in a world containing both good and evil. The individual concepts of good and evil are extremely numerous, however, since the good consists of every possible worthy quality, while its opposite includes every bad quality.

The elements of good and evil exist as opposites. Thus, for example, pride is a bad trait, while its opposite, humility, is a good one. Mercy is a good quality, while callousness is its opposite. The trait of being happy and satisfied with what one has is a good one, while its opposite is bad. The same is true of all other traits.

The Highest Wisdom determined every possible quality that can be included within the limits of the nature that man must have in order to fulfill his ultimate purpose. God then brought into existence all these qualities, together with their causes, effects, and everything that surrounds and accompanies them, decreeing that they should be able to exist in man.

In order for these qualities to exist, it was necessary that individuals be divided into different stations in life. Each of these stations is then a test for a particular individual, allowing all these bad qualities to exist, while giving him the opportunity to strive against them and embrace the good.[20]

Thus, for example, if wealth and poverty did not exist, there would be no opportunity for people to demonstrate either generosity or indifference. The fact that wealth exists allows the rich to be

עַל הֶעָנִי הַצָּרִיךְ לוֹ, אוֹ אִם יְרַחֵם עָלָיו, וְכֵן יְנֻסֶּה הֶעָנִי אִם יִסְתַּפֵּק בַּמְּעַט שֶׁבְּיָדוֹ וְיוֹדֶה לַד׳, אוֹ לְהֶפֶךְ. עוֹד יִהְיֶה הָעֹשֶׁר לֶעָשִׁיר נִסָּיוֹן, לִרְאוֹת אִם יָרוּם בּוֹ לִבּוֹ, אוֹ אִם יִמָּשֵׁךְ בּוֹ אַחַר הַבְלֵי הָעוֹלָם וְיַעֲזֹב אֶת עֲבוֹדַת בּוֹרְאוֹ יִתְבָּרַךְ, וְאִם עִם כָּל עָשְׁרוֹ יִהְיֶה עָנָו וְנִכְנָע, וּמוֹאֵס בְּהַבְלֵי הָעוֹלָם וּבוֹחֵר בַּתּוֹרָה וַעֲבוֹדָה, וְכֵן כָּל כַּיּוֹצֵא בָזֶה.

וְאָמְנָם חִלְּקָה הַחָכְמָה הָעֶלְיוֹנָה אֶת עִנְיְנֵי הַנִּסָּיוֹן הָאֵלֶּה בֵּין אִישֵׁי מִין הָאֱנוֹשִׁי, כְּמוֹ שֶׁגָּזְרָה בְּעֹמֶק עֲצָתָהּ הֱיוֹתוֹ רָאוּי וְנָאוֹת; וְנִמְצָא לְכָל אִישׁ וְאִישׁ מִבְּנֵי הָאָדָם חֵלֶק מְיֻחָד בַּנִּסָּיוֹן וּבְמִלְחֶמֶת הַיֵּצֶר, וְהוּא פְּקֻדָּתוֹ וּמַשָּׂאוֹ בָּעוֹלָם הַזֶּה וְצָרִיךְ לַעֲמֹד בּוֹ כְּפִי מַה שֶּׁהוּא; וְיוֹדְנוּ מַעֲשָׂיו בְּמִדַּת דִּינוֹ יִתְבָּרַךְ כְּפִי הַמַּשָּׂא אֲשֶׁר נִתַּן לוֹ בֶּאֱמֶת, בְּכָל בְּחִינוֹתָיו, בְּתַכְלִית הַדִּקְדּוּק. וְהִנֵּה זֶה כְּעַבְדֵי הַמֶּלֶךְ שֶׁכֻּלָּם עוֹמְדִים לְמִשְׁמַעְתּוֹ, וּבֵין כֻּלָּם צָרִיךְ שֶׁתִּשְׁתַּלֵּם עֲבוֹדַת מַלְכוּתוֹ, וְהִנֵּה הוּא מְחַלֵּק לְכָל אֶחָד מֵהֶם חֵלֶק מָה, עַד שֶׁבֵּין כֻּלָּם יִשְׁתַּלְּמוּ כָּל הַחֲלָקִים הַמִּצְטָרְכִים לוֹ; וְהִנֵּה כָּל אֶחָד מֵהֶם מֻטָּל עָלָיו הַשְׁלָמַת הַחֵלֶק הַהוּא אֲשֶׁר נִמְסַר לוֹ, וּכְפִי פְּעֻלָּתוֹ בִּפְקֻדָּתוֹ כֵּן יִגְמְלֵהוּ הַמֶּלֶךְ. אַךְ מִדַּת הַחִלּוּק הַזֶּה וּדְרָכָיו נִשְׂגָּבִים מְאֹד מֵהַשָּׂגָתֵנוּ וְאִי אֶפְשָׁר לָנוּ לַעֲמֹד עֲלֵיהֶם, כִּי אִם הַחָכְמָה הָעֶלְיוֹנָה, הַנִּשְׂגָּבָה מִכָּל שֵׂכֶל, הִיא שֶׁעֲרָכָתַם וְהִיא סִדְּרָתַם בָּאֹפֶן הַיּוֹתֵר שָׁלֵם.

[ב] וְהִנֵּה, בִּהְיוֹת עִנְיְנֵי הָעוֹלָם כֻּלָּם נִמְשָׁכִים וְנֶעְתָּקִים בְּהִשְׁתַּלְשְׁלוּת מֵעִנְיָן לְעִנְיָן, מִמְּצִיאוּתָם בַּנִּבְדָּלִים עַד מְצִיאוּתָם בַּגַּשְׁמִיִּים, וּכְמוֹ שֶׁזָּכַרְנוּ לְעֵיל בְּחֵלֶק א, פֶּרֶק ה, הִנֵּה, כָּל הָעִנְיָנִים הָאֵלֶּה – פְּרָטֵי נִסְיוֹנוֹ שֶׁל הָאָדָם כְּמוֹ

tested by his advantage, determining whether he will be generous or indifferent to the poor who need his help.

The poor are likewise tested to determine whether or not they will be satisfied and thank God for the little that they have.

The rich man's wealth is a challenge in another way as well. It tests him to determine whether he will become haughty and proud, and whether he will allow his wealth to sway him to pursue worldly vanities and abandon the godly. On the other hand, it also gives him the opportunity to be humble and modest despite his riches, and to reject worldly vanities in favor of Torah and devotion to God. There are many similar examples.

[Every man's predicament in life is therefore his challenge.] The Highest Wisdom divided these challenges among the human race in a manner decreed fitting and proper to fulfill its profound plan.

Every individual therefore has his own challenge in the battle with his [Evil] Urge. This is his assignment and responsibility in this world, and within its framework he must strive for success. His deeds are then judged by God's attribute of justice with true precision, depending on the particular responsibility that was given to him.

This situation can be compared to a government, where the king's many servants must obey his orders. All of them together must fulfill the task of running his government, and the king therefore gives each one a particular assignment, so that between them all, everything necessary is accomplished.

Each of these servants then has the obligation to complete his particular assignment. He is then rewarded by the king according to how he functions in his particular area of responsibility.

The manner in which this is accomplished [with regard to the entire human race] is beyond the ability of our intellect to grasp, and we can never understand it fully. The Highest Wisdom, however, determines and arranges these things in the best possible manner.[21]

[2] As discussed earlier (1:5:3), everything in the physical world is derived and transmitted, from one concept to another, level by level, from its essence on the transcendental plane to the physical universe.

The details of each individual's challenge therefore also have

שֶׁזָּכַרְנוּ – מַתְחִיל שֹׁרֶשׁ בְּחִינוֹתָם בַּנִּבְדָּלִים, לְפִי הַמְּצִיאוּת הַשַּׁיָּךְ בָּהֶם מִתִּקּוּן וְקִלְקוּל, כְּמוֹ שֶׁכָּתַבְתִּי לְמַעְלָה, וּכְפִי עִנְיָנָם שָׁם – נִדּוֹנִים וְנִגְזָרִים לְהִמָּצֵא וּלְהִתְפַּשֵּׁט עַד הַגַּשְׁמִיּוּת בָּאִישִׁים הָרְאוּיִים לָהֶם, עַד שֶׁבִּכְלַל דִּין הַחִלּוּק הַזֶּה יִכָּנְסוּ כָּל פְּרָטֵי הַמְּצִיאוּת לְמַדְרֵגוֹתֵיהֶם, וְעַל כֻּלָּם הִשְׁקִיפָה הַחָכְמָה הָעֶלְיוֹנָה, וּכְפִי אֲמִתַּת מְצִיאוּתָם תִּגְזֹר אֶת הַיּוֹתֵר נָאוֹת וְהָגוּן, וְזֶה בָּרוּר כְּפִי הָעִקָּרִים שֶׁהִקְדַּמְנוּ.

[ג] נִמְצָא לְפִי הַשֹּׁרֶשׁ הַזֶּה, שֶׁהַצְלָחוֹת הָעוֹלָם הַזֶּה וְצָרוֹתָיו תִּהְיֶינָה לְשֶׁיְּנֻסֶּה בָם הָאָדָם בְּחֵלֶק מֵחֶלְקֵי הַנִּסָּיוֹן, שֶׁשִּׁעֲרָה הַחָכְמָה הָעֶלְיוֹנָה הֱיוֹתוֹ נָאוֹת לָאִישׁ הַהוּא.

[ד] וְאָמְנָם עוֹד סִבָּה אַחֶרֶת נִמְצֵאת לָהֶם, עַל פִּי דַּרְכֵי הַמִּשְׁפָּט וְהַגְּמוּל, וְהוּא, כִּי הִנֵּה גָּזַר הַשּׁוֹפֵט הָעֶלְיוֹן יִתְבָּרַךְ, שֶׁמִּתּוֹלֶדֶת מַעֲשֵׂה הָאָדָם עַצְמוֹ, יִהְיֶה הָעֶזְרוֹ מִמֶּנּוּ יִתְבָּרַךְ לְהָקֵל לוֹ הַשָּׂגַת שְׁלֵמוּתוֹ, וְהִנָּצְלוֹ מִן הַמִּכְשׁוֹלִים, כְּעִנְיָן שֶׁנֶּאֱמַר: "רַגְלֵי חֲסִידָו יִשְׁמֹר" (שמואל א, ב, ט). וְאוּלָם וַדַּאי שֶׁגַּם בָּזֶה מַדְרֵגוֹת מַדְרֵגוֹת יֵשׁ, כִּי יִמָּצֵא אֶחָד, שֶׁשּׁוּרַת הַדִּין תִּתֵּן כְּפִי מַעֲשָׂיו שֶׁכְּבָר עָשָׂה, שֶׁיַּעַזְרֵהוּ הַבּוֹרֵא יִתְבָּרַךְ עֵזֶר מְעַט; וְאַחֵר, שֶׁדִּינוֹ יִהְיֶה שֶׁיַּעַזְרֵהוּ עֵזֶר יוֹתֵר גָּדוֹל וְיָקֵל עָלָיו הַשָּׂגַת הַשְּׁלֵמוּת קַלּוּת רַב; וְאַחֵר, שֶׁיִּהְיֶה רָאוּי לָעֵזֶר הַיּוֹתֵר גָּדוֹל.

וְכֵן בְּהֶפֶךְ, כְּבָר יִמָּצֵא מִי, שֶׁכְּפִי הַדִּין יִהְיֶה רָאוּי שֶׁלֹּא יַעַזְרוּהוּ מִן הַשָּׁמַיִם, אַךְ לֹא יִקְשֶׁה עָלָיו הַשָּׂגַת הַשְּׁלֵמוּת; וְאַחֵר שֶׁמִּשְׁפָּטוֹ יֵצֵא שֶׁיִּרְבּוּ לוֹ הָעִכּוּבִים, וְיִצְטָרֵךְ לוֹ חֹזֶק גָּדוֹל וְעָמָל רַב עַד שֶׁיַּשִּׂיגֵהוּ; וְאַחֵר שֶׁהוּא הָרָשָׁע גָּמוּר, שֶׁיִּסָּתְמוּ בְּפָנָיו כָּל דַּרְכֵי הַתִּקּוּן וְיִדָּחֶה בְּרָעָתוֹ. וְיֵשׁ בְּכָל הַדְּבָרִים

their primary roots in the transcendental world, according to their associated concepts of perfection and deficiency, as discussed earlier.[22] The manner in which it is judged and decreed that particular challenges be meted out to appropriate individuals in this world depends on these transcendental Roots. This distribution is therefore determined by all the details that exist on every spiritual level.

The Highest Wisdom scrutinizes this entire system and, according to the true nature of its entirety, decrees what should be fitting and proper. According to the principles that we have discussed, this should be obvious.

[3] According to this basic principle, all the gratifications and sufferings of this world exist as a challenge for man. The nature of each particular challenge is what the Highest Wisdom determines to be best for each particular individual.

[4] There is, however, another reason for what happens to an individual in this world, based on justice and recompense. The Highest Judge decreed that each individual's deeds themselves result in God's helping him, simplifying his task of achieving perfection and protecting him from possible stumbling blocks. This is the meaning of the verse (1 *Samuel* 2:9), "[God] guards the feet of His pious ones."[23]

Even with regard to this, however, there are many degrees. True judgment may determine that God should help one individual just a little because of his previous deeds. The judgment of another individual may be that he should be helped more and that his attainment of perfection be made much easier. Still another may be worthy of the greatest possible help.

The same is true in the opposite case. Strict justice may require that one individual not be given any divine help at all, but at the same time the attainment of perfection is not made any more difficult for him. In the case of another individual, the judgment may be that many barriers be placed in his path, making him need much effort and struggle to attain any perfection. Yet another person may be so wicked that all paths are closed off for him, so that he is totally cast aside in his wickedness.[24]

113

הָאֵלֶּה פְּרָטֵי פְרָטִים רַבִּים מְאֹד. וְהִנֵּה נִמְצָא שֶׁאֶפְשָׁר שֶׁיִּזְכֶּה הָאָדָם, וְיִגְזְרוּ עָלָיו הַצְלָחוֹת בָּעוֹלָם הַזֶּה, לְסַיְּעוֹ בַּעֲבוֹדָתוֹ, לְמַעַן יִהְיֶה נָקֵל לוֹ הַשִּׂיגוֹ אֶת הַשְּׁלֵמוּת הַמְבֻקָּשׁ וְלֹא יִמָּצְאוּ לוֹ עִכּוּבִים; וְאֶפְשָׁר שֶׁיִּהְיֶה נִגְזָר עָלָיו, כְּפִי מַעֲשָׂיו, הֶפְסֵדִים וְצָרוֹת שֶׁיַּעַמְדוּ כְחוֹמָה לְפָנָיו וְיַפְסִיקוּ בֵּינוֹ וּבֵין הַשְּׁלֵמוּת, עַד שֶׁיִּצְטָרֵךְ לוֹ יוֹתֵר עָמָל וְיוֹתֵר טֹרַח לִבְקֹעַ אֶת הַמְּחִצָּה הַהִיא, וּלְהִתְאַמֵּץ עִם כָּל טִרְדוֹתָיו לִהְיוֹת מַשִּׂיג אֶת שְׁלֵמוּתוֹ עַל כָּל פָּנִים. וְהֵפֶךְ זֶה לָרָשָׁע, אֶפְשָׁר שֶׁיִּגָּזְרוּ עָלָיו הַצְלָחוֹת, לִפְתֹּחַ לְפָנָיו פֶּתַח הָאֲבַדּוֹן שֶׁיִּדָּחֶה בוֹ, וְאֶפְשָׁר שֶׁיִּגָּזְרוּ עָלָיו צָרוֹת, לִמְנֹעַ אוֹתוֹ מִן הָרֶשַׁע שֶׁהָיָה בְדַעְתּוֹ לַעֲשׂוֹת, וְזֶה יִקְרֶה, כְּשֶׁיֵּדַע הַמַּנְהִיג הָעֶלְיוֹן שֶׁאֵין רָאוּי לְאוֹתוֹ הָרֶשַׁע שֶׁיֵּעָשֶׂה מִטַּעַם מָה; וְהוּא מַה שֶּׁהָיָה דָוִד מִתְפַּלֵּל: ״אַל־תִּתֵּן ד׳ מַאֲוַיֵּי רָשָׁע זְמָמוֹ אַל־תָּפֵק״ (תהלים קמ, ט).

וְאָמְנָם הִנֵּה הוּא יִתְבָּרַךְ שְׁמוֹ עוֹשֶׂה כָּל הָעִנְיָנִים הָאֵלֶּה בְּחָכְמָתוֹ הַנִּפְלָאָה, הַכֹּל כְּפִי מַה שֶּׁרָאוּי לְטוֹבַת כְּלַל בְּרִיּוֹתָיו כְּמוֹ שֶׁזָּכַרְנוּ, וְהוּא דָן אֶת הַבְּרִיּוֹת בְּכָל מַצְּבֵיהֶם, כְּפִי מַה שֶּׁהֵם בֶּאֱמֶת. פֵּרוּשׁ – כִּי הִנֵּה אֵינוֹ דוֹמֶה מִי שֶׁהוּא בְּמַצַּב הָרֶוַח וּמִתְרַשֵּׁל מֵעֲבוֹדָתוֹ, לְמִי שֶׁהוּא בְּמַצַּב הַדֹּחַק וְנִטְרָד בְּלַחֲצוֹ וְלֹא יַשְׁלִים אֶת חֻקּוֹ; וְהִנֵּה, דִּינָם לֹא יִהְיֶה שָׁוֶה, אֶלָּא יוּדַן כָּל אֶחָד כְּפִי מַה שֶּׁהוּא בֶּאֱמֶת, אִם שׁוֹגֵג וְאִם מֵזִיד, אִם אָנוּס וְאִם פּוֹעֵל בִּרְצוֹנוֹ; וְהוּא יִתְבָּרַךְ שְׁמוֹ יוֹדֵעַ אֲמִתַּת כָּל הַדְּבָרִים, הַמַּעֲשִׂים וְהַמַּחְשָׁבוֹת, וְדָן אוֹתָם לַאֲמִתָּם.

[ה] וְאוּלָם מִן הַשֹּׁרֶשׁ הַזֶּה יֵצֵא עוֹד עָנָף אֶחָד – בְּעִנְיַן הַיִּסּוּרִים. כִּי עוֹד אֶפְשָׁר שֶׁיִּהְיֶה אָדָם צַדִּיק, וּבְיָדוֹ חֲטָאִים, אוֹ בֵּינוֹנִי וְשָׁקוּל בְּמַעֲשָׂיו, וְתִהְיֶה הַגְּזֵרָה עָלָיו שֶׁיְּעוֹרְרוּהוּ לִתְשׁוּבָה, וְהִנֵּה אָז יְיַסְּרוּהוּ מִן הַשָּׁמַיִם, כְּדֵי שֶׁיָּשִׂים אֶל לִבּוֹ וִיפַשְׁפֵּשׁ

Many other details can also come into play. Thus, when an individual is worthy, it may be decreed that he be successful in this world in order to help him serve God. All obstacles are then removed, making it much easier for him to attain the desired perfection. As a result of his deeds, on the other hand, it may be decreed that losses and suffering confront him, making perfection all the more difficult to attain. In such a case overcoming these obstacles will require much struggle and effort, which he must then undertake to ultimately attain perfection.

This is also true of the wicked individual. It is possible that success be granted to him, opening the way of destruction through which he will ultimately be cast aside. It is also possible, however, that he be decreed to suffer, preventing him from fulfilling his evil intentions. This often happens when the Highest Ruler decrees that for various reasons certain wicked acts not be accomplished. It is with regard to such a situation that David prayed (*Psalms* 140:9), "Grant not, O God, the desires of the wicked, allow them not their wicked plans."[25]

God does all this with unimaginable wisdom, accomplishing everything that is appropriate for the benefit of His handiwork. He knows the situation of each individual according to his truest nature, and judges everyone accordingly.

Thus, for example, one who is in a state of prosperity and neglects his obligations is judged much more harshly than one who is in a distressed state and is prevented from living up to the standard by the pressures confronting him. God judges each individual deed according to its circumstances, however, whether it is accidental or purposeful, whether it is forced or willful. For God knows the truth of all things, whether they be thoughts or deeds, and He judges them all according to their true nature.

[5] There is also another aspect involved in the general concept of suffering.

Suffering may come to an individual in order to make him examine his deeds and motivate him to repent. This is particularly true in the case of a righteous person who may have committed a

בְּמַעֲשָׂיו. וְאָמְנָם אֵין הַיִּסּוּרִים הָאֵלֶּה מִמִּין יִסּוּרֵי הַכַּפָּרָה שֶׁזָּכַרְנוּ לְמַעְלָה, שֶׁתַּכְלִיתָם לְמָרֵק הָעֲווֹנוֹת בָּעוֹלָם הַזֶּה, אֲבָל יִסּוּרִים אֵלֶּה יִסּוּרֵי הֶעָרָה הֵם, לְהָעִיר הַלֵּב לִתְשׁוּבָה, כִּי אוּלָם לֹא נִבְרְאוּ הָעֳנָשִׁים אֶלָּא בְּהֶעְדֵּר הַתְּשׁוּבָה, אֲבָל הַנִּרְצֶה לְפָנָיו יִתְבָּרַךְ שְׁמוֹ, הוּא שֶׁלֹּא יֶחֱטָא הָאָדָם, וְאִם יֶחֱטָא יָשׁוּב, וְאִם לֹא שָׁב, כְּדֵי שֶׁלֹּא יֹאבַד, יִצְטָרֵךְ בָּעֳנָשִׁים, וְעַל כֵּן יָבוֹאוּ תְּחִלָּה יִסּוּרִים לְהֶעָרָה, וְאִם לֹא יִתְעוֹרֵר הָאָדָם בָּהֶם, אָז יִתְיַסֵּר בְּיִסּוּרֵי הַמֵּרוּק, וְעַל עִנְיָן זֶה אָמַר אֱלִיהוּא: "וַיִּגֶל אָזְנָם לַמּוּסָר וַיֹּאמֶר כִּי־יְשׁוּבוּן מֵאָוֶן" (איוב לו, י).

[ו] וְצָרִיךְ שֶׁתֵּדַע שֶׁגְּבוּל נִתָּן לַמַּרְשִׁיעַ, עַד מָתַי יַנִּיחוּהוּ שֶׁיִּהְיֶה מַרְשִׁיעַ וְהוֹלֵךְ בִּבְחִירָתוֹ הָרָעָה, וּכְשֶׁיַּגִּיעַ לְאוֹתוֹ הַגְּבוּל הִנֵּה לֹא יַמְתִּינוּ לוֹ כְּלָל וְיִשָּׁמֵד מֵעַל פְּנֵי הָאֲדָמָה, וְהוּא מַה שֶּׁקָּרְאוּ חֲכָמֵינוּ זִכְרוֹנָם לִבְרָכָה: "מִלּוּי הַסְּאָה" (סוטה ט) וּמַה שֶּׁאָמַר הַכָּתוּב: "בִּמְלֹאות שִׂפְקוֹ יֵצֶר לוֹ" (איוב כ, כב). וְהִנֵּה עַד הַזְּמַן הַהוּא אֶפְשָׁר שֶׁיַּצְלִיחַ וְיֵלֵךְ מִן הַטַּעַם שֶׁזָּכַרְנוּ לְמַעְלָה, שֶׁהוּא לִפְתֹּחַ לוֹ פֶּתַח הָאֲבַדּוֹן, וְהוּא מַה שֶּׁאָמְרוּ חֲכָמֵינוּ זִכְרוֹנָם לִבְרָכָה: "הַבָּא לִטַּמֵּא – פּוֹתְחִין לוֹ" (יומא לח). אַךְ כְּשֶׁיַּגִּיעַ לְאוֹתוֹ הַגְּבוּל, כְּבָר הִגִּיעַ לָאֲבַדּוֹן וְיֹאבַד, וְהִנֵּה אָז יֶחֱרֶה אַף ד׳ וְתִפֹּל עָלָיו שׁוֹאָה שֶׁיִּשָּׁמֵד בָּהּ.

[ז] עוֹד צָרִיךְ לָדַעַת, שֶׁהִנֵּה הַהַשְׁגָּחָה הָעֶלְיוֹנָה בְּכָל פְּרָט מֵהַפְּרָטִים מַשְׁגַּחַת עַל כָּל הַנִּקְשָׁר בּוֹ מִן הַקּוֹדְמִים וּמִן הַמְאֻחָרִים, וְסוֹף דָּבָר מַשְׁגַּחַת בְּהַשְׁגָּחַת כָּל פְּרָט עַל כָּל הַכְּלָל כֻּלּוֹ, מִצַּד כָּל מַה שֶּׁמִּתְיַחֲסִים כָּל הַחֲלָקִים עִם כָּל חֵלֶק לְבִנְיָנוֹ שֶׁל הַכְּלָל. וּמִמַּה שֶּׁיִּשָּׁקֵף בְּדִינוֹ שֶׁל אִישׁ

few sins, or in the case of an intermediate individual, whose sins are balanced by good deeds.

Such suffering, however, is not the same as that discussed earlier, which was an atonement for sin. What we are speaking of now are sufferings meant to motivate a person and awaken his heart to repent.[26]

Punishment was only created to exist in the absence of repentance. What God truly desires is that man not sin in the first place, and if he does sin, that he should repent. If one does not repent, however, he can still be purified through these punishments and thus not be annihilated completely.

Suffering therefore initially comes to an individual to motivate him to repent. If this is not effective, then he must also undergo further suffering to cleanse him of his sins. Regarding this, Elihu told Job (*Job* 36:10), "[God] opens their ear to discipline, and bids them repent from sin."[27]

[6] It is necessary to realize that there is a limit placed on the amount of evil that a person can do. Once this limit is reached, God no longer gives the individual a chance, but obliterates him from the face of the earth. This is what our sages mean by the expression, "The measure is filled," and this is based on the verse (*Job* 20:22), "When the measure is filled, they are crushed."[28]

For this very reason, it is also possible that the wicked should be successful in order that the door remain open for their destruction. With regard to this, our sages taught us, "When one comes to defile himself, the door is opened for him."[29]

When this limit is reached, however, destruction is imminent. God's anger is aroused, and a catastrophe comes, totally annihilating such an individual.

[7] It is also necessary to realize that the Highest Providence takes account of everything associated with each detail, whether it precedes it or follows from it. In dealing with each element, its ultimate effect on the whole is calculated, taking into account the manner in which every element is interconnected with every other one in the structure of creation as a whole.

117

מֵהָאִישִׁים, הוּא מַדְרֵגָתוֹ וּמַצָּבוֹ בְּמָה שֶׁקָּדְמוּ לוֹ, דְּהַיְנוּ הָאָבוֹת, וּבְמָה שֶׁיִּתְאַחֲרוּ לוֹ, דְּהַיְנוּ הַבָּנִים, וּמָה שֶׁעִמּוֹ, דְּהַיְנוּ בְּנֵי הַדּוֹר, אוֹ בְּנֵי הָעִיר, אוֹ בְּנֵי הַחֶבְרָה, וְאַחַר כָּל הַהַשְׁקָפוֹת הָאֵלֶּה, יִגָּזֵר עָלָיו הַחֵלֶק בָּעֲבוֹדָה וּבַנִּסָּיוֹן שֶׁזָּכַרְנוּ לְמַעְלָה, וְיִתֵּן לוֹ הַמַּשָּׂא לַעֲבֹד לְפָנָיו יִתְבָּרַךְ. (וְאוּלָם הִנְּךָ רוֹאֶה שֶׁזֶּהוּ רַק בְּעִנְיַן הַדִּין שֶׁל הָעוֹלָם הַזֶּה, וְהוּא מַה שֶּׁאָמַרְתִּי שֶׁיִּגָּזֵר עָלָיו הַחֵלֶק בָּעֲבוֹדָה, דְּהַיְנוּ בְּאֵיזֶה מַצָּב יִמָּצֵא בָּעוֹלָם הַזֶּה, שֶׁכְּפִי אוֹתוֹ הַמַּצָּב כָּךְ יִהְיֶה הַמַּשָּׂא שֶׁעָלָיו, אַךְ לָעוֹלָם הַבָּא אֵין אָדָם נִדּוֹן אֶלָּא לְפִי מַעֲשָׂיו, כְּפִי הַמַּצָּב שֶׁיִּהְיֶה בּוֹ, וְהוּא מַה שֶּׁאָמַר הַנָּבִיא: ״בֵּן לֹא־יִשָּׂא בַּעֲוֹן הָאָב״ (יחזקאל יח, כ.) וְזֶה, כִּי הִנֵּה אִם יִזְכֶּה אָדָם שֶׁתִּפָּסֵק לוֹ גְּדֻלָּה וָעֹשֶׁר, הִנֵּה בָּנָיו יִוָּלְדוּ עֲשִׁירִים, וְאִם לֹא יִתְחַדֵּשׁ עֲלֵיהֶם עִנְיָן – יִהְיוּ עֲשִׁירִים וּבַעֲלֵי גְדֻלָּה, וְכֵן לְהֶפֶךְ, נִמְצָא שֶׁלֹּא הִגִּיעַ הָעֹשֶׁר הַהוּא לְאוֹתָם הַבָּנִים אֶלָּא מִצַּד הֱיוֹתָם בְּנֵי אוֹתָם הָאָבוֹת. וְאוּלָם אֲמִתַּת הָעִנְיָן כָּךְ הוּא, שֶׁהָאָדָם זוֹכֶה לְבָנָיו בְּהַחֲמִשָּׁה דְבָרִים שֶׁמָּנוּ חֲכָמֵינוּ זִכְרוֹנָם לִבְרָכָה; וּכְבָר אֶפְשָׁר שֶׁיִּוָּלֵד אָדָם בְּטוֹבָה, מִצַּד הֱיוֹת אָבִיו כְּבָר מֻחְזָק בָּהּ, וְאֶפְשָׁר גַּם כֵּן שֶׁמִּצַּד זְכוּת אָבִיו תַּגִּיעַ לוֹ טוֹבָה בִּזְמַן מִן הַזְּמַנִּים, אוֹ לְהֶפֶךְ; וּמִצַּד אַחֵר, אֶפְשָׁר שֶׁתִּפָּסֵק הַצָּלָה אוֹ טוֹבָה לוֹ, עַל זֶרַע שֶׁעָתִיד לָצֵאת מִמֶּנּוּ; וְכֵן מִצַּד מְקוֹמוֹ אוֹ חֶבְרָתוֹ אֶפְשָׁר שֶׁתִּפָּסֵק עָלָיו טוֹבָה אוֹ רָעָה מִטּוֹבוֹת עוֹלָם הַזֶּה וְרָעוֹתָיו.

[ח] וְאָמְנָם מִלְּבַד כָּל זֶה, יֵשׁ עוֹד עִנְיָן אַחֵר נִמְשָׁךְ מִשְּׁנֵי חֶלְקֵי הַהַנְהָגָה שֶׁזָּכַרְנוּ, הָאִישִׁית וְהַכְּלָלִית, וְהוּא, כִּי הִנֵּה הִשְׁקִיפָה הַחָכְמָה הָעֶלְיוֹנָה עַל כָּל מַה שֶּׁהָיָה רָאוּי שֶׁיִּמָּצֵא, לְתִקּוּן הַמִּין שֶׁיֵּעָשֶׂה מִמֶּנּוּ קִבּוּץ הַשְּׁלֵמִים שֶׁזָּכַרְנוּ לְמַעְלָה, וְרָאֲתָה

Thus, when an individual is judged, Providence takes account of his state and level with respect to what precedes him, what follows him, and what is associated with him. Each man is thus judged in relation to his forebears who preceded him, his descendants who follow him, and the people of his generation, city and community who are associated with him. After all this is taken into account, he is then given his particular service assignment and challenge, as well as a specific responsibility in serving God.

[It is important to realize, however, that this is only true of one's judgment in this world. It is for this reason that we specified that what is decreed is one's *service* assignment, that is, the state in which he will exist in this world. His responsibility will then depend on that state. In the World to Come, however, the state in which a person finds himself depends completely on his own deeds. The prophet thus said (*Ezekiel* 18:20), "The son shall not bear the sin of his father . . ."]

Thus, for example, if it is decreed that an individual be worthy of great riches, then his children will also be born wealthy, and unless their situation is changed, they too will have wealth and status. Wealth such as this is therefore merely the result of one's parentage. The same can also be true of poverty.

Our sages thus teach us that a parent can endow his children with five things.[30] It is thus possible that one be born with good as a result of his parentage, and it is likewise possible that he should later attain good as a result of his parents' merit.

It is likewise possible that [one attains good because of his children. Thus, for example,] success and other good may be granted to an individual in order that his children be born with these advantages.

In a similar manner, it is possible that good or evil befall a person because of the place where he lives or because of the group with which he is associated.

[8]   Besides this, there is also another concept that stems from both the individual and general aspects of providence discussed earlier.

When the Highest Wisdom considered everything needed to rectify the human race and make it into the Perfected Community

שֶׁהָיָה עִנְיָן נָאוֹת לָהֶם מְאֹד, שֶׁיִּהְיֶה בְּכֹחַ קְצָתָם, לְהוֹעִיל לִקְצָתָם וּלְהֵיטִיב לָהֶם; פֵּרוּשׁ – שֶׁלֹּא יֻחְלַט הַדָּבָר, שֶׁרַק מִי שֶׁיַּגִּיעַ בְּכֹחַ שֶׁלּוֹ עַצְמוֹ אֶל הַשְּׁלֵמוּת, יִהְיֶה מִן הַנִּמְנִים בְּקִבּוּץ בְּנֵי הָעוֹלָם הַבָּא, אֶלָּא גַּם מִי שֶׁכְּבָר יַגִּיעוּהוּ מַעֲשָׂיו, שֶׁבְּהִתָּלוּתוֹ בְּאַחֵר, זַכַּאי מִמֶּנּוּ, יוּכַל לֵהָנוֹת בַּשְּׁלֵמוּת, הִנֵּה יִכָּנֵס בִּכְלַל הַהוּא, אֶלָּא שֶׁיִּהְיֶה בְּמַדְרֵגָה תַּחְתּוֹנָה, שֶׁהִיא מַדְרֵגַת הַנִּתְלֶה בַּחֲבֵרוֹ; וְנִמְצָא שֶׁלֹּא יִדָּחֶה מִן הַשְּׁלֵמוּת לְגַמְרֵי אֶלָּא מִי שֶׁלֹּא יִהְיֶה רָאוּי לֵהָנוֹת בּוֹ לֹא מִצַּד עַצְמוֹ וְלֹא מִצַּד הִתָּלוּתוֹ בְּזוּלָתוֹ, וְנִמְצֵאת עַל יְדֵי זֶה הַהַצָּלָה מְרֻבָּה, וְיִרְבּוּ יוֹתֵר הַנֶּהֱנִים. וְאוּלָם הַנֶּהֱנִים וּמְהַנִּים לַאֲחֵרִים, וַדַּאי שֶׁאֵלּוּ יִהְיוּ הַיּוֹתֵר גְּדוֹלִים בַּקִּבּוּץ הַהוּא, וְהֵם יִהְיוּ הָרָאשִׁים, וְהַצְּרִיכִים לִתָּלוֹת בָּם יִהְיוּ מְשֻׁעְבָּדִים לָהֶם וּצְרִיכִים לָהֶם.

וּכְדֵי שֶׁיִּהְיֶה מָקוֹם לַתִּקּוּן הַגָּדוֹל הַזֶּה, קָשְׁרָה מִתְּחִלָּה אֶת הָאִישִׁים זֶה עִם זֶה, וְזֶה עִנְיַן "כָּל יִשְׂרָאֵל עֲרֵבִים זֶה לָזֶה" שֶׁזָּכְרוּ חֲכָמֵינוּ זִכְרוֹנָם לִבְרָכָה (שבועות לט), כִּי הִנֵּה עַל יְדֵי זֶה נִמְצָאִים מִתְקַשְּׁרִים קְצָתָם בִּקְצָתָם וְלֹא נִפְרָדִים אִישׁ לְעַצְמוֹ, וְהִנֵּה מִדָּה טוֹבָה תָּמִיד מְרֻבָּה, וְאִם נִתְפָּסִים זֶה עַל זֶה בְּחֵטְא, כָּל שֶׁכֵּן שֶׁיּוֹעִילוּ זֶה עַל זֶה בִּזְכוּת.

וְאָמְנָם, עַל פִּי שֹׁרֶשׁ זֶה נִסְדַּר שֶׁיַּגִּיעוּ צָרוֹת וְיִסּוּרִים לְאִישׁ צַדִּיק, וְיִהְיֶה זֶה לְכַפָּרַת דּוֹרוֹ. וְהִנֵּה מְחֻיָּב הַצַּדִּיק הוּא לְקַבֵּל בְּאַהֲבָה הַיִּסּוּרִים שֶׁיִּזְדַּמְּנוּ לוֹ לְתוֹעֶלֶת דּוֹרוֹ, כְּמוֹ שֶׁהָיָה מְקַבֵּל בְּאַהֲבָה הַיִּסּוּרִים שֶׁהָיוּ רְאוּיִים לוֹ מִצַּד עַצְמוֹ, וּבַמַּעֲשֶׂה הַזֶּה מֵטִיב לְדוֹרוֹ שֶׁמְּכַפֵּר עָלָיו, וְהוּא עַצְמוֹ מִתְעַלֶּה עִלּוּי גָּדוֹל, שֶׁנַּעֲשֶׂה מִן הָרָאשִׁים בְּקִבּוּץ בְּנֵי הָעוֹלָם הַבָּא וּכְמוֹ שֶׁזָּכַרְנוּ.

וְאוּלָם מִזֶּה הַסּוּג עַצְמוֹ יִמָּצֵא עוֹד מִין אַחֵר, יוֹתֵר גָּבוֹהַּ בְּמַעֲלָתוֹ מֵאוֹתוֹ שֶׁזָּכַרְנוּ; וְזֶה, כִּי מַה שֶּׁזָּכַרְנוּ הוּא שֶׁיִּלָּקֶה

discussed earlier, it saw that this goal would be furthered if some people could benefit others and help them attain a place in this Community.

The rule that the Community of the Future World be restricted only to those who attained perfection in their own right is therefore not absolute. For it was also decreed that an individual can reach a level where he can partake of perfection and be included in this Community as the result of his association with a more worthy individual. The only difference is that he will remain on a lower level, since he is not included in this Community in his own right, but only through association with another.[31]

The only ones who are cast aside completely from perfection, therefore, are those who are not worthy of it at all, neither through their own merit nor through association with another. Because of this, the number who are saved from annihilation and allowed the ultimate bliss is maximized.

Those who cause others to partake in the World to Come will definitely be the foremost in that Community. They will be the leaders, while those who enter by virtue of their association with them will be beholden and dependent on them.

In order for this to be possible, all men were originally bound to each other, as our sages teach us, "All Israel are responsible for one another."[32] As a result of this, each individual is bound to everyone else, and no man is counted separately. God's attribute of good is the stronger, however, and if the guilt for sin is shared by others, this must certainly be true of the merit associated with good deeds.

As a result of this principle, suffering and pain may be imposed on a Tzadik (righteous person) as an atonement for his entire generation.[33] This Tzadik must then accept this suffering with love for the benefit of his generation, just as he accepts the suffering imposed upon him for his own sake. In doing so, he benefits his generation by atoning for it, and at the same time is himself elevated to a very great degree. For a Tzadik such as this is made into one of the leaders in the Community of the Future World, as discussed earlier.

All this involves a Tzadik who is stricken because his generation

121

הַצַּדִּיק עַל בְּנֵי דוֹרוֹ שֶׁהָיוּ רְאוּיִים לְעֹנֶשׁ גָּדוֹל מְאֹד וּקְרוֹבִים לִכְלָיָה אוֹ לַאֲבַדּוֹן, וְהוּא בְיִסּוּרָיו מְכַפֵּר עֲלֵיהֶם וּמַצִּילָם בָּעוֹלָם הַזֶּה וּמוֹעִיל לָהֶם גַּם לָעוֹלָם הַבָּא; אָמְנָם יֵשׁ עוֹד יִסּוּרִים שֶׁנּוֹתְנִים לַחֲסִידִים הַיּוֹתֵר גְּדוֹלִים הַמֻּשְׁלָמִים כְּבָר בְּעַצְמָם, וְהֵם לַעֲזֹר לְמַה שֶּׁצָּרִיךְ לִכְלַל גִּלְגּוּלֵי הַהַנְהָגָה שֶׁיַּגִּיעוּ אֶל הַסּוֹף שֶׁהוּא הַשְּׁלֵמוּת. וּפֵרוּשׁ הָעִנְיָן, כִּי הִנֵּה מִצַּד הַסֵּדֶר הָרִאשׁוֹן שֶׁהֻסְדַּר לְהַנְהָגַת הָעוֹלָם וְגִלְגּוּלָיו, כְּבָר הָיָה צָרִיךְ לָאָדָם שֶׁיִּסְבֹּל קְצָת צַעַר, לְשֶׁיַּגִּיעַ הוּא וְכָל הָעוֹלָם עִמּוֹ אֶל הַשְּׁלֵמוּת; וְהוּא מַה שֶּׁהָיָה מִתְיַלֵּד וְנִמְשָׁךְ מֵהֶעְלֵם אוֹרוֹ יִתְבָּרַךְ וְהֶסְתֵּר פָּנָיו, שֶׁהוּשַׂם לְאַחַד מִיסוֹדוֹת עִנְיְנֵי מַצָּבוֹ שֶׁל אָדָם כְּמוֹ שֶׁזָּכַרְנוּ לְמַעְלָה; וְכָל שֶׁכֵּן אַחֲרֵי שֶׁרַבּוּ הַקִּלְקוּלִים בָּעוֹלָם מִצַּד חֲטָאִים עַל חֲטָאִים גְּדוֹלִים וַעֲצוּמִים שֶׁנַּעֲשׂוּ בוֹ, הִנֵּה נִתְרַבָּה יוֹתֵר הַהֶסְתֵּר וְנֶעְלַם הַטּוֹב, וְנִמְצָא הָעוֹלָם וּבְרִיּוֹתָיו בְּמַצָּב שָׁפֵל וָרָע, וְצָרִיךְ עַל כָּל פָּנִים שֶׁעַל יְדֵי גִלְגּוּלִים שֶׁתְּגַלְגֵּל חָכְמָתוֹ הַנִּפְלָאָה בָּעוֹלָם יַגִּיעוּ הַדְּבָרִים אֶל תִּקּוּן; וּמֵעִקָּרָם שֶׁל גִּלְגּוּלִים הוּא, שֶׁיְּקַבְּלוּ בְּנֵי הָאָדָם עֳנָשִׁים כְּדֵי רִשְׁעָתָם עַד שֶׁתִּמָּצֵא מִדַּת הַדִּין מְפֻיֶּסֶת; וְאוּלָם סֵדֶר הָאָדוֹן בָּרוּךְ הוּא שֶׁהַשְּׁלֵמִים וְהַחֲשׁוּבִים יוּכְלוּ לְתַקֵּן בְּעַד אֲחֵרִים וּכְמוֹ שֶׁזָּכַרְנוּ, וְתִפְגַּע בָּהֶם מִדַּת הַדִּין תַּחַת פְּגִיעָהּ בִּכְלַל הָעוֹלָם.

וְאָמְנָם כֵּיוָן שֶׁהֵם בְּעַצְמָם שְׁלֵמִים וּרְאוּיִים לְטוֹב וְשֶׁהֵם מִתְיַסְּרִים רַק בַּעֲבוּר אֲחֵרִים, וַדַּאי שֶׁתִּתְפַּיֵּס מִדַּת הַדִּין בִּמְעַט בָּהֶם, כְּבִמְרֻבֶּה בַחוֹטְאִים עַצְמָם; וְלֹא עוֹד אֶלָּא שֶׁעַל יְדֵי זֶה זְכוּתָם נוֹסָף וְכֹחָם מִתְחַזֵּק, וְכָל שֶׁכֵּן שֶׁיְּכוֹלִים לְתַקֵּן אֶת אֲשֶׁר עִוְּתוּ הָאֲחֵרִים; וְהַיְנוּ – כִּי לֹא דַי שֶׁיְּתַקְּנוּ לְמַה שֶּׁבִּבְנֵי דוֹרָם, אֶלָּא גַם לְעִנְיַן כָּל מַה שֶּׁנִּתְקַלְקֵל הָעוֹלָם מֵאָז נִהְיוּ בוֹ חֲטָאִים וְעַד עַתָּה. וּבְוַדַּאי שֶׁאֵלֶּה יִהְיוּ

is about to be annihilated, and would be destroyed if not for his suffering. In atoning for them through his suffering, this Tzadik saves them in this world and greatly benefits them in the World to Come.

Within this same category, however, there is a class that is even higher than this. There is suffering that comes to a Tzadik who is even greater and more highly perfected than the ones discussed above. This suffering comes to provide the help necessary to bring about the chain of events leading to mankind's ultimate perfection.

According to the original plan, the sequence of worldly events required that man undergo at least some suffering before both he and the world could attain perfection. This was required by the very fact that one of the basic concepts of man's predicament was that God should hold back His Light and hide His presence, as discussed earlier.[34] This became all the more necessary as a result of the corruption and spiritual damage caused by man's many sins, which held the good back even more and caused God's presence to become all the more hidden. The world and everything in it are therefore in a degraded evil state, and require that God's unfathomable wisdom bring about numerous chains of events to achieve their rectification.

Among the most important elements of this sequence is the requirement that man be punished for his wickedness until the attribute of justice is satisfied. God arranged matters, however, so that select perfect individuals could rectify things for others, as discussed earlier. The attribute of justice therefore relates to them rather than to the rest of the world in general.

Individuals such as these, however, are themselves perfect, and are therefore worthy only of good. The only reason they suffer is because of others, and the attribute of justice must therefore be as satisfied with a small amount of suffering on their part as with a large amount on the part of those who actually sinned.

Beyond that, the merit and power of these Tzadikim is also increased because of such suffering, and this gives them even greater ability to rectify the damage of others. They can therefore not only rectify their own generation, but can also correct all the spiritual damage done from the beginning, from the time of the very first sinners.

אַחֲרֵי כֵן בְּקִבּוּץ הַשְּׁלֵמִים רָאשֵׁי הָרִאשׁוֹנִים וְהַיּוֹתֵר קְרוֹבִים אֵלָיו יִתְבָּרַךְ שְׁמוֹ.

[ט] וְהִנֵּה, כָּל זֶה שֶׁזָּכַרְנוּ עַד עַתָּה עַל צַד הַמִּשְׁפָּט, מִתְבָּאֵר עוֹד עַל צַד הַמְּצִיאוּת כְּפִי אֲמִתַּת סְדָרָיו וּכְמוֹ שֶׁזָּכַרְנוּ לְעֵיל. כִּי הִנֵּה, בַּחֲטָאִים מִתְרַבֵּית הַזֻּהֲמָא וּמִתְעַצֶּמֶת בִּבְנֵי הָאָדָם וּבָעוֹלָם, וְגוֹרֶמֶת לְאוֹרוֹ יִתְבָּרַךְ שְׁמוֹ שֶׁיִּסָּתֵר וְיִתְעַלֵּם הֶעְלֵם עַל הֶעְלֵם, וּכְפִי הִתְמָרֵק הַזֻּהֲמָא הַזֹּאת וְהִטָּהֵר הַבְּרִיּוֹת מִמֶּנָּה, כֵּן חוֹזֵר אוֹרוֹ יִתְבָּרַךְ שְׁמוֹ וּמִתְגַּלֶּה גִּלּוּי עַל גִּלּוּי, וְאָמְנָם הַיִּסּוּרִים הֵם הַמְמָרְקִים הַזֻּהֲמָא בֵּין בִּפְרָט בֵּין בִּכְלָל, וְעַל יְדֵי יִסּוּרֵי הַחֲשׁוּבִים הָאֵלֶּה מִתְמָרֶקֶת וְהוֹלֶכֶת לָהּ מִכְּלַל הַבְּרִיאָה כֻּלָּהּ, וּמִתְקָרֵב הָעוֹלָם מַדְרֵגָה אַחַר מַדְרֵגָה אֶל הַשְּׁלֵמוּת.

[י] עוֹד שֹׁרֶשׁ אַחֵר נִמְצָא לַהַנְהָגָה בְּעִנְיְנֵי הָעוֹלָם הַזֶּה, וְהוּא שֶׁהַחָכְמָה הָעֶלְיוֹנָה סִדְּרָה, לְהַרְבּוֹת עוֹד הַהַצָּלָה כְּמוֹ שֶׁזָּכַרְנוּ, שֶׁנְּשָׁמָה אַחַת תָּבוֹא לָעוֹלָם הַזֶּה פְּעָמִים שׁוֹנוֹת בְּגוּפִים שׁוֹנִים, וְעַל יְדֵי זֶה הִנֵּה תוּכַל לְתַקֵּן בְּפַעַם אַחַת אֶת אֲשֶׁר קִלְקְלָה בְּפַעַם אַחֶרֶת, אוֹ לְהַשְׁלִים מַה שֶּׁלֹּא הִשְׁלִימָה. וְאוּלָם בְּסוֹף כָּל הַגִּלְגּוּלִים, לַדִּין שֶׁלֶּעָתִיד לָבוֹא, הִנֵּה הַדִּין יִהְיֶה עָלֶיהָ כְּפִי כָּל מַה שֶּׁעָבַר עָלֶיהָ מִן הַגִּלְגּוּלִים שֶׁנִּתְגַּלְגְּלָה וּמִן הַמַּצָּבִים שֶׁהָיְתָה בָם. וְהִנֵּה אֶפְשָׁר שֶׁיַּגִּיעוּ עִנְיָנִים לְאָדָם שֶׁנִּשְׁמָתוֹ מְגֻלְגֶּלֶת, כְּפִי מַה שֶּׁיִּגָּרֵם לָהּ מִצַּד מַה שֶּׁעָשְׂתָה בְּגִלְגּוּל קוֹדֵם, וְיִנָּתֵן לָאָדָם הַהוּא בָּעוֹלָם מַצָּב כְּפִי זֶה, וּכְפִי הַמַּצָּב שֶׁיִּנָּתֵן לוֹ יִהְיֶה הַמַּשָּׂא אֲשֶׁר יֻטַּל עָלָיו וּכְמוֹ שֶׁזָּכַרְנוּ לְעֵיל. וּכְבָר דִּינוֹ יִתְבָּרַךְ שְׁמוֹ מְדַקְדֵּק עַל כָּל אָדָם, לְפִי מַה שֶּׁהוּא בְּכָל בְּחִינוֹתָיו, פֵּרוּשׁ – בְּכָל פְּרָטֵי מַצָּבוֹ, בְּאֹפֶן שֶׁלֹּא יֻעֲמַס לְעוֹלָם עַל אָדָם, לָעוֹלָם הַבָּא שֶׁהוּא הַטּוֹב הָאֲמִתִּי, אַשְׁמָה

It is obvious that individuals such as these will ultimately be the foremost leaders in the Perfected Community, and the ones who are the very closest to God.[35]

[9]   All this is not only the result of justice, but also follows from the actual order of things, as discussed earlier.[36] As a result of man's sins, corruption is increased and incorporated into both man and the world. This in turn causes God's light to be increasingly retracted and hidden. The more this corruption is cleansed, on the other hand, and the more people are purified of it, the more God's light is once again revealed, step by step.[37]

Suffering is the thing that God created to cleanse this pollution, both in general and in particular. Thus, through the suffering of these select individuals, creation in general is cleansed, and step by step the world is brought closer to perfection.

[10]   There is another important principle regarding God's providence. God arranged matters so that man's chances of achieving ultimate salvation should be maximized, as discussed earlier.[38]

A single soul can be reincarnated a number of times in different bodies, and in this manner, it can rectify the damage done in previous incarnations.[39] Similarly, it can also achieve perfection that was not attained in its previous incarnations.

The soul is then ultimately judged at the end of all these incarnations. Its judgment will depend on everything that took place in all its incarnations, as well as its status as an individual in each one.

When an individual has a reincarnated soul, it is possible that he will be affected in a particular manner as a result of his deeds in a previous incarnation. The situation in which he is placed may follow from this, and this situation may bring with it the special responsibility given to him, as discussed earlier.[40]

God's judgment of each individual is extremely precise, depending on every aspect of his nature and including every detail of his exact situation. But in the Future World, which is the true good, no individual is required to sustain a liability which is not the result of

שֶׁאֵין לוֹ בֶּאֱמֶת, אֲבָל יַגִּיעַ לוֹ מִן הַמַּשָּׂא וְהַפְּקֻדָּה בָּעוֹלָם הַזֶּה כְּפִי מַה שֶּׁתְּפַלֵּג לוֹ הַחָכְמָה הָעֶלְיוֹנָה, וּכְפִי זֶה יִדּוֹנוּ מַעֲשָׂיו.

וְהִנֵּה, פְּרָטֵי בְּחִינוֹת רַבּוֹת יִמָּצְאוּ בְּעִנְיָן זֶה שֶׁל הַגִּלְגּוּל, אֵיךְ יִהְיֶה הָאָדָם נִדּוֹן לְפִי מַה שֶּׁהוּא בְּגִלְגּוּלוֹ, וּלְפִי מַה שֶּׁקָּדַם בְּגִלְגּוּל אַחֵר, לְשֶׁיִּהְיֶה הַכֹּל עַל פִּי הַמִּשְׁפָּט הָאֲמִתִּי וְהַיָּשָׁר, וְעַל כָּל זֶה נֶאֱמַר: "הַצּוּר תָּמִים פָּעֳלוֹ כִּי כָל־דְּרָכָיו מִשְׁפָּט" וְכוּ' (דברים לב, ד); וְאֵין בַּבְּרוּאִים יְדִיעָה שֶׁתּוּכַל לִכְלֹל מַחְשְׁבוֹתָיו יִתְבָּרַךְ שְׁמוֹ וְעֹמֶק עֲצָתוֹ; רַק הַכְּלָל הַזֶּה יָדַעְנוּ כִּכְלָל שְׁאָר הַכְּלָלִים, שֶׁאַחַד מִמְּקוֹרוֹת מִקְרֵיהֶם שֶׁל בְּנֵי הָאָדָם בָּעוֹלָם הַזֶּה הוּא הַגִּלְגּוּל, עַל פִּי אוֹתָם הַחֻקִּים וְהַמִּשְׁפָּטִים הַיְשָׁרִים שֶׁהוּחֲקוּ לְפָנָיו יִתְבָּרַךְ שְׁמוֹ לְהַשְׁלָמַת זֶה הָעִנְיָן כֻּלּוֹ.

[יא] נִמְצָא לְפִי כָּל מַה שֶּׁבֵּאַרְנוּ – סִבּוֹת שׁוֹנוֹת וּמִתְחַלְּפוֹת לְמִקְרֵי בְּנֵי הָאָדָם בָּעוֹלָם הַזֶּה, אִם לְטוֹב וְאִם לְמוּטָב. וְאָמְנָם אֵין הָעִנְיָן שֶׁכָּל מִקְרֶה שֶׁיִּקְרֶה יִמָּשֵׁךְ מִכָּל הַסִּבּוֹת הָאֵלֶּה, אֲבָל הָעִנְיָן הוּא שֶׁמִּכָּל אֵלֶּה הַסִּבּוֹת יִמָּשְׁכוּ מִקְרִים לִבְנֵי הָאָדָם בָּעוֹלָם, וְיִמָּצְאוּ מִקְרִים נִמְשָׁכִים מִסִּבָּה אַחַת, וַאֲחֵרִים מִסִּבָּה אַחֶרֶת. וְאָמְנָם הַחָכְמָה הָעֶלְיוֹנָה הַיּוֹדַעַת וּמַשְׁקֶפֶת תָּמִיד עַל כָּל מַה שֶּׁהוּא נָאוֹת לְתִקּוּן כְּלַל הַבְּרִיאָה, הִנֵּה הִיא שׁוֹקֶלֶת בְּעֹמֶק עֲצָתָהּ כָּל הַדְּבָרִים בְּיַחַד, וְעַל פִּי זֶה מַנְהֶגֶת אֶת הָעוֹלָם בְּכָל פְּרָטָיו. כִּי אוּלָם אִי אֶפְשָׁר לְכָל הַסִּבּוֹת הָאֵלֶּה שֶׁיּוֹלִידוּ תּוֹלְדוֹתֵיהֶם תָּמִיד בְּשָׁוֶה, כִּי פְּעָמִים רַבּוֹת אֶפְשָׁר לְאַחַת שֶׁתַּכְחִישׁ אֶת חֲבֶרְתָּהּ, כִּי הִנֵּה, דֶּרֶךְ מָשָׁל, אֶפְשָׁר שֶׁלְּפִי זְכוּת הָאָבוֹת יַגִּיעַ לְאָדָם אֶחָד עֹשֶׁר, וּלְפִי מַעֲשָׂיו – עֹנִי, וּלְפִי הַחִלּוּק הַכְּלָלִי עֹשֶׁר אוֹ עֹנִי; וַאֲפִלּוּ לְפִי הַמַּעֲשִׂים עַצְמָם, כְּבָר יַעֲשֶׂה הָאִישׁ מַעֲשֶׂה אֶחָד יִהְיֶה הַדִּין בּוֹ שֶׁתָּבוֹא לוֹ טוֹבָה אַחַת, וּמַעֲשֶׂה אַחֵר יִהְיֶה הַדִּין בּוֹ שֶׁתֶּחְסַר לוֹ הַטּוֹבָה

his own doing, but a result of his mission and responsibility in this world, as parcelled out by the Highest Wisdom. In cases such as these, the individual is judged accordingly.

There are many details in the concept of reincarnation, involving the manner in which an individual is judged according to one incarnation, and how this judgment depends on previous incarnations. The crucial point, however, is the fact that all is truly fair and just, as the Torah states (*Deuteronomy* 32:7), "The Creator's work is perfect, all His ways are justice."

No created thing can encompass God's thoughts or the profound depth of His plan. We only know that, like all other such concepts, the principle of reincarnation as one of man's experiences also follows the rule of fair judgment, as decreed by God to perfect mankind in general.

[11] From this entire discussion, we see that there are many different and varied reasons for everything that happens to an individual in this world, whether it is good or otherwise. It is important to realize, however, that this does not mean that every event is always the result of all these causes. These are merely all the *possible* causes, but things can sometimes result from one and sometimes from another.

The Highest Wisdom, however, perceives and knows what is best to rectify all creation. In its profound design, it weighs everything together, and directs each individual element of creation accordingly.

[Although creation is arranged to follow a cause-and-effect relationship,] every cause does not always necessarily have the same effect. Many causes are almost always involved, and in many cases one will contradict the other.

Thus, for example, the merit of one's parents may entitle an individual to wealth and prosperity. His own deeds, on the other hand, may require that he be poor. His place in the general scheme may furthermore exert an influence, in determining whether he is granted wealth or made poor.

The same can also be true with respect to the individual's own actions. He may have done one deed that should result in his attaining something good. At the same time, however, he may have also done

127

הַהִיא; וְאוּלָם הַחָכְמָה הָעֶלְיוֹנָה שׁוֹקֶלֶת וּמַכְרַעַת אֶת הַכֹּל עַל הַצַּד הַיּוֹתֵר טוֹב, וּמְזַמֶּנֶת לְכָל אִישׁ וָאִישׁ עִנְיָנִים מִמִּין אַחֵר, פֵּרוּשׁ – עִנְיָנִים נִמְשָׁכִים אַחַר אַחַת הַסִּבּוֹת, וְעִנְיָנִים נִמְשָׁכִים אַחַר סִבָּה אַחֶרֶת. אָמְנָם, לֹא יִקְרֶה מִקְרֶה לָאָדָם, שֶׁלֹּא יִהְיֶה כְּפִי אַחַת מִן הַסִּבּוֹת שֶׁזָּכַרְנוּ, וְהַפְּרָטִים אִי אֶפְשָׁר לָאָדָם שֶׁיֵּדָעֵם כֻּלָּם, וּכְבָר יָדַעְנוּ הַרְבֵּה, כְּשֶׁיָּדַעְנוּ כְּלָלֵי הָעִנְיָנִים לְמִינֵיהֶם וּכְמוֹ שֶׁזָּכַרְנוּ.

[יב] וְאוּלָם צָרִיךְ שֶׁתֵּדַע, שֶׁהַמִּקְרִים הַקּוֹרִים לִבְנֵי הָאָדָם יֵשׁ בָּהֶם שְׁנֵי מִינִים: הָאֶחָד מִקְרִים תַּכְלִיתִיִּים, וְהַשֵּׁנִי אֶמְצָעִיִּים. פֵּרוּשׁ תַּכְלִיתִיִּים – מִקְרִים שֶׁיִּהְיוּ נִגְזָרִים עַל הָאָדָם, לִהְיוֹתָם רְאוּיִים לוֹ מִצַּד אַחַת מֵהַסִּבּוֹת שֶׁזָּכַרְנוּ לְמַעְלָה, וְאֶמְצָעִיִּים – מִקְרִים שֶׁיִּקְרוּ לוֹ, כְּדֵי שֶׁעַל יָדָם יַגִּיעַ לוֹ מִקְרֶה אַחֵר שֶׁרָאוּי לוֹ, וְהוּא כְּעִנְיַן: "אוֹדְךָ ד׳ כִּי אָנַפְתָּ בִּי" (ישעיה יב, א), שֶׁפֵּרְשׁוּ חֲכָמֵינוּ זִכְרוֹנָם לִבְרָכָה: שֶׁנִּשְׁבְּרָה רֶגֶל פָּרָתוֹ וְנָפְלָה, וּמָצָא סִימָא תַּחְתֶּיהָ (נדה לא); אוֹ שֶׁיִּמָּלֵט מִמִּקְרֶה שֶׁרָאוּי שֶׁלֹּא יַגִּיעַ לוֹ, כְּגוֹן שֶׁנִּתְעַכֵּב וְלֹא הָלַךְ בִּסְפִינָה שֶׁהָיָה רוֹצֶה לֵילֵךְ, וְטָבְעָה הַסְּפִינָה בַּיָּם; וְגַם אֶמְצָעִיִּים אֵלֶּה, אֶפְשָׁר שֶׁיִּהְיוּ לְצֹרֶךְ עַצְמוֹ שֶׁל הָאָדָם שֶׁיִּקְרוּ לוֹ, וְאֶפְשָׁר שֶׁיִּהְיוּ לְצֹרֶךְ זוּלָתוֹ, לְשֶׁתָּבוֹא עַל יְדֵי זֶה טוֹבָה אוֹ רָעָה לְזוּלָתוֹ.

וְאָמְנָם, הַחָכְמָה הָעֶלְיוֹנָה, כְּמוֹ שֶׁתְּשַׁעֵר הָעִנְיָנִים שֶׁרָאוּי שֶׁיַּגִּיעוּ לָאָדָם, תְּשַׁעֵר גַּם כֵּן הָאֶמְצָעִים שֶׁעַל יָדָם יַגִּיעוּ לוֹ, עַד שֶׁיִּמָּצֵא הַכֹּל נִגְזָר, בְּתַכְלִית הַדִּקְדּוּק, לְמַה שֶּׁהוּא הַיּוֹתֵר טוֹב בֶּאֱמֶת.

something else that would require that he not receive this very same good.

Because of these many conflicts, the Highest Wisdom must balance and decide every factor, creating situations which are products of the various combinations of these causes with respect to each individual. Occurrences may thus be the result of one or another of these causes, but ultimately at least one of the causes that we have discussed must be involved.

The details of this judgment, however, are beyond the grasp of man's understanding. But to know its general concepts and categories is to know much, as we have explained earlier.

[12]   One must also realize that things can happen to an individual both as an end in themselves and as a means toward something else.

Thus, when it is appropriate that something happen to an individual as a result of one of the above causes, then it is said to be an end in itself. Other things may happen to an individual, however, which are merely means to ultimately achieve some other end completely.

With regard to such means, the prophet said (*Isaiah* 12:1), "I will thank You, God, though You showed me anger." Our sages explain that this refers to a situation where someone's cow broke its foot and fell, and as a result, he found a buried treasure.[41] They likewise apply it to a case where one escapes from a calamity as a result of something that he may have initially considered a grave inconvenience. The example given is that of a person who wanted to embark on an ocean voyage, and was detained and missed his ship. The ship then sank [and as a result of this inconvenience, his life was saved].[42]

Means such as these can be destined to affect the individual himself or to influence others. Something can thus happen to a person in order to bring good or evil to someone else.

The Highest Wisdom, however, determines what should befall each individual, and in the same manner determines the means through which this should come about. Everything is ultimately decreed with the utmost precision, according to what is truly best.[43]

ב פרק רביעי

בְּעִנְיַן יִשְׂרָאֵל וְאֻמּוֹת הָעוֹלָם

[א] מִן הָעִנְיָנִים הָעֲמֻקִּים שֶׁבְּהַנְהָגָתוֹ יִתְבָּרַךְ שְׁמוֹ, הוּא עִנְיַן יִשְׂרָאֵל וְאֻמּוֹת הָעוֹלָם, שֶׁמִּצַּד טֶבַע הָאֱנוֹשִׁי נִרְאֶה הֱיוֹתָם שָׁוִים בֶּאֱמֶת, וּמִצַּד עִנְיְנֵי הַתּוֹרָה הֵם שׁוֹנִים שִׁנּוּי גָּדוֹל, וְנִבְדָּלִים כְּמִינִים מִתְחַלְּפִים לְגַמְרֵי. וְהִנֵּה עַתָּה נְבָאֵר בְּעִנְיָן זֶה בֵּאוּר מַסְפִּיק, וּנְפָרֵשׁ מַה שֶּׁבּוֹ מִתְדַּמִּים זֶה לָזֶה, וּמַה שֶּׁבּוֹ מִתְחַלְּפִים זֶה מִזֶּה.

[ב] אָדָם הָרִאשׁוֹן קֹדֶם חֶטְאוֹ הָיָה בְּמַצָּב עֶלְיוֹן מְאֹד מִמַּה שֶּׁהוּא הָאָדָם עַתָּה – וּכְבָר בֵּאַרְנוּ עִנְיָן זֶה בְּחֵלֶק א, פֶּרֶק ג – וּמַדְרֵגַת הָאֱנוֹשִׁיּוּת לְפִי הַמַּצָּב הַהוּא הָיְתָה מַדְרֵגָה נִכְבֶּדֶת מְאֹד, רְאוּיָה לְמַעֲלָה רָמָה נִצְחִית, כְּמוֹ שֶׁזָּכַרְנוּ. וְאִלּוּ לֹא הָיָה חוֹטֵא, הָיָה מִשְׁתַּלֵּם, וּמִתְעַלֶּה עוֹד עִלּוּי עַל עִלּוּי; וְהִנֵּה, בְּאוֹתוֹ הַמַּצָּב הַטּוֹב הָיָה לוֹ לְהוֹלִיד תּוֹלָדוֹת, מִסְפָּר מְשֹׁעָר מֵחָכְמָתוֹ יִתְבָּרַךְ שְׁמוֹ, עַל פִּי אֲמִתַּת מַה שֶּׁרָאוּי לְשְׁלֵמוּת הַנֶּהֱנִים בְּטוּבוֹ יִתְבָּרַךְ שְׁמוֹ, וְהָיוּ כֻּלָּם נֶהֱנִים עִמּוֹ בַּטּוֹב הַהוּא.

וְאָמְנָם הַתּוֹלָדוֹת הָאֵלֶּה שֶׁהָיָה רָאוּי שֶׁיּוֹלִיד, נִגְזְרוּ וְשֻׁעֲרוּ מִלְּפָנָיו יִתְבָּרַךְ שְׁמוֹ, מְשֹׁעָרוֹת בְּהַדְרָגוֹת מְיֻחָדוֹת, פֵּרוּשׁ – שֶׁיִּהְיוּ בָהֶם רָאשִׁיִּים וְנִטְפָּלִים, שָׁרָשִׁים וַעֲנָפִים, נִמְשָׁכִים זֶה

II CHAPTER 4

Israel and the Nations

[1] One of the deepest concepts of God's providence involves Israel and the other nations. With regard to their basic human characteristics, the two appear exactly alike. From the Torah's viewpoint, however, the two are completely different, and are treated as if they belonged to completely different species.

We will now delve into this concept, explaining in which way the two are alike, as well as in which way they are different.

[2] Before Adam sinned, he was on a much higher level than contemporary man, as discussed earlier (1:3:6). In that state, man was on a very lofty level, fit for a high degree of eternal excellence. If he had not sinned, man would have simply been able to elevate and perfect himself, step by step.

He would have then given birth to future generations while still in that state of excellence. Their number would be accurately determined by God's wisdom, depending on how those enjoying His good should best be perfected. All these future generations would have then shared this good with Adam.

God had also determined and decreed that all these generations that would have been born of Adam should exist on various determined levels. Some generations would thus be primary, while others would be secondary, like roots and branches. Later generations

אַחַר זֶה בְּסֵדֶר מְיֻחָד, כְּאִילָנוֹת וַעֲנָפֵיהֶם, וּמִסְפַּר הָאִילָנוֹת וּמִסְפַּר הָעֲנָפִים הַכֹּל מְשֹׁעָר בְּתַכְלִית הַדִּקְדּוּק.

וְהִנֵּה, בְּחֶטְאוֹ, יָרַד מְאֹד מִמַּדְרֵגָתוֹ, וְנִכְלַל בּוֹ מִן הַחֹשֶׁךְ וְהָעֲכִירוּת שִׁעוּר גָּדוֹל, וּכְמוֹ שֶׁזָּכַרְנוּ, וּכְלַל הַמִּין הָאֱנוֹשִׁי יָרַד מִמַּדְרֵגָתוֹ וְעָמַד בְּמַדְרֵגָה שְׁפָלָה מְאֹד, בִּלְתִּי רְאוּיָה לַמַּעֲלָה הָרָמָה הַנִּצְחִית שֶׁהִתְעַתֵּד לָהּ בָּרִאשׁוֹנָה, וְלֹא נִשְׁאַר מְזֻמָּן וּמוּכָן אֶלָּא לְמַדְרֵגָה פְּחוּתָה מִמֶּנָּה פְּחִיתוּת רָב, וּבִבְחִינָה זֹאת הוֹלִיד תּוֹלָדוֹת בָּעוֹלָם, כֻּלָּם בַּמַּדְרֵגָה הַשְּׁפָלָה הַזֹּאת שֶׁזָּכַרְנוּ.

וְאָמְנָם, אַף עַל פִּי כֵן, לֹא חָדַל מֵהִמָּצֵא בִּכְלַל מַדְרֵגַת הַמִּין הָאֱנוֹשִׁי – מִצַּד שָׁרְשׁוֹ הָאֲמִתִּי – בְּחִינָה עֶלְיוֹנָה מִן הַבְּחִינָה שֶׁהָיָה הַמִּין הַזֶּה אָז בִּזְמַן קִלְקוּלוֹ, וְלֹא נִדְחָה אָדָם הָרִאשׁוֹן לְגַמְרֵי, שֶׁלֹּא יוּכַל לָשׁוּב אֶל הַמַּדְרֵגָה הָעֶלְיוֹנָה, אֲבָל נִמְצָא בְּפֹעַל בַּמַּדְרֵגָה הַשְּׁפָלָה וּבִבְחִינָה כֹּחָנִית אֶל הַמַּדְרֵגָה הָעֶלְיוֹנָה.

וְהִנֵּה נָתַן הָאָדוֹן בָּרוּךְ הוּא, לִפְנֵי הַתּוֹלָדוֹת הָהֵם שֶׁנִּמְצְאוּ בְּאוֹתוֹ הַזְּמַן, אֶת הַבְּחִירָה, שֶׁיִּתְחַזְּקוּ, וְיִשְׁתַּדְּלוּ לְהִתְעַלּוֹת מִן הַמַּדְרֵגָה הַשְּׁפָלָה וְלָשִׂים עַצְמָם בַּמַּדְרֵגָה הָעֶלְיוֹנָה, וְהִנִּיחַ לָהֶם זְמַן לַדָּבָר, כְּמוֹ שֶׁשִּׁעֲרָה הַחָכְמָה הָעֶלְיוֹנָה הֱיוֹתוֹ נָאוֹת לַהִשְׁתַּדְּלוּת הַזֶּה – וְעַל דֶּרֶךְ מַה שֶּׁמְּנַחַת עַתָּה לָנוּ, לְשֶׁנִּהְיֶה מַשִּׂיגִים הַשְּׁלֵמוּת וְהַמַּדְרֵגָה בְּקִבּוּץ בְּנֵי הָעוֹלָם הַבָּא, כְּמוֹ שֶׁזָּכַרְנוּ לְעֵיל – כִּי הִנֵּה, כָּל מַה שֶּׁהוּא הִשְׁתַּדְּלוּת צָרִיךְ שֶׁיִּהְיֶה לוֹ גְּבוּל.

[ג] וְהִנֵּה רָאֲתָה הַחָכְמָה הָעֶלְיוֹנָה הֱיוֹת רָאוּי, שֶׁזֶּה הַהִשְׁתַּדְּלוּת יִתְחַלֵּק לְשָׁרָשִׁים וַעֲנָפִים, פֵּרוּשׁ – שֶׁיִּהְיֶה בַּתְּחִלָּה זְמַן הַהִשְׁתַּדְּלוּת לַשָּׁרָשִׁים שֶׁבַּתּוֹלָדוֹת, וְאַחַר כָּךְ לָעֲנָפִים שֶׁבָּהֶם; וְהַיְנוּ, כִּי הַמִּין הָאֱנוֹשִׁי כֻּלּוֹ, הָיָה צָרִיךְ עֲדַיִן שֶׁיִּקָּבַע עִנְיָנוֹ

would stem from the earlier ones [and share their characteristics], like branches stemming from a tree. The number of trees and branches, however, was determined from the very beginning with the utmost precision.[44]

When Adam sinned, he fell from his original high level, and brought upon himself a great degree of darkness and insensitivity, as discussed earlier. Mankind in general also fell from its original height, and remained on a degraded level where it was not at all worthy of the eternal high degree of excellence originally destined for it.

Man could thus anticipate only a very much lower level, and it was in this state that children were born into the world. They were therefore all born into this degraded state.

Nevertheless, even in the time of his downfall, the elevated aspect that existed in man as a result of his true root was not completely extinguished. Adam was therefore not cast aside completely, and could still return to the higher level. [But now he would be functioning under an important disadvantage, since] he was actually on a lower plane [which merely had] the potential aspect of the higher level.

God gave Adam's descendants a free choice at that time to strengthen themselves and strive to elevate themselves from this lower state and regain the higher level.

The Highest Wisdom, however, determined the length of time best suited for such an effort, and accordingly set a time limit for these generations. In a way, this is very much like the time limit now given to each individual. Every individual has a limited lifetime and it is during this period of time that he must attain both perfection and his level in the Community of the Future World, as discussed earlier.[45] The reason in both these cases is that everything that involves effort must be limited in time.

[3] The Highest Wisdom deemed it fitting that this effort be divided into a period for the roots, and another for the branches. The original effort would thus be that of the roots, while what would come later would involve the branches.

The human race initially had a chance to permanently regain

כָּרָאוּי וִיתֻקַּן מִן הַקִּלְקוּלִים שֶׁנִּהְיוּ בוֹ; וּלְפִי סֵדֶר הַהַדְרָגָה, הִנֵּה הָיָה רָאוּי, שֶׁיִּקָּבְעוּ בָּרִאשׁוֹנָה שָׁרְשֵׁיהֶם וְרָאשֵׁיהֶם שֶׁל תּוֹלְדוֹת הָאָדָם לַעֲמֹד בְּמַדְרֵגָה מְתֻקֶּנֶת, וְיַעַמְדוּ בָהּ הֵם וְעַנְפֵיהֶם, כִּי הָעֲנָפִים יִמָּשְׁכוּ תָּמִיד אַחַר הַשֹּׁרֶשׁ.

וְהִנֵּה הַגְּבוּל הַזְּמַן לְהִשְׁתַּדְּלוּת הַשָּׁרְשִׁי הַזֶּה, שֶׁמִּי שֶׁיִּזְכֶּה מִכְּלַל הַנִּמְצָאִים, בְּאוֹתָם הַזְּמַנִּים שֶׁהָיָה שַׁעַר זֶה נִפְתָּח וְהָיָה בְיָדָם לְהַגִּיעַ לְזֶה הָעִנְיָן, וְיָכִין אֶת עַצְמוֹ כָּרָאוּי, יִקָּבַע לְשֹׁרֶשׁ אֶחָד טוֹב וְיָקָר, מוּכָן לַמַּעֲלָה הָרָמָה, הָרְאוּיָה לְמִי שֶׁהוּא אָדָם בְּמַצָּב הַטּוֹב, וְלֹא אָדָם בְּמַצָּב הַמְקֻלְקָל, וְכֵן יַשִּׂיג שֶׁיִּנָּתֵן לוֹ לְהוֹצִיא תּוֹלְדוֹתָיו הָרְאוּיִים לוֹ כֻּלָּם בִּבְחִינָתוֹ, פֵּרוּשׁ – בְּאוֹתוֹ הַמַּדְרֵגָה וְהַמַּצָּב שֶׁכְּבָר הִשִּׂיג הוּא בְּשָׁרְשִׁיּוּתוֹ.

וְהָיָה הַזְּמַן הַזֶּה מֵאָדָם הָרִאשׁוֹן עַד זְמַן הַפְּלָגָה. וְהִנֵּה, כָּל אוֹתוֹ הַזְּמַן לֹא חָדְלוּ צַדִּיקִים דּוֹרְשִׁים הָאֱמֶת לָרַבִּים – כְּגוֹן: חֲנוֹךְ, מְתוּשֶׁלַח, שֵׁם וָעֵבֶר – וּמַזְהִירִים אוֹתָם שֶׁיְּתַקְּנוּ אֶת עַצְמָם, וְכֵיוָן שֶׁנִּתְמַלְּאָה סְאָתָם שֶׁל הַבְּרִיּוֹת, דְּהַיְנוּ בִּזְמַן הַפְּלָגָה, שָׁפַט בְּמִדַּת מִשְׁפָּטוֹ יִתְבָּרַךְ שְׁמוֹ, הֱיוֹת רָאוּי שֶׁיִּגָּמֵר זְמַן הַהִשְׁתַּדְּלוּת הַשָּׁרְשִׁי, וְהָיָה קִצָּם שֶׁל הַדְּבָרִים, שֶׁיִּקָּבַע מַה שֶּׁרָאוּי לִקָּבַע בִּבְחִינַת הַשָּׁרָשִׁים, לְפִי מַה שֶּׁכְּבָר נִתְגַּלְגֵּל וְנִהְיָה עַד עֵת הַקֵּץ הַהוּא.

וְאָז הִשְׁגִּיחַ יִתְבָּרַךְ שְׁמוֹ עַל כָּל בְּנֵי הָאָדָם, וְרָאָה כָּל הַמַּדְרֵגוֹת שֶׁהָיָה רָאוּי שֶׁיִּקָּבְעוּ בָּם הָאֲנָשִׁים הָהֵם כְּפִי מַעֲשֵׂיהֶם, וּקְבָעָם בָּם, בִּבְחִינָתָם הַשָּׁרְשִׁית, כְּמוֹ שֶׁזָּכַרְנוּ. וְהִנֵּה, כְּפִי מַה שֶּׁהֻנְּחוּ הֵם, כֵּן נִגְזַר עֲלֵיהֶם שֶׁיִּהְיוּ מוֹצִיאִים הַתּוֹלָדוֹת, כְּפִי מַה שֶּׁכְּבָר שַׁעַר שֶׁהָיָה רָאוּי לַשֹּׁרֶשׁ הַהוּא, וְנִמְצְאוּ כֻּלָּם מִינִים קְבוּעִים בָּעוֹלָם, כָּל אֶחָד בְּחֻקּוֹ וְטִבְעוֹ, כִּכְלַל שְׁאָר הַמִּינִים שֶׁבַּבְּרִיּוֹת, וְנִתַּן לָהֶם לְהוֹצִיא תּוֹלְדוֹתֵיהֶם בְּחֻקָּם וּבְחִינָתָם, כִּכְלַל שְׁאָר הַמִּינִים.

its original state and rectify the spiritual damage that had been done. The proper procedure would have been for the roots and heads of Adam's descendants to first elevate themselves to the rectified level. Once this was accomplished, both the roots and their branches would remain in this state forever, since the branches always follow the roots.

The time provided for generations to function as roots, however, was limited. During this period, the gate was open and the opportunity existed for any individual to properly prepare himself and permanently become a good and worthy root. He would then be prepared for a high degree of excellence, appropriate for man in his original state, rather than that of man in his fallen state.

Since this individual would perfect himself as a *root*, he would attain this for his deserving descendants as well as for himself. They would all receive what he attained, and would therefore all be able to remain on the level and state attained by him as their root.

The period during which this was possible extended from the time of Adam until the Generation of Separation [when the Tower of Babel was built].[46] During this period there never ceased to be some righteous people who preached the truth to the multitudes, warning them to correct themselves. These included such individuals as Enoch,[47] Methuselaḥ,[48] Shem[49] and Eber.[50]

Man's measure was filled,[51] however, in the Generation of Separation. God's attribute of justice then decreed that the time when men could be considered roots should come to a close. Until this time, things could become a permanent part of these roots, depending on what had transpired previously. With the Generation of Separation, this period came to a close.

God then scrutinized all mankind, perceiving the levels that should be made permanent in that generation's members according to their deeds. These things then became a permanent part of their nature in their aspect as roots. It was thus decreed they each should bear future generations, all possessing the qualities that were deemed appropriate for their root ancestor.

The descendants of each of these individuals were thus divided into permanent groupings, each with its own characteristics and limitations. They were destined to father future generations who

וְאָמְנָם, נִמְצְאוּ כֻּלָּם, לְפִי הַמִּשְׁפָּט הָעֶלְיוֹן, רְאוּיִים לְשָׁאֵר בַּמַּדְרֵגָה הָאֱנוֹשִׁית הַשְּׁפָלָה שֶׁהִגִּיעוּ לָהּ אָדָם הָרִאשׁוֹן וְתוֹלְדוֹתָיו מִפְּנֵי הַחֵטְא, וְלֹא גְּבוֹהִים מִזֶּה כְּלָל, וְאַבְרָהָם לְבַדּוֹ נִבְחַר בְּמַעֲשָׂיו וְנִתְעַלָּה, וְנִקְבַּע לִהְיוֹת אִילָן מְעֻלֶּה וְיָקָר, כְּפִי מְצִיאוּת הָאֱנוֹשִׁיּוּת בְּמַדְרֵגָתוֹ הָעֶלְיוֹנָה, וְנִתַּן לוֹ לְהוֹצִיא עֲנָפָיו כְּפִי חֻקּוֹ.

וְאָז נִתְחַלֵּק הָעוֹלָם לְשִׁבְעִים אֻמּוֹת, כָּל אַחַת מֵהֶן בְּמַדְרֵגָה יְדוּעָה, אֲבָל כֻּלָּן בִּבְחִינַת הָאֱנוֹשִׁיּוּת בְּשִׁפְלוּתוֹ, וְיִשְׂרָאֵל בִּבְחִינַת הָאֱנוֹשִׁיּוּת בְּעִלּוּיוֹ.

וְהִנֵּה אַחַר הָעִנְיָן הַזֶּה, נִסְתַּם שַׁעַר הַשָּׁרָשִׁים, וְהִתְחִיל הַגִּלְגּוּל וְהַהַנְהָגָה בָּעֲנָפִים, כָּל אֶחָד לְפִי עִנְיָנוֹ; וְנִמְצָא, שֶׁאַף עַל פִּי שֶׁלִּכְאוֹרָה נִרְאֶה עִנְיָנֵנוּ עַתָּה וְעִנְיַן הַקּוֹדְמִים שָׁוֶה, בֶּאֱמֶת אֵינוֹ כָּךְ, אֶלָּא עַד הַפְּלָגָה הָיָה הַזְּמַן לְשָׁרְשֵׁי הָאֱנוֹשִׁיּוּת, וְנִתְגַּלְגְּלוּ הַדְּבָרִים בִּבְחִינָה זוֹ, וּכְשֶׁהִגִּיעַ קֵץ זְמַן זֶה, נִקְבַּע הַדָּבָר כְּפִי הַמִּשְׁפָּט, וְהִתְחִיל זְמַן אַחֵר, שֶׁהוּא זְמַן הָעֲנָפִים, שֶׁעוֹדֵנוּ בּוֹ עַתָּה.

[ד] וּמֵרֹב טוּבוֹ וַחֲסָדוֹ יִתְבָּרַךְ שְׁמוֹ, גָּזַר וְנָתַן מָקוֹם אֲפִלּוּ לְעַנְפֵי שְׁאָר הָאֻמּוֹת, שֶׁבִּבְחִירָתָם וּמַעֲשֵׂיהֶם יַעַקְרוּ עַצְמָם מִשָּׁרְשָׁם, וְיִכָּלְלוּ בַּעֲנָפָיו שֶׁל אַבְרָהָם אָבִינוּ עָלָיו הַשָּׁלוֹם, אִם יִרְצוּ; וְהוּא, מַה שֶּׁעֲשָׂהוּ יִתְבָּרַךְ שְׁמוֹ לְאַבְרָהָם אָבִינוּ עָלָיו הַשָּׁלוֹם אָב לַגֵּרִים, וְאָמַר לוֹ: "וְנִבְרְכוּ בְךָ כֹּל מִשְׁפְּחֹת הָאֲדָמָה"; וְאוּלָם אִם לֹא יִשְׁתַּדְּלוּ בָּזֶה, יִשָּׁאֲרוּ תַּחַת אִילָנוֹתֵיהֶם הַשָּׁרְשִׁיִּים כְּפִי עִנְיָנָם הַטִּבְעִי.

would inherit these characteristics, just as members of any particular species inherit the characteristics of their forebears.

According to the Highest Judgment, it turned out that none of them deserved to rise above the degraded level to which Adam and his children had fallen as a result of their sin. [Not a single one had risen above it all.]

There was, however, one exception, and that was Abraham. He had succeeded in elevating himself, and as a result of his deeds was chosen by God.[52] Abraham was therefore permanently made into a superior excellent Tree, conforming to man's highest level. It was further provided that he would be able to produce branches [and father a nation] possessing his characteristics.

The world was then divided into seventy nations, each with its own particular place in the general scheme.[53] All of them, however, remained on the level of man in his fallen state, while only Israel was in the elevated state.

After this, the gate was closed on the era of roots. Things would then be directed and brought about upon individuals as branches, each one according to his nature.

Even though it may seem that man was originally the same as he is now, there is actually a great difference. Before the Generation of Separation, man existed in the age of roots, and was dealt with accordingly. When this period ended, things were judged and made permanent, and a new age began. This is the age of branches, which still exists.

[4]   God's great love and goodness decreed that the branches of other nations still be given a chance. If they so desired, they still had the free choice to tear themselves loose from their own roots, and through their own actions include themselves among the branches of Abraham's family.

This is what God meant when He told Abraham (*Genesis* 12:3), "All the families of the earth will be blessed through you." Abraham was thus made the father of all converts.[54]

[This, however, would require effort on the part of the individuals concerned.] Without such effort, they would remain attached to their own roots and retain their natural characteristics.

137

[ה] וְצָרִיךְ שֶׁתֵּדַע, שֶׁכְּמוֹ שֶׁכְּלַל תּוֹלְדוֹת הָאָדָם מִתְחַלֵּק לְאִילָנוֹת שָׁרָשִׁים וַעֲנָפֵיהֶם עִמָּהֶם כְּמוֹ שֶׁזָּכַרְנוּ, כֵּן כָּל אִילָן וְאִילָן בִּפְנֵי עַצְמוֹ, יִבָּחֲנוּ בוֹ הָעֲנָפִים הָרָאשִׁיִּים, שֶׁמֵּהֶם נִמְשָׁכִים וּמִתְפָּרְטִים כָּל שְׁאָר הַפְּרָטִים.

וְאָמְנָם, עַנְפֵי אִילָנוֹ שֶׁל אַבְרָהָם אָבִינוּ עָלָיו הַשָּׁלוֹם – הַכּוֹלְלִים, הִנֵּה הֵם עַד שִׁשִּׁים רִבּוֹא, שֶׁהֵם אוֹתָם שֶׁיָּצְאוּ מִמִּצְרַיִם, וְנַעֲשִׂית מֵהֶם אֻמָּה הַיִּשְׂרְאֵלִית, וְלָהֶם נֶחְלְקָה אֶרֶץ יִשְׂרָאֵל; וְכָל הַבָּאִים אַחֲרֵיהֶם, נֶחְשָׁבִים פְּרָטִים וְתוֹלְדוֹת הָעֲנָפִים הַכּוֹלְלִים הָאֵלֶּה. וְהִנֵּה לְאֵלֶּה נִתְּנָה הַתּוֹרָה, וְאָז נִקְרָא שֶׁעָמַד אִילָן זֶה עַל פַּרְקוֹ.

וְאוּלָם חֶסֶד גָּדוֹל עָשָׂה הַקָּדוֹשׁ בָּרוּךְ הוּא עִם כָּל הָאֻמּוֹת, שֶׁתָּלָה דִּינָם עוֹד עַד זְמַן מַתַּן הַתּוֹרָה, וְהֶחֱזִיר אֶת הַתּוֹרָה עַל כֻּלָּם שֶׁיְּקַבְּלוּהָ, וְאִם הָיוּ מְקַבְּלִים אוֹתָהּ, עֲדַיִן הָיָה אֶפְשָׁר לָהֶם שֶׁיִּתְעַלּוּ מִמַּדְרֵגָתָם הַשְּׁפָלָה, וְכֵיוָן שֶׁלֹּא רָצוּ, אָז נִגְמַר דִּינָם לְגַמְרֵי, וְנִסְתַּם הַשַּׁעַר בִּפְנֵיהֶם סִתּוּם שֶׁאֵין לוֹ פְּתִיחָה, וְאַף זֶה נִשְׁאַר לְכָל אִישׁ וָאִישׁ מִן הָעֲנָפִים בִּפְרָטֵיהֶם, שֶׁיִּתְגַּיֵּר בְּעַצְמוֹ וְיִכָּנֵס בִּבְחִירָתוֹ תַּחַת אִילָנוֹ שֶׁל אַבְרָהָם אָבִינוּ.

[ו] וְאוּלָם, לֹא הָיְתָה הַגְּזֵרָה לְהַאֲבִיד אֶת הָאֻמּוֹת הָאֵלֶּה, אֲבָל הָיְתָה הַגְּזֵרָה שֶׁיִּשָּׁאֲרוּ בַּמַּדְרֵגָה הַשְּׁפָלָה שֶׁזָּכַרְנוּ, וְהוּא מִין אֱנוֹשִׁיּוּת שֶׁהָיָה רָאוּי שֶׁלֹּא יִמָּצֵא אִלּוּ לֹא חָטָא אָדָם הָרִאשׁוֹן, וְהוּא בְּחֶטְאוֹ גָּרַם לוֹ שֶׁיִּמָּצֵא; וְאָמְנָם, כֵּיוָן שֶׁיֵּשׁ בָּהֶם בְּחִינָה אֱנוֹשִׁיִּית, אַף עַל פִּי שֶׁהִיא שְׁפָלָה, רָצָה הַקָּדוֹשׁ בָּרוּךְ הוּא שֶׁיִּהְיֶה לָהֶם מֵעֵין מַה שֶּׁרָאוּי לָאֱנוֹשִׁיּוּת הָאֲמִתִּית, וְהַיְנוּ שֶׁיִּהְיֶה לָהֶם נְשָׁמָה כְּעֵין נִשְׁמוֹת בְּנֵי יִשְׂרָאֵל, אַף עַל פִּי שֶׁאֵין מַדְרֵגָתָהּ מַדְרֵגַת נִשְׁמוֹת יִשְׂרָאֵל אֶלָּא שְׁפָלָה מֵהֶם הַרְבֵּה, וְיִהְיוּ לָהֶם

[5] It is also necessary to realize that each individual tree is also divided, very much as the descendants of Adam were divided into root trees and branches. Primary branches can thus be distinguished in each individual tree, and these branches are then differentiated to yield their particular members.

Abraham's tree consisted of 600,000 main branches. These were the individuals who left Egypt, and it was to them that the Torah was given and the land of Israel divided.[55] Every Jew subsequently born is considered to be an element and descendant of one of these primary branches.

It was to these 600,000 original Jews that the Torah was given. When this occurred, the tree was said to have attained maturity.[56]

At this time, God also gave the nations a last chance. In His mercy, He had suspended their final judgment until the time that the Torah was given [with the revelation at Sinai]. He then offered the Torah to every nation, giving them the opportunity to accept it.[57]

If any nation would have then accepted the Torah, it would have elevated itself from its lower state. As it was, none of them desired the Torah, and their judgment was therefore sealed completely. The gate was permanently closed, never again to be opened.

It still remained possible, however, for any individual to convert to Judaism. In this manner, he could still include himself in Abraham's tree of his own free will.

[6] The decree, however, was not that the other nations should be destroyed. It only meant that they would have to remain on the lower level that we have discussed. This lower state would never have been meant for man if Adam had not sinned. It only came into being in the first place as a result of his sin.

These nations still have the human aspect, blemished though it may be, and God desired that they should at least have a counterpart of what was actually appropriate for all mankind. He therefore granted them a divine soul (*Neshamah*) somewhat like that of the Jew, even though it is on a much lower level.[58] They were likewise given commandments, through which they could attain both material and spiritual advantages appropriate to their nature. These are

139

מִצְוֹות, יִקְנוּ בָּהֶן הַצְלָחָה גוּפִיִּית וְנַפְשִׁיִּית, גַּם כֵּן כְּפִי מַה שֶּׁרָאוּי לִבְחִינָתָם, וְהֵן מִצְוֹות בְּנֵי נֹחַ.

וְהִנֵּה מִתְּחִלַּת הַבְּרִיאָה נִזְמְנוּ כָּל הַדְּבָרִים לִהְיוֹתָם כָּךְ אִם יִהְיֶה שֶׁיֶּחֱטָא הָאָדָם; וּכְמוֹ שֶׁנִּבְרְאוּ כָּל שְׁאָר הַהֶזֵּקִים וְהָעֳנָשִׁים עַל הַתְּנַאי, וּכְמַאֲמָרָם זִכְרוֹנָם לִבְרָכָה.

[ז] וְאוּלָם, לָעוֹלָם הַבָּא, לֹא תִמָּצֵאנָה אֻמּוֹת זוּלַת יִשְׂרָאֵל, וּלְנֶפֶשׁ חֲסִידֵי אֻמּוֹת הָעוֹלָם יִנָּתֵן מְצִיאוּת – בִּבְחִינָה נוֹסֶפֶת וְנִסְפַּחַת עַל יִשְׂרָאֵל עַצְמָם, וְיִהְיוּ נִטְפָּלִים לָהֶם כַּלְּבוּשׁ הַנִּטְפָּל לָאָדָם, וּבִבְחִינָה זוֹ יַגִּיעַ לָהֶם מַה שֶּׁיַּגִּיעַ מִן הַטּוֹב, וְאֵין בְּחָקָם שֶׁיַּשִּׂיגוּ יוֹתֵר מִזֶּה כְּלָל.

[ח] וְהִנֵּה, בְּשָׁעָה שֶׁנֶּחֱלַק הָעוֹלָם כָּךְ, שָׂם הַקָּדוֹשׁ בָּרוּךְ הוּא שִׁבְעִים פְּקִידִים מִסּוּג הַמַּלְאָכִי, שֶׁיִּהְיוּ הֵם הַמְמֻנִּים עַל הָאֻמּוֹת הָאֵלֶּה, וּמַשְׁקִיפִים עֲלֵיהֶם, וּמַשְׁגִּיחִים עַל עִנְיְנֵיהֶם, וְהוּא יִתְבָּרַךְ שְׁמוֹ לֹא יַשְׁגִּיחַ עֲלֵיהֶם אֶלָּא בְּהַשְׁגָּחָה כְּלָלִית, וְהַשַּׂר הוּא יַשְׁגִּיחַ עֲלֵיהֶם בְּהַשְׁגָּחָה פְּרָטִית, בַּכֹּחַ שֶׁמָּסַר לוֹ הָאָדוֹן בָּרוּךְ הוּא עַל זֶה; וְעַל דָּבָר זֶה נֶאֱמַר: ״רַק אֶתְכֶם יָדַעְתִּי מִכֹּל מִשְׁפְּחוֹת הָאֲדָמָה״ (עמוס ג, ב); וְאָמְנָם, לֹא מִפְּנֵי זֶה תֶּעְדַּר חַס וְשָׁלוֹם יְדִיעָתוֹ יִתְבָּרַךְ שְׁמוֹ בִּפְרָטֵיהֶם, כִּי הַכֹּל צָפוּי וְגָלוּי לְפָנָיו יִתְבָּרַךְ שְׁמוֹ מֵעוֹלָם, אֲבָל הָעִנְיָן הוּא, שֶׁאֵינוֹ מַשְׁגִּיחַ וּמַשְׁפִּיעַ לִפְרָטֵיהֶם; וְדָבָר זֶה תְּבִינֵהוּ, בְּמַה שֶּׁנְּבָאֵר עוֹד לְפָנִים בְּסִיַּעְתָּא דִּשְׁמַיָּא.

[ט] וְאוּלָם בְּמַעֲשֵׂיהֶם שֶׁל יִשְׂרָאֵל, תָּלָה הָאָדוֹן בָּרוּךְ הוּא תִּקּוּן כָּל הַבְּרִיאָה וְעִלּוּיָהּ כְּמוֹ שֶׁזָּכַרְנוּ, וְשִׁעְבֵּד כִּבְיָכוֹל אֶת הַנְהָגָתוֹ – לְפָעֳלָם, לְהָאִיר וּלְהַשְׁפִּיעַ, אוֹ לִסְתֹּר וּלְהִתְעַלֵּם

the seven [universal] commandments given to the children of Noah.[59]

All this had been arranged from the beginning of creation, prepared for the contingency that man would sin. In this respect, it is like other harmful things and punishments, which were also created conditionally, as our sages teach us.[60]

[7]   In the World to Come, however, there will be no nation other than Israel.

The souls of righteous gentiles will be allowed to exist in the Future World, but only as an addition and attachment to Israel. They will therefore be secondary to the Jew, just as a garment is secondary to the one who wears it. All that they attain of the ultimate good will have to be attained in this manner, since by virtue of their nature they can receive no more.[61]

[8]   When the world was divided into seventy nations, God appointed seventy [directing] angels as Officers (*Sarim*) in charge of these nations, to watch over them and attend all their needs.[62]

Thus, God does not oversee these nations except in a general manner. It is each one's directing angel who takes care of the details, through the power that God gives it for this purpose. God thus told Israel (*Amos* 3:2), "Only you have I known among all the families of the earth."

This does not mean, however, that the details are withheld from God's knowledge. This cannot be true, since everything in all creation is perceived by God and revealed to Him. What it does mean, however, is that God does not oversee and directly influence their details. This will be further clarified in a later section.[63]

[9]   God thus made the rectification and elevation of all creation totally dependent on the Jews. To the extent that this can be expressed, we can thus say that He subjugated His providence to them.[64] Through their deeds, they can cause [His Light] to shine forth and have influence, or, on the other hand, hold it back and conceal it.

חַס וְשָׁלוֹם – עַל פִּי מַעֲשֵׂיהֶם. אַךְ מַעֲשֵׂה הָאֻמּוֹת, לֹא יוֹסִיפוּ וְלֹא יִגְרְעוּ בִּמְצִיאוּת הַבְּרִיאָה וּבְגִלּוּיוֹ יִתְבָּרַךְ שְׁמוֹ אוֹ בְהֶסְתֵּרוֹ, אֲבָל יַמְשִׁיכוּ לְעַצְמָם תּוֹעֶלֶת אוֹ הֶפְסֵד, אִם בַּגּוּף וְאִם בַּנֶּפֶשׁ, וְיוֹסִיפוּ כֹּחַ בַּשַּׂר שֶׁלָּהֶם אוֹ יַחֲלִישׁוּהוּ.

וְאָמְנָם, אַף עַל פִּי שֶׁאֵין הַקָּדוֹשׁ בָּרוּךְ הוּא מַשְׁגִּיחַ עַל אֻמּוֹת הָעוֹלָם – בִּפְרָטֵיהֶם, כְּבָר אֶפְשָׁר שֶׁיַּשְׁגִּיחַ עֲלֵיהֶם בָּהֶם לְצֹרֶךְ יָחִיד אוֹ רַבִּים מִיִּשְׂרָאֵל; אָמְנָם זֶה בִּבְחִינַת הַמִּקְרִים הָאֶמְצָעִיִּים שֶׁבֵּאַרְנוּ בַּפֶּרֶק הַקּוֹדֵם.

The deeds of the other nations, on the other hand, do not add to or subtract from the state of creation, nor do they cause God to reveal Himself or withdraw. All they can do is bring about their own gain or loss, and strengthen or weaken their own directing angel.

Although God does not involve Himself directly in the direction of the nations in detail, it is possible that He should exercise His providence over them when it is required for the sake of Israel. This may be because of a single Jew, or for a number of them. Such a case, however, falls under the category of means, discussed in the previous chapter.[65]

בְּאֹפֶן הַהַשְׁגָּחָה

[א] הִנֵּה עַד הֵנָּה בֵּאַרְנוּ מִשְׁפְּטֵי הַהַשְׁגָּחָה, עַתָּה נְדַבֵּר בְּמַה שֶּׁבְּאֹפֶן הַהַשְׁגָּחָה; וְעִנְיָן זֶה יִתְחַלֵּק לִשְׁנֵי עִקָּרִים, הָאֶחָד בְּהַשְׁקָפָתוֹ יִתְבָּרֵךְ שְׁמוֹ, וְהַשֵּׁנִי בְּהַשְׁפָּעָתוֹ.

[ב] בְּהַשְׁקָפָתוֹ יִתְבָּרֵךְ שְׁמוֹ – כְּבָר יָדַעְנוּ שֶׁהוּא יִתְבָּרֵךְ שְׁמוֹ יוֹדֵעַ כֹּל, וְאֵין אֶצְלוֹ חֶסְרוֹן יְדִיעָה כְּלָל, לֹא בֶעָתִיד וְלֹא בַהֹוֶה וְלֹא בֶעָבָר; כִּי כָל מַה שֶּׁהָיָה וְיִהְיֶה – כְּבָר צָפוּי הוּא לְפָנָיו מֵעוֹלָם וְלֹא נֶעְלָם מִמֶּנּוּ דָבָר; וְכֹל הַהֹוֶה גָּלוּי הוּא לְפָנָיו וְנוֹדָע אֶצְלוֹ, יִתְבָּרֵךְ שְׁמוֹ, בְּכָל בְּחִינוֹתָיו וְלֹא נִסְתָּר מִמֶּנּוּ כְלָל; אָמְנָם נִקְרָא שֶׁהוּא מַשְׁקִיף עַל הַדְּבָרִים מַה שֶּׁהוּא דָּן אוֹתָם, וְגוֹזֵר עֲלֵיהֶם גְּזֵרוֹת, מְגֻבָּלוֹת בִּגְבוּל הַזְּמַן שֶׁיִּרְצֶה הֶחָדְשָׁם בָּהֶם, וְעוֹד נְדַבֵּר מִזֶּה לְפָנִים בְּעֵזֶר הַשֵּׁם יִתְבָּרֵךְ.

[ג] אַךְ הַשְׁפָּעָתוֹ – הוּא מַה שֶּׁיּוֹצִיא רְצוֹנוֹ יִתְבָּרֵךְ שְׁמוֹ לַפֹּעַל, בְּאוֹתוֹ הַסֵּדֶר וְהַהַדְרָגָה שֶׁהוּא חָפֵץ. וְהִנֵּה, בִּהְיוֹת שֶׁסִּדֵּר בְּרִיּוֹתָיו בְּסֵדֶר הַדְרָגָה וְהִשְׁתַּלְשְׁלוּת, מִפְּנֵי שֶׁחָפֵץ בַּסֵּדֶר הַזֶּה, הִנֵּה, כְּמוֹ שֶׁרָצָה בְּהִשְׁתַּלְשְׁלוּת זֶה בִּבְחִינַת מְצִיאוּת הַנִּבְרָאִים, כֵּן רוֹצֶה בּוֹ בִּבְחִינַת הַתְמָדָתָם וּפְעֻלּוֹתֵיהֶם, בְּכָל עִנְיְנֵיהֶם, וּבְסֵדֶר זֶה – מְקַיְּמָם בְּכָל בְּחִינוֹתֵיהֶם, וּמַשְׁפִּיעַ בָּהֶם, לְמַה

II CHAPTER 5

How Providence Works

[1] Until now, we have been discussing the rules of providence. We will now discuss how it works.

In general, when we speak of God's providence, we are discussing two things. One involves God's perception, and the other, His influence.

[2] With regard to God's perception, we are already aware that He knows everything. It is absolutely impossible that He be ignorant of anything, either in the past, present or future. Everything that was or will be was foreseen by God from the beginning of time, and nothing was hidden from Him. Everything that exists is revealed and known to Him, in its every aspect. Absolutely nothing is concealed from God [and His knowledge is not bound by time].[66]

We say that God scrutinizes things, however, when He judges or issues a decree regarding them. This is then bounded by the time during which He wishes to act upon these things. This concept will be discussed further in the next chapter.[67]

[3] When we speak of God's influence, we are speaking of the system and order that He desired to make use of in translating His will into action.

God arranged all created things in a system of steps and sequences, this being the system that He desired. Just as He desired that this sequence exist in the nature of things, He likewise willed that it exist in their maintenance and function. Through this system, all details

שֶׁרָצָה בְּעִנְיָנָם וְיַחֲסֵיהֶם. וְהִנֵּה הוּא יִתְבָּרַךְ שְׁמוֹ יַשְׁפִּיעַ לְמַלְאָךְ, וְהַמַּלְאָךְ – לַמַּלְאָךְ שֶׁתַּחְתָּיו בְּמַדְרֵגָה, וְכֵן מַדְרֵגָה אַחַר מַדְרֵגָה, עַד שֶׁהַמַּלְאָךְ הָאַחֲרוֹן יִפְעַל בַּגַּשְׁמִיּוּת, לְקַיֵּם דָּבָר, אוֹ לְחַדֵּשׁ אוֹתוֹ, כְּפִי מַה שֶּׁיָּצְאָה גְזֵרַת רְצוֹנוֹ יִתְבָּרַךְ שְׁמוֹ.

וְאָמְנָם, קִיּוּם כָּל הֹוֶה בְּכָל מַדְרֵגָה שֶׁהִיא, אֵינוֹ אֶלָּא מִמֶּנּוּ יִתְבָּרַךְ שְׁמוֹ, כִּי הוּא יִתְבָּרַךְ שְׁמוֹ מְקַיֵּם בְּכֹחוֹ הַנִּבְרָאִים וְהִשְׁתַּלְשְׁלוּתָם, כָּל אֶחָד כְּפִי עִנְיָנוֹ, אֲבָל הוֹצָאַת הַפְּעֻלּוֹת לַגַּשְׁמִיּוּת, כְּפִי סֵדֶר הַנִּמְצָאִים וְיַחֲסֵיהֶם שֶׁזָּכַרְנוּ לְמַעְלָה, זֶה נַעֲשֶׂה בַּהַדְרָגָה שֶׁזָּכַרְנוּ.

[ד] וְהִנֵּה, שָׂם הָאָדוֹן בָּרוּךְ הוּא בְּטֶבַע כָּל פָּקִיד, לַעֲמֹד עַל מִשְׁמַרְתּוֹ וּלְקַיֵּם בִּגְבוּרָה מַה שֶּׁנִּמְסַר בְּיָדוֹ, וְלֹא יִדָּחֶה מִמִּשְׁמַרְתּוֹ אֶלָּא בְּאוֹתוֹ הַסֵּדֶר שֶׁסִּדֵּר הָאָדוֹן בָּרוּךְ הוּא. דֶּרֶךְ מָשָׁל: שַׂר הָאִילָנוֹת יִשְׁתַּדֵּל וְיִתְאַמֵּץ לְהַחֲזִיק אִילָנוֹתָיו, וְאוּלָם בִּהְיוֹת הַגְּזֵרָה מִלְּפָנָיו יִתְבָּרַךְ שְׁמוֹ, יְחַזֵּק שַׂר הָרוּחַ אֶת הָרוּחַ כְּפִי מַה שֶּׁיִּגָּזֵר עָלָיו, וְיִדָּחֶה שַׂר הָאִילָנוֹת כְּפִי זֶה, וְיֵעָקְרוּ כְּפִי זֶה מֵאִילָנוֹתָיו בְּכֹחַ הָרוּחַ. וְיֵשׁ בַּדְּבָרִים הָאֵלֶּה הַדְרָגָה רַבָּה וּפְרָטִיּוּת רָב; כִּי יֵשׁ הַמַּלְאָכִים פְּקִידֵי הַטֶּבַע הַגַּשְׁמִי, הַמַּחְזִיקִים כָּל חֶלְקֵי הַגַּשְׁמִיִּים בְּחֻקּוֹתֵיהֶם הַטִּבְעִיִּים, וַעֲלֵיהֶם שָׂרֵי גְזֵרוֹת הַגְּמוּל, הַמְנִיעִים מַלְאֲכֵי הַטֶּבַע, לְסַבֵּב הָעִנְיָנִים לְפִי הַגְּזֵרוֹת; וְכַמָּה פְרָטִים לִפְרָטִים, כְּפִי נִפְלְאוֹת סִתְרֵי הַנְהָגָתוֹ יִתְבָּרַךְ שְׁמוֹ.

[ה] וְאוּלָם הוּא יִתְבָּרַךְ שְׁמוֹ מַשְׁקִיף עַל הַכֹּל, עֶלְיוֹנִים וְתַחְתּוֹנִים, שָׁרָשִׁים וַעֲנָפִים, וּמְכַוֵּן תָּמִיד אֶל הַשְּׁלֵמוּת הַכְּלָלִי, וְלָזֶה מְסַבֵּב כָּל הַבְּרִיאָה; וְנֶחְלָק הָעִנְיָן בִּפְרָטֶיהָ, כְּפִי מַה

of existence are sustained and influenced by God as He desires. This is true of every process and relationship.

God thus first influences an angel, who in turn influences another angel on a lower level. This continues step by step until the final angel acts upon a physical thing.[68] This can either sustain this thing, or bring about something new, all according to the decree ultimately emanating from God.

The sustenance of everything that exists on every level, however, ultimately emanates only from God. It is God's power that sustains all created things as well as their order, each one in its particular aspect. Things that occur in the physical world, however, must be brought about through the system of entities and their relationships discussed earlier. This in turn must follow the sequence that we have mentioned.

[4]   God [created a directing angel over everything that exists in the physical world. He likewise] gave each of these angels such a nature that it should remain on its post and sustain what is placed under its hand. It cannot be removed from its post, except through the system set up by God.

Thus, for example, there is a directing angel associated with trees, and its task is to strive to sustain these trees. When a decree is issued by God, however, the directing angel of the wind may be strengthened to the extent required by this decree. The angel of trees can then be pushed aside, and some of his trees torn up by the wind.

Within this general concept, however, there are many levels and details. There are angels assigned to oversee the laws of nature, and strengthen the various aspects and processes of the physical world. Above them are the angels involved in carrying out decrees concerning reward and punishment, and according to such a decree, these can prevent the angels of nature from functioning. All this involves many details, according to God's unfathomable hidden ways.

[5]   God Himself oversees all things, above and below, roots and branches. He constantly takes into account the ultimate general perfection, and all creation revolves around this point.

שֶׁנִּמְצָא בַּהֲכָנָתָם, אֵלֶּה לִדְחוֹת, וְאֵלֶּה לְקָרֵב, אֵלֶּה לְצָרֵף, וְאֵלֶּה לָנוּחַ; כָּל אֶחָד כְּפִי מַה שֶּׁרָאוּי שֶׁיַּגִּיעַ לוֹ, לְהָקִים כְּלַל הַבְּרִיאָה עַל הַשְּׁלֵמוּת.

[ו] וְהִנֵּה הוּא, יִתְבָּרַךְ שְׁמוֹ, בִּרְצוֹנוֹ מְשַׁנֶּה סִדְרֵי בְּרֵאשִׁית בְּכָל עֵת שֶׁיִּרְצֶה, וְעוֹשֶׂה נִסִּים וְנִפְלָאוֹת כְּחֶפְצוֹ – בִּדְבָרִים שׁוֹנִים, כְּמוֹ שֶׁיִּגְזֹר הֱיוֹתוֹ נָאוֹת לְתוֹעֶלֶת הַבְּרִיאָה, לְפִי הָעִנְיָן וּלְפִי הַזְּמָן.

וּמַה הוּא זֶה שֶׁאָמְרוּ חֲכָמֵינוּ זִכְרוֹנָם לִבְרָכָה: ״תְּנָאִים הִתְנָה הַקָּדוֹשׁ בָּרוּךְ הוּא עִם כָּל מַעֲשֵׂה בְרֵאשִׁית״ – – (רבה בראשית ה)? לֹא שֶׁלֹּא יְשַׁנֶּה הַקָּדוֹשׁ בָּרוּךְ הוּא דָּבָר מֵעַתָּה, כִּי וַדַּאי מְשַׁנֶּה הוּא בְּכָל עֵת שֶׁיִּרְצֶה שִׁנּוּי גָּמוּר, אֲבָל הָעִנְיָן הוּא, שֶׁבְּעֵת הַבְּרִיאָה הֶרְאָה וְהוֹדִיעַ לְכָל שָׁרְשֵׁי הַנִּבְרָאִים עִנְיָנָם וַאֲמִתַּת מְצִיאוּתָם, וְהַתַּכְלִית לְמַה שֶּׁנִּבְרְאוּ, וְאֶל מָה עֲתִידִים הָיוּ לְסַבֵּב בְּגִלְגּוּלֵיהֶם, וּמַה יִּהְיֶה סוֹף עִנְיָנָם; וְהִשִּׂיגוּ וְיָדְעוּ, שֶׁהַכֹּל הָיָה הוֹלֵךְ לְתַכְלִית הַטּוֹב הָאֲמִתִּי, וְנִתְרַצּוּ בַּדָּבָר, וְשָׂמְחוּ בוֹ; וְהוּא מַה שֶּׁאָמְרוּ חֲכָמֵינוּ זִכְרוֹנָם לִבְרָכָה בְּמָקוֹם אַחֵר: ״כָּל מַעֲשֵׂי בְרֵאשִׁית לְדַעְתָּם נִבְרְאוּ״ (ראש השנה יא, חולין ס); וְאָמְנָם, כְּשֶׁהוֹדִיעָם הַקָּדוֹשׁ בָּרוּךְ הוּא אֲמִתַּת עִנְיָנָם וְחֻקָּם וַאֲמִתַּת כָּל גִּלְגּוּלָם, הֶרְאָם כְּמוֹ כֵן, שֶׁמִּמַּה שֶּׁהָיָה מִצְטָרֵךְ לִשְׁלֵמוּתָם, הָיָה שֶׁיֵּעָשׂוּ בָּהֶם אוֹתָם הַנִּסִּים, לְיִשְׂרָאֵל, אוֹ לַצַּדִּיקִים מֵהֶם בְּאוֹתָם הַזְּמַנִּים.

וְאָמְנָם הַדָּבָר הַזֶּה נֶאֱמַר בַּשָּׁרָשִׁים הָעֶלְיוֹנִים, וְאַחֲרֵי כֵן, עַל פִּי כָּל זֶה, נִשְׁתַּלְשְׁלוּ בְּהִשְׁתַּלְשְׁלוּת, וְנִקְבְּעוּ הַדְּבָרִים בַּגַּשְׁמִיּוּת כָּרָאוּי לָהֶם, וְהָעֶמְדוּ עֲלֵיהֶם הַפְּקִידִים הַמַּחְזִיקִים אוֹתָם בְּחֻקָּם הַטִּבְעִי, וּבְעֵת שֶׁרוֹצֶה הַקָּדוֹשׁ בָּרוּךְ הוּא, יִגְזֹר

This general concept then affects each individual according to his particular readiness. On the basis of this, it is decided whether he should be drawn close to God or cast away, and whether he be purified by suffering or left alone. Every individual is dealt with according to what he deserves, in such a manner as to advance the perfection of creation as a whole.

[6] When He wills, God can change the order of creation at any time. He can bring about various miracles and wonders, as He desires and deems beneficial for creation, according to the time and circumstances.

[This might seem to contradict] what our sages teach us when they say [in cases where miracles occurred], "God made specific conditions with all of creation."[69] This statement, however, does not mean that [in cases where God did not make such conditions] He can no longer change things. This is not the case, for God can definitely change things as completely as He wishes, at any time that He pleases.

What our sages are teaching us is that at the time of creation, God showed and informed the Roots of all created things of their true essence and nature, as well as the purpose for which they were created. He furthermore showed these Roots everything that they were destined to bring about throughout history, as well as their ultimate destiny. They realized and knew that everything was directed toward a genuinely good purpose, and therefore rejoiced and were satisfied. This is what our sages meant when they also taught us, "All things were created with their knowledge."[70]

When God informed these Roots of their concept, nature and ultimate effects, He also showed them that their fulfillment would require them to be involved in miracles at specific times. These might be for the sake of the Jews as a whole, or for particular righteous individuals.

All this concerns the highest Roots, and following all this, the necessary sequence was then set in motion. Everything appropriate to these Roots was placed in the physical world, and directing angels were set over these things to sustain them according to the laws of nature. Then, when God willed it, it was decreed that these directing

עַל הַפְּקִידִים הָאֵלֶּה, וְיַעַמְדוּ מִתַּפְקִידָם, וְיִשְׁתַּנּוּ מִמַּהֲלָכָם הַטִּבְעִי, כְּפִי מַה שֶּׁתִּהְיֶה עֲלֵיהֶם הַגְּזֵרָה. וּכְבָר אֶפְשָׁר שֶׁהַגָּעַת הַגְּזֵרָה לָהֶם תִּהְיֶה בִּדְרָכִים שׁוֹנִים, פֵּרוּשׁ – שֶׁתַּגִּיעַ דֶּרֶךְ מָשָׁל: כְּמִצְוַת מֶלֶךְ עֲלֵיהֶם, אוֹ כִּגְעָרַת מוֹשֵׁל שֶׁזָּעַם, כְּעִנְיַן שֶׁנֶּאֱמַר: ״וַיִּגְעַר בְּיַם־סוּף וַיֶּחֱרָב״ וכו׳ (תהלים קו, ט), וְכַיּוֹצֵא בָּזֶה מִן הַדְּרָכִים, הַכֹּל לְפִי הָעִנְיָן בִּזְמַנּוֹ.

angels should suspend their function, and that the natural order be changed according to that decree.

A decree can be issued in many different ways. Thus, for example, it can be issued like a royal order or in the manner of the tirade of an angry tyrant. We find an example of the latter with respect to the splitting of the Red Sea, as it is written (*Psalms* 106:9), "[God] raged at the Red Sea and it became dry land." All this likewise depends on the time and circumstances.

בְּסֵדֶר הַהַשְׁגָּחָה

[א] סֵדֶר הָאָדוֹן בָּרוּךְ הוּא, שֶׁהַנְהָגַת עוֹלָמוֹ כֻּלָּהּ, בֵּין מַה שֶּׁלְּמִשְׁפַּט הַמַּעֲשִׂים שֶׁל בְּנֵי הַבְּחִירָה, וּבֵין לְמַה שֶּׁרָאוּי לְהִתְחַדֵּשׁ בָּעוֹלָם וּבְרִיּוֹתָיו, יֵעָשֶׂה בְּסֵדֶר כְּעֵין מַלְכוּת הָאָרֶץ, וְכֵן אָמְרוּ חֲכָמֵינוּ זִכְרוֹנָם לִבְרָכָה: "מַלְכוּתָא דִרְקִיעַ כְּעֵין מַלְכוּתָא דְאַרְעָא", וְהַיְנוּ – בְּבָתֵּי דִינִים וְסַנְהֶדְרָאוֹת, עִם כָּל דַּרְכֵיהֶם וְחֻקּוֹתֵיהֶם לָזֶה; כִּי הִנֵּה סֵדֶר בָּתֵּי דִינִים שׁוֹנִים, שֶׁל נִמְצָאִים רוּחָנִיִּים, בְּמַדְרֵגוֹת יְדוּעוֹת וּבִסְדָרִים יְדוּעִים, שֶׁלִּפְנֵיהֶם יֵעָרְכוּ כָּל הָעִנְיָנִים הָרְאוּיִים לִשָּׁפֵט, וּבִגְזֵרָתָם יָקוּמוּ כָּל הַדְּבָרִים, וּכְמוֹ שֶׁאָמַר דָּנִיֵּאל: "בִּגְזֵרַת עִירִין פִּתְגָמָא" וכו' (דניאל ד, יד).

[ב] וְהִנֵּה הוּא יִתְבָּרַךְ שְׁמוֹ מוֹפִיעַ בְּכָל הַסַּנְהֶדְרָאוֹת הָאֵלֶּה, וּמַשְׁפִּיעַ בָּם, וּמַעֲמִידָם עַל תֹּכֶן הָעִנְיָן שֶׁבֶּאֱמֶת, שֶׁיֵּצֵא הַמִּשְׁפָּט לַאֲמִתּוֹ. וְיֵשׁ מִן הַסַּנְהֶדְרָאוֹת שֶׁהַקָּדוֹשׁ בָּרוּךְ הוּא שָׁם לְרֹאשׁ, וּכְעִנְיָן שֶׁנֶּאֱמַר: "רָאִיתִי אֶת־ד' יֹשֵׁב עַל־כִּסְאוֹ וְכָל־צְבָא הַשָּׁמַיִם עֹמֵד עָלָיו מִימִינוֹ וּמִשְּׂמֹאלוֹ" (מלכים א כב, יט), וּפֵרְשׁוּ חֲכָמֵינוּ זִכְרוֹנָם לִבְרָכָה: "אֵלּוּ מַיְמִינִים לִזְכוּת וְאֵלּוּ מַשְׂמְאִלִים לְחוֹבָה" (תנחומא שמות יח), וְאָמַר דָּנִיֵּאל: "עַד דִּי כָרְסָוָן רְמִיו, וְעַתִּיק יוֹמִין יְתִב ... דִּינָא יְתִב וְסִפְרִין פְּתִיחוּ" (דניאל ז, ט־י).

II CHAPTER 6

The System of Providence

[1] God arranged matters so that His direction of the world should resemble that of an earthly government. This is true of everything in the world, with respect to the judgment concerning man with his free will, as well as that which concerns the rest of the world and its creatures. Our sages thus teach us, "The kingdom of heaven resembles an earthly kingdom."[71]

The spiritual realm therefore contains courts of justice and deliberating bodies, with appropriate rules and procedures. God arranged these various tribunals consisting of spiritual beings in particular systems and levels. All cases that are to be judged are brought before these courts, and what subsequently happens is the result of their decrees. It is thus written (*Daniel* 4:14), "The matter is decreed by overseers."[72]

[2] God manifests Himself in all these deliberating bodies. He influences them and makes them grasp the essential nature of each case, so that the judgment issued should be true.

God Himself leads some of these deliberating bodies. This is true in the case described when the prophet said (1 *Kings* 22:19), "I saw God sitting on His throne, and all the host of heaven stood to His right and to His left." Our sages explain that this is speaking of the heavenly tribunal, where those standing to the right represent the defense, while those to the left are the prosecution.[73] Daniel likewise said (*Daniel* 7:9), "The thrones were placed, and the Ancient of Days sat . . . the judgment was set, and the books opened."

וְאָמְנָם, עִקַּר הַדָּבָר כָּךְ הוּא: הִנֵּה, כְּבָר בֵּאַרְנוּ לְמַעְלָה, כַּמָּה מִן הַדִּקְדּוּק נִמְצָא בְדִינוֹ שֶׁל כָּל אִישׁ וָאִישׁ; כִּי הִנֵּה בִּכְלָל, בְּכָל אִישׁ מִן הָאֲנָשִׁים, יִמָּצְאוּ טְעָנוֹת רַבּוֹת, לְפִי סִבּוֹת שׁוֹנוֹת, לִהְיוֹת נִדּוֹן הָאִישׁ הַהוּא לִדְרָכִים רַבִּים מִדַּרְכֵי הַמִּשְׁפָּט; וּבִפְרָט גַּם כֵּן, בְּכָל מַעֲשֶׂה וּמַעֲשֶׂה מִמֶּנּוּ, הִנֵּה יִמָּצֵא בוֹ בְחִינָה לְחוֹבָה, וְכַמָּה צְדָדִים רַבִּים; כִּי כָּל עִנְיְנֵי הָעוֹלָם מֻרְכָּבִים בְּהַרְכָּבוֹת רַבּוֹת בֶּאֱמֶת, וְנִמְשָׁכִים בִּדְרָכִים שׁוֹנִים; וְאוּלָם כָּל הַבְּחִינוֹת הָאֲמִתִּיּוֹת הָאֵלֶּה מִתְגַּלּוֹת בְּבָתֵּי דִינִים הָעֶלְיוֹנִים הָאֵלֶּה לַאֲמִתָּן, וְכָל אֶחָד מִן הַצָּבָא הַנִּמְצָא בְּאוֹתוֹ הַבֵּית דִּין, מִתְגַּלֶּה לוֹ לְפִי עִנְיָנוֹ אַחַת מִן הַבְּחִינוֹת, עַד שֶׁבֵּין כֻּלָּם מִתְגַּלּוֹת הַבְּחִינוֹת כֻּלָּן, לֹא נִכְחָד דָּבָר; וְאָז יִשָּׁקֵל הָעִנְיָן לְפִי כָל הַבְּחִינוֹת הָאֲמִתִּיּוֹת הָהֵן, וְתֵצֵא הַגְּזֵרָה כְּפִי הַנָּאוֹת. וְאוּלָם הַגְּמָר הַזֶּה יַעֲשֵׂהוּ מִי שֶׁהוּא רֹאשׁ בְּבֵית דִּין הַהוּא; וְאִם הוּא מֵהַבָּתֵּי דִינִים שֶׁהָאָדוֹן בָּרוּךְ הוּא רוֹצֶה וְיוֹשֵׁב שָׁם לְרֹאשׁ, הִנֵּה אַף עַל פִּי שֶׁהַכֹּל צָפוּי לְפָנָיו, יַנִּיחַ לְכָל הַמְשָׁרְתִים – הַצָּבָא שֶׁלְּפָנָיו, שֶׁיִּטְעֲנוּ לְפִי הַמִּתְגַּלֶּה לָהֶם מִבְּחִינוֹת הָעִנְיָן בֶּאֱמֶת, וְיִגְמֹר הַדָּבָר כְּפִי הָרָאוּי, וּכְמוֹ שֶׁזָּכַרְנוּ.

[ג] נִמְצָא לְפִי שֹׁרֶשׁ זֶה, שֶׁאֵין הַקָּדוֹשׁ בָּרוּךְ הוּא דָן אֶת הָעוֹלָם בִּבְחִינַת יְדִיעָתוֹ, אֶלָּא בִּבְחִינַת הַסְּדָרִים שֶׁרָצָה וְסִדֵּר לָעִנְיָן.

וּמִמַּה שֶּׁסִּדֵּר עוֹד בָּזֶה, הוּא שֶׁלֹּא לִשְׁפֹּט עִנְיָן מֵהָעִנְיָנִים בְּשׁוּם בֵּית דִּין מֵאֵלֶּה, עַד שֶׁיּוּבָא לְפָנָיו מִפְּקִידִים שֶׁהִפְקִיד לְעִנְיָן זֶה, וְהַיְנוּ, שֶׁהִנֵּה הִפְקִיד בְּחֶפְצוֹ יִתְבָּרַךְ שָׁמוֹ פְּקִידִים מִן סוּג הַמַּלְאָכִי, שֶׁיַּשְׁגִּיחוּ עַל כָּל הָעִנְיָנִים הַהוֹוִים בָּעוֹלָם, וְאֵלֶּה יָבוֹאוּ לְבֵית דִּין שֶׁל מַעְלָה וְיָעִידוּ עַל הַדְּבָרִים שֶׁהִשִּׂיגוּ וְנִגְלָה לָהֶם, וְאָז יָבוֹאוּ הָעִנְיָנִים בְּמִשְׁפָּט.

וּכְבָר זָכַרְתִּי פְּעָמִים, שֶׁאֵין הָעִנְיָנִים הָאֵלֶּה נִמְשָׁכִים אַחַר

The main reason for this is that every individual is judged with the utmost precision, as discussed earlier.[74]

In general, however, there exist many arguments and reasons why an individual should be judged in any one of the many possible ways. The same is true of each individual deed, which may also contain elements of liability, as well as various other aspects. This is because every detail in the world consists of many different combinations, with varied consequences.

The true nature of all these matters is presented in evidence before these heavenly courts of justice. Each aspect of the case is revealed to the particular member of the tribunal associated with that matter. Among them all, every aspect of the case is thus revealed, and nothing is omitted. Each of these aspects is then weighed, and the case is judged accordingly. The decision issued is therefore always that which is most beneficial.

The final decision is issued by the head of the particular tribunal. If it is one of the courts which God Himself desires to head, then He is the One who pronounces the final appropriate judgment. Even though everything is known beforehand to God, He still allows His servants, the host who stand before Him, to argue the points of each case according to the truth that each one has ascertained.[75]

[3]   From all this, we see that it is a fundamental principle that God does not judge the world according to His own knowledge, but according to the system that He desired and designed for this purpose.

It was also arranged so that no case can be judged in any of these tribunals until all the directing angels involved in a particular case are brought before it. God set these angels as Agents to oversee each thing that exists in the world, as discussed earlier.[76] These Agents are brought to the heavenly tribunal, and each one testifies regarding the things that it perceives as well as what is revealed to it.[77] It is only after all this testimony is heard that the case is brought to judgment.

As we have already stressed a number of times, none of this system is needed by God to obtain information. Everything was

יְדִיעָתוֹ יִתְבָּרַךְ שְׁמוֹ, כִּי לֹא הָיָה שׁוּם אֶחָד מֵהָעִנְיָנִים הָאֵלֶּה צְרִיכִים לוֹ, שֶׁהַכֹּל צָפוּי לְפָנָיו מֵעוֹלָם, אֶלָּא שֶׁכֵּן גָּזַר וְסִדֵּר בְּחָכְמָתוֹ הַנִּפְלָאָה.

וְעַל פִּי אֵלֶּה הַסְּדָרִים מִתְנַהֵג הָעוֹלָם בֶּאֱמֶת. וְעַל אֵלֶּה הַדְּרָכִים וְהָעִנְיָנִים הוּא שֶׁיִּרְמְזוּ הַכְּתוּבִים בִּמְלִיצוֹתֵיהֶם; כְּעִנְיַן שֶׁנֶּאֱמַר: "וַיֵּרֶד ד׳ לִרְאֹת" וכו׳ (בראשית יא), "וַיָּבֹאוּ בְּנֵי הָאֱלֹהִים לְהִתְיַצֵּב" וכו׳ (איוב א), "עֵינֵי ד׳ הֵמָּה מְשׁוֹטְטִים בְּכָל־הָאָרֶץ" (זכריה ד), "אֵלֶּה אֲשֶׁר שָׁלַח ד׳ לְהִתְהַלֵּךְ בָּאָרֶץ" (זכריה א), וַאֲחֵרִים כָּאֵלֶּה; הַכֹּל נֶאֱמַר עַל דַּרְכֵי הַהַנְהָגָה הַזֹּאת, כְּפִי הַסְּדָרִים שֶׁסִּדֵּר, וְאוֹתָם הַמַּלְאָכִים הַמְּפֻקָּדִים לְהַשְׁגִּיחַ עַל עִנְיְנֵי הָעוֹלָם וּלְהָעִיד עֲלֵיהֶם יִקָּרְאוּ: "עֵינֵי ד׳", וּבְהִגָּלוֹתוֹ יִתְבָּרַךְ שְׁמוֹ עַל אַחַד מִבָּתֵּי הַדִּינִים לִשְׁפֹּט עִנְיָן מֵהָעִנְיָנִים, כְּגוֹן עִנְיַן בּוֹנֵי הַמִּגְדָּל בִּזְמַנּוֹ, נֶאֱמַר: "וַיֵּרֶד ד׳ לִרְאֹת" וכו׳, וְכֵן כָּל כַּיּוֹצֵא בָּזֶה.

וְאוּלָם צָרִיךְ שֶׁתִּתְבּוֹנֵן שֶׁאֵין הַדִּמְיוֹן בְּאֵלֶּה הָעִנְיָנִים עִם מַה שֶּׁנַּעֲשֶׂה בְּמַלְכוּת הָאָרֶץ, אֶלָּא בַּסְּדָרִים, אַךְ בְּאֹפֶן הֵעָשׂוֹת הַדְּבָרִים, אֵין הַדִּמְיוֹן אֲמִתִּי, כִּי בְּגַשְׁמִיִּים נַעֲשִׂים כְּפִי מַה שֶּׁשַּׁיָּךְ בָּהֶם, בְּהַשָּׂגָתָם וּבְכָל עִנְיְנֵיהֶם, וּבְרוּחָנִיִּים כְּפִי מַה שֶּׁשַּׁיָּךְ בָּהֶם, בְּהַשָּׂגָתָם וּבְעִנְיְנֵיהֶם.

[ד] וְהִנֵּה שָׂם הָאָדוֹן בָּרוּךְ הוּא אֶת הַקָּטֵיגוֹר, וְהוּא הַשָּׂטָן, שֶׁנֶּאֱמַר בּוֹ: "וַיָּבוֹא גַם הַשָּׂטָן בְּתוֹכָם" (איוב א), וּפְקֻדָּתוֹ לִתְבֹּעַ דִּין בְּבָתֵּי הַדִּין, וּכְשֶׁהוּא תּוֹבֵעַ יִתְעוֹרְרוּ הַדַּיָּנִים וְיִשְׁפְּטוּ.

foreseen by Him from the very beginning, and He does not need any of this. But through His unfathomable wisdom, this was the way that He decreed and arranged that judgment should take place.

The world is therefore directed according to this system, and the Bible alludes to it in any number of metaphors. [In reference to such judgment] the Torah states (*Genesis* 11:5), "God came down to see the city and the tower..."[78] [The Bible is referring to such a a deliberating body when] it says (*Job* 1:6), "The day came when the sons of God (the angels) arrived to present themselves before God."[79] [It speaks of these overseers when] it says (*Zechariah* 4:10), "God's eyes fly all over the earth."[80] This is also what is meant when the prophet said (*ibid.* 1:10), "These are the ones whom God has sent to walk the earth," [where from the context it is obvious that the reference is to such angels]. There are many similar cases.

All these refer to the system of direction devised by God. The angels who are given the task of overseeing and testifying about every aspect of the universe are called "the eyes of God." When God reveals Himself in one of these deliberating bodies to judge a particular case, as He did with respect to the builders of the Tower of Babel, the Torah states that "God came down to see." The same is true in all similar cases.[81]

It is important to realize, however, that the parallel between these concepts and an earthly judiciary only refers to the system. The manner in which these things are done, on the other hand, is actually not the same. For among physical beings, things are done in one way, in accordance with their perception and essence, while among spiritual beings things are done in a different way, in accordance with their perception and essence. [Therefore, the entire mode of operation of the two is very different.]

[4] God also appointed a prosecutor, known as the Satan. The Bible mentions him when it says (*Job* 1:6), "The day came when the sons of God arrived to present themselves before God, and the Satan also came among them."[82]

The function of the Satan is to seek judgment before these tribunals and bring action alerting the court to sit in judgment. This

וּמִמִּדַּת טוּבוֹ יִתְבָּרַךְ שְׁמוֹ שֶׁלֹּא יִתְפֹּס בַּדִּין עַד שֶׁיְּקַטְרֵג הַמְקַטְרֵג, וְאַף עַל פִּי שֶׁחֲטָאֵי הַחוֹטֵא גְלוּיִים לְפָנָיו.

וְאוּלָם גַּם לָזֶה חָקַק חֻקִּים וְסִדֵּר סְדָרִים, פֵּרוּשׁ – לְקִטְרוּגוֹ שֶׁל הַמְקַטְרֵג, אֵיךְ יִהְיֶה וּמָתַי יִהְיֶה, וּכְעִנְיַן מַה שֶּׁאָמְרוּ חֲכָמֵינוּ זִכְרוֹנָם לִבְרָכָה: ״הַשָּׂטָן מְקַטְרֵג בִּשְׁעַת הַסַּכָּנָה״ (ברא״ר צא), וְכֵן מַה שֶּׁאָמְרוּ חֲכָמֵינוּ זִכְרוֹנָם לִבְרָכָה: ״שְׁלֹשָׁה מַזְכִּירִים עֲווֹנוֹתָיו שֶׁל אָדָם״ (ברכות נה), וּפְרָטִים רַבִּים כַּיּוֹצֵא בָזֶה.

[ה] וְאוּלָם לְכָל עִנְיְנֵי הַמִּשְׁפָּטִים הָאֵלֶּה, בִּכְלָלָם וּבִפְרָטֵיהֶם, חֻקִּים וּדְרָכִים מְסֻדָּרִים, כְּמוֹ שֶׁגָּזְרָה חָכְמָתוֹ יִתְבָּרַךְ שְׁמוֹ; לִזְמַנֵּי הַמִּשְׁפָּט, וְלִבְחִינוֹתָיו, כְּגוֹן מַה שֶּׁאָמְרוּ חֲכָמֵינוּ זִכְרוֹנָם לִבְרָכָה: ״בְּאַרְבָּעָה פְּרָקִים הָעוֹלָם נִדּוֹן״ (ראש השנה טז), וּמַה שֶּׁאָמְרוּ: ״מֶלֶךְ נִכְנָס תְּחִלָּה לַדִּין, מִקַּמֵּי דְלִיפּוּשׁ חֲרוֹן אַף״ (שם), וְכֵן מַה שֶּׁאָמְרוּ: ״תְּבוּאָה – תְּרֵי דִינֵי מִתְדַּנָּא״ (שם), וְהַהֶפְרֵשִׁים שֶׁבֵּין קֹדֶם גְּזַר דִּין וּלְאַחַר גְּזַר דִּין, וְכַמָּה פְּרָטִים אֲחֵרִים כַּיּוֹצֵא בָאֵלּוּ.

is also a result of God's goodness, since even though a person's sins are known to God, he is not brought to judgment until he is indicted [and arraigned] by this Prosecutor.

Even with regard to this, God set up rules and procedures circumscribing the times and circumstances under which this Prosecutor can function. Our sages refer to one such rule when they say, "The Satan only accuses in a time of danger."[83] They also allude to this when they teach us, "Three things recall a person's sins . . ."[84] There are many similar examples.

[5]   All these concepts of judgment, both in general and particular, follow a system of rules and procedures decreed by God's wisdom.

The system also includes specific times for judgment, as, for example, those referred to by our sages when they say, "The world is judged at four times [each year]."[85]

There are also other rules, such as the one mentioned by our sages when they teach, "A king enters to be judged first, before the fury becomes great."[86] We likewise find a rule that "grain undergoes two separate judgments."[87]

[It is to the judgment issued by these tribunals that our sages refer when] they differentiate between "before the sentence is imposed and after the sentence is imposed."[88] There are many other similar examples.

ב פרק שביעי

הַשְׁפָּעַת הַכּוֹכָבִים

[א] הִנֵּה, בֵּאַרְנוּ בְּחֵלֶק רִאשׁוֹן, שֶׁכָּל עִנְיְנֵי הַגְּשָׁמִים, שָׁרְשָׁם הוּא בַּכֹּחוֹת הַנִּבְדָּלִים, וְאָמְנָם, שָׁם מִשְׁתָּרְשִׁים הָעִנְיָנִים הָאֵלֶּה, בְּכָל הַדְּרָכִים שֶׁצְּרִיכִים לְהִשְׁתָּרֵשׁ, וְאַחַר כָּךְ צְרִיכִים לֵעָתֵק וְלִמָּשֵׁךְ אֶל הַגַּשְׁמִיּוּת, בַּצּוּרָה שֶׁצְּרִיכִים לִמָּצֵא בוֹ. וְהִנֵּה לְצֹרֶךְ זֶה הוּכְנוּ הַגַּלְגַּלִּים וְכוֹכְבֵיהֶם, שֶׁבָּהֶם וּבִסְבּוּבֵיהֶם נִמְשָׁכִים וְנֶעְתָּקִים כָּל אוֹתָם הָעִנְיָנִים – שֶׁנִּשְׁתָּרְשׁוּ וְנִזְמְנוּ לְמַעְלָה בָּרוּחָנִיּוּת – אֶל הַגַּשְׁמִיּוּת פֹּה לְמַטָּה, וְעוֹמְדִים פֹּה בַּצּוּרָה הָרְאוּיָה. וְאָמְנָם מִנְיַן הַכּוֹכָבִים, וּמַדְרֵגוֹתֵיהֶם לְכָל מַחְלְקוֹתֵיהֶם, הָיוּ כְּפִי מַה שֶּׁרָאֲתָה הַחָכְמָה הָעֶלְיוֹנָה הֱיוֹתוֹ צָרִיךְ וְנָאוֹת אֶל הֶעְתֵּק הַזֶּה שֶׁזָּכַרְנוּ.

וְהִנֵּה, נִשְׁפָּע מִן הַכּוֹכָבִים כֹּחַ הַקִּיּוּם אֶל הָעֲצָמִים הַגַּשְׁמִיִּים שֶׁתַּחְתֵּיהֶם, שֶׁעַל יְדֵיהֶם נֶעְתָּק עִנְיָנָם מִבְּחִינָתוֹ לְמַעְלָה בַּשָּׁרָשִׁים אֶל בְּחִינָתוֹ לְמַטָּה.

[ב] וְאוּלָם, עוֹד עִנְיָן אֶחָד חָקַק הַבּוֹרֵא יִתְבָּרַךְ שְׁמוֹ בַּכּוֹכָבִים הָאֵלֶּה, וְהוּא, שֶׁגַּם כֵּן עִנְיְנֵי מִקְרֵי הַגְּשָׁמִים וּמַשִּׂיגֵיהֶם, אַחֲרֵי שֶׁהוּכְנוּ לְמַעְלָה, יִמָּשְׁכוּ עַל יְדֵיהֶם לְמַטָּה, בְּאוֹתָהּ הַצּוּרָה שֶׁצְּרִיכִים לִקְרוֹת לָהֶם. דֶּרֶךְ מָשָׁל: הַחַיִּים, הָעֹשֶׁר, הַחָכְמָה, הַזֶּרַע, וְכַיּוֹצֵא, כָּל אֵלֶּה הָעִנְיָנִים מוּכָנִים לְמַעְלָה בַּשָּׁרָשִׁים,

II CHAPTER 7

Influence of the Stars

[1] In the first section (1:5:2), we discussed how every physical phenomenon has its root among the transcendental Forces.[89] When these phenomena are thus rooted in all necessary ways, they then must be reflected and transmitted to a physical thing in the required form.

It was for this purpose that the stars and their planets were created. Through their cycles, all phenomena rooted in the spiritual realm are transmitted and reflected to their physical counterparts.[90] They can then exist in the terrestrial world in an appropriate form.

The number of stars, as well as the levels of their various divisions, were all designated as deemed necessary and most appropriate by the Highest Wisdom for this process of transmission.

The ability of all terrestrial things to exist is influenced by their respective stars. Through these stars, their essence is reflected from their aspect on high among the Roots to that here on earth.

[2] There is another function that God allotted to the stars. Every process that occurs among physical things, as well as all that happens to them, is initiated on high, and then transmitted by the stars to the terrestrial world in its necessary form. Thus, for example, life, wealth, wisdom, children, and similar matters are all initiated on high among the Roots. They are then reflected to the terrestrial world among the

וְנֶעְתָּקִים לְמַטָּה בָּעֲנָפִים בַּצּוּרָה הָרְאוּיָה עַל יְדֵי הַכּוֹכָב, וְזֶה – בְּמַחְלָקוֹת יְדוּעוֹת וּבְקִבּוּצִים מְיֻחָדִים שֶׁהוּחַקּוּ לָהֶם, וְסִבּוּבִים יְדוּעִים.

וְנִתְפַּלְּגוּ בֵּינֵיהֶם כָּל הַמִּקְרִים הַקּוֹרִים אֶת הַגְּשָׁמִים לְמִינֵיהֶם, וְנִקְשְׁרוּ הַגְּשָׁמִים כֻּלָּם תַּחַת שְׁלִיטוּתָם כְּפִי סִדְרֵיהֶם, לְהִתְחַדֵּשׁ בָּהֶם כְּפִי מַה שֶּׁיֻּשְׁפַּע מִן הַמַּעֲרָכָה, לְפִי הַקִּשּׁוּר שֶׁיִּתְקַשֵּׁר בָּהּ כָּל אִישׁ וָאִישׁ.

[ג] וְהִנֵּה נִשְׁתַּעְבְּדוּ לְזֶה הַסֵּדֶר כָּל בְּנֵי אָדָם גַּם כֵּן, לְהִתְחַדֵּשׁ בָּהֶם כְּפִי מַה שֶּׁיִּמָּשֵׁךְ לָהֶם מִן הַמַּעֲרָכָה. אָמְנָם, כְּבָר אֶפְשָׁר שֶׁתִּבָּטֵל תּוֹלֶדֶת הַכּוֹכָבִים, מִכֹּחַ חָזָק עֶלְיוֹן מֵהֶם; וְעַל יְסוֹד זֶה אָמְרוּ: "אֵין מַזָּל לְיִשְׂרָאֵל" (שבת קנ"ו), כִּי כֹחַ גְּזֵרָתוֹ יִתְבָּרַךְ שְׁמוֹ וְהַשְׁפָּעָתוֹ גּוֹבֵר עַל הַכֹּחַ הַמֻּטְבָּע בְּהַשְׁפָּעַת הַמַּעֲרָכָה, וְתִהְיֶה הַתּוֹלָדָה לְפִי הַהַשְׁפָּעָה הָעֶלְיוֹנָה, וְלֹא לְפִי הַשְׁפָּעַת הַמַּעֲרָכָה.

[ד] וְאָמְנָם, מִשְׁפְּטֵי הַהַשְׁפָּעָה הַזֹּאת שֶׁל הַכּוֹכָבִים גַּם הֵם מֻגְבָּלִים, כְּפִי מַה שֶּׁגָּזְרָה הַחָכְמָה הָעֶלְיוֹנָה הֱיוֹתוֹ נָאוֹת; וּקְצָת מִדְּרָכֶיהָ נוֹדָעִים לְפִי סִדְרֵי הַמַּבָּטִים, וְהוּא מַה שֶּׁמַּשִּׂיגִים הוֹבְרֵי הַשָּׁמַיִם; אָכֵן לֹא כָל אֲמִתַּת סְדָרֶיהָ מִתְגַּלֵּית בָּזֶה, עַל כֵּן לֹא יַשִּׂיגוּ הַחוֹזִים בַּכּוֹכָבִים אֶלָּא קְצָת מֵהָעִנְיָנִים הָעֲתִידִים, וְלֹא בִשְׁלֵמוּת, וְכָל שֶׁכֵּן, שֶׁכְּבָר יֵשׁ בִּטּוּל לְתוֹלְדוֹתָם, כְּמוֹ שֶׁזָּכַרְנוּ: וְעַל זֶה אָמְרוּ חֲכָמֵינוּ זִכְרוֹנָם לִבְרָכָה: "מֵאֲשֶׁר" – (ישעיה מז, יג) "וְלֹא כָל אֲשֶׁר" (בראשית רבה פ"ה ג).

branches of these Roots in the appropriate form through a particular star. This is the result of particular divisions and combinations of the stars, following their specific cycles.[91]

Every event that takes place in the terrestrial world is allocated to a particular star, depending on its specific category. All terrestrial things are bound under their authority. Through their systems, all things happen as a result of the influence emanating from the stellar array through its connection with each individual thing.

[3] Every human being is also subjugated to this system, and whatever happens to him is a result of this astrological influence.

It is also possible, however, that this stellar influence be over-ridden by a higher power. [This is normally true in the case of the Jews, and accordingly] our sages teach us, "There is no constellation (*Mazal*) for Israel."[92] The power of God's decrees and influence is stronger than that of the stars, and what results is therefore dependent on this higher influence rather than on the astrological.

[4] This stellar influence is also circumscribed [by laws and limitations], as deemed best by the Highest Wisdom. Some of these phenomena are known by observation, and this constitutes the science of astrology.

The complete nature of this system, however, cannot be ascertained by observation. It is for this reason that astrologers can predict only a relatively small percentage of future events accurately. Their ability to predict is further reduced by the fact that astrological influences can be overridden by God's providence completely.

This is the meaning of [what the prophet said (*Isaiah* 47:13), "Now let the astrologers, stargazers and fortunetellers stand up and tell you] *something* [about what will come upon you]." Our sages tell us that this means [that they can predict] *something*, but certainly not everything.[93]

בְּהַבְחָנוֹת פְּרָטִיּוֹת בַּהַשְׁגָּחָה

[א] מִמַּה שֶׁיִּבָּחֵן עוֹד בְּהַשְׁגָּחָתוֹ יִתְבָּרַךְ שְׁמוֹ, הוּא הֱיוֹת כָּל סִדְרֵי הַהַשְׁגָּחָה וּדְרָכֶיהָ – יֹשֶׁר הַמִּשְׁפָּט וְקַו הַדִּין, וּכְעִנְיָן שֶׁנֶּאֱמַר: "שֵׁבֶט מִישֹׁר שֵׁבֶט מַלְכוּתֶךָ" (תהלים מה, ז), וְכָתוּב: "מֶלֶךְ בְּמִשְׁפָּט יַעֲמִיד אָרֶץ" (משלי כט, ד).

וְאָמְנָם, יָדַעְנוּ בֶּאֱמֶת שֶׁאֵין חֶפְצוֹ שֶׁל הַקָּדוֹשׁ בָּרוּךְ הוּא אֶלָּא לְהֵיטִיב, וְהִנֵּה הוּא אוֹהֵב אֶת בְּרוּאָיו, כְּאָב הָאוֹהֵב אֶת בְּנוֹ; אֶלָּא שֶׁמִּטַּעַם הָאַהֲבָה עַצְמָהּ רָאוּי שֶׁיְּיַסֵּר הָאָב אֶת בְּנוֹ, לְהֵיטִיבוֹ בְּאַחֲרִיתוֹ; וּכְעִנְיָן שֶׁנֶּאֱמַר: "כִּי כַּאֲשֶׁר יְיַסֵּר אִישׁ אֶת־בְּנוֹ ד׳ אֱלֹהֶיךָ מְיַסְּרֶךָּ" (דברים ח, ה); וְנִמְצָא שֶׁהַמִּשְׁפָּט וְהַדִּין עַצְמוֹ מִמְּקוֹר הָאַהֲבָה הוּא נוֹבֵעַ, וְאֵין מוּסָרוֹ שֶׁל הַקָּדוֹשׁ בָּרוּךְ הוּא מַכַּת אוֹיֵב וּמִתְנַקֵּם, אֶלָּא מוּסַר אָב הָרוֹצֶה בְּטוֹבַת בְּנוֹ וּכְמוֹ שֶׁזָּכַרְנוּ.

וְאוּלָם מִשֹּׁרֶשׁ זֶה נוֹלָדִים שְׁנֵי עִנְיָנִים, הָאֶחָד שֶׁהַמּוּסָר בְּעַצְמוֹ יִהְיֶה מְמֻתָּק וְלֹא קָשֶׁה וְאַכְזָרִי, כִּי הָאַהֲבָה בְּעַצְמָהּ תִּמְזֹג אֶת הַדִּין בְּרַחֲמִים, וְהַשֵּׁנִי – שֶׁלִּפְעָמִים, כְּשֶׁהַשָּׁעָה צְרִיכָה לְכָךְ, יַעֲבֹר הָאָדוֹן בָּרוּךְ הוּא עַל שׁוּרַת הַדִּין לְגַמְרֵי, וְיִנְהַג בְּרַחֲמִים, וּכְעִנְיָן שֶׁנֶּאֱמַר: "וְחַנֹּתִי אֶת־אֲשֶׁר אָחֹן וְרִחַמְתִּי אֶת־אֲשֶׁר אֲרַחֵם" (שמות לג, יט).

וְהִנֵּה, בִּהְיוֹת שֶׁרָצָה הַקָּדוֹשׁ בָּרוּךְ הוּא בִּבְחִירַת הָאָדָם

II CHAPTER 8

Details of Providence

[1] Among the things that we must realize is that the entire procedure and system of God's providence involves the fairest possible rule of justice. The Psalmist thus said to God (*Psalms* 45:7), "The scepter of Your Kingdom is a scepter of fairness." It is likewise written (*Proverbs* 29:4), "The King sustains the land with justice."[94]

We know, however, that God desires only to do good, and loves His handiwork as a father loves his children. As a result of this very love, however, a father might often find it necessary to discipline his children for their ultimate good. The same is true of God, as the Torah states (*Deuteronomy* 8:5), "As a father disciplines his child, so God disciplines you."

God's law and judgment therefore also originate in His love. His punishment is not hateful revenge, but the discipline of a loving Father, who only desires good for His children.

This principle has two corollaries.

First, the punishment itself is alleviated. God's love tempers His judgment with mercy, and the punishment is therefore not harsh and cruel.

Secondly, when necessary, God can sometimes suspend the rule of justice completely, and operate with mercy alone. This is the meaning of what He told Moses (*Exodus* 33:19), "I will have mercy upon whom I will have mercy, and I will show compassion to whom I will show compassion."

God willed, however, that man should have free will to act as

בְּמַעֲשָׂיו, וּבִישֶׁר מִשְׁפַּט הַגְּמוּל לְשַׁלֵּם לְאִישׁ כְּמַעֲשֵׂהוּ, הִנֵּה, כִּבְיָכוֹל מְשֻׁעְבָּד הוּא אֶת הַנְהָגָתוֹ לְמַעֲשֵׂה הָאָדָם, שֶׁלֹּא יֵיטִיב לוֹ וְלֹא יָרֵעַ לוֹ אֶלָּא כְּפִי מַעֲשָׂיו. אַךְ בֶּאֱמֶת, הִנֵּה הָאָדוֹן בָּרוּךְ הוּא אֵינוֹ מְשֻׁעְבָּד לְשׁוּם חֹק, וְאֵינוֹ צָרִיךְ לְזוּלָתוֹ, וְלֹא מִתְפַּעֵל מִשּׁוּם דָּבָר, וְעַל כֵּן כְּשֶׁיִּרְצֶה לְהִשְׁתַּמֵּשׁ מֵרוֹמְמוּתוֹ, הִנֵּה יִפְעַל וְיִנְהַג כְּפִי רְצוֹנוֹ בְּלִי הֶכְרֵחַ אוֹ עִכּוּב כְּלָל. וְאוּלָם לְהַנְהָגַת הַמִּשְׁפָּט יִנְהַג כְּפִי הַשִּׁעְבּוּד שֶׁזָּכַרְנוּ, אַךְ כְּשֶׁתִּגְזֹר חָכְמָתוֹ הֱיוֹת נָאוֹת הַעֲבָרָה עַל שׁוּרַת הַדִּין, הִנֵּה יִשְׁתַּמֵּשׁ מֵרוֹמְמוּתוֹ וְיִחוּד שְׁלִיטָתוֹ, וְיַעֲבֹר עַל פֶּשַׁע, וִיתַקֵּן כָּל קִלְקוּל בְּעֹצֶם כֹּחוֹ.

נִמְצְאוּ כָּאן שְׁנֵי מִינֵי הַשְׁגָּחָה: הַשְׁגָּחַת מִשְׁפַּט הַשֵּׁם יִתְבָּרַךְ, וְהַשְׁגָּחַת הַשְּׁלִיטָה וְהַיִּחוּד, וּבִשְׁנֵי הַדְּרָכִים מַשְׁגִּיחַ כְּבוֹדוֹ יִתְבָּרַךְ שְׁמוֹ תָּמִיד עַל בְּרוּאָיו. כִּי הִנֵּה הוּא מַשְׁגִּיחַ בְּהַשְׁגָּחַת הַמִּשְׁפָּט, לִשְׁפֹּט תָּמִיד אֶת כָּל הַמַּעֲשֶׂה, וּמַשְׁגִּיחַ בְּהַשְׁגָּחַת הַשְּׁלִיטָה, לְקַיֵּם בְּכֹחוֹ וִיכָלְתּוֹ אֶת הַבְּרִיאָה, וְלֹא תֶּחֱרַב בְּרֹעַ מַעַלְלֵי בְּנֵי הָאָדָם.

[ב] וּמַה שֶּׁצָּרִיךְ שֶׁתֵּדַע עוֹד, כִּי הִנֵּה, גַּם הַשְׁפָּעָתוֹ תֵּחָלֵק לִשְׁנֵי מִינִים: הָאֶחָד הוּא לְמַה שֶּׁלַּגּוּף, וְהַשֵּׁנִי לְמַה שֶּׁלַּנֶּפֶשׁ. לְמַה שֶּׁלַּגּוּף כְּבָר בֵּאַרְנוּ עִנְיָנָהּ, דְּהַיְנוּ לְמַה שֶּׁלְּהַצְלָחַת הָאָדָם וְשַׁלְוָתוֹ בָּעוֹלָם הַזֶּה. לְמַה שֶּׁלַּנְּשָׁמָה, הוּא בְּמַה שֶּׁבְּהַשְׂכָּלָה וִידִיעָה, וּבְקִרְבַת הָאָדָם אֵלָיו יִתְבָּרַךְ שְׁמוֹ, וִיקָרוֹ וּמַעֲלָתוֹ הַנַּפְשִׁית.

כִּי הִנֵּה הַמַּצָּב הַטּוֹב שֶׁל הָעוֹלָם הַזֶּה בֶּאֱמֶת, הוּא שֶׁיִּהְיוּ בְּנֵי הָאָדָם דְּבֵקִים לַחָכְמָה, וְעוֹסְקִים בַּעֲבוֹדַת בּוֹרְאָם, וְיִהְיֶה הָאֱמֶת גָּלוּי וּבָרוּר, וְיִהְיֶה הָרֶשַׁע נִרְדָּף וְנִכְנָע, וְהַתַּרְמִית

he desires, and that man's deeds should be recompensed on the basis of a fair system of judgment and reward. To the extent that we can express this, we must say that God subjugated His providence to man's actions, subjecting man to good or evil only as his deeds warrant.

The truth, however, is that God is not subjugated to any rule whatsoever. He has no need for anything else, nor is He affected by anything.[95]

When God desires to impose His superiority, He can therefore act and direct things as He wills, with absolutely no hindrance. There is absolutely nothing that He must *necessarily* do.

The fact that God directs the world with strict justice is therefore merely the result of His own self-imposed subjugation to His system. When His wisdom decrees it best to override this rule of law, on the other hand, He can impose His superiority and sole authority, and suspend this rule. In this manner, He can overlook any sin or rectify any wrong through His omnipotent power.

Two types of providence therefore exist. There is the providence of God's justice, but there is also an overriding providence based on His sole authority.

God thus directs all creation in these two ways. One involves strict justice, which continually weighs and judges every deed. There is also an overriding providence, however, through which God sustains all creation through His power and omnipotence, not allowing it to be destroyed by the evil afflictions of mankind.[96]

[2]   Among the things that one must realize is that God's influence is divided into two general categories. One concerns man physically, while the other involves him spiritually.

The elements concerning man physically have already been discussed, and these involve his success and prosperity in this world. That which pertains to him spiritually, on the other hand, involves man's intellect and reason, his drawing close to God, and his spiritual qualities and advantages.

The true optimum state of the world [primarily involves man's spiritual state. It] exists when man grasps the path of wisdom and is engaged in devotion to his Creator. In such a world, truth is obvious

167

מְשֻׁלָּךְ, וְלֹא תִמָּצֵא עֲבוֹדָה בָּעוֹלָם בִּלְתִּי אֵלָיו יִתְבָּרַךְ שְׁמוֹ, וְכָל הַמִּדּוֹת הַטּוֹבוֹת תִּמָּצֶאנָה וְתִגְבַּרְנָה, וְתִתְרַחַקְנָה הַמִּדּוֹת הָרָעוֹת וְתִמָּאַסְנָה, וּכְנֶגֶד זֶה, תִּרְבֶּה הַשַּׁלְוָה וְהַהַשְׁקֵט, וְלֹא יִמָּצְאוּ יִסּוּרִים וּמַכְאוֹבִים וּנְזָקִים, וְיִהְיֶה הָאָדוֹן בָּרוּךְ הוּא מַשְׁרֶה כְבוֹדוֹ בְּגִלּוּי בְּעוֹלָמוֹ, וְשָׂמֵחַ עַל מַעֲשָׂיו, וּמַעֲשָׂיו שְׂמֵחִים וַעֲלֵזִים לְפָנָיו; וְהַהֵפֶךְ לְכָל זֶה, בִּהְיוֹת בְּנֵי הָאָדָם שְׁטוּפִים אַחֲרֵי הַתַּאֲוָה, וּמוֹאֲסִים בַּחָכְמָה וּרְחוּקִים מִמֶּנָּה, וְלֹא פוֹנִים לַעֲבוֹדָה כִּי אִם מְעַט אוֹ כְלוּם, וְהָאֱמֶת אַרְצָה, וְהָרֶשַׁע גּוֹבֵר וּמַצְלִיחַ, הַתַּרְמִית וְהַטָּעוּת רַבָּה, וַעֲבוֹדוֹת נָכְרִיּוֹת בָּעוֹלָם, וְהַמִּדּוֹת הַטּוֹבוֹת נֶעְדָּרוֹת, וְהַמִּדּוֹת רָעוֹת נִמְצָאוֹת מְאֹד, וּכְנֶגֶד זֶה הַהַשְׁקֵט חָסֵר, וְאֵין שַׁלְוָה, וְהַיִּסּוּרִין וְהַנְּזָקִים רַבִּים, וְהָאָדוֹן בָּרוּךְ הוּא מַסְתִּיר כְּבוֹדוֹ מֵעוֹלָמוֹ, וְהָעוֹלָם הוֹלֵךְ כְּאִלּוּ נֶעֱזָב לַמִּקְרֶה וּמְשֻׁלָּח לַטֶּבַע, וְאֵין הַקָּדוֹשׁ בָּרוּךְ הוּא שָׂמֵחַ עַל מַעֲשָׂיו, וְאֵין בְּנֵי הָאָדָם שְׂמֵחִים לְפָנָיו, וְלֹא מַכִּירִים וְיוֹדְעִים מַה הִיא שִׂמְחַת הַבְּרִיּוֹת לִפְנֵי בוֹרְאָם, וּבִזְמַן כָּזֶה הָרָעִים גּוֹבְרִים וְהַטּוֹבִים נִשְׁפָּלִים. וְנִמְצָא שֶׁהִנֵּה יֻשְׁפַּע מִמֶּנּוּ יִתְבָּרַךְ שְׁמוֹ לְמַה שֶּׁבְּכָל הָעִנְיָנִים הַשַּׁיָּכִים לַגּוּף, בְּחֶלְקֵי הַמַּצָּב שֶׁזְּכַרְנוּ, וּלְמַה שֶּׁבְּכָל הָעִנְיָנִים שֶׁבּוֹ, הַשַּׁיָּכִים לַנֶּפֶשׁ.

[ג] וְהִנֵּה, כְּבָר נִתְבָּאֵר בְּחֵלֶק א, פֶּרֶק ד, שֶׁאוּלָם מַצָּבוֹ שֶׁל הָאָדָם בָּעוֹלָם הַזֶּה הוּא מַצָּב שֶׁהַחָמְרִיּוּת וְהַחֹשֶׁךְ שָׁרְשִׁיִּי בוֹ, וְהַהֶאָרָה נִרְכֶּבֶת וּמִשְׁתַּתֶּפֶת בּוֹ, שֶׁמִּמֶּנּוּ הַדַּעַת וְהַשֵּׂכֶל. וְהִנֵּה, בְּרֵאשִׁית תּוֹלַדְתּוֹ שֶׁל הָאָדָם סִכְלוּתוֹ רַב וְדַעְתּוֹ מְעַט, וּכְפִי הִתְגַּדֵּל הַנַּעַר כָּךְ יִרְבֶּה דַּעְתּוֹ, וְאָמְנָם הַסִּבָּה לְכָל הַמְּצִיאוּת הָאֵלֶּה הִיא הַשְׁפָּעָתוֹ יִתְבָּרַךְ שְׁמוֹ, כִּי כְּפִי מַה שֶּׁיֻּשְׁפַּע עַל הָאָדָם כֵּן יִמָּצֵא בוֹ מְצִיאוּת וְעִנְיָן, בִּכְלָל וּבִפְרָט, וְשֹׁרֶשׁ הַכֹּל הוּא עִנְיַן הֶאָרַת פָּנָיו יִתְבָּרַךְ שְׁמוֹ וְהֶסְתֵּרָם, שֶׁבֵּאַרְנוּ לְמַעְלָה

and unambiguous. The wicked are prosecuted and subjugated, and deception no longer exists. Everything in such a world involves some aspect of devotion to God, and all good qualities are maintained and strengthened, while all evil ones are repelled and rejected.

As a result of this, security and tranquility prevail, and there is no longer any pain, suffering or injury. God openly projects His Glory on such a world, and He rejoices in His handiwork. In a similar manner, His handiwork is happy and rejoices before Him.

The opposite of this optimum world exists when man becomes overwhelmed by the pursuit of his physical desires, rejecting wisdom and furthering himself from it. [In such a world,] little if any attention is given to true devotion. Truth is ignored, wickedness is reinforced and prevails, and deception and error increase. It is a world of false values, where good qualities are eclipsed and evil ones prevail.

As a result of this, tranquility ceases to exist, and there is no security, while there is much suffering and injury. God hides His Glory from the world, and it goes on as if left to chance, abandoned to the laws of nature.[97] God neither rejoices in His handiwork, nor does mankind rejoice in Him. Man neither realizes nor recognizes even what it means for creation to rejoice before its Creator. In such a world, the wicked become strong, and the good are deprived of all status.

It can be seen, then, that in each of these states, everything is influenced by God. This involves matters pertaining to man physically as well as spiritually.

[3]   As we have already discussed (1:4:3), darkness and worldliness are firmly rooted in man's condition in this world. Combined and joined with this, however, is some illumination, which results in knowledge and enlightenment.

When a person is first born, he is irrational and has little intelligence. As he grows, his intellect likewise matures.

The cause of all this, however, is God's influence. It is as a direct result of this influence that man gains every quality and characteristic, both in general and in particular. The source of all such things is either the Light of God's presence or its absence, which, as discussed

בְּחֵלֶק א, פֶּרֶק ד, שֶׁהוּא שֹׁרֶשׁ מְצִיאוּת הַטּוֹב וְהָרָע בְּכָל מָקוֹם שֶׁהֵם. וְהִנֵּה הַהַשְׁפָּעָה נִמְשֶׁכֶת עַל פִּי הֶאָרַת הַפָּנִים אוֹ הֶסְתֵּרָם, כְּפִי מַה שֶּׁתִּגְזוֹר הַחָכְמָה הָעֶלְיוֹנָה; וּמֵהַשְׁפָּעַת הַהֶאָרָה יִוָּלֵד: הָרִבּוּי, הַזַּכּוּת וְהַיֹּקֶר; וּמֵהַשְׁפָּעַת הַהֶסְתֵּר יִוָּלֵד: הַחִסָּרוֹן, הָעַבְיוּת וְהַשִּׁפְלוּת.

וּבִהְיוֹת שֶׁמְּצִיאוּת הַנִּמְצָאִים וְהַהַנְהָגָה הָרְאוּיָה לָהֶם מֻרְכָּבִים מֵהָעִנְיָנִים הָאֵלֶּה הַרְכָּבָה רַבָּה; כִּי בְּנִמְצָא אֶחָד עַצְמוֹ וּבְמַה שֶּׁרָאוּי לְהִמָּצֵא בּוֹ יִהְיוּ: עִנְיְנֵי חִסָּרוֹן בִּבְחִינָה אַחַת, וְעִנְיְנֵי רִבּוּי בִּבְחִינָה אַחֶרֶת, עִנְיְנֵי עַבְיוּת וְעִנְיְנֵי זַכּוּת, עִנְיְנֵי שִׁפְלוּת וְעִנְיְנֵי יֹקֶר, עַל כֵּן הַהַשְׁפָּעָה שֶׁתֻּשְׁפַּע לָהֶם לְפִי מַה שֶּׁרָאוּי הִמָּצֵא בָם, צָרִיךְ שֶׁיִּהְיֶה בְּעִנְיָנָהּ הַרְכָּבוֹת מִן הַהֶאָרָה וּמִן הַהֶסְתֵּר, כְּפִי מַה שֶּׁרָאוּי שֶׁיִּוָּלֵד בַּמֻּשְׁפָּעִים – וּכְפִי מַה שֶּׁיִּשְׁתָּרֵשׁ בָּהּ; וּכְפִי הַסֵּדֶר שֶׁיְּסֻדַּר וְהַהַדְרָגָה שֶׁיֻּשְׁרְשׁוּ הָעִנְיָנִים בַּהַשְׁפָּעָה, כֵּן תֵּצֵא הַתּוֹלָדָה בְּכָל בְּחִינוֹתֶיהָ וּגְבוּלוֹתֶיהָ. וְזֶה כְּלָל גָּדוֹל לְכָל הַמְּצִיאוּת וְהַמִּקְרִים בְּכָל מָקוֹם שֶׁהֵם.

[ד] כְּשֶׁנַּבִּיט אֶל כְּלַל מַצְּבֵי הָעוֹלָם, מֵאָז הִבָּרְאוֹ, כְּפִי הַמִּקְרִים שֶׁקָּרוּ בוֹ, וּמַה שֶּׁיָּעֲדוּ עֲלֵיהֶם הַנְּבִיאִים, נִמְצָא בַּדָּבָר אַרְבַּע הַדְרָגוֹת, וְנֵחָשֵׁב הַמִּין הָאֱנוֹשִׁי כֻּלּוֹ, כְּאָדָם אֶחָד מֵעֵת הִוָּלְדוֹ עַד עָמְדוֹ עַל פִּרְקוֹ כָּרָאוּי.

וְהִנֵּה נִמְצָא מַצָּב אֶחָד, שֶׁהַסִּכְלוּת וְהַחֹשֶׁךְ גָּבַר בּוֹ תִּגְבֹּרֶת גָּדוֹל, שֶׁנֶּעְדְּרָה מִמֶּנּוּ הַיְדִיעָה הָאֲמִתִּית בַּבּוֹרֵא יִתְבָּרַךְ שְׁמוֹ וּבִשְׁלֵמוּתוֹ הֶעְדֵּר גָּדוֹל, וְהוּא מַה שֶּׁקְּרָאוּהוּ חֲכָמֵינוּ זִכְרוֹנָם לִבְרָכָה שְׁנֵי אֲלָפִים תֹּהוּ. הַמַּצָּב הַשֵּׁנִי הוּא מַצָּב טוֹב מִזֶּה שֶׁזָּכַרְנוּ, וְהוּא כְּמַצָּב זְמַנֵּנוּ זֶה; שֶׁהִנֵּה יֵשׁ לָנוּ – תְּהִלָּה לָאֵל – יְדִיעַת מְצִיאוּתוֹ יִתְבָּרַךְ וּשְׁלֵמוּתוֹ, וְתוֹרַת ד׳ אִתָּנוּ, וּלְפָנָיו

earlier (1:4:10), is the root of the existence of good or evil, wherever they may be found. They both come about as a result of whether God reveals or conceals His light, in a manner decreed by the Highest Wisdom.

The influence of God's illumination thus results in such qualities as advantage (*Ribuy*), clarity (*Zakus*) and value (*Yakar*). The concealment of His Light, on the other hand, brings about disadvantage (*Chisaron*), opaqueness (*Avius*), and worthlessness (*Shiflus*).

The maintenance and direction of all things that exist consists of a highly intertwined combination of all these things. In each individual thing, as well as in what is normally associated with it, there can be elements of both advantage and disadvantage, clarity and opaqueness, value and worthlessness.

The influence transmitted to each thing must therefore be a combination of both the revelation and withholding of God's Light. This twofold influence is appropriately transmitted to each thing, according to the desired result as well as the things rooted in it. It is then channelled through the ordained system, through the levels in which the particular aspects of this influence are rooted. As a result of this entire process, results emerge with all their characteristics and boundaries.

This is the most important general principle regarding all existence, as well as every event, no matter where it happens.

[4] When we look at the world in general, we reach an important conclusion, based on its history since creation as well as on the predictions of the prophets. This is the fact that humanity as a whole can exist in four basic states. In this respect, the history of man is very much like the life of an individual. Like a single person, the entire human race is born and reaches maturity.

The first state was one where ignorance and darkness prevailed among mankind, and true knowledge of God and His perfection were greatly obscured. Our sages call this period the "two thousand years of desolation."[98]

The second state is somewhat better, and it is the one in which we now live. We have knowledge of both the existence and perfection of God, His Torah is available to us, and we can thus serve Him.

אֲנַחְנוּ עוֹבְדִים; אָמְנָם אֵין אוֹת וְאֵין נָבִיא וַחֲסֵרָה הַהַשְׂכָּלָה הָאֲמִתִּית שֶׁהִיא רוּחַ הַקֹּדֶשׁ; כִּי אָמְנָם מַה שֶּׁהָאָדָם מַשְׂכִּיל בְּשִׂכְלוֹ עַל יְדֵי עִסְקוֹ הָאֱנוֹשִׁי, לְגַבֵּי מַה שֶּׁמַּשְׂכִּיל בְּרוּחַ שֶׁכֶּל נִשְׁפָּע, אֵינוֹ אֶלָּא כְּעֵרֶךְ הַגּוּף אֶל הַנְּשָׁמָה. מַצָּב שְׁלִישִׁי טוֹב מִזֶּה, הוּא כְּמַצַּב זְמַן בֵּית הַמִּקְדָּשׁ, שֶׁכְּבָר הָיוּ אוֹתוֹת וּמוֹפְתִים וּנְבוּאָה בְּמִין הָאָדָם, אַךְ לֹא נִמְצָא הַשֶּׁפַע הַזֶּה מִתְפַּשֵּׁט בְּכֻלּוֹ, אֶלָּא בִּיחִידִים, וְגַם לָהֶם בְּקֹשִׁי, כִּי כְּבָר נִמְצָא לַדָּבָר מְנִיעָה וְעִכּוּב. מַצָּב רְבִיעִי טוֹב מִכֻּלָּם, וְהוּא מַה שֶּׁיָּעֲדוּ עָלָיו הַנְּבִיאִים לֶעָתִיד לָבוֹא, שֶׁלֹּא יִמָּצֵא הַסִּכְלוּת כְּלָל, וְרוּחַ הַקֹּדֶשׁ יִהְיֶה שָׁפוּךְ עַל כָּל מִין הָאֱנוֹשִׁי, בְּלֹא קֹשִׁי כְּלָל; וְהִנֵּה אָז יִקָּרֵא – שֶׁנִּגְמַר בִּנְיָנוֹ שֶׁל הַמִּין הָאֱנוֹשִׁי, כִּי מִשָּׁם וָהָלְאָה עִלּוּיִים יִהְיוּ לוֹ, וְעַד נֵצַח נְצָחִים יִתְעַנֵּג.

[ה] בִּבְחִינַת הַהַשְׁפָּעָה הַנַּפְשִׁית שֶׁזָּכַרְנוּ, נִמְצְאוּ עוֹד גְּבוּלִים, בִּבְחִינַת הַזְּמַן וְהַמָּקוֹם, וּשְׁאָר הַתְּנָאִים; כִּי הִנֵּה חָקַק וְסִדֵּר הָאָדוֹן בָּרוּךְ הוּא לִהְיוֹת נִמְצָא וּמִתְגַּלֶּה בְּעִתִּים מִן הָעִתִּים, בִּדְרָכִים יְדוּעִים, זוּלַת מַה שֶּׁיִּתְגַּלֶּה בְּעִתִּים אֲחֵרִים, וְכֵן בִּמְקוֹם, זוּלַת מַה שֶּׁיִּתְגַּלֶּה בְּמָקוֹם אַחֵר, וְכָל זֶה בִּבְחִינוֹת רַבּוֹת וּפְרָטִים, מְשֹׁעָרִים בְּתַכְלִית הַדִּקְדּוּק, כְּפִי הָרָאוּי לְתִקּוּנָן שֶׁל הַבְּרִיּוֹת; וּבָזֶה נִתְלוֹת קְדֻשּׁוֹת הַיָּמִים וְהַמְּקוֹמוֹת הַקְּדוֹשִׁים, שֶׁבָּהֶם יֻשְׁפְּעוּ בְּנֵי הָאָדָם שֶׁפַע יוֹתֵר גָּדוֹל, וִיקַבְּלוּ יוֹתֵר הֶאָרָה, זַכּוּת וּמַעֲלָה, כְּפִי הַהַדְרָגָה הַמְּשֹׁעֶרֶת.

Still, we live in a time when there is neither sign nor prophet, and the true enlightenment of Divine Inspiration (*Ruach HaKodesh*) is lacking. Even though man can gain very much knowledge through his own intellect and human endeavor, this cannot be compared to what he can gain through the spiritual inspiration granted by God. The two are as different as the body and the soul.

The third state is still better, and this is the state that existed while the Holy Temple (*Beis HaMikdash*) stood. During this period, there were wonders and miracles, and prophecy could be found among men. Prophetic inspiration, however, was not granted to all mankind, but only to a few select individuals. Such inspiration was furthermore very difficult even for such persons to attain, for there were things preventing one from attaining it and otherwise holding it back.

The fourth state is the very best, and this is the state that the prophets predicted for the ultimate future.[99] This will be a time when folly will cease to exist completely. Divine Inspiration will be poured out on all mankind, and will be attained without any difficulty whatsoever.[100]

At this time, humanity will be considered to have attained full maturity. From then on, mankind will experience constant elevation, and will delight [in God] for ever and ever.

[5] The influence that God grants to man spiritually is also circumscribed by time, place, and other considerations. God thus decreed and arranged things so that, in certain ways, more should be revealed in some specific times than in others. The same is also true of particular places, where more is revealed in one place than in another.

There are many aspects and details involved in this, all determined with the utmost precision, according to what is most suitable for the rectification of creation as a whole.

The particular sanctity surrounding certain special days as well as holy places is associated with this principle. In all these cases, a greater spiritual influence is extended to man, and he can attain more light, merit and excellence, according to a predetermined degree.

PART 3 חלק

•

בְּנֶפֶשׁ הָאָדָם, בְּרוּחַ הַקֹּדֶשׁ וְהַנְּבוּאָה,
וּבִפְעֻלּוֹת שֶׁלֹּא כְּדֶרֶךְ הַטֶּבַע

•

THE SOUL, INSPIRATION, AND PROPHECY

בְּעִנְיַן הַנֶּפֶשׁ וּפְעֻלּוֹתֶיהָ

[א] הִנֵּה, כְּבָר נִתְבָּאֵר בְּחֵלֶק א, פֶּרֶק ג, עִנְיַן הָאָדָם, שֶׁנִּמְצָא בוֹ מַה שֶּׁלֹּא נִמְצָא בְשׁוּם נִבְרָא אַחֵר, דְּהַיְנוּ הַהַרְכָּבָה – שֶׁנִּרְכְּבוּ בוֹ שְׁנֵי מְצִיאֻיּוֹת רְחוֹקִים וְנִבְדָּלִים זֶה מִזֶּה, הַגּוּף וְהַנְּשָׁמָה. וְזֶה, כִּי הִנֵּה יֵשׁ בָּאָדָם מְצִיאוּת נֶפֶשׁ כְּמוֹ שֶׁיֵּשׁ לְכָל בַּעֲלֵי הַחַיִּים, מְשַׁמֶּשֶׁת לְהַרְגָּשָׁה וְהַשְׂכָּלָה הַחֲקוּקָה בְטִבְעוֹ.

וְעִנְיַן הַנֶּפֶשׁ הַזֹּאת בְּכָל בַּעֲלֵי הַחַיִּים הוּא מְצִיאוּת אֶחָד דַּק מְאֹד, נִמְשָׁךְ וּבָא בְתוֹךְ הַזֶּרַע אַחֲרֵי הִקָּלְטוֹ, וְהוּא עַצְמוֹ מִתְפַּשֵּׁט וְהוֹלֵךְ, וּבוֹנֶה אֶת הַגּוּף כְּפִי מַה שֶּׁרָאוּי לַמִּין הַהוּא, וְכֵן מִתְפַּשֵּׁט בְּהִתְגַּדְּלוֹ, וּבוֹ תָּלוּי הַהֶרְגֵּשׁ, וְכֵן הַהַשְׂכָּלָה הָרְאוּיָה לַמִּין הַהוּא; כִּי בְּבַעֲלֵי הַחַיִּים עַצְמָם יֵשׁ הֶפְרֵשׁ גָּדוֹל בְּהַשְׂכָּלָתָם, וְהַשְׂכָּלַת בְּנֵי הָאָדָם נִבְדֶּלֶת מֵהַשְׂכָּלַת כֻּלָּם הֶבְדֵּל גָּדוֹל; וְאוּלָם, כָּל זֶה נַעֲשֶׂה בַּנֶּפֶשׁ הַזֹּאת, כְּפִי חֻקָּהּ הַטִּבְעִי, וּכְפִי הֲכָנַת הַכֵּלִים הַמְשַׁמְּשִׁים לָהּ, בְּכָל מִין וָמִין לְפִי מַה שֶּׁהוּא. וְהִנֵּה, בְּנֶפֶשׁ הָאָדָם יְבָחֲנוּ בְחִינוֹת וְכֹחוֹת, כְּגוֹן: הַדִּמְיוֹן, וְהַזִּכָּרוֹן, הַשֵּׂכֶל, וְהָרָצוֹן, כֻּלָּם כֹּחוֹת בַּנֶּפֶשׁ, מֻגְבָּלִים בִּגְבוּלִים יְדוּעִים, וּפוֹעֲלִים בִּדְרָכִים מְיֻחָדִים.

III CHAPTER 1

The Soul and its Influence

[1] As we have already discussed (1:3:2), there is one way in which man is different from anything else that was created. He is a combination of two different, diverse elements, namely, the body and the soul.

[When we speak of man's soul, however, we are actually speaking of two different things.] One type of soul that man has is the same as that which exists in all living creatures. It is this [animal] soul that is responsible for man's natural feelings and intelligence.[1]

This type of soul also exists in all living creatures and is a very ethereal entity. It is transmitted through the genetic material at the time of conception, and then continually spreads, constructing a body appropriate for each particular species. As the creature matures, it continues to grow, and it is responsible for the existence of its senses, as well as the intelligence appropriate for the particular species. As a result of this, the intelligence of different animal species can vary very greatly. The intellect of man, however, is very different from that of animals.

All this is a result of the [animal] soul, following its natural character, as well as the readiness of the instruments that serve it. These in turn vary with each individual species.

In man's [animal] soul, certain attributes and faculties can also be distinguished. These include his imagination, memory, intelligence and will. All of these are faculties contained in this [animal] soul, each one having its own particular domain and unique function.[2]

[ב] אָמְנָם מִלְּבַד כָּל זֶה, נִמְצָא עוֹד בָּאָדָם מְצִיאוּת נַפְשִׁי נִבְדָּל וְעֶלְיוֹן מְאֹד, וְאֵין הַתַּכְלִית בְּבִיאָתוֹ בָּאָדָם, אֶלָּא לְקָשְׁרוֹ בַּשָּׁרָשִׁים הָעֶלְיוֹנִים, שֶׁיֵּשׁ לוֹ לְקֶשֶׁר בָּם – לִהְיוֹת מַעֲשָׂיו מוֹלִידִים תּוֹלְדוֹתָם בַּכֹּחוֹת הָעֶלְיוֹנִים בְּכֹחַ גָּדוֹל. וּבַמְּצִיאוּת הַזֶּה נִמְשָׁךְ הַשֶּׁפַע הַנִּשְׁפָּע אֶל הָאָדָם, מִן הַמְּקוֹרוֹת הָעֶלְיוֹנִים, וּמִמֶּנּוּ בַּנֶּפֶשׁ שֶׁזָּכַרְנוּ, וּמִמֶּנָּה בַּגּוּף; וְהַנֶּפֶשׁ הָעֶלְיוֹנָה מַנְהֶגֶת אֶת הַתַּחְתּוֹנָה, וּפוֹעֶלֶת בָּהּ הַפְּעֻלּוֹת הַמִּצְטָרְכוֹת, בְּכָל זְמַן מִזְּמַנֵּי הָאָדָם, לְפִי הַיַּחַס שֶׁהוּא מִתְיַחֵס וְהַקֶּשֶׁר שֶׁהוּא מִתְקַשֵּׁר עִם הָעֶלְיוֹנִים. וְהִנֵּה הַנֶּפֶשׁ הַזֹּאת מִתְקַשֶּׁרֶת בַּתַּחְתּוֹנָה, וְהַתַּחְתּוֹנָה – בַּחֵלֶק הַיּוֹתֵר דַּק שֶׁבַּדָּם, וְנִמְצְאוּ הַגּוּף וּשְׁתֵּי הַנְּשָׁמוֹת מִתְקַשְּׁרִים זֶה עִם זֶה.

[ג] וְהִנֵּה מִפְּנֵי הַקֶּשֶׁר הַזֶּה, שֶׁנִּקְשֶׁרֶת נֶפֶשׁ זֹאת בַּגּוּף עַל יְדֵי הַנֶּפֶשׁ הַתַּחְתּוֹנָה, נִמְצֵאת מֻגְבֶּלֶת בִּגְבוּלוֹת פְּרָטִיִּים, וְנִמְנָע מִמֶּנָּה הַהִשְׁתַּתְּפוּת וְהָעֵסֶק עִם הַנִּמְצָאִים הָרוּחָנִיִּים וְנִבְדָּלִים, כָּל זְמַן הֱיוֹתָהּ מִתְקַשֶּׁרֶת עִם הַגּוּף, דְּהַיְנוּ כָּל יְמֵי חַיֵּי הָאָדָם; וּמִתְפַּעֶלֶת מִמַּעֲשֵׂי הַגּוּף לְהִתְקַשֵּׁר עַל יָדָם בְּאוֹר הַבּוֹרֵא יִתְבָּרַךְ שְׁמוֹ, אוֹ לִנְטוֹת מִמֶּנּוּ וְלִדָּבֵק בְּכֹחוֹת הַטֻּמְאָה, וּבָזֶה תָּלוּי הַכַּוָּנָה לַשְּׁלֵמוּת הַמְעֻתָּד אוֹ הִתְרַחֲקָהּ מִמֶּנּוּ; וְהִיא פּוֹעֶלֶת בָּאָדָם, וּמַנְהֶגֶת אֶת הַנֶּפֶשׁ הַתַּחְתּוֹנָה, וּמַדְרִיכָתָהּ, וְחוֹקֶקֶת בָּהּ צִיּוּרֵי הַהַשְׂכָּלָה לְפִי הֲכָנָתָהּ, וּמוֹלֶדֶת בָּהּ הַמַּחֲשָׁבוֹת וְהָרָצוֹן כְּפִי הַצַּד אֲשֶׁר תִּטֶּה לוֹ.

[ד] וְאָמְנָם, אַף עַל פִּי שֶׁקְּרָאנוּהָ עַל דֶּרֶךְ כְּלָל נֶפֶשׁ אַחַת, הִנֵּה בֶּאֱמֶת הִיא בַּעֲלַת חֲלָקִים רַבִּים וּמַדְרֵגוֹת שׁוֹנוֹת, וּכְבָר נוּכַל לוֹמַר, שֶׁנְּפָשׁוֹת רַבּוֹת הֵן שֶׁמִּתְקַשְּׁרוֹת זוֹ בְזוֹ כְּטַבְּעוֹת

[2] Besides this, however, there exists in man a spiritual entity that is very different and much higher than this [animal] soul. [This is man's divine soul.]

The only reason that this entity becomes part of man is to bind him to the highest Roots. It links him to those Roots to which he should be bound, so that his deeds should be able to exert a strong effect on the highest Forces.

It is through this spiritual entity that the influence bestowed upon man from the highest Sources is transmitted. From the divine soul, this influence is then transmitted through the animal soul to the body.

The divine soul directs the lower animal soul, and through it, performs its necessary functions. This influence exists throughout all the periods of man's existence, varying with his relationship and link with the highest Forces.

The divine soul is bound to the animal soul, which in turn is linked to the most ethereal element of the blood.[3] In this manner, the body and the two souls are all bound together.

[3] The divine soul is also circumscribed by various limitations as a result of the fact that it is bound to the body through the animal soul. While it is bound to the body during man's lifetime, the soul is therefore prevented from associating and functioning together with the spiritual and transcendental entities.

During this period, the soul is also affected by the actions of the body. As a result of these deeds, the soul can be either bound to God's Light or turned away from Him and bound to the Forces of corruption. Upon this will depends the soul's readiness for the ultimate perfection, or, on the other hand, its being deprived of it.

The divine soul also functions in man and directs his animal soul. It guides this lower soul, forming mental images in it according to its readiness. It also initiates thoughts and desires, according to the direction towards which it inclines.

[4] Even though this divine soul is often referred to as a single entity, it actually consists of a number of parts on different levels. We can therefore say that there are actually a number of souls,

הַשַּׁלְשֶׁלֶת, וּכְמוֹ שֶׁמִּכֻּלָּן נִבְנֵית הַשַּׁלְשֶׁלֶת הַהִיא כְּמוֹ שֶׁרָאוּי לָהּ, כֵּן מִכָּל אֵלֶּה הַמַּדְרֵגוֹת הַנַּפְשִׁיּוֹת נִבְנֶה כְּלַל הַנֶּפֶשׁ הָעֶלְיוֹנָה שֶׁזָּכַרְנוּ, וְכֻלָּם קְשׁוּרוֹת זוֹ בָּזוֹ, וְהָאַחֲרוֹנָה – בַּנֶּפֶשׁ הַתַּחְתּוֹנָה, וְהַתַּחְתּוֹנָה – בַּדָּם, וּכְמוֹ שֶׁזָּכַרְנוּ.

וּכְבָר אֶפְשָׁר שֶׁיִּסְתַּלְּקוּ קְצָת מִן הַחֲלָקִים הָאֵלֶּה בִּזְמַן מִן הַזְּמַנִּים, וְיָשׁוּבוּ אַחַר כָּךְ, אוֹ יִתּוֹסְפוּ עֲלֵיהֶם מַדְרֵגוֹת, וְיֵלְכוּ לָהֶם אַחֲרֵי כֵן, וְלֹא יֵרָאֶה רֹשֶׁם מִכָּל זֶה בַּגּוּף כְּלָל, כִּי כְבָר אֵין פְּעֻלַּת הַנְּפָשׁוֹת הָאֵלֶּה בַּגּוּף דָּבָר מֻרְגָּשׁ, וְאֵינָם מוֹסִיפִים אוֹ גּוֹרְעִים לֹא בְחִיּוּת וְלֹא בְהֶרְגֵּשׁ, אֶלָּא פְּעֻלָּתָם – בְּמַה שֶּׁהוּא עִנְיָנוֹ שֶׁל הָאָדָם בַּאֲמִתּוֹ, וְיַחֲסוֹ עִם הַשָּׁרָשִׁים הָעֶלְיוֹנִים, כְּפִי מַה שֶּׁהוּא רָאוּי לְקָשֵׁר בָּם. וְהִנֵּה מִכְּלָל זֶה, הוּא עִנְיַן הַנְּשָׁמָה יְתֵרָה שֶׁבָּאָה בְּשַׁבַּת קֹדֶשׁ וְהוֹלֶכֶת לָהּ בְּמוֹצָאֵי שַׁבָּת, וְאֵין בִּיאָתָהּ וְלֹא יְצִיאָתָהּ נִרְגָּשִׁים לַגּוּף.

וְהִנֵּה, כְּלַל חֶלְקֵי הַנְּשָׁמָה – מִתְחַלֵּק לַחֲמִשָּׁה, וְנִקְרָאִים: נֶפֶשׁ, רוּחַ, נְשָׁמָה, חַיָּה, יְחִידָה.

[ה] וְאָמְנָם, יֵשׁ לַנְּשָׁמָה הָעֶלְיוֹנָה הַזֹּאת מִקְרִים רְאוּיִים לָהּ כְּפִי עִנְיָנָהּ; וְאַף עַל פִּי שֶׁהִיא נִקְשֶׁרֶת בְּקִשּׁוּרֶיהָ בַּגּוּף כְּמוֹ שֶׁזָּכַרְנוּ, נִשְׁאַר לָהּ קְצָת עִנְיָן עִם הָרוּחָנִים, מַה שֶּׁאֵין קְשׁוּרָהּ בַּגּוּף מוֹנֵעַ מִמֶּנָּה; אָמְנָם, אֵין נִמְשָׁךְ וְנוֹלָד מִזֶּה דָּבָר מֻרְגָּשׁ וְנִכָּר בְּשֵׂכֶל הָאָדָם וּמַחְשַׁבְתּוֹ – אֶלָּא לִפְעָמִים עַל צַד הַמִּעוּט; וְהוּא מַה שֶּׁאָמְרוּ חֲכָמֵינוּ זִכְרוֹנָם לִבְרָכָה: "אַף עַל גַּב דְּאִיהוּ לָא חָזֵי מַזָּלֵיהּ חָזֵי" (מגלה ג), שֶׁכְּבָר הִגִּיעַ הָעִנְיָן לַנֶּפֶשׁ הַזֹּאת הָעֶלְיוֹנָה, וְלֹא הִגִּיעַ מִמֶּנָּה אֶל הַמַּחְשָׁבָה וְהַשֵּׂכֶל צִיּוּר שָׁלֵם, אֶלָּא קְצָת הִתְעוֹרְרוּת וְלֹא יוֹתֵר.

[ו] וְאוּלָם, רָאֲתָה הַחָכְמָה הָעֶלְיוֹנָה לְחַלֵּק הַזְּמַן לִשְׁנֵי חֲלָקִים: אֶחָד לְפֹעַל הַבְּרִיּוֹת, וְאֶחָד לִמְנוּחָתָם, וְהַיְנוּ – הַיּוֹם

bound together like links in a chain. Just as all these links comprise a single chain, so do all these levels of the soul constitute a single entity, which is called the divine soul. Each of these levels is bound to the one below it, until the lowest one is bound to the animal soul, which in turn is linked to the blood, as mentioned above.

It is possible for some of these parts of the soul to remove themselves at various times and later return. It is also possible that levels add themselves to a person's soul and then leave.[4] All this can happen with absolutely no visible effect on the body. These [higher] souls do not have any detectable influence on the body, and do not add to or subtract from man's vitality or sensations. The only function of these [higher] souls is with respect to man's true essence and appropriate association with the highest Roots.

This concept also includes the Additional Soul that arrives on the Sabbath and leaves when the Sabbath ends. Its coming and going are also not detectable in the body.[5]

The soul is thus divided into five parts. They are the *Nefesh* (Soul), *Ruach* (Spirit), *Neshamah* (Breath), *Chayah* (Living Essence) and *Yechidah* (Unique Essence).[6]

[5]   The divine soul [on the level of *Neshamah*] also has experiences relating to its nature. Even though it is bound to the body, it still has some access to the spiritual which is not precluded by its association with the body.

The spiritual associations of the soul (*Neshamah*), however, only has the barest minimal effect on the human mind and its thoughts. Our sages thus teach us, "Even though a person does not see [something], his Destiny (*Mazal*) sees it."[7] What this means is that this person's divine soul has access to certain information, but a complete picture is not transmitted to the thoughts and intellect. The individual therefore experiences no more than the slightest impression.

[6]   The Highest Wisdom deemed it appropriate to divide the day into two parts, one for activity and the other for rest. The daily

וְהַלַּיְלָה, כִּי הַיּוֹם הוּא זְמַן הַמַּעֲשֶׂה, וְהַלַּיְלָה זְמַן הַמְּנוּחָה, וְשָׂם בְּטֶבַע בַּעֲלֵי הַחַיִּים שֶׁיִּישְׁנוּ כְּדֵי שֶׁתְּהֵא לָהֶם וּלְרוּחוֹתֵיהֶם מְנוּחָה מְעֻמָּלָם, וּבְאוֹתוֹ הַזְּמַן יַחֲלִיף מְצִיאוּתָם כֹּחַ, בְּכָל חֲלָקָיו הַגּוּפָנִים וְהַנַּפְשִׁיִּים, וְיָשׁוּבוּ חֲדָשִׁים לַבְּקָרִים לַעֲבוֹדָתָם, כְּבָרִאשׁוֹנָה.

וְהִנֵּה, בִּהְיוֹת הָאָדָם יָשֵׁן, כֹּחוֹתָיו נָחוֹת, וְהַרְגָּשׁוֹתָיו שְׁקֵטוֹת, וְהַשְׂכָּלָתוֹ גַּם כֵּן נָחָה וְשׁוֹקֶטֶת, וְרַק הַדִּמְיוֹן לְבַדּוֹ יִפְעַל וְיֵלֵךְ, וִידַמֶּה וִיצַיֵּר עִנְיָנִים, כְּפִי מַה שֶּׁיִּזְדַּמְּנוּ לוֹ, מִשְּׁאֵרִית מַה שֶּׁנִּצְטַיֵּר בּוֹ בְּעֵת הַיְקִיצָה, וּמַה שֶּׁיַּגִּיעַ אֵלָיו מִן הָאֵדִים וְהָעֲשָׁנִים הָעוֹלִים אֶל הַמֹּחַ, אִם מִן הַלֵּחוֹת הַטִּבְעִיּוֹת, וְאִם מִן הַמַּאֲכָלִים, וְזֶה עִנְיַן הַחֲלוֹמוֹת אֲשֶׁר לְכָל בְּנֵי הָאָדָם.

וְאָמְנָם, חָקַק הַבּוֹרֵא יִתְבָּרַךְ שְׁמוֹ עוֹד, שֶׁהַנֶּפֶשׁ הָעֶלְיוֹנָה שֶׁזָּכַרְנוּ, תִּנָּתֵק קְצָת בְּאוֹתוֹ הַזְּמַן מִקְּשׁוּרֶיהָ הַגּוּפָנִיִּים, וַחֲלָקִים מִמֶּנָּה – דְּהַיְנוּ עַד הָרוּחַ – יִהְיוּ מִתְעַלִּים וּמִתְנַתְּקִים מִן הַגּוּף, וְרַק חֵלֶק אֶחָד שֶׁהוּא הַנֶּפֶשׁ, יִהְיֶה נִשְׁאָר עִם הַנֶּפֶשׁ הַתַּחְתּוֹנָה; וְהִנֵּה הַחֲלָקִים הַמִּתְנַתְּקִים יְשׁוֹטְטוּ בְּמַה שֶּׁהֻנַּח לָהֶם, וִיהְיֶה לָהֶם עֵסֶק וְעִנְיָן עִם הָרוּחָנִים, עִם הַפְּקִידִים פְּקִידֵי הַטֶּבַע, אוֹ עִם מַלְאָכִים מַלְאֲכֵי הַקַּבָּלָה, אוֹ עִם הַשֵּׁדִים, כְּפִי מַה שֶּׁיִּזְדַּמֵּן לָהּ לְפִי סִבָּה מֵהַסִּבּוֹת; וְלִפְעָמִים תִּמְשֹׁךְ הָעִנְיָן מַה שֶּׁהִשִּׂיגָה, בְּהִשְׁתַּלְשְׁלוּת עַד הַנֶּפֶשׁ הַתַּחְתּוֹנָה, וְיִתְעוֹרֵר מִזֶּה הַדִּמְיוֹן, וִיצַיֵּר צִיּוּרִים כְּפִי דְּרָכָיו, וּכְבָר אֶפְשָׁר שֶׁהָעִנְיָן שֶׁהִשִּׂיגָה יִהְיֶה אֲמִתִּי אוֹ כוֹזֵב, כְּפִי הָאֶמְצָעִי שֶׁעַל יָדוֹ הִשִּׂיגַתְהוּ, וְזֶה הָעִנְיָן עַצְמוֹ יִמָּשֵׁךְ עַד הַדִּמְיוֹן וְיִצְטַיֵּר בִּדְרָכָיו, לִפְעָמִים בְּבִלְבּוּל גָּדוֹל וּבְתַעֲרֹבֶת רַב, מִן הַצִּיּוּרִים הַנִּפְסָדִים הַנִּמְשָׁכִים מִן הָאֵדִים, וְלִפְעָמִים, בְּיוֹתֵר בֵּרוּר.

וּכְבָר תַּגִּיעַ לָאָדָם הוֹדָעָה וְגִלּוּי אֹזֶן, עַל יְדֵי אֶמְצָעִי הַזֶּה,

cycle is thus divided into day and night, day being the time of activity, and night, the time of rest.

God also gave living creatures a nature causing them to sleep, so that both they and their spirits should rest from their normal activity. At that time, their strength is renewed both physically and spiritually, and they awake in the morning, again ready for their daily tasks.[8]

When man sleeps, his faculties rest, his senses are quiet, and his mind is relaxed and hushed. The only thing that continues to function is his imagination, and this conceives and envisions various images. Some of these images arise from the individual's experiences while awake.[9] Others may be the result of substances that rise to the brain, either from the body's own hormones, or from the food that one eats. These images are the dreams that all people experience.

God also decreed that the bond between the body and the divine soul should be somewhat loosened while man sleeps. The portions of the soul from *Ruach* (Spirit) and above then rise and sever themselves from the body. Only one portion, the *Nefesh* (Soul), remains with the lower [animal] soul.[10]

The freed portions of the soul can then move about in the spiritual realm wherever they are allowed. They can interact and associate with such spiritual beings as the angels who oversee natural phenomena, the angels associated with prophecy,[11] and *Shedim* (demons).[12] Whatever they experience will depend on a variety of factors.

When these higher levels of the soul perceive something, they can sometimes transmit it, step by step, until it reaches the animal soul. The imagination is then stimulated and forms images in its normal manner. [A person can then see this as a dream.]

The things perceived by the higher soul, however, may be true or false, depending on the means through which they are experienced. The concept itself is then transmitted to the imagination and depicted in a normal fashion [as in any other dream]. Sometimes this information is greatly confused and intermingled with distorted images arising from the various substances that enter the brain, while at other times the information is received very clearly.

A person can sometimes receive information and knowledge

מִמָּה שֶׁעָתִיד לָבוֹא עָלָיו; וְיִקְרֶה זֶה בִּגְזֵרָתוֹ יִתְבָּרַךְ שְׁמוֹ, שֶׁיִּוָּדַע הַדָּבָר לַנְּשָׁמָה, עַל יְדֵי אֶחָד מִן הַמְשָׁרְתִים מֵאֵיזֶה מִין שֶׁיִּהְיֶה, וְיִמָּשֵׁךְ הַדָּבָר עַד הַנֶּפֶשׁ, וְיִצְטַיֵּר בַּדִּמְיוֹן, בִּסְתוּם אוֹ בְּבֵרוּר, כְּפִי מַה שֶּׁתִּגְזֹר הַחָכְמָה הָעֶלְיוֹנָה; וְעַל דָּבָר זֶה נֶאֱמַר: ״בַּחֲלוֹם חֶזְיוֹן לַיְלָה ... אָז יִגְלֶה אֹזֶן אֲנָשִׁים״ (איוב לג).

נִמְצָא כְּלַל הַחֲלוֹמוֹת – צִיּוּרֵי הַדִּמְיוֹן, מִצַּד עַצְמוֹ, אוֹ מִצַּד מַה שֶּׁתְּעוֹרְרֵהוּ הַנְּשָׁמָה לְפִי מַה שֶּׁתַּשִּׂיג. וְאוּלָם אֵין הַפּוֹעֵל בְּכָל אֵלֶּה, אֶלָּא אֶחָד מִן הַכֹּחוֹת הָרוּחָנִים, שֶׁמּוֹדִיעַ לַנְּשָׁמָה, וְהַנְּשָׁמָה מַמְשֶׁכֶת עַד הַדִּמְיוֹן, כְּמוֹ שֶׁכָּתַבְנוּ; וְאִם הַכֹּחַ הַהוּא מִמְשָׁרְתֵי הַקֹּדֶשׁ, יִהְיֶה הַדָּבָר אֱמֶת, וְאִם מִכֹּחוֹת הַהֵפֶךְ, יִהְיֶה הַדָּבָר כּוֹזֵב; וְהוּא מַה שֶּׁאָמְרוּ חֲכָמֵינוּ זִכְרוֹנָם לִבְרָכָה: ״כָּאן עַל יְדֵי מַלְאָךְ כָּאן עַל יְדֵי שֵׁד״ (ברכות נ״ה); וּבְכֻלָּם יֵשׁ תַּעֲרוֹבוֹת שֶׁל הַצִּיּוּרִים הַנִּפְסָדִים שֶׁל הַדִּמְיוֹן עַצְמוֹ, וְהוּא מַה שֶּׁאָמְרוּ חֲכָמֵינוּ זִכְרוֹנָם לִבְרָכָה: ״אִי אֶפְשָׁר לַחֲלוֹם בְּלִי דְּבָרִים בְּטֵלִים״ (שם). אַךְ עוֹד חֲלוֹמוֹת אֲחֵרִים נִמְצָאִים, וְהֵם חֲלוֹמוֹת הַנְּבוּאָה, וּנְבָאֵר עִנְיָנָם בִּפְנֵי עַצְמָם, בְּסִיַּעְתָּא דִשְׁמַיָּא.

about his future in this manner. This occurs as a result of God's decree. The information is then revealed to the Soul (*Neshamah*) by one of God's servants, of whatever type it may be. It is then transmitted down to the *Nefesh* (soul) and visualized by the imagination, either clearly or obscurely, as decreed by the Highest Wisdom. Regarding such dreams, the Bible says (*Job* 33:15, 16), "In a dream, in a vision of the night . . . [God] opens the ears of man."[13]

Dreams in general can therefore arise either from the imagination itself or as a result of the stimulation of the Soul (*Neshamah*) according to what it perceives. In the latter case, the initiating agent is always one of the spiritual Forces which make something known to the Soul (*Neshamah*). The Soul then transmits this to the imagination, in the manner described above.[14]

If that spiritual Force is one of God's holy servants, then the information that the soul receives will be true. If it comes from the opposing Forces, on the other hand, then it will be false. Our sages thus teach us that a true dream originates through an angel, while a false one originates through a *Shed* (demon).[15]

All dreams, however, are intermingled with the distorted images originating in the imagination itself. Our sages thus teach us, "It is impossible to have a dream that does not contain worthless information."[16]

There is an entirely different category of dreams, however, which involve true prophecy. These will be discussed in a separate section.

ג פרק שני

בְּעִנְיַן הַפְּעֻלָּה בְּשֵׁמוֹת וּבְכִשּׁוּף

[א] כְּבָר בֵּאַרְנוּ בַּחֲלָקִים שֶׁקָּדְמוּ, שֶׁתְּחִלַּת כָּל הַנִּבְרָאִים הוּא כְּלָל כֹּחוֹת נִבְדָּלִים, מְסֻדָּרִים בְּסֵדֶר חָכְמָה בְּמַחְלָקוֹת יְדוּעוֹת, וּמֵהֶם מִשְׁתַּלְשְׁלִים בְּהַדְרָגָה הַגַּשְׁמִיִּים לְמִינֵיהֶם. עוֹד בֵּאַרְנוּ עִנְיַן כֹּחוֹת הָרָע, שֶׁמֵּהֶם מִשְׁתַּלְשְׁלִים הָרָעוֹת כֻּלָּם בַּגַּשְׁמִיִּים. עוֹד בֵּאַרְנוּ, שֶׁעִקַּר אֲמִתַּת הַמְּצִיאוּת הַנִּבְרָא הוּא מַה שֶּׁבַּשָּׁרָשִׁים הַנִּבְדָּלִים; וּמַה שֶּׁבַּגַּשְׁמִיִּים הוּא הֶמְשֵׁךְ לְבַד, מִמַּה שֶּׁנִּשְׁתָּרֵשׁ וְנִתְיַסֵּד שָׁם; וְאוּלָם שָׁם נִסְדַּר לְהִתְפַּשֵּׁט מַה שֶּׁהָיָה רָאוּי לְהִתְפַּשֵּׁט לְפִי אֲמִתַּת מְצִיאוּת הַנִּמְצָאִים וְעִנְיָנָם, מַה שֶּׁרָאוּי לִהְיוֹת בַּשָּׁרָשִׁים וּמַה שֶּׁרָאוּי לִהְיוֹת בָּעֲנָפִים; וְהַחָכְמָה הָעֶלְיוֹנָה הַמְּשִׁיכָה אֶת הַדְּבָרִים בַּהִשְׁתַּלְשְׁלוּת שֶׁהִמְשִׁיכָה, וְהֶעְתִּיקָה עִנְיָנָם מִצּוּרָה לְצוּרָה, עַד שֶׁנִּתְקַשְּׁרוּ וְנִגְבְּלוּ בַּצּוּרָה הַגַּשְׁמִית הַזֹּאת; וְעַל הַגְּשָׁמִים כֻּלָּם עוֹמֵד שַׁלְשֶׁלֶת הַשָּׁרָשִׁים שֶׁלָּהֶם גָּבֹהַּ מֵעַל גָּבֹהַּ עַד הַכֹּחוֹת הָרִאשׁוֹנִים, וְכָל אֶחָד עוֹמֵד בְּמַעֲמָדוֹ וּמִתְקַיֵּם בְּמַדְרֵגָתוֹ וּגְבוּלָיו, כְּמוֹ שֶׁהִטְבִּיעַ לוֹ הַבּוֹרֵא יִתְבָּרַךְ שְׁמוֹ וְאֵינוֹ יוֹצֵא מֵהֶם, וְהַשָּׁרָשִׁים כֻּלָּם מַשְׁפִּיעִים לַעֲנְפֵיהֶם, כְּפִי הַהִשְׁתַּלְשְׁלוּת, מִבְּלִי שֶׁיּוֹצִיאוּם מִגְּבוּלָם הַטִּבְעִי כְּלָל.

[ב] וְאָמְנָם, גָּזְרָה הַחָכְמָה הָעֶלְיוֹנָה, שֶׁיִּהְיֶה עוֹד לַכֹּחוֹת

III CHAPTER 2

Theurgy

[1] In previous sections, we have discussed how all created things originate in the transcendental Forces.[17] These Forces are arranged in a logical system with various divisions, from which the different categories of physical phenomena are derived.

We have likewise discussed the evil Forces, from which all the evils in the physical world originate.[18]

We have furthermore explained how the primary essence of every physical thing is that which exists in its transcendental Roots.[19] That which exists on the physical plane is merely a reflection of what is originated and composed on this higher level.

On this level, it was also arranged to permit those elements which are appropriate to the nature of existence and its various aspects to propagate with respect to what should be in the Roots as well as in the branches. The Highest Wisdom then conveys these elements through a sequence that transmits and reflects their essence from one form to another, until they are bound and delineated by their physical form.

There therefore exists over each physical thing a chain of Roots, one above the other, reaching up to the original Forces. Each of these remains in its proper position, permanently sustaining itself in the level and domain ordained by the Creator. All the Roots influence their branches [in the physical world] according to this sequence, without ever exceeding their natural limitations.

[2] The Highest Wisdom decreed, however, that these Forces

הַפּוֹעֲלִים בַּגְּשָׁמִים, מְצִיאוּת פְּעֻלָּה, שֶׁלֹּא כְּסֵדֶר הַהִשְׁתַּלְשְׁלוּת, דְּהַיְנוּ שֶׁיִּפְעֲלוּ הֵם עַצְמָם בַּגַּשְׁמִיּוּת, פְּעֻלּוֹת מִתְיַחֲסוֹת לְחֻקָּם, וְלֹא לְחֹק הַגַּשְׁמִיּוּת, וְהֵם פְּעֻלּוֹת יְשַׁתְּנוּ בָם הַגַּשְׁמִיִּים מִטִּבְעָם הַתְּמִידִי.

וְהִנֵּה נִתַּן לָאָדָם יְכֹלֶת שֶׁיִּשְׁתַּמֵּשׁ מִן הַנִּמְצָאוֹת עַל הַדֶּרֶךְ הַזֶּה, כְּמוֹ שֶׁנִּתַּן לוֹ יְכֹלֶת לְהִשְׁתַּמֵּשׁ מֵהֶם עַל הַדֶּרֶךְ הַטִּבְעִי, וּבְאוֹתוֹ הָעִנְיָן עַצְמוֹ שֶׁנִּתַּן לוֹ הַהִשְׁתַּמֵּשׁ בַּטִּבְעִי, פֵּרוּשׁ – כִּי כְּמוֹ שֶׁאֵין הַהִשְׁתַּמֵּשׁ בַּטִּבְעִי מֻחְלָט כִּרְצוֹנוֹ, כִּי אוּלָם לֹא יוּכַל לְהִשְׁתַּמֵּשׁ בּוֹ אֶלָּא בִדְרָכִים יְדוּעִים, וּבִגְבוּלִים מְיֻחָדִים, כִּי הִנֵּה לֹא יוּכַל לַחְתֹּךְ אֶלָּא בְסַכִּין וְכַיּוֹצֵא בוֹ, וְלֹא יוּכַל לַעֲלוֹת אֶלָּא עַל יְדֵי סֻלָּם, וְלֹא יוּכַל לִדְחֹק אֶלָּא הַדְּבָרִים הָרַכִּים, וְכָל כַּיּוֹצֵא בָזֶה, כֵּן הַשִּׁמּוּשׁ הָרוּחָנִי לֹא נִתַּן לוֹ אֶלָּא בִגְבוּלִים יְדוּעִים וּבִדְרָכִים מְיֻחָדִים, כְּפִי מַה שֶּׁרָאֲתָה הַחָכְמָה הָעֶלְיוֹנָה הֱיוֹתוֹ נָאוֹת.

[ג] וּמִכְּלַל הָעִנְיָן הַזֶּה עוֹד, כִּי הִנֵּה כְּבָר בֵּאַרְנוּ, הֱיוֹת הָאָדָם הַרְכָּבָה שֶׁל שְׁנֵי הֲפָכִים, גּוּף וּנְשָׁמָה, וְהִנֵּה נִגְבְּלָה בוֹ הַנְּשָׁמָה וְנִקְשְׁרָה בְּחֻקִּים שֶׁנִּקְשְׁרָה, כְּפִי מַה שֶּׁגָּזַר עָלֶיהָ חָכְמָתוֹ יִתְבָּרַךְ שְׁמוֹ, וְנִמְצָא הָאָדָם מֻגְבָּל בְּמַצָּבוֹ הַגּוּפָנִי בְּחֻקּוֹת הַגּוּף וּמִשְׁפְּטֵי הַחֹמֶר, וְנִשְׁמָתוֹ קְשׁוּרָה בַּעֲבוֹתוֹת אֵלֶּה לֹא תֵצֵא מֵהֶם. וְאוּלָם רָצָה הָאָדוֹן בָּרוּךְ הוּא שֶׁיִּהְיֶה דֶּרֶךְ לָאָדָם שֶׁיּוּכַל לְהִתְפַּתֵּחַ בְּמִקְצָת מִקִּשּׁוּרֵי הַגּוּפָנִיּוּת הַזֶּה וְשַׁלְשְׁלָאוֹתָיו, וְיַגִּיעוּ לוֹ עִנְיָנִים שֶׁלֹּא כְמִשְׁפַּט הַגּוּפָנִיּוּת, אֶלָּא כְּמִשְׁפַּט הָרוּחָנִיּוּת, וְעַל יְדֵי זֶה תַּגִּיעַ לוֹ הַשְׂכָּלָה וְהַשָּׂגָה בָרוּחָנִיִּים וְעִנְיְנֵיהֶם, מַה שֶּׁהָיָה נֶעְדָּר מִמֶּנּוּ לְפִי מַצָּבוֹ הַגַּשְׁמִי וּגְבוּלָיו, וְכֵן תַּעֲלֶה בְיָדוֹ יוֹתֵר, הַעֲמָדַת

should be able to act upon the physical world in another manner, independent of the order of this sequence. They can thus act independently upon the physical, in a manner that conforms to their own innate laws, rather than the physical laws of nature. It is through this mode of action that the normal laws of nature can be suspended and altered on the physical plane. [This is the area of the theurgical.]

God gave man the ability to manipulate creation in this [theurgic] manner, just as He gave him the power to do so in a natural fashion. The two are also the same insofar as man cannot use either the natural or the theurgic to do anything that he wishes, but is restricted by the particular limitations of both processes.

The manner in which man manipulates things in a natural manner is thus limited by the laws of nature and the properties of matter. Thus, for example, if one wants to cut something, he must use [a sharp instrument such as] a knife. If he wishes to climb, he must use [something like] a ladder. He can only squeeze something if it is compressible. This is true of all man's manipulation of things in a natural manner.

The same is also true of man's manipulation of things in a theurgic, spiritual manner. He can only do so within the defined limits and through the specific procedures deemed best by the Highest Wisdom.

[3] [Theurgy also has another function.] As discussed earlier, man consists of two opposites, a body and a soul. The soul is circumscribed in man and bound in a specific manner, as decreed by God's wisdom.

Man is therefore limited by his body, and cannot exceed the bounds of his own worldly nature or those of physical law. The soul is thus also bound by these restrictions and cannot escape them.

God desired, however, that there should be a way for man to free himself from these physical restrictions to some extent. In this manner, he would then be able to attain things as a result of spiritual rules rather than those of physical law. He would thus be able to attain enlightenment and a perception of the spiritual that would normally be precluded by his physical limitations.

In attaining this, man would also be able to better elevate all

הַמְּצִיאֻיּוֹת כֻּלָּם עַל הַמַּצָּב הַטּוֹב הַנָּאוֹת בָּהֶם, לְמַעְלָה וּלְמַטָּה בְּשָׁרָשִׁים וּבַעֲנָפִים.

[ד] וְהִנֵּה הֵכִינָה הַחָכְמָה הָעֶלְיוֹנָה שֶׁיִּמָּצֵא בִּטּוּל לִגְבוּלִים מִגְּבוּלֵי טֶבַע הַחֹמֶר וְהָעוֹלָם הַזֶּה הַמַּבְדִּילִים וּמַרְחִיקִים אֶת הָאָדָם מִן הַנִּמְצָאִים הָרוּחָנִיִּים וְעִנְיְנֵיהֶם, וְיֻתַּר הָאָדָם מִקִּשּׁוּרֵיהֶם, וְיִתְיַצֵּב עַל מַצָּב מְעֻלֶּה מִמַּצָּבוֹ הַגַּשְׁמִי, עַד שֶׁיִּתֵּן לוֹ קֶשֶׁר וְעִנְיָן עִם הָרוּחָנִים, עוֹדֶנּוּ בָּעוֹלָם הַזֶּה בְּגוּפוֹ הֶחָשׁוּךְ.

וְאוּלָם לֹא כָּל גְּבוּלוֹת הַטֶּבַע הוּחַק שֶׁיִּבָּטְלוּ, אֶלָּא קְצָת מֵהֶם, אוֹתָם שֶׁרָאֲתָה הַחָכְמָה הָעֶלְיוֹנָה הֱיוֹתוֹ נָאוֹת לַכַּוָּנָה הַכְּלָלִית שֶׁל הַהַנְהָגָה, וְגַם אֵלֶּה בִּתְנָאִים מְשֻׁעָרִים וּדְרָכִים יְדוּעִים בְּתַכְלִית הַדִּקְדּוּק.

[ה] וְאוּלָם הִתְקִינָה חָכְמָתוֹ יִתְבָּרַךְ שְׁמוֹ אֶמְצָעִים לָאָדָם, שֶׁבָּהֶם יוּכַל לְהַשִּׂיג הַתַּכְלִית הַזֶּה אִם יִרְצֶה וְיִשְׁתַּדֵּל בָּם, דְּהַיְנוּ – בִּטּוּל גְּבוּלֵי הַטֶּבַע הָאֵלֶּה מִמֶּנּוּ, וְהַצִּיב עַצְמוֹ בַּמַּצָּב שֶׁזָּכַרְנוּ, וְכָל עִנְיָנָם תָּלוּי בְּמַה שֶּׁאֲפָרְשֵׁהוּ עַתָּה.

דַּע, כִּי הִנֵּה נִתְבָּאֵר, שֶׁקִּיּוּם כָּל הַמְּצִיאֻיּוֹת כֻּלָּם בִּכְלָלָם וּבִפְרָטֵיהֶם אֵינוֹ אֶלָּא הָאָדוֹן בָּרוּךְ הוּא; וְנִמְצָא שֶׁכָּל הַנִּמְצָאוֹת וְסִדְרֵיהֶם, בֵּין מַה שֶּׁבַּכֹּחוֹת הָעֶלְיוֹנִים, בֵּין בַּנִּבְרָאִים הָרוּחָנִים, בֵּין בַּגַּשְׁמִיִּים, אֵינָם מִתְקַיְּמִים אֶלָּא בְּמַה שֶּׁהוּא יִתְבָּרַךְ שְׁמוֹ נִמְצָא לָהֶם לְהִתָּלוֹת בּוֹ. וְהִנֵּה הוּא נִמְצָא וּמִתְגַּלֶּה אֶל כָּל נִמְצָאָיו; וּמַשְׁפִּיעַ בָּם כְּפִי מַה שֶּׁרָאוּי לָהֶם לְקִיּוּם עִנְיָנָם. וְנִמְצְאוּ הַהַשְׁפָּעוֹת רַבּוֹת וְשׁוֹנוֹת, כְּפִי רִבּוּי הַמְקַבְּלִים וְשִׁנּוּיָם; וּבַהַשְׁפָּעוֹת הָהֵן תָּלוּי מְצִיאוּת כָּל הַמְּצִיאֻיּוֹת לְמַחְלְקוֹתָם וְכָל עִנְיְנֵיהֶם, וּכְשֶׁיִּמָּשְׁכוּ הַהַשְׁפָּעוֹת הָהֵן יִוָּלְדוּ כָּל הַתּוֹלָדוֹת הַנּוֹלָדוֹת מֵהֶן בְּכָל הַשְׁתַּלְשְׁלוּת

existence to its preferred good state. He would be able to accomplish this both below and on high, both in the Roots and in the branches.

[4]   The Highest Wisdom therefore decreed that the laws of nature [not be absolute, but] should be able to be suspended, even in this world. This would remove the physical limitations that separate and divorce man from the spiritual and its concepts. Man would thus be able to be released from his worldly bonds and rise to a state high above the physical. In such a state, he would be able to have contact and association with the spiritual and commune with it, even though he still exists with his spiritually opaque body in this physical world.

The limitations of nature, however, cannot all be suspended. There are only certain particular limitations whose suspension the Highest Wisdom deemed advantageous for the overall aim of providence. Even such suspension, however, follows specific conditions and procedures, all determined with the utmost precision.

[5]   God's wisdom thus arranged that man should have the means to be able to surmount the limitations imposed on him by physical law. If an individual wants to make use of these means, he can then attain the higher state mentioned above. In order to understand how this is done, however, we must first explain one other principle.

It must be clearly understood that the existence of all things, both in general and in particular, comes only from God. Both the essence and the order of all that exists are sustained only because God avails Himself for them to depend on Him. This is true of all things, whether they are the Highest Forces, spiritual beings, or physical entities.

God is thus available and reveals Himself to all that exists, appropriately influencing them in order that they should be able to maintain their essential nature. God's Influences (*Hashpa'os*) are therefore both many and varied, in accordance with both the number and variation that exist among those who receive them.

The existence of all things, as well as their divisions and other aspects, depends on these Influences. When these Influences are transmitted, they give rise to specific effects in all the sequences that exist, following the particular system [devised by God].

הַנִּמְצָאוֹת – כְּפִי מַה שֶּׁסִּדֵּר; וִיקַבְּלוּ הַמַּלְאָכִים מֵאוֹרוֹ יִתְבָּרַךְ שְׁמוֹ הַמִּתְגַּלֶּה עֲלֵיהֶם, מַה שֶּׁיְּקַבְּלוּ, וְיַשְׁפִּיעוּ הָעֶלְיוֹנִים לַתַּחְתּוֹנִים מֵהֶם, וְהַתַּחְתּוֹנִים לַתַּחְתּוֹנִים, עַד סוֹף הַהִשְׁתַּלְשְׁלוּת כֻּלּוֹ.

וְאָמְנָם רָצָה הַשֵּׁם יִתְבָּרַךְ לִהְיוֹת נִקְרָא בְּשֵׁם, כְּדֵי שֶׁיּוּכְלוּ בְּרוּאָיו לְהִתְעוֹרֵר אֵלָיו וְלִקְרֹא אוֹתוֹ, לְהַזְכִּירוֹ וּלְהִתְקָרֵב אֵלָיו. וְהִנֵּה יִחֵד לִכְבוֹדוֹ הַשֵּׁם הַמְיֻחָד, וְאָמַר עָלָיו: "זֶה־שְּׁמִי לְעֹלָם" וכו׳ (שמות ג, טו), וְהוּא הַשֵּׁם שֶׁנִּקְרָא בּוֹ עַל שֵׁם הַכָּבוֹד בְּעַצְמוֹ, כְּפִי מַה שֶּׁרָצָה לִקָּרֵא בְּשֵׁם. וְאָמְנָם כְּפִי כָל פְּרָטֵי הַשְׁפָּעוֹתָיו, רָצָה וְנִקְרָא בְּשֵׁמוֹת שׁוֹנִים.

וְהִנֵּה, גָּזַר וְחָקַק, שֶׁבְּהַזְכִּיר בְּרוּאָיו אֶת שְׁמוֹ, יִמָּשֵׁךְ לָהֶם מִמֶּנּוּ הֶאָרָה וְהַשְׁפָּעָה, וּכְעִנְיָן שֶׁנֶּאֱמַר: "בְּכָל־הַמָּקוֹם אֲשֶׁר אַזְכִּיר אֶת־שְׁמִי אָבוֹא אֵלֶיךָ וּבֵרַכְתִּיךָ" (שמות כ, כא). וְאוּלָם כְּפִי הַשֵּׁם שֶׁיַּזְכִּירוּהוּ וְיִקְרָאוּהוּ בּוֹ, כָּךְ תִּהְיֶה הַהַשְׁפָּעָה הַנִּמְשֶׁכֶת עַל יְדֵי הַהַזְכָּרָה הַהִיא, פֵּרוּשׁ – כִּי הַהַשְׁפָּעָה שֶׁתִּמָּשֵׁךְ תִּהְיֶה מִמִּין אוֹתָהּ הַהַשְׁפָּעָה שֶׁעַל סוֹדָהּ נִתְיַחֵס לוֹ יִתְבָּרַךְ שְׁמוֹ הַשֵּׁם הַהוּא. וְאָמְנָם בְּהִמָּשֵׁךְ הַהַשְׁפָּעָה תּוּלֵד בְּהֶכְרֵחַ הַתּוֹלָדָה הַמְחוּקֶקֶת לָהּ, וְיִתְפַּשֵּׁט הָעִנְיָן בְּכָל הַהִשְׁתַּלְשְׁלוּת מִן הָרֹאשׁ וְעַד הַסּוֹף, וּכְמוֹ שֶׁזָּכַרְנוּ. וְהִנֵּה הִגְבִּילָה הַחָכְמָה הָעֶלְיוֹנָה אֶת הָעִנְיָן בִּגְבוּלוֹת יְדוּעִים וּבִתְנָאִים מְיֻחָדִים, שֶׁכְּשֶׁתִּהְיֶה הַהַזְכָּרָה נִשְׁלֶמֶת בָּהֶם, תִּמָּשֵׁךְ הַהַשְׁפָּעָה הַהִיא וְתוּלֵד הַתּוֹלָדָה, וְלֹא זוּלַת זֶה.

וְהִנֵּה, בִּכְלַל הַהַשְׁפָּעוֹת שֶׁגָּזַר שֶׁיִּמָּשְׁכוּ מִמֶּנּוּ יִתְבָּרַךְ שְׁמוֹ, סִדֵּר שֶׁיִּמָּשְׁכוּ הַשְׁפָּעוֹת, שֶׁבְּהַגִּיעָן לְמִי שֶׁיְּקַבְּלֵם, יְבַטְּלוּ בְּכֹחָן גְּבוּלוֹת מִגְּבוּלוֹת הַטֶּבַע כְּמוֹ שֶׁזָּכַרְנוּ, וְיִתְקַשֵּׁר הָאִישׁ הַהוּא עִם הַנִּמְצָאִים הָרוּחָנִיִּים, וְתַגִּיעַ לוֹ יְדִיעָה וְהַשְׂכָּלָה גְּבוֹהָה וְנַעֲלָה מֵהַהַשְׂכָּלָה הָאֱנוֹשִׁית, וְעִנְיָנִים אֲחֵרִים עַנְפֵי שֹׁרֶשׁ זֶה, וְהוּא עִנְיַן

God's Light is thus revealed to the [highest] angels to the extent that they can accept it. When they receive this Light, the higher angels transmit it to those below them, and the lower ones convey it to those under them until the entire sequence is completed.

God also desired to be called by a Name. Through this Name, His handiwork could be aware of Him and call Him, and also bring themselves close to Him by uttering it.

For His Glory, God specified the Unique Name, regarding which He said (*Exodus* 3:15), "This is My Name forever."[20] This is God's Name with respect to the Glory itself, to the extent that He desires to have a name.

God makes use of other Influences, however, and with respect to each of them, He also has various names.

God also decreed and ordained that when man would utter His Name, divine illumination and influence would be bestowed upon him. This is what God means when He says (*Exodus* 20:21), "In every place where I allow My name to be mentioned, I will come to you and bless you."[21]

When a particular name of God is uttered and used to call upon Him, it will result in the emanation of an Influence associated with that Name.[22] The type of Influence transmitted will be that related to that particular name by God, by virtue of its mystery.

When a particular Influence is transmitted, it will necessarily give rise to the results ordained for it. Its particular effects will then spread through the entire sequence, from the beginning to the end, as discussed earlier.

This entire process, however, is circumscribed by the Highest Wisdom. God thus decreed that a Name should only transmit an Influence and have an effect when uttered under specific conditions within defined limits. Otherwise, it has no effect at all.

God arranged that some of the Influences motivated by the utterance of His names should have the power of suspending the limitations of nature with regard to the one making use of them. This particular individual can thereby bind himself to spiritual beings, and thus receive information and enlightenment.[23]

This information may include things otherwise accessible to human reason. Other things within this category, however, are the

מַדְרֵגוֹת הָרוּחַ הַקֹּדֶשׁ וְהַנְּבוּאָה, וּכְמוֹ שֶׁאֶכְתֹּב לְפָנִים עוֹד בְּסִיַּעְתָּא דִשְׁמַיָּא. וְהִנֵּה, גָּזַר שֶׁהַמְשָׁכַת הַהַשְׁפָּעוֹת הָאֵלֶּה גַּם כֵּן תִּהְיֶה עַל יְדֵי הָאֶמְצָעִי שֶׁזָּכַרְנוּ, דְּהַיְנוּ שְׁמוֹתָיו יִתְבָּרַךְ שְׁמוֹ הַמִּתְיַחֲסִים לוֹ עַל שֵׁם הַשְׁפָּעוֹת אֵלֶּה, בְּהִכָּוֵן בָּהֶם בְּמַחְשֶׁבֶת הַלֵּב אוֹ בְּהַזְכִּיר אוֹתָם בַּפֶּה, אוֹ צָרֵף אוֹתָם בִּדְבָרִים, עִם הַתְּנָאִים מַה שֶּׁצָּרִיךְ שֶׁיִּתְחַבֵּר לָזֶה, וּכְמוֹ שֶׁנְּבָאֵר עוֹד בְּסִיַּעְתָּא דִשְׁמַיָּא.

[ו] וְהִנֵּה הַדָּבָר יָדוּעַ, שֶׁאַף עַל פִּי שֶׁכְּלַל זֶה הָעִנְיָן אֶחָד הוּא, דְּהַיְנוּ הַיְצִיאָה מִגְּבוּלֵי הַטֶּבַע, הִנֵּה פְּרָטֵי הָעִנְיָן רַבִּים, כְּפִי סִדְרֵי מְצִיאוּת הַנִּמְצָאוֹת וְהַדְרָגוֹתֵיהֶם; כִּי כְּפִי מַה שֶּׁטֶּבַע הַנִּמְצָאוֹת וְסִדְרָם נוֹתֵן, כָּךְ יִהְיוּ פְּרָטֵי הַהַשְׁפָּעוֹת הַמִּצְטָרְכִים לְהַשְׁלָמַת הַדָּבָר בְּכָל בְּחִינוֹתָיו, וּכְפִי זֶה יִרְבּוּ פְּרָטֵי הַהַזְכָּרָה וּתְנָאֵיהֶם; וּבַיְצִיאָה הַזֹּאת עַצְמָהּ שֶׁזָּכַרְנוּ, מַדְרֵגוֹת עַל מַדְרֵגוֹת יִמָּצְאוּ, כְּכָל שְׁאָר כְּלָלֵי הַדְּבָרִים הַמִּתְפָּרְטִים בִּפְרָטֵיהֶם; וְיִהְיֶה מִי שֶׁיֵּצֵא מִקְצָת הַקְּשׁוּרִים וְהַגְּבוּלִים, וּמִי שֶׁיֵּצֵא מִקְצָת יוֹתֵר. וְעוֹד נְדַבֵּר מִזֶּה לְפָנִים בְּסִיַּעְתָּא דִשְׁמַיָּא.

[ז] וְהִנֵּה עַל הַיְסוֹד הַזֶּה עוֹמֵד הִמָּצֵא הַיְכֹלֶת לָאָדָם לְהִשְׁתַּמֵּשׁ בַּנִּמְצָאוֹת בַּשִּׁמּוּשׁ הָרוּחָנִי – וּכְמוֹ שֶׁזָּכַרְנוּ לְמַעְלָה – וְלִפְעֹל פְּעֻלּוֹת גְּדוֹלוֹת וַחֲזָקוֹת, מַה שֶּׁאֵינוֹ בְּאֶפְשָׁרוּת הַשִּׁמּוּשׁ הַגַּשְׁמִי. וְזֶה, כִּי הִנֵּה הָאָדוֹן בָּרוּךְ הוּא הֵכִין סִדְרֵי הַמְּצִיאוּת וְכוֹנְנִיּוֹתֵיהֶם עַל זֶה הַדֶּרֶךְ שֶׁכֻּלָּם נִקְשָׁרִים זֶה בָּזֶה, וְכֻלָּם תְּלוּיִים בְּהַשְׁפָּעוֹתָיו יִתְבָּרַךְ שְׁמוֹ שֶׁזָּכַרְנוּ, בְּאֹפֶן שֶׁכְּשֶׁתִּמָּשֵׁךְ אַחַת מִן הַהַשְׁפָּעוֹת עַל יְדֵי הַזְכָּרַת אַחַד מִשְּׁמוֹתָיו יִתְבָּרַךְ שְׁמוֹ כְּמוֹ שֶׁזָּכַרְנוּ, הִנֵּה תִּוָּלֵד מִזֶּה הַתּוֹלָדָה עַד סוֹף הַהִשְׁתַּלְשְׁלוּת; כִּי הִנֵּה הוּא יִתְבָּרַךְ שְׁמוֹ יִמָּצֵא לְקוֹרְאָיו בְּאוֹתוֹ

various levels of Divine Inspiration (*Ruach HaKodesh*) and prophecy, which we shall discuss at length in the next chapter.

God decreed that inspiration and prophecy should be attained in this manner, namely, through the Names associated with God with respect to these Influences. This occurs when one repeats one of these Names mentally, utters it verbally, or combines it with other words, and at the same time fulfills all the other required conditions, which shall be discussed later.

[6] Even though transcending the bonds of nature is a single general concept, it obviously has many details, depending on the particular arrangements and levels of the things in question. The Influences needed to complete this process in all its aspects will depend on their given properties as well as their arrangement. The number of details and conditions involving the use of God's Names will also depend on this.

The spiritual liberation that we have discussed also has many levels, and in this respect it is like any other general concept, which contains many detailed elements. Thus, some people are only slightly liberated from their physical bonds and limitations, while others experience this to a much greater degree. This will be discussed further in a later section.[24]

[7] This is the basis of man's theurgic power to make use of this world by acting through the spiritual. In this fashion, he can do many things that would not be possible in a purely physical manner.

The reason for this is that God set up the patterns and systems of all existence in such a fashion that all of them are interconnected. All of them depend on the above-mentioned Influences of God, in such a manner that when one of these Influences is transmitted through the utterance of one of God's Names, it gives rise to effects throughout the entire sequence [of creation]. This is because God makes Himself accessible to all who call upon Him with each particular Name, in a way that He arranged and desires. Then, depending on the nature of the particular thing requested, He

הַשֵּׁם, כְּפִי מַה שֶּׁסִּדֵּר וְרָצָה, וְיָאִיר אוֹתוֹ הָאוֹר, וְיַשְׁפִּיעַ אוֹתָהּ הַהַשְׁפָּעָה שֶׁבָּהּ תָּלוּי מְצִיאוּת הָעִנְיָן הַהוּא הַמְבֻקָּשׁ, עַד סוֹף הָעִנְיָן שֶׁבְּגַשְׁמִיּוּת.

וְאָמְנָם עוֹד עִנְיָן אֶחָד חָקַק הַבּוֹרֵא יִתְבָּרַךְ שְׁמוֹ עַל זֶה הַדֶּרֶךְ, וְהוּא, כִּי הִנֵּה הַמַּלְאָכִים כֻּלָּם בְּכָל מַדְרֵגוֹתֵיהֶם, הִנֵּה נִמְסַר בְּיָדָם כֹּחַ לִפְעֹל פְּעֻלּוֹת שֶׁנִּמְסְרוּ לָהֶם, וְהִנֵּה אֵינָם פּוֹעֲלִים בִּתְמִידוּת, אֶלָּא כְּפִי הַסֵּדֶר שֶׁהֻסְדַּר לַהַנְהָגָה הַטִּבְעִית הַתְּמִידִית שֶׁל הָעוֹלָם; אָמְנָם יֵשׁ בְּכֹחָם, שֶׁיְּכוֹלִים לִפְעֹל מִמִּין הַפְּעֻלָּה הַהִיא יוֹתֵר מִמַּה שֶּׁפּוֹעֲלִים בִּתְמִידוּת, וּבְיוֹתֵר כֹּחַ וְחֹזֶק, שֶׁלֹּא כַּסֵּדֶר הַתְּמִידִי; וּבְזֶה הַדֶּרֶךְ יִפְעֲלוּ פְּעָמִים רַבּוֹת בְּמַעֲשֵׂה הַנִּסִּים וְהַנִּפְלָאוֹת, שֶׁיִּתְחַדְּשׁוּ בָּעוֹלָם כְּפִי רְצוֹנוֹ יִתְבָּרַךְ שְׁמוֹ בְּעֵת שֶׁיִּרְצֶה; וְאָמְנָם רָצָה הָאָדוֹן בָּרוּךְ הוּא וְנָתַן כָּבוֹד לִשְׁמוֹ, שֶׁכְּשֶׁיִּזָּכֵר עַל הַמַּלְאָכִים לְפִי הַסֵּדֶר שֶׁסִּדֵּר, דְּהַיְנוּ עַל מַלְאֲכֵי פְּעֻלָּה, אֶת הַשֵּׁם שֶׁנִּתְיַחֵס לוֹ יִתְבָּרַךְ שְׁמוֹ עַל שֵׁם הַהַשְׁפָּעָה שֶׁבָּהּ נִתְלָה הָעִנְיָן הַהוּא כֻּלּוֹ, הִנֵּה יֻכְרַח הַמַּלְאָךְ לִפְעֹל בְּאוֹתוֹ הַכֹּחַ הַיָּתֵר שֶׁנִּמְסַר בְּיָדוֹ לְאוֹתָהּ הַפְּעֻלָּה, כְּפִי מַה שֶּׁיַּכְרִיחָהּ הַמַּזְכִּיר אֶת הַשֵּׁם עָלָיו.

וְנִמְצְאוּ בָּעִנְיָן הַזֶּה שְׁנֵי שָׁרָשִׁים: הָרִאשׁוֹן הוּא הַזְכָּרַת שְׁמוֹ, יִתְבָּרַךְ שְׁמוֹ, כְּמוֹ שֶׁקּוֹרֵא אוֹתוֹ שֶׁיַּעֲנֵהוּ, וְיַמְשִׁיךְ עַל יְדֵי זֶה מִמֶּנּוּ הַשְׁפָּעָה, שֶׁבְּהֶמְשֵׁכָהּ יִתְחַדְּשׁוּ עִנְיָנִים מַה שֶּׁיִּתְחַדְּשׁוּ; וְהַשֵּׁנִי – הַכְרִיחַ אֶת הַמַּלְאָכִים עַל יְדֵי שְׁמוֹ יִתְבָּרַךְ, שֶׁיִּפְעֲלוּ מַה שֶּׁבְּיָדָם לִפְעֹל יֶתֶר עַל הַסֵּדֶר הַתְּמִידִי.

וְאָמְנָם אֵין שׁוּם אֶחָד מִן הָעִנְיָנִים הָאֵלֶּה מֻחְלָטִים לְכָל רְצוֹנוֹ שֶׁל הָאָדָם, אֶלָּא מֻגְבָּלִים בִּגְבוּלִים וּבִתְנָאִים, וּמְשֻׁעָרִים עַד הֵיכָן יַגִּיעַ הַיְכֹלֶת לְהִשְׁתַּמֵּשׁ בָּהֶם, וּבְאֵיזֶה דֶּרֶךְ יַצְלִיחוּ. וּכְבָר אֶפְשָׁר שֶׁתִּמָּנַע הַתּוֹלָדָה וִיעֻכַּב הַפֹּעַל, אֲפִלּוּ בְּאוֹתוֹ

makes a particular Light shine, and extends a specific Influence, bringing about the final result on the physical level.

There is also another [theurgic] concept ordained by God that works in a similar manner. [This, however, involves angels.]

All the angels on every level were given the power to function in the areas appointed to them. They do not function in the same way all the time, but vary their level of activity in a manner ordained for the continuous regulation of the universe.

The angels, however, also have the power to function in a supernormal fashion within their own normal areas of activity. They then act with more strength and force than is required for the natural order. This occurs when they act to bring about miracles and wonders in the world, according to God's will.[25]

God willed, however, that honor be given to His Name when it is uttered over the angels, following the system that He ordained. Thus, when a particular Name is uttered over angels having a specific function, and when this Name is associated by God with the Influence upon which a particular concept depends, then that angel is given additional power. The angel is then forced to make use of this additional power in such a manner as directed by the one who utters this Name over it.[26]

There are therefore two types of theurgic influences.

The first is through the utterance of God's Name, calling upon Him as if to be answered. Through this, an Influence is transmitted from God, bringing about various results.

The second is the coercion of angels through God's Name. This causes them to function in a supernormal manner within their usual sphere of activity.

Neither of these procedures, however, can be used in any way one may wish. They are both circumscribed by limitations and conditions, as well as the extent and manner in which they can be successfully used. Sometimes the result itself may be impossible, and in such cases these methods do not work, even within their usual range

הַשִּׁעוּר עַצְמוֹ שֶׁנִּתָּן לְהִשְׁתַּמֵּשׁ בּוֹ, כְּמוֹ שֶׁתִּמָּנַע תּוֹלְדוֹת הַשִּׁמּוּשׁ הַטִּבְעִי גַּם כֵּן בִּגְזֵרָתוֹ יִתְבָּרַךְ, אִם יִגְזֹר עַל זֶה.

וְאוּלָם לַשֹּׁרֶשׁ הָרִאשׁוֹן שֶׁהוּא הַזְכָּרַת שְׁמוֹ יִתְבָּרַךְ לְהַמְשִׁיךְ מִמֶּנּוּ הַהַשְׁפָּעָה, וַדַּאי שֶׁיִּצְטָרֵךְ הַקִּרְבָה אֵלָיו יִתְבָּרַךְ וְהַדְּבֵקוּת בּוֹ, וְכָל מַה שֶּׁיִּרְבֶּה הָעִנְיָן הַזֶּה, יִצְלַח הַדָּבָר בְּיַד הָעוֹשֶׂה אוֹתוֹ, וְכָל מַה שֶּׁיִּמְעַט, יִתְקַשֶּׁה עָלָיו הַשָּׂגַת הַתַּכְלִית. וְלַשֹּׁרֶשׁ הַשֵּׁנִי אֵין תְּנַאי זֶה מִצְטָרֵךְ, אַף עַל פִּי שֶׁלֹּא יַנִּיחַ מִהְיוֹתוֹ עוֹזֵר לוֹ אִם יִמָּצֵא, כִּי הִנֵּה אַחֲרֵי שֶׁהוּשַׂם בִּסְגֻלַּת הַשֵּׁמוֹת הָאֵלֶּה שֶׁיַּכְרִחוּ הַמַּלְאָכִים בְּהַזְכָּרָתָם, הִנֵּה שָׁבוּ גַּם הֵם כְּכָל הַכֵּלִים הַטִּבְעִיִּים, שֶׁיִּפְעַל בָּם הַמִּשְׁתַּמֵּשׁ בָּם כְּפִי רְצוֹנוֹ, אִם יִשְׁתַּמֵּשׁ מֵהֶם בְּדֶרֶךְ שִׁמּוּשָׁם כָּרָאוּי.

אָכֵן הַדָּבָר בָּרוּר, שֶׁאֵינוֹ רָאוּי וְהָגוּן לְהֶדְיוֹט שֶׁיִּשְׁתַּמֵּשׁ בְּשַׁרְבִיטוֹ שֶׁל מֶלֶךְ, וְעַל דָּבָר זֶה אָמְרוּ חֲכָמֵינוּ זִכְרוֹנָם לִבְרָכָה: "וּדְאִשְׁתַּמַּשׁ בְּתָגָא חֲלָף" (אבות א, יג), וְאֵין הֶתֵּר בַּדָּבָר, אֶלָּא לַקְּדוֹשִׁים הַקְּרוֹבִים לוֹ יִתְבָּרַךְ וּדְבֵקִים בּוֹ, שֶׁיִּשְׁתַּמְּשׁוּ בָּזֶה לְמַה שֶּׁיִּוָּלֵד מִמֶּנּוּ קִדּוּשׁ שְׁמוֹ יִתְבָּרַךְ וַעֲשִׂיַּת רְצוֹנוֹ בְּאֵיזֶה צַד שֶׁיִּהְיֶה, וְזוּלַת זֶה, אַף עַל פִּי שֶׁלֹּא תִּמָּנַע הַפְּעֻלָּה לַמִּשְׁתַּמֵּשׁ, אִם יִשְׁמֹר דַּרְכֵי הַשִּׁמּוּשׁ כָּרָאוּי, עָנוֹשׁ יֵעָנֵשׁ עַל זְדוֹנוֹ. וּכְבָר אָמַרְתִּי, שֶׁעַל כָּל פָּנִים, אֵין הַדָּבָר מֻחְלָט, אֶלָּא מֻגְבָּל בִּגְבוּלוֹת מַה שֶּׁרָאֲתָה הַחָכְמָה הָעֶלְיוֹנָה הֱיוֹתוֹ נָאוֹת, וְגַם בְּאוֹתוֹ הַגְּבוּל עַצְמוֹ – גְּזֵרָתוֹ יִתְבָּרַךְ תִּמְנַע הַתּוֹלָדָה, כָּל זְמַן שֶׁיִּרְצֶה, כְּשֶׁתִּגְזֹר חָכְמָתוֹ הֱיוֹת הַמְּנִיעָה רְאוּיָה וּנְאוֹתָה.

[ח] וְהִנֵּה אַחֲרֵי הֱיוֹת גְּזֵרַת חָכְמָתוֹ שֶׁיִּהְיֶה בָּעוֹלָם טוֹב וָרָע, הָיָה הַסִּדּוּר שֶׁיִּמָּצֵא בְּאֶמֶת הָרָע בְּכָל הַמַּדְרֵגוֹת שֶׁאֶפְשָׁר לוֹ לְמָצֵא, וְתִהְיֶה הָעֲבוֹדָה לָאָדָם שֶׁיִּמְנַע מִמֶּנּוּ הַשְּׁלִיטָה וְהַפְּעֻלָּה, בְּכָל דְּרָכָיו וּמַדְרֵגוֹתָיו עַד שֶׁיּוּסַר עִנְיָנוֹ לְגַמְרֵי מִן

of effectiveness. This is very much like a purely physical effort, which can also be nullified by God's decree.

The first method, involving the transmission of God's Influences through His Names, can only be used by someone who has attained a great closeness and attachment to God. The more such closeness an individual attains, the more successful he will be in making use of this process. If it is lacking, it will be correspondingly more difficult for him to achieve any results.

The second method, on the other hand, does not require this. These Names have been given the unique power to be able to coerce specific angels when they are uttered, and they are therefore like any other natural tool that can be used by anyone who so desires. The only condition is that he follow the proper procedures when making use of this method.

It is obvious, however, that it is not appropriate for a commoner to make use of the King's scepter. Regarding this, our sages teach us, "He who makes use of the Crown will pass away."[27] Things such as these are only permitted to holy individuals, who are close to God and attached to Him. Even such individuals, furthermore, only use these methods to sanctify God's name and do His will.[28] Even though an unworthy person may not be prevented from attaining results if he follows the proper procedures, he can still be punished for his willful act.[29]

In any case, as we have already mentioned, these theurgic powers are not absolute, but sharply circumscribed by the limitations deemed fit by the Highest Wisdom. Furthermore, even within these limits, God's decree can prevent them from having any effect at any time that His wisdom deems this fitting and proper.

[8]   God decreed that the universe contain both good and evil, and therefore arranged that evil should be able to exist on every level where it possibly can. Man's task is to reject its influence and effects in every possible manner and level, until the aspects of evil are completely obliterated from all creation.

הַבְּרִיאָה כֻּלָּהּ. וְאוּלָם תִּרְאֶה שֶׁהָאָדוֹן יִתְבָּרַךְ שְׁמוֹ, הִנֵּה אֲמִתַּת עִנְיָנוֹ שׁוֹלֵל מִמֶּנּוּ כָּל מִין חִסָּרוֹן שֶׁיִּהְיֶה, כְּמוֹ שֶׁכָּתַבְתִּי בְּחֵלֶק א, פֶּרֶק א, וְרַק בַּבְּרוּאִים אֶפְשָׁר שֶׁיִּמָּצְאוּ הַחֶסְרוֹנוֹת וְהָרָעוֹת. וְהִנֵּה הָיָה הַסִּדּוּר שֶׁיִּבָּרְאוּ מַדְרֵגוֹת טוֹב לַבְּרוּאִים, וְיִבָּרֵא לָהֶם הַהֵפֶךְ שֶׁהוּא הָרָע, שֶׁהוּא הַמְּצִיאוּת מַה שֶּׁאֶפְשָׁר שֶׁיִּהְיֶה לָרָע, וְיָבוֹא הָאָדָם בַּעֲבוֹדָתוֹ וְיָסִיר מֵעִנְיָנוֹ וּמִן הַבְּרִיאָה כֻּלָּהּ אֶת הָרָע כֻּלּוֹ, וְיִקְבַּע בּוֹ וּבַבְּרִיאָה אֶת הַטּוֹב לָנֶצַח נְצָחִים. וְעַל כֵּן הָיָה הַסִּדּוּר, שֶׁכָּל עִנְיַן טוֹב יִמָּצֵא כְּנֶגְדּוֹ עִנְיַן רָע, וְהוּא מַה שֶּׁאָמַר הַכָּתוּב: "גַּם אֶת־זֶה לְעֻמַּת־זֶה עָשָׂה הָאֱלֹקִים" (קהלת ז, יד).

וְרַק בְּדָבָר אֶחָד יָתֵר הַטּוֹב עַל הָרָע, שֶׁהַטּוֹב – שָׁרְשׁוֹ הוּא שְׁלֵמוּתוֹ יִתְבָּרַךְ הַקָּדוּם וְהַנִּצְחִי, וְהָרָע אֵינוֹ אֶלָּא דָּבָר נִבְרָא, לְשֶׁיִּבָּטֵל, וְאֵין לוֹ לְשַׁמֵּשׁ אֶלָּא כָּל זְמַן הַהִשְׁתַּדְּלוּת שֶׁל הָאָדָם שֶׁזָּכַרְנוּ לְמַעְלָה.

[ט] וְהִנֵּה עַל פִּי הַדֶּרֶךְ הַזֶּה, כְּמוֹ שֶׁהִמְצִיא לָאָדָם דֶּרֶךְ לְהַשִּׂיג בּוֹ הֶאָרָה וְהַשְׂכָּלָה וְרוּחַ הַקֹּדֶשׁ שֶׁלֹּא כְּדֶרֶךְ הַטֶּבַע הַגַּשְׁמִי, כֵּן הֻצְרַךְ שֶׁיִּמָּצֵא לַטּוֹב הַגָּדוֹל הַזֶּה – הַהֵפֶךְ, וְהוּא שֶׁיּוּכַל הָאָדָם לְהַמְשִׁיךְ חֹשֶׁךְ וַעֲכִירוּת וְרוּחַ טֻמְאָה שֶׁלֹּא כְּדֶרֶךְ הַטִּבְעִי, וְהוּא עִנְיַן טֻמְאַת הַכִּשּׁוּף וְהַדְּרִישָׁה אֶל הַמֵּתִים, שֶׁהִרְחִיקַתְנוּ הַתּוֹרָה מֵהֶם, וְעִנְיָנָם, הוּא הַמַּמְשִׁיךְ עַל יְדֵי הַזְּכָרוֹת בִּתְנָאִים יְדוּעִים, הַשְׁפָּעוֹת הַטֻּמְאָה וְהַזֻּהֲמָא, מַה שֶּׁהוּא הָרִחוּק הַיּוֹתֵר גָּדוֹל מִמֶּנּוּ יִתְבָּרַךְ שְׁמוֹ, הֵפֶךְ הַדְּבֵקוּת בּוֹ – מַמָּשׁ; וְהַדָּבָר נִמְשָׁךְ מֵאוֹתָם כֹּחוֹת הָרָע שֶׁזָּכַרְנוּ בְּחֵלֶק א, פֶּרֶק ה, שֶׁהוּשְׂמוּ לָהֶם – בִּגְזֵרָתוֹ יִתְבָּרַךְ – שֵׁמוֹת, יֻזְכְּרוּ בָם, וְיִמָּשֵׁךְ עַל יְדֵי זֶה מֵהֶם מֶשֶׁךְ הַטֻּמְאָה בְּמַדְרֵגוֹת יְדוּעוֹת, שֶׁלֹּא כְּדֶרֶךְ הַטֶּבַע, וְכֵן

The essential nature of God precludes every possible type of imperfection in Him, as discussed earlier (1:1:2). It is only in created things that imperfection and evil can exist.

The design thus was that there be created levels that are good for God's creatures. Their opposite was also created, and this is [the essence of] Evil. It would therefore be possible for evil to exist, so that, through his efforts, man would be able to remove it from his own essence as well as from creation in general. In doing so, he would permanently establish good, both in himself and in the universe as a whole, for ever and ever.

It was therefore arranged that every good concept have its counterpart in evil. This is what Scripture means when it says (*Ecclesiastes* 7:14), "God has made one opposite the other."[30]

There is one respect, however, in which the good is superior to the evil. Good has its basis in God's own perfection, which is without beginning or end. Evil, on the other hand, is merely something that was created and will eventually be annihilated. Its purpose is to function only during the period of man's striving, as discussed earlier.[31]

[9] Man can achieve information, enlightenment and Divine Inspiration (*Ruach HaKodesh*) in a manner that transcends his physical nature [by making use of holy concepts]. As a result of this balance, therefore, it must also be possible for the opposite of these concepts to exist.

Man can therefore bring upon himself darkness, pollution, and an unclean spirit in a manner that transcends the laws of nature. This is the basis of such corrupt practices as sorcery and necromancy (communing with the dead), which are forbidden by the Torah.[32]

The concept of such powers is that under appropriate conditions an individual can channel the influences of corruption and pollution through various incantations. This repels a person away from God more than anything else, and is the exact opposite of being attached to Him.

Things such as these are derived from the evil Forces mentioned above (1:5:8). [Corrupt] incantations were provided through God's decree, that when uttered can enable an individual to channel their

יֵעָשׂוּ עַל יְדֵיהֶם מַעֲשִׂים שֶׁלֹּא כַּמַּעֲשִׂים הַטִּבְעִים, כְּמַעֲשֵׂה הַחַרְטֻמִּים וְזוּלָתָם, כְּפִי מַה שֶּׁנִּמְסַר לָהֶם בְּכֹחַ הַפּוֹעֲלִים הָהֵם לִפְעֹל, וּבְאוֹתָם הַגְּבוּלִים שֶׁהוּשְׂמוּ לָהֶם; וְכֵן עַל יְדֵי הַשֵּׁדִים יֵעָשׂוּ מַעֲשִׂים כָּאֵלֶּה, לְפִי מַה שֶּׁנִּמְסַר בְּיָדָם גַּם הֵם שֶׁיַּעֲשׂוּ, וּבַגְּבוּלִים הָהֵם הַמְיֻחָדִים לָהֶם. וְהִנֵּה, בְּאוֹתוֹ הַשִּׁעוּר שֶׁנִּתַּן לָהֶם הַיְכֹלֶת לִפְעֹל, גָּזַר הָאָדוֹן בָּרוּךְ הוּא שֶׁיִּדָּחוּ מִפְּנֵיהֶם פְּקִידֵי הַטֶּבַע הַמַּחֲזִיקִים עִנְיְנֵי הָעוֹלָם עַל מַצָּבָם הַטִּבְעִי, וְכָל הַמַּלְאָכִים הַמְּבִיאִים הַהַשְׁפָּעוֹת כְּפִי הַסִּדּוּר הַמְסֻדָּר; וְעַל זֶה אָמְרוּ חֲכָמֵינוּ זִכְרוֹנָם לִבְרָכָה: "כְּשָׁפִים – שֶׁמַּכְחִישִׁים פַּמַּלְיָא שֶׁל מַעְלָה" (חולין ז), אַךְ לֹא יִהְיֶה זֶה אֶלָּא כַּשִּׁעוּר הַהוּא, וְלֹא יוֹתֵר; וְגַם בְּאוֹתוֹ הַשִּׁעוּר כְּבָר אֶפְשָׁר שֶׁיִּדָּחוּ הֵם מִכֹּחַ חָזָק מֵהֶם, וְתִמָּנַע פְּעֻלָּתָם בִּגְזֵרָתוֹ יִתְבָּרַךְ, וְעַל זֶה אָמְרוּ: "אֵין עוֹד מִלְּבַדּוֹ – וַאֲפִלּוּ כְּשָׁפִים", וּבֵאֲרוּ, שֶׁזֶּה לְמִי שֶׁזְּכוּתוֹ רַב שֶׁמִּן הַשָּׁמַיִם יַצִּילוּהוּ וְיִדְחוּ אֶת הָרוֹצִים לְהָרַע לוֹ, וְהוּא מַה שֶּׁאָמְרוּ: "שָׁאנֵי רַבִּי חֲנִינָא דִּנְפִישׁ זְכוּתֵהּ" (שם).

unclean influence to specified levels in a supernatural manner. Through this, one can do things that are otherwise physically impossible, such as the various acts of sorcery. All this follows from the power that they were given to function within specific areas.

Things such as these can also be accomplished through *Shedim* (Demons).[33] This also depends on the extent of their ability within specific limited areas.

To the degree that God's decree allows them to act, these Forces can push aside the angels that oversee nature and maintain things in their natural state. They can also do this to the angels that transmit God's Influences according to the ordained system. Our sages therefore teach us that "they are called sorcery, because they go counter to the Company on high."[34]

All these Forces, however, have certain limitations that they cannot exceed. Even when they do not exceed their limitations, however, they can still be pushed aside by a greater force, so that their function is precluded by God's decree. The Torah thus states (*Deuteronomy* 4:35), "[The Lord is God], there is none other than Him" — to which our sages add, "even the power of sorcery."[35] The Talmud explains that this is particularly true in the case of individuals whose merit is so great that they are protected from on high, so that those who wish them ill are pushed aside. This is what the Talmud means when it says, "Rabbi Chaninah is different [and is not affected by sorcery] because his merit is so great."[36]

ג פרק שלישי

בְּעִנְיַן רוּחַ הַקֹּדֶשׁ וְהַנְּבוּאָה

[א] הִנֵּה חָקַק הַבּוֹרֵא יִתְבָּרַךְ שְׁמוֹ בְּטִבְעוֹ שֶׁל הָאָדָם, שֶׁיִּהְיֶה מִתְלַמֵּד מֵבִין וּמַשְׂכִּיל בְּהַשְׁקִיפוֹ עַל הַנִּמְצָאִים וּבְחִינוֹתֵיהֶם, וּמִמַּה שֶּׁמִּתְגַּלֶּה לְפָנָיו יִתְבּוֹנֵן וְיִדְרֹשׁ אֶת שֶׁאֵינוֹ מִתְגַּלֶּה עַד שֶׁיַּשִּׂיגֵהוּ וְיַעֲמֹד עָלָיו, וְזֶהוּ דֶּרֶךְ הַהַשְׂכָּלָה הַטִּבְעִית. אָמְנָם עוֹד גָּזַר שֶׁיִּמָּצֵא לוֹ הַשְׂכָּלָה מַעְלָה מִזּוֹ מְאֹד, וְהִיא הַהַשְׂכָּלָה הַנִּשְׁפַּעַת, וְהַיְנוּ שֶׁיֻּשְׁפַּע לוֹ שֶׁפַע מִמֶּנּוּ יִתְבָּרַךְ שְׁמוֹ, עַל יְדֵי אֵיזֶה אֶמְצָעִים שֶׁהֵכִין לָזֶה. וּבְהַגִּיעַ הַשֶּׁפַע הַהוּא אֶל שִׂכְלוֹ, יִקָּבַע בּוֹ יְדִיעַת עִנְיָן מָה, בְּבֵרוּר, בִּבְלְתִּי סָפֵק, וּבְבִלְתִּי טָעוּת, וְיֵדַע הַדָּבָר בִּשְׁלֵמוּת, סִבּוֹתָיו וְתוֹלְדוֹתָיו, כָּל דָּבָר בְּמַדְרֵגָתוֹ, וְעִנְיָן זֶה נִקְרָא רוּחַ הַקֹּדֶשׁ.

[ב] וְהִנֵּה, בְּדֶרֶךְ זֶה יַשִּׂיג עִנְיָנִים מַה שֶּׁבְּגֶדֶר הַהַשְׂכָּלָה הַטִּבְעִית, אַךְ בְּיוֹתֵר בֵּרוּר וּכְמוֹ שֶׁזָּכַרְנוּ, וְיַשִּׂיג גַּם כֵּן עִנְיָנִים – מַה שֶּׁאֵין בְּגֶדֶר הַהַשְׂכָּלָה הַטִּבְעִית שֶׁתַּשִּׂיגֵם, וּמִכְּלָל זֶה הָעֲתִידוֹת וְנִסְתָּרוֹת.

[ג] וְאוּלָם, מַדְרֵגוֹת עַל מַדְרֵגוֹת נִמְצְאוּ בַּדָּבָר, בֵּין בְּעִנְיַן כֹּחַ הַשֶּׁפַע הַנִּשְׁפָּע, בֵּין בִּזְמַן הַשְׁפָּעוֹ, בֵּין בְּדֶרֶךְ הַגִּיעוֹ אֶל הָאָדָם,

III CHAPTER 3

Inspiration and Prophecy

[1] God ordained that man should naturally be able to teach himself, understand and reason with his intellect, and thus gain knowledge from his observation of things and their properties. On the basis of this, man is also able to infer and deduce things that are not immediately apparent, and can thus gain a more complete understanding of things. This is the natural process of human reason.

God also decreed, however, that there exist another means of gaining knowledge that is much higher than this. This is what we call bestowed enlightenment.

Bestowed enlightenment consists of an influence granted by God through various particular means especially prepared for this purpose. When this influence reaches an individual's mind, certain information becomes fixed in it. He perceives this knowledge clearly, without any doubt or error, and knows it completely, with all its propositions and corollaries, as well as its place in the general scheme. This is called Divine Inspiration (*Ruach HaKodesh*).

[2] In this manner one can gain knowledge of things otherwise accessible to human reason, but in a much clearer way, as discussed above. On the other hand, one can also gain information that could not be otherwise gained through logic alone. This includes such things as information concerning future events and hidden secrets.

[3] This experience, however, can take place on many different levels. These may involve the power of its influence, the time when

וּבְמַהוּת הַדְּבָרִים הַמִּתְגַּלִּים וְנוֹדָעִים לוֹ עַל יְדֵי זֶה, אָמְנָם בְּכֻלָּן תִּהְיֶה הַהַשְׁפָּעָה בְּדֶרֶךְ שֶׁיַּרְגִּישׁ בָּהּ הַמֻּשְׁפָּע בְּבֵרוּר.

אָכֵן עוֹד יִקְרֶה, שֶׁיֻּשְׁפַּע בְּלֵב הָאָדָם שֶׁפַע, שֶׁיַּעֲמִידֵהוּ עַל תֹּכֶן עִנְיָן מֵהָעִנְיָנִים, אַךְ לֹא יַרְגִּישׁ בּוֹ הַמֻּשְׁפָּע, אֶלָּא כְּמוֹ שֶׁנּוֹפֶלֶת מַחְשָׁבָה בְּלִבָּבוֹ, וְיִקָּרֵא זֶה, לִפְעָמִים עַל דֶּרֶךְ הַרְחָבָה – רוּחַ הַקֹּדֶשׁ, בְּדִבְרֵי חֲכָמֵינוּ זִכְרוֹנָם לִבְרָכָה אוֹ הַשְׁפָּעָה נִסְתֶּרֶת. אֲבָל רוּחַ הַקֹּדֶשׁ בֶּאֱמֶת, הוּא שֶׁיִּהְיֶה נִכָּר וְנִרְגָּשׁ בְּבֵרוּר לְבַעֲלָיו, וּכְמוֹ שֶׁזָּכַרְנוּ.

[ד] וְאָמְנָם לְמַעְלָה מִכָּל זֶה יֵשׁ מַעֲלָה אַחֶרֶת, וְהִיא הַנְּבוּאָה; וְעִנְיָנָהּ שֶׁיַּגִּיעַ הָאָדָם וְיִתְקַשֵּׁר בַּבּוֹרֵא יִתְבָּרַךְ שְׁמוֹ וְיִתְדַּבֵּק בּוֹ דְּבֵקוּת מַמָּשׁ, בְּאֹפֶן שֶׁיַּרְגִּישׁ הַהִתְדַּבְּקוּת וְיַשִּׂיג מַה שֶּׁהוּא מִתְדַּבֵּק בּוֹ, דְּהַיְנוּ – כְּבוֹדוֹ יִתְבָּרַךְ שְׁמוֹ, עַל הַדֶּרֶךְ שֶׁנִּבְאַר לְפָנִים, וְיִהְיֶה הַדָּבָר בָּרוּר אֶצְלוֹ וּמֻרְגָּשׁ מִמֶּנּוּ בְּלִי סָפֵק כְּלָל, כְּדֶרֶךְ שֶׁלֹּא יִסְתַּפֵּק בְּדָבָר גַּשְׁמִי שֶׁיַּרְגִּישֵׁהוּ בְּחוּשָׁיו.

וְהִנֵּה עִקַּר הַנְּבוּאָה הוּא – הַשִּׂיג הַדְּבֵקוּת וְהַקֶּשֶׁר הַזֶּה, עוֹדוֹ בַּחַיִּים, שֶׁזֶּה שְׁלֵמוּת גָּדוֹל וַדַּאי; וְאוּלָם יִתְלַוֶּה לָזֶה יְדִיעוֹת וְהַשְׂכָּלוֹת, כִּי אָמְנָם יַשִּׂיג עַל יְדֵי זֶה עִנְיָנִים אֲמִתִּיִּים וְנִכְבָּדִים מְאֹד, מִסִּתְרֵי סוֹדוֹתָיו שֶׁל הַקָּדוֹשׁ בָּרוּךְ הוּא, וְיַשִּׂיגֵם בְּבֵרוּר, בְּדֶרֶךְ הַהַשְׂכָּלָה הַנִּשְׁפַּעַת שֶׁזָּכַרְנוּ, וּבְיוֹתֵר כֹּחַ מִבַּעֲלֵי רוּחַ הַקֹּדֶשׁ, וּכְמוֹ שֶׁנִּבְאַר עוֹד בְּסַיַּעְתָּא דִשְׁמַיָּא.

[ה] אַךְ דֶּרֶךְ הַהַשָּׂגָה הַזֹּאת הִיא, שֶׁתִּהְיֶה עַל יְדֵי אֶמְצָעִים; שֶׁלֹּא יִתְדַּבֵּק הָאָדָם וְלֹא יַשִּׂיג אֶת כְּבוֹדוֹ יִתְבָּרַךְ שְׁמוֹ כְּמוֹ שֶׁרוֹאֶה אֶת חֲבֵרוֹ לְפָנָיו, אֶלָּא עַל יְדֵי מְשָׁרְתִים, יְשַׁמְּשׁוּ

it is granted, the manner in which it reaches the individual, and the nature of the things revealed and communicated in this fashion. In every case, however, the influence comes in such a manner that its recipient is clearly aware of it.

It is also possible, however, that such influence be extended to a person's mind so that he can clearly perceive a given concept without his being aware of this influence. In such a case, it is experienced like any other idea that arises spontaneously in one's mind. In a broader sense, this is also called Divine Inspiration or "hidden influence" in the words of our sages [even though it is actually a much lower level]. True Divine Inspiration, however, is a clear and vivid experience to the one worthy of it, and he is highly aware of its influence.

[4]   There is another level, however, that is much higher than such Divine Inspiration. This is the level of true prophecy.

This is a degree of inspiration where an individual reaches a level where he literally binds himself to God in such a way that he can actually feel this attachment. He then clearly realizes that the One to whom he is bound is God, in a manner that will be discussed shortly. This is sensed with complete clarity, with an awareness that leaves no room for any doubt whatsoever. The individual is as sure of it as he would be if it were a physical object observed with his physical senses.[37]

The main concept of true prophecy is therefore that a living person achieves such an attachment and bond with God. This in itself is certainly a very high degree of perfection. Besides this, however, it is also often accompanied by certain information and enlightenment. Through prophecy one can gain knowledge of many lofty truths among God's hidden mysteries. These things are perceived very clearly, just like all knowledge gained through bestowed enlightenment, as discussed above. Prophecy, however, comes with much greater force than Divine Inspiration, as we shall explain shortly.

[5]   The experience of prophecy must come about through intermediaries. Man cannot attach himself directly to God's Glory, or perceive it as one sees a man standing in front of him. The perception

לַהַשָּׂגָה שִׁמּוּשׁ הַזְּכוּכִית לָעַיִן, שֶׁעַל יָדָם יַשִּׂג הַכָּבוֹד; אַךְ הַמֻּשָּׂג – בֶּאֱמֶת יִהְיֶה הַכָּבוֹד וְלֹא אַחֵר, אֶלָּא שֶׁתִּשְׁתַּנֶּה הַהַשָּׂגָה כְּפִי שִׁנּוּי הָאֶמְצָעִים, כִּרְאִיָּה בָּאַסְפַּקְלַרְיוֹת; וְיִבָּחֵן בָּזֶה מַדְרֵגוֹת: הָרִחוּק וְהַקֵּרוּב, וּבְהִירוּת הָאַסְפַּקְלַרְיָא וַעֲכִירוּתָהּ.

[ו] וְהִנֵּה, בְּהִגָּלוֹתוֹ יִתְבָּרַךְ שְׁמוֹ וּבְהַשְׁפָּעַ שִׁפְעוֹ עַל הַנָּבִיא, יִגְבַּר עָלָיו תִּגְבֹּרֶת גָּדוֹל, וּמִיָּד, חָמְרוֹ וְכָל אֵיבְרֵי גּוּפוֹ יִזְדַּעְזְעוּ וְיֵחָשְׁבוּ לְהִתְהַפֵּךְ, כִּי זֶה מֵחֹק הַחֹמֶר שֶׁלֹּא לִסְבֹּל גִּלּוּי הָרוּחָנִיּוֹת, כָּל שֶׁכֵּן גִּלּוּי כְּבוֹדוֹ יִתְבָּרַךְ שְׁמוֹ, וְהִנֵּה הַרְגָּשׁוֹתָיו יִבָּטְלוּ, וְגַם פְּעֻלּוֹתָיו הַנַּפְשִׁיּוֹת לֹא יִפְעֲלוּ כְּלָל מֵעַצְמָן, אֲבָל תִּשָּׁאַרְנָה כֻּלָּן תְּלוּיוֹת בּוֹ יִתְבָּרַךְ שְׁמוֹ וּבְשִׁפְעוֹ הַנִּשְׁפָּע.

וְהִנֵּה, מִצַּד הַהִתְדַּבְּקוּת שֶׁנִּשְׁמָתוֹ מִתְדַּבֶּקֶת, יִתּוֹסֵף בָּהּ מְצִיאוּת הַשְׂכָּלָה, חוּץ מִגֶּדֶר כָּל הַהַשְׂכָּלָה הָאֱנוֹשִׁית לְגַמְרֵי; כִּי תִהְיֶה הַהַשְׂכָּלָה בָּהּ לֹא מִצַּד מַה שֶּׁהִיא בְּעַצְמָהּ, אֶלָּא מִצַּד הֱיוֹת הַשֹּׁרֶשׁ הָעֶלְיוֹן מִתְקַשֵּׁר בָּהּ, וְאָז מַה שֶּׁתַּשִּׂיג יִהְיֶה בְּדֶרֶךְ יוֹתֵר נִשְׂגָּב מִמַּה שֶּׁהוּא הַמֻּשָּׂג מִמֶּנָּה מִצַּד עַצְמָהּ; וּבָזֶה יָפֶה כֹּחוֹ שֶׁל הַנָּבִיא מִבַּעַל רוּחַ הַקֹּדֶשׁ אֲפִלּוּ בְּהַשָּׂגַת הַיְדִיעוֹת, כִּי הֲרֵי הוּא מַשְׂכִּיל בְּהַשְׂכָּלָה עֶלְיוֹנָה מִכָּל הַשְׂכָּלָה שֶׁאֶפְשָׁר לָאָדָם, וְהִיא הַשְׂכָּלָה בִּבְחִינַת הֱיוֹתוֹ קָשׁוּר בְּבוֹרְאוֹ יִתְבָּרַךְ שְׁמוֹ.

וְהִנֵּה, גִּלּוּי כְּבוֹדוֹ יִתְבָּרַךְ, הוּא יִהְיֶה הַפּוֹעֵל בְּכָל מַה שֶּׁיִּמָּשֵׁךְ לַנָּבִיא בִּנְבוּאָתוֹ; וְהִנֵּה מִמֶּנּוּ יִמָּשֵׁךְ בְּכֹחַ הַדִּמְיוֹן שֶׁבְּנֶפֶשׁ הַנָּבִיא, וִיצַיְּרוּ בוֹ עִנְיָנִים, מַה שֶּׁיֻּכְרַח בּוֹ מִכֹּחַ הַגִּלּוּי

of God involved in true prophecy must therefore come about through God's servants, whose task it is to provide such a vision.[38]

These intermediaries then act as lenses through which one sees the Glory. What a prophet actually perceives, however, is the Glory itself, and not something else. The way one sees it, however, depends on the particular intermediary involved, just as what one would see through a lens would depend on the particular type of lens (*Ispaklaria*).[39]

There are therefore many degrees of perception, depending on the Lens involved. It may cause the subject to appear far away or very close. There can furthermore be various degrees of transparency or opaqueness in the Lens itself.

[6] When God reveals Himself and bestows His influence, a prophet is greatly overwhelmed. His body and all his limbs immediately begin to tremble, and he feels as if he is being turned inside out.[40]

This, however, is the nature of the physical. It cannot tolerate the revelation of the spiritual, and this is particularly true when it consists of the revelation of God's own Glory. The prophet's senses cease to operate, and his mental faculties can no longer function independently. They have all become dependent on God and the influx that is being bestowed.

As a result of this attachment of the soul (*Neshamah*), it gains a degree of enlightenment completely beyond the powers of human reason. This enlightenment does not come to it because of its own nature, but as a consequence of the fact that the highest Root is bound to it. The soul therefore perceives things in a much higher manner than it could ever attain by itself.

The power of prophecy is therefore much greater than that of Divine Inspiration, even with respect to gaining knowledge. Prophecy can bring about the highest enlightenment possible for man, namely that which is an aspect of his being bound to his Creator.

The revelation of God's Glory is what initiates everything transmitted in a prophetic vision. This is then transmitted to the power of imagination in the prophet's soul (*Nefesh*), which in turn forms images of the concepts forced upon it by the power of the

הָעֶלְיוֹן, וְלֹא מִצַּד עַצְמוֹ כְּלָל; וּמִתּוֹךְ הַדִּמְיוֹנוֹת הָהֵם תִּמָּשֵׁךְ בּוֹ מַחְשָׁבָה וְהַשְׂכָּלָה, שֶׁחֲקִיקָתָהּ תִּהְיֶה מִכֹּחַ הַכָּבוֹד הַמִּתְגַּלֶּה; וְיִשָּׁאֵר הָעִנְיָן קָבוּעַ בְּשִׂכְלוֹ, שֶׁגַּם כַּאֲשֶׁר יָשׁוּב לְמַצָּבוֹ הָאֱנוֹשִׁי תִּמָּצֵא הַיְדִיעָה בּוֹ בִּבְרוּרָה.

זֶה כְּלַל עִנְיַן הַנְּבוּאָה לְכָל הַנְּבִיאִים, אַךְ פְּרָטֵי הַמַּדְרֵגוֹת רַבִּים, וּכְמוֹ שֶׁנְּבָאֵר לְפָנִים, בְּסִיַּעְתָּא דִשְׁמַיָּא; וְעַל הַכֹּל מַדְרֵגָתוֹ שֶׁל מֹשֶׁה רַבֵּנוּ עָלָיו הַשָּׁלוֹם, שֶׁהֵעִידָה עָלָיו הַתּוֹרָה: ״וְלֹא־קָם נָבִיא עוֹד בְּיִשְׂרָאֵל כְּמֹשֶׁה אֲשֶׁר יְדָעוֹ ד׳ פָּנִים אֶל־פָּנִים״ (דברים לד, י).

highest revelation. The imagination, however, does not initiate anything on its own.

These images, in turn, convey to the prophet ideas and information whose conception comes from the power of the revealed Glory. The subject remains fixed in the prophet's mind, and when he returns to his normal state, this knowledge is retained with perfect clarity.

This is the idea of prophecy in general. There are many degrees, however, as we shall discuss presently. The highest level of all was that of Moses, regarding which the Torah testifies (*Deuteronomy* 34:10), "There will never again arise a prophet in Israel like Moses, who knew God face to face."

ג פרק רביעי

בְּמִקְרֵי הַנְּבוּאָה

[א] הִנֵּה, הַנָּבִיא כְּשֶׁיַּגִּיעַ לְמַדְרֵגַת הַנְּבוּאָה בִּשְׁלֵמוּת, יַשִּׂיג אֶת כָּל הַמַּגִּיעַ לוֹ בְּהַשָּׂגָה בְּרוּרָה וּבִידִיעָה שְׁלֵמָה, פֵּרוּשׁ – כִּי אַף עַל פִּי, שֶׁלְּפִי הַהַדְרָגָה שֶׁזָּכַרְנוּ בַּפֶּרֶק הַקּוֹדֵם, יִקְדְּמוּ לוֹ הַדִּמְיוֹנוֹת, וְאַחַר כָּךְ יַגִּיעַ אֶל הַמַּחְשָׁבָה, כְּפִי הַדְּרָכִים שֶׁזָּכַרְנוּ, הִנֵּה בְּהַגִּיעוֹ אֶל בֵּרוּר נְבוּאָתוֹ, יַשִּׂיג הֱיוֹתוֹ נָבִיא בֶּאֱמֶת, פֵּרוּשׁ – הֱיוֹתוֹ מִתְקַשֵּׁר בּוֹ יִתְבָּרַךְ, וִהְיוֹתוֹ יִתְבָּרַךְ שְׁמוֹ מִתְגַּלֶּה לוֹ וּפוֹעֵל בּוֹ כָּל אוֹתָן הַפְּעֻלּוֹת, וְיַשִּׂיג הֱיוֹת הַדִּמְיוֹנוֹת אֲשֶׁר נִצְטַיְּרוּ בּוֹ – דִּמְיוֹנוֹת נְבוּאִיִּים נִפְעָלִים מִשִּׁפְעוֹ יִתְבָּרַךְ שְׁמוֹ הַשּׁוֹפֵעַ עָלָיו, וְהֻקְבַּע בּוֹ יְדִיעַת הָעִנְיָן אֲשֶׁר יֻקְבַּע – עַל יְדֵי שִׁפְעוֹ זֶה, וְלֹא יִשָּׁאֵר לוֹ שׁוּם סָפֵק, לֹא בִנְבוּאָתוֹ, וְלֹא בִּבְחִינוֹתֶיהָ, לֹא הַקּוֹדְמוֹת וְלֹא הַנִּמְשָׁכוֹת.

[ב] וּמִמַּה שֶּׁצָּרִיךְ שֶׁתֵּדַע, שֶׁהִנֵּה לֹא יַגִּיעַ הַנָּבִיא אֶל הַמַּדְרֵגָה הָעֶלְיוֹנָה בְּפַעַם אַחַת, אֲבָל יַעֲלֶה מַעֲלָה אַחַר מַעֲלָה, עַד הַגִּיעוֹ אֶל הַנְּבוּאָה הַשְּׁלֵמָה. וְיֵשׁ בַּדָּבָר הִתְלַמְּדוּת, כְּמוֹ כָּל שְׁאָר הַחָכְמוֹת וְהַמְּלָאכוֹת, שֶׁיַּעֲלֶה הָאָדָם בְּמַדְרֵגוֹתֵיהֶן עַד שֶׁיַּעֲמֹד עַל בֻּרְיָן. וְזֶה עִנְיַן "בְּנֵי הַנְּבִיאִים",* שֶׁהָיוּ עוֹמְדִים

* מלכים א – כ, לה, מלכים ב – ב, ג; ב, ה; ב, ז; ב, טו; ד, א; ד, לח; ה, כב; ו, א; ט, א.

III CHAPTER 4

The Prophetic Experience

[1] When one attains a full level of prophecy, everything comes to him with clear perception and full knowledge. This is transmitted to him through the steps outlined in the previous chapter, where it is first conceived in the form of images and then translated into thoughts in the manner discussed. When an individual understands his prophecy clearly, he also realizes that he is truly a prophet.

He is then totally aware of the fact that he was bound to God. and that it was God Himself who was revealed to him and acted upon him in this manner. He realizes that the images that he conceived were prophetic visions, resulting from this influence of God. Knowledge of the subject matter [contained in the revelation] is permanently fixed in his mind through this influence [and it remains with him without any doubt]. The prophet then has no uncertainty about his being a prophet, about any aspect of his prophecy, or about its origin and results.

[2] One must also realize that a prophet does not attain this highest level all at once. He must elevate himself, step by step, until he actually attains full prophecy.

Prophecy therefore requires a course of apprenticeship, just as in the case of other disciplines and crafts, where one must advance step by step until he masters them thoroughly. This explains what the Bible means when it speaks of the "sons of the prophets."[41]

לִפְנֵי הַנָּבִיא לְהִתְלַמֵּד בְּדַרְכֵי הַנְּבוּאָה מַה שֶּׁהָיָה מִצְטָרֵךְ לָזֶה.

[ג] וְהִנֵּה אֶפְשָׁר שֶׁיַּגִּיעַ גִּלּוּי מִמֶּנּוּ יִתְבָּרַךְ שְׁמוֹ אֶל אָדָם, וְהוּא לֹא יַכִּיר בּוֹ כְּמוֹ שֶׁיַּכִּיר הַנָּבִיא, אֶלָּא יַחְשְׁבֵהוּ כִּי אִם מִן הַמֻּרְגָּשׁוֹת, עַד שֶׁיִּגָּבֵר עָלָיו הַשֶּׁפַע הַנְּבוּאִי, וְאָז יַכִּיר הָעִנְיָן כְּמוֹ שֶׁהוּא בֶּאֱמֶת; וּמִן הַמִּין הַזֶּה, הָיְתָה קְרִיאַת ד׳ לִשְׁמוּאֵל, שֶׁלֹּא הִתְנַבֵּא מִתְּחִלָּה, וְלֹא שָׁפַע עָלָיו הַשֶּׁפַע, אֶלָּא שֶׁנִּגְלָה עָלָיו קוֹל כְּקוֹל מֻרְגָּשׁ, וְלֹא הִשִּׂיג בָּזֶה יוֹתֵר, אֲבָל אַחַר כָּךְ שָׁפַע עָלָיו הַשֶּׁפַע, וְהִכִּיר וְהִשִּׂיג הַנְּבוּאָה בִּדְרָכֶיהָ; וְכֵן מַרְאַת הַסְּנֶה לְמֹשֶׁה, בַּתְּחִלָּה לֹא נִגְלָה לוֹ אֶלָּא כַּמֻּרְגָּשׁוֹת, וְרָאָה הַסְּנֶה בּוֹעֵר בָּאֵשׁ, וְהַקָּדוֹשׁ בָּרוּךְ הוּא קְרָאוֹ בְּקוֹלוֹ שֶׁל אָבִיו, אַךְ אַחַר כָּךְ שָׁפַע עָלָיו הַשֶּׁפַע, וְהִשִּׂיג הַנְּבוּאָה לַאֲמִתָּהּ.

[ד] וְאוּלָם יִתְלַמְּדוּ הַמִּתְלַמְּדִים בִּנְבוּאָה בְּעִנְיָנִים יְדוּעִים – מַה שֶּׁיַּמְשִׁיךְ עֲלֵיהֶם הַשֶּׁפַע הָעֶלְיוֹן, וִיבַטֵּל מְנִיעוֹת חֹמֶר הַגּוּף, וְיַמְשִׁיךְ גִּלּוּי אוֹרוֹ יִתְבָּרַךְ שְׁמוֹ וְהַהִתְדַּבְּקוּת בּוֹ, וּכְלָלָם – כַּוָּנוֹת, וְהַזְכָּרַת שֵׁמוֹת הַקְּדוֹשִׁים, וְהִלּוּלִים בִּתְהִלּוֹת – יִצְרְפוּ בָּם שֵׁמוֹת בְּדַרְכֵי הַצֵּרוּפִים, וּכְמוֹ שֶׁאָמַרְנוּ לְעֵיל. וּכְפִי מַה שֶּׁיִּהְיוּ זוֹכִים בְּמַעֲשֵׂיהֶם, וּמִזְדַּכְּכִים וְהוֹלְכִים עַל יְדֵי עִנְיָנִים

These were the ones who apprenticed themselves to recognized prophets in order to learn the necessary ways of prophecy.

[3] It is also possible that a revelation come from God in such a manner that the recipient is not aware that this is a prophetic experience. This is very different from the experience of an actual prophet [who is highly aware of the nature of his experience]. In such a case, the individual thinks that he is actually experiencing something with his physical senses. It is after he experiences the full prophetic influx that he realizes the significance of his initial revelation.

This is what happened when God first called to the prophet Samuel.[42] What he initially was granted was not complete prophecy with its full influx. All that was revealed to him was a voice, and he experienced this like any other physical sound. At this time he did not perceive anything further. It was only later, when full prophetic influx flowed upon him, that he became aware of the true nature of the prophecy [and realized what this "voice" actually was].

The same was true when Moses first saw the Burning Bush.[43] At first it was only revealed to him as if it were something that he was experiencing with his physical senses. He saw a burning bush, and God called to him using his father's voice.[44] Only when prophetic influx flowed upon him did he recognize the true nature of this vision.

[4] Those who train themselves for prophecy must do so through a number of specific disciplines. The purpose of these is to bring the Highest Influence to bear on them and nullify the effects of their physical nature holding it back. In this manner, they attach themselves to God, and bring upon themselves a revelation of His Light.

These disciplines can include various meditations, pronouncing certain holy Names, and praising God with prayers intermingled with His Names, combined in a specific manner, as discussed earlier.[45]

The main initiation of prophecy, however, depends on these neophytes' devotion to God. To the degree that they make themselves worthy through their deeds and continually purify themselves

הָאֵלֶּה, כָּךְ יִתְקָרְבוּ אֵלָיו יִתְבָּרַךְ, וּמַתְחִיל הַשֶּׁפַע לְהִשָּׁפַע עֲלֵיהֶם, וְיַשִּׂיגוּ הַשָּׂגוֹת אַחַר הַשָּׂגוֹת, עַד שֶׁיַּגִּיעוּ אֶל הַנְּבוּאָה. וְהַנָּבִיא הַמֻּבְהָק וְיוֹדֵעַ כְּבָר דַּרְכֵי הַנְּבוּאָה עַל נָכוֹן, יְלַמְּדֵם כָּל אֶחָד לְפִי הֲכָנָתוֹ, מַה יַּעֲשׂוּ לְהַשִּׂיג אֶת הַתַּכְלִית הַמְבֻקָּשׁ, וְכֵן כְּשֶׁיַּתְחִילוּ הַגִּלּוּיִים עֲלֵיהֶם, יְלַמְּדֵם הַנָּבִיא כְּפִי עִנְיַן הַגִּלּוּי הַמִּתְגַּלֶּה, וּמַה שֶּׁיֶּחְסַר עוֹד לָהֶם מִן הַתַּכְלִית אֲשֶׁר הֵם מְבַקְשִׁים. וְהִנֵּה יִצְטָרְכוּ לִמְלַמֵּד וּמַדְרִיךְ, עַד עָמְדָם עַל בֻּרְיָהּ שֶׁל הַנְּבוּאָה בִּשְׁלֵמוּת, כִּי אַף עַל פִּי שֶׁכְּבָר יַתְחִיל בְּגִלּוּיִים וְהַשְׁפַּע עֲלֵיהֶם הַשְׁפָּעוֹת, לֹא מִפְּנֵי זֶה יִמָּצְאוּ מַגִּיעִים אֶל סוֹף הָעִנְיָן מִיָּד, אֲבָל הַדְרָכָה רַבָּה יִצְטָרְכוּ, לְהַגִּיעַ אֶל הַסּוֹף עַל נָכוֹן, כָּל אֶחָד לְפִי מַעֲלָתוֹ וַהֲכָנָתוֹ.

[ה] וְאָמְנָם, גַּם אַחֲרֵי הַשִּׂיגָם מַעֲלַת הַנְּבוּאָה, יִבָּחֲנוּ הַנְּבִיאִים זֶה מִזֶּה בְּמַעֲלָה וּמַדְרֵגָה, בֵּין בְּכַמּוּת, וּבֵין בְּאֵיכוּת, פֵּרוּשׁ – כִּי יֵשׁ שֶׁיִּתְנַבֵּא פְּעָמִים רַבּוֹת וְיֵשׁ שֶׁלֹּא יִתְנַבֵּא אֶלָּא מְעַט, וְכֵן בְּאֵיכוּת הַנְּבוּאָה עַצְמָהּ, יֵשׁ שֶׁיַּשִּׂיג הִתְדַּבְּקוּת גָּדוֹל בּוֹ יִתְבָּרַךְ שְׁמוֹ, וְיַשְׂכִּיל הַשְׂכָּלוֹת גְּדוֹלוֹת מְאֹד, וְיֵשׁ שֶׁהִתְדַּבְּקוּתוֹ לֹא יִהְיֶה כָּל כָּךְ, וְכֵן הַשְׂכָּלָתוֹ. אָמְנָם בָּזֶה יִשְׁווּ כָּל הַמִּתְנַבְּאִים, שֶׁיִּהְיֶה לָהֶם דְּבֵקוּת נִכָּר לָהֶם בּוֹ יִתְבָּרַךְ שְׁמוֹ, וְגִלּוּי מִמֶּנּוּ יִתְבָּרַךְ אֲלֵיהֶם – נִכָּר אֲלֵיהֶם בְּבֵרוּר, שֶׁלֹּא יִסְתַּפְּקוּ בוֹ; אֶלָּא שֶׁבַּהִתְדַּבְּקוּת עַצְמוֹ וּבַגִּלּוּי וְהַהַשְׂכָּלָה, יִבָּחֲנוּ הַמַּדְרֵגוֹת הָרַבּוֹת שֶׁיִּבָּחֲנוּ.

[ו] וּמִמַּה שֶּׁיַּגִּיעַ לַנְּבִיאִים, הוּא הֱיוֹתָם מִשְׁתַּלְּחִים בִּשְׁלִיחוּת מִמֶּנּוּ יִתְבָּרַךְ; וְהַיְנוּ, כִּי לֹא זֶה הוּא עֶצֶם הַנְּבוּאָה, וְאֵינוֹ מֻכְרָח כְּלָל בְּנָבִיא שֶׁיִּשְׁתַּלַּח לַאֲחֵרִים; אֲבָל עֶצֶם הַנְּבוּאָה – כְּבָר

through the above-mentioned disciplines, they can bring themselves closer and closer to God. The prophetic influence begins to come to them, and they undergo one experience after another, until they finally attain true prophecy.

All this, however, requires the guidance of an experienced prophet. He must have an adequate knowledge of the ways of prophecy, and therefore be able to teach each one what he must do to attain the desired result, depending on the individual's particular level of preparation.

When these neophyte prophets begin to experience revelations, the master prophet continues to guide them. On the basis of what is revealed to them, he instructs them and informs them what is still lacking in their quest. Until they attain full prophecy, they require a master for all this. Even though some influence and revelation may have started to come to them, this in itself is not enough to immediately bring them to the ultimate goal. Before they can reach this, they need much guidance and training, each one according to his degree of preparation.

[5]   Even after it is fully attained, prophecy still has different levels and degrees, both quantitatively and qualitatively. Quantitatively, some prophets may prophesy many times, while others may only do so once or twice [in their entire career]. Qualitatively, there are some who attain a very close attachment to God and thus receive very great enlightenment, while the attachment of other prophets may not be as great, and their enlightenment is correspondingly inferior.

In one respect, however, all prophets are the same. They all are completely aware of their attachment to God. The revelation that they experience is unambiguously recognized as coming from God, without any doubt at all. It is only in the degree of attachment, revelation and enlightenment that differences exist.

[6]   Part of a prophet's career may include being sent on a mission by God. This in itself, however, is not the essence of prophecy, since it is by no means necessary that a prophet be given a message for someone else. As we have already explained, the intrinsic nature of

בְּאַרְנוּהוּ, שֶׁהוּא הִתְדַּבֵּק בּוֹ יִתְבָּרַךְ וְהַגָּלוּת יִתְבָּרַךְ אֵלָיו, וְיִתְלַווּ לָזֶה הַיְדִיעוֹת וְהַהַשְׂכָּלוֹת שֶׁיִּתְלַווּ; וּמִן הַמִּקְרִים שֶׁקּוֹרִים פְּעָמִים רַבּוֹת לַנְּבִיאִים, הוּא הִשְׁתַּלְּחָם לַאֲחֵרִים; וּכְבָר אֶפְשָׁר שֶׁיַּגִּיעַ זֶה אֶל נָבִיא מֻבְהָק וּבָקִי מְאֹד בְּדַרְכֵי הַנְּבוּאָה וְיוֹדְעָם עַל בֻּרְיָם, וְאֶפְשָׁר שֶׁיַּגִּיעַ אֶל מִי שֶׁלֹּא יִהְיֶה כָּל כָּךְ בָּקִי וּמְלֻמָּד בָּזֶה, וּמִצַּד זֶה, אֶפְשָׁר שֶׁיִּקְרוּ טָעֻיּוֹת לַנְּבִיאִים, לֹא בְּמַה שֶּׁיִּתְנַבְּאוּ, אֶלָּא בְּמַה שֶּׁיַּעֲשׂוּ הֵם מִדַּעְתָּם, וְלֹא יַשְׁלִימוּ מַה שֶּׁרָאוּי בִּשְׁלִיחוּתָם, וְיֵעָנְשׁוּ; וּכְמַעֲשֵׂה הַנָּבִיא שֶׁל יָרָבְעָם (מלכים א, יג) שֶׁעָבַר עַל דִּבְרֵי עַצְמוֹ, וְנִמְשַׁךְ לוֹ מֵהְיוֹתוֹ בִּלְתִּי מְדַקְדֵּק בְּדַרְכֵי הַנְּבוּאָה, וּכְמַאֲמַר חֲכָמֵינוּ זִכְרוֹנָם לִבְרָכָה בַּשַּׁ״ס (סנהדרין פ״ט).

[ז] וְהִנֵּה עוֹד אֶפְשָׁר לְנָבִיא מִן הַנְּבִיאִים, שֶׁיַּשִּׂיג עִנְיַן אֲמִתִּי בִּנְבוּאָתוֹ, אַךְ לֹא יַשִּׂיג כָּל הָעִנְיָנִים הָאֲמִתִּיִּים שֶׁנִּכְלְלוּ בָהּ. דֶּרֶךְ מָשָׁל: נְבוּאָתוֹ שֶׁל יוֹנָה בֶּן אֲמִתַּי שֶׁנֶּאֱמַר לוֹ: ״וְנִינְוֵה נֶהְפָּכֶת״, וְנִכְלַל בַּדִּבּוּר הַזֶּה שְׁתֵּי הֲבָנוֹת אֲמִתִּיּוֹת: אַחַת הָעֹנֶשׁ שֶׁהָיָה מְעֻתָּד לָהֶם כְּפִי חֶטְאָם, וְהַשֵּׁנִית מַה שֶּׁהָיָה צָפוּי לְפָנָיו יִתְבָּרַךְ שֶׁיִּקְרֶה בָּהֶם, דְּהַיְנוּ שֶׁיֵּהָפְכוּ מֵרָעָה לְטוֹבָה; וְאוּלָם, אִלּוּ לֹא הָיָה נִכְלָל בֶּאֱמֶת בַּדִּבּוּר אֶלָּא עִנְיַן הָעֹנֶשׁ לְבַדּוֹ, כְּשֶׁהָיָה הַקָּדוֹשׁ בָּרוּךְ הוּא שָׁב וְנִחַם עַל הָרָעָה, הָיָה מְגַלֶּה הַדָּבָר לַנְּבִיאִים, וּבִפְרָט לְיוֹנָה, שֶׁהָיְתָה מִתְחַדֶּשֶׁת עֲלֵיהֶם גְּזֵרָה זוּלַת הָרִאשׁוֹנָה; אָמְנָם בִּהְיוֹת שֶׁכָּלַל הַקָּדוֹשׁ בָּרוּךְ הוּא בַּדִּבּוּר הָאֶחָד שְׁתֵּי הַהֲבָנוֹת, לֹא הֻצְרַךְ חִדּוּשׁ גְּזֵרָה עֲלֵיהֶם, אֶלָּא שֶׁנִּתְקַיֵּם הַדִּבּוּר בַּהֲבָנָה הַשְּׁנִיָּה וְלֹא בְּהָרִאשׁוֹנָה, אָכֵן יוֹנָה לֹא הִשִּׂיג בִּתְחִלָּה אֶלָּא הַהֲבָנָה הָרִאשׁוֹנָה וְלֹא הַשְּׁנִיָּה,

prophecy is to be attached to God and experience His revelation. This in turn may also be accompanied by information and enlightenment.

It is sometimes possible, however, that a prophet should be sent with a message to others. He may be a recognized prophet, who is well-versed and totally knowledgeable in the ways of prophecy. Nevertheless, one who is not so well-versed and knowledgeable may also be given such a task.

Because of this, it is possible for a prophet to be in error [when he delivers his message]. This is not the result of his prophecy itself, but a consequence of the manner in which, on his own, he carries it out. When this happens and a prophet does not fulfill his mission properly, he might also be punished.

This is what happened in the case of Jeroboam's prophet.[46] He was punished for not abiding by his own prophecy, as explained by our sages.[47] The reason for this was that he was not sufficiently careful in the ways of prophecy.

[7]   It is also possible that a truth be revealed to a prophet and he not ascertain its full meaning. This, for example, was what happened in the case of Jonah. In his prophecy, he was told (*Jonah* 3:4), "Nineveh will be overturned." This phrase, however, was subject to two possible interpretations. It could mean that the city would be ["overturned" and] destroyed because of its inhabitants' sins. On the other hand, it could also mean that they would be "overturned" from evil to good, as God indeed knew would be the case.[48]

If the phrase had only included the idea of punishment, then when God changed the decree and annulled the punishment, He would have revealed this fact [to some prophet. The fact that a new decree had been issued would have been revealed] to the prophets who were alive at the time, and especially to Jonah himself. Since God had included both meanings in this phrase, however, it was not necessary to issue a new decree, but merely to fulfill the original decree according to its second meaning.

Jonah, however, did not realize that this phrase had more than one interpretation, and thought of it only as a prediction of punish-

וְהוּא מַה שֶׁאָמְרוּ חֲכָמֵינוּ זִכְרוֹנָם לִבְרָכָה: "יוֹנָה אִיהוּ דְלָא אַבְחַן"* (שם).

[ח] וְאָמְנָם צָרִיךְ שֶׁתֵּדַע, שֶׁהִנֵּה בִנְבוּאַת הַמִּתְנַבְּאִים יִבָּחֲנוּ שְׁתֵּי הַבְחָנוֹת, הָרִאשׁוֹנָה-הָעִנְיָן, וְהַשְּׁנִיָּה-הַדְּבָרִים וְהַמִּלּוֹת; וְזֶה, כִּי הִנֵּה יֵשׁ שֶׁיַּשִּׂיג הַנָּבִיא עִנְיָן מֵהָעִנְיָנִים וְלֹא יְקֻבַּל לוֹ בְמִלּוֹת, אֶלָּא יַגִּידֶהּ הַנָּבִיא בְּמִלּוֹת כִּרְצוֹנוֹ, וְיֵשׁ שֶׁיַּשִּׂיגוּ עִנְיָן מְגֻבָּל בְּמִלּוֹת גַּם כֵּן, כְּגוֹן נְבוּאוֹתֵיהֶם שֶׁל יְשַׁעְיָהוּ, יִרְמְיָהוּ, וּשְׁאָר הַנְּבִיאִים – הַנִּכְתָּבוֹת לְדוֹרוֹת, שֶׁהִנֵּה נִגְבְּלוּ מִלּוֹתֵיהֶם בִּנְבוּאָה, לִכְלָל עִנְיָנִים רַבִּים כְּאֶחָד, וְגַם בָּזֶה תִּשְׁתַּנֶּה הַמְּלִיצָה, כְּפִי הֲכָנַת הַנָּבִיא עַצְמוֹ וּדְרָכָיו, וְגַם יִשְׁתַּנֶּה לְטֶבַע לְשׁוֹנוֹ וְדֶרֶךְ דִּבּוּרוֹ.

וּפְעָמִים רַבּוֹת נִתַּן לַנְּבִיאִים לַעֲשׂוֹת מַעֲשִׂים עִם נְבוּאָתָם, כְּגוֹן אֲזוֹרוֹ שֶׁל יִרְמְיָהוּ (ירמיה יג), וְעֻלּוֹ (שם כז), וּלְבֵנָה שֶׁל יְחֶזְקֵאל (יחזקאל ד), וְרַבִּים כָּאֵלֶּה. וְעִנְיָנָם הָיָה, שֶׁעַל יְדֵי הַמַּעֲשִׂים הָהֵם הָיוּ מִתְעוֹרְרִים כֹּחוֹת מִכֹּחוֹת הָעֶלְיוֹנִים, מַה שֶּׁהָיָה מִצְטָרֵךְ לְפִי אֲמִתַּת הָעִנְיָן – שֶׁעָלָיו הָיְתָה הַנְּבוּאָה – בְּכָל בְּחִינוֹתָיו, וּמֵאָז הָיוּ מִזְדַּמְּנִים וְנִפְקָדִים לְהוֹצִיא הַדָּבָר לַפֹּעַל, בִּזְמַן הָרָאוּי לוֹ.

[ט] עוֹד צָרִיךְ שֶׁתֵּדַע, כִּי הִנֵּה תֹּאַר נָבִיא בֶּאֱמֶת וּבְדִקְדּוּק, לֹא יֵאוֹת אֶלָּא לְמִי שֶׁכְּבָר הִשִּׂיג הַנְּבוּאָה עַל בֻּרְיָהּ, וְנִתְבָּרֵר לוֹ הֱיוֹתוֹ מִתְנַבֵּא מִמֶּנּוּ יִתְבָּרַךְ, וּכְמוֹ שֶׁזָּכַרְנוּ לְמַעְלָה, וּמִי שֶׁהִגִּיעַ לָזֶה לֹא יִשָּׁאֵר לוֹ סָפֵק בִּנְבוּאָתוֹ כְּלָל, וְלֹא יִפֹּל בּוֹ טָעוּת בִּנְבוּאָתוֹ; אָמְנָם עַל דֶּרֶךְ הַרְחָבָה, יִתֹּאַר בְּתֹאַר זֶה גַּם מִי שֶׁיַּתְחִיל בַּהַשָּׂגוֹת הַנְּבוּאִיּוֹת וְהִגִּיעַ לוֹ גִלּוּי חוּץ לְגֶדֶר הָאֱנוֹשִׁי;

* בגמרות שלנו הלשון "איהו דלא ידע".

ment. Our sages thus teach us that "it was Jonah who did not comprehend."[49]

[8]   It is also necessary to realize that there are two distinct aspects of prophecy, namely its content and its wording. A prophetic concept may not be circumscribed by words, and in such a case the prophet will express it in any way he wishes.

Some prophets, however, perceive a concept that is also circumscribed by words. This is true of the prophecies of Isaiah, Jeremiah and the other prophets who were given a message for future generations.[50] In cases such as these, the prophecy was revealed with a precise wording, and these words simultaneously included a large number of concepts.

Even in such cases, however, the phraseology depends on the particular prophet's own preparation and way of life. It can also vary according to the prophet's language-style and manner of speech.

In many cases, prophets are instructed to perform a certain act in conjunction with their prophecy. The prophet Jeremiah was thus instructed to wear a linen belt,[51] and, in another instance, to place a yoke around his neck.[52] The prophet Ezekiel was similarly told to trace a map of Jerusalem on a brick.[53] In cases such as these, the act was used to stimulate the highest Forces in a manner required by the nature of the particular prophetic concept. When this act was completed, the Forces were readied and designated to translate this concept into action at the proper time.

[9]   It is also necessary to realize that the only one who deserves the actual title of Prophet is one who has attained full prophecy. This is an individual who is certain that his prophecy is from God, as discussed earlier. When he reaches this level, there is neither ambiguity nor error in his prophecy.

In a more general sense, however, the title of prophet is also given to one who has the beginnings of a prophetic experience and has attained some degree of revelation in a manner beyond the realm of normal human experience. Such an individual, however, may

וְאוּלָם מִי שֶׁלֹּא הִשִּׂיג אֶלָּא הַשָּׂגוֹת אֵלֶּה, אֵינוֹ עֲדַיִן בָּטוּחַ בְּעִנְיָנוֹ, וְאֶפְשָׁר לוֹ שֶׁיִּכָּשֵׁל, וּכְעֵין נְבִיאֵי אַחְאָב, שֶׁנְּבָאֵר לְפָנִים בְּסִיַּעְתָּא דִשְׁמַיָּא; וְאָמְנָם הַיּוֹדְעִים דַּרְכֵי נְבוּאָה עַל בֻּרְיָם יוֹדְעִים כָּל זֶה עַל נָכוֹן, יוֹדְעִים הַמִּכְשׁוֹלוֹת הָאֵלֶּה שֶׁאֶפְשָׁר שֶׁיִּמָּצְאוּ, וּמַכִּירִים סִימָנֵיהֶם, וְהַדֶּרֶךְ לְהִנָּצֵל מֵהֶם, עַד הַגִּיעַ אֶל אֲמִתַּת הַנְּבוּאָה, וְאֵלֶּה הָיוּ מְלַמְּדִים אֶת הַתַּלְמִידִים, כְּמוֹ שֶׁזָּכַרְנוּ לְעֵיל, וּמְמַלְּטִים אוֹתָם מִן הַטָּעֻיּוֹת, וּמַעֲמִידִים אוֹתָם עַל הָאֱמֶת.

[י] וְאוּלָם עִקַּר הָעִנְיָן הַזֶּה, הוּא מַה שֶּׁאָמַרְנוּ בְּחֵלֶק רִאשׁוֹן פֶּרֶק חֲמִישִׁי, מֵאוֹתָם כֹּחוֹת הַטֻּמְאָה שֶׁנִּמְצָאִים בָּעוֹלָם וּפוֹעֲלִים כְּפִי מַה שֶּׁהוּחַק בְּטִבְעָם וְנִמְסַר בְּיָדָם. וְהִנֵּה יֵשׁ בְּכֹחָם שֶׁיַּטְעוּ אֶת הָאָדָם, בְּמַה שֶּׁיַּשְׁפִּיעוּ עָלָיו הַשְׁפָּעוֹת, בִּדְרָכִים כְּעֵין דַּרְכֵי הַנְּבוּאָה הָאֲמִתִּית, וִיגַלּוּ לוֹ עִנְיָנִים, אֲמִתִּיִּים וְכוֹזְבִים, וִיחַדְּשׁוּ לוֹ קְצָת עִנְיָנִים נִפְלָאִים, וּכְמָה שֶׁאָמַר הַכָּתוּב בְּפֵרוּשׁ בִּנְבִיא הַשֶּׁקֶר: "וְנָתַן אֵלֶיךָ אוֹת אוֹ מוֹפֵת וּבָא הָאוֹת וְהַמּוֹפֵת" (דברים יג). וְהִנֵּה דָּבָר זֶה, אֶפְשָׁר שֶׁיִּקְרֶה לָאָדָם שֶׁלֹּא בִּרְצוֹנוֹ, וְאֶפְשָׁר שֶׁיִּקְרֶה לוֹ בִּרְצוֹנוֹ; וְהַיְנוּ שֶׁאֶפְשָׁר שֶׁיִּקְרֶה לוֹ מִקְרֶה זֶה וְהוּא לֹא הִשְׁתַּדֵּל עָלָיו, אוֹ הִשְׁתַּדֵּל עַל הֶפְכּוֹ, וְהִגִּיעַ לוֹ זֶה, מִפְּנֵי שֶׁלֹּא נִשְׁלַם בְּמַעֲשָׂיו וְהִשְׁתַּדְּלוּתוֹ; וְאֶפְשָׁר שֶׁיַּגִּיעַ לְמִי שֶׁרָצָה בּוֹ בְּרִשְׁעוֹ, וְהִשְׁתַּדֵּל לְהַשִּׂיגוֹ, וְהַיְנוּ, שֶׁיֵּלֵךְ אַחֲרֵי הַכֹּחוֹת הָאֵלֶּה וְיִשְׁתַּדֵּל לְהִדָּבֵק בָּם כִּרְצוֹנוֹ, לְהַשִּׂיג מֵהֶם מַה שֶּׁיַּחְפֹּץ לְהַשִּׂיג, דְּהַיְנוּ שֶׁיְּגַלּוּ לוֹ עִנְיָנִים – כְּמוֹ שֶׁזָּכַרְנוּ – שֶׁבָּהֶם יַחֲזִיק עַצְמוֹ לִפְנֵי בְּנֵי הָאָדָם לְנָבִיא וִיסִיתֵם כְּמוֹ שֶׁיַּחְפֹּץ, אוֹ יִתְכַּבֵּד בְּעֵינֵיהֶם; וּמִן הַמִּין הַזֶּה, הָיוּ נְבִיאֵי הַבַּעַל וְהָאֲשֵׁרָה, שֶׁהִנֵּה הָיוּ מִשְׁתַּדְּלִים בָּזֶה, עַד שֶׁהָיוּ מִתְדַּבְּקִים בַּכֹּחוֹת הָאֵלֶּה, וּמַשִּׂיגִים יְדִיעַת קְצָת דְּבָרִים, שֶׁעַל יְדֵיהֶם הָיוּ

not perceive the concept unambiguously, and may therefore be misled. This is what happened in the case of King Aḥab's prophets, as will be discussed presently.

Those who know the ways of prophecy fully, however, are also completely aware of these stumbling blocks. They recognize their signs and know how one must protect himself from them until he attains true prophecy. These experienced prophets teach these things to their disciples, as discussed earlier. One of the important tasks of these master prophets is to bring their disciples to the truth and prevent them from being misled.

[10] Errors such as these stem from the corrupting Forces discussed above (1:5:8). These Forces are allowed to exist and function according to their ordained nature and according to the power that they were given. One of these powers is the ability to deceive people and influence them in a manner resembling that of genuine prophecy.

What they reveal, however, is not necessarily true. They can reveal false concepts, and even bring about miracles to verify them. The Torah thus openly says with regard to a false prophet (*Deuteronomy* 13:2, 3), "He will predict a sign or wonder, and that sign or wonder will come to pass."

This can sometimes happen to a person against his will, and can also be brought about intentionally.

A person, without having sought to do so, can experience a false vision. Or, even though he may have been seeking the precise opposite [namely, true prophecy], he may be exposed to this evil as a result of his lack of perfection and proper effort.

In many cases, however, an evil person may actually desire to communicate with these evil Forces and strive to attain such false prophecy. He pursues these Forces and knowingly works to attach himself to them. In this manner, he hopes to gain a corrupt revelation, so that people should take him for a prophet. He would then have the power to wilfully mislead them or gain status in their eyes.

Included in this second category are the prophets of Baal and Astarte. They exerted themselves in this manner and attained some supernatural knowledge, through which they were able to mislead

מְפַתִּים הַמַּאֲמִינִים בָּם, וְכֵן מְחַדְּשִׁים בְּכֹחַ זֶה נִפְלָאוֹת, לְאוֹת עַל נְבוּאָתָם, וּכְמוֹ שֶׁזָּכַרְנוּ. וְאָמְנָם הֵם בְּעַצְמָם הָיוּ יוֹדְעִים שֶׁאֵין זֶה לָהֶם אֶלָּא מִצַּד הַטֻּמְאָה – מַה שֶּׁבָּחֲרוּ לָהֶם, וְלֹא הָיוּ חוֹשְׁבִים בְּעַצְמָם שֶׁהֵם נְבִיאִים, אֶלָּא בְּרִשְׁעַת לְבָבָם הָיוּ עוֹשִׂים כֵּן. אַךְ גַּם לְמִי שֶׁלֹּא הִשְׁתַּדֵּל עַל זֶה הָיָה אֶפְשָׁר שֶׁיִּקְרֶה זֶה כְּמוֹ שֶׁזָּכַרְנוּ, וְעַל כֵּן הָיוּ צְרִיכִים הַמִּשְׁתַּדְּלִים לִנְבוּאָה לִמְלַמֵּד מֻבְהָק שֶׁיְּלַמְּדֵם כְּמוֹ שֶׁזָּכַרְנוּ, וְעַל יָדוֹ הָיוּ נִצּוֹלִים. וְכָל זֶה, עַד שֶׁיַּגִּיעַ לְמַדְרֵגַת הַנְּבוּאָה בֶּאֱמֶת, כִּי כֵיוָן שֶׁהִגִּיעוּ לָהּ, כְּבָר רָאוּ הַהֶפְרֵשׁ הַגָּדוֹל וְהִכִּירוּהוּ, וְאִי אֶפְשָׁר לָהֶם עוֹד שֶׁיִּסְתַּפְּקוּ בָּזֶה כְּלָל, כְּמוֹ שֶׁזָּכַרְנוּ.

[יא] וְהִנֵּה מִן הַדֶּרֶךְ הַזֶּה, הָיָה הָעִנְיָן שֶׁקָּרָה לִנְבִיאֵי אַחְאָב, בְּרוּחַ שֶׁפִּתָּם (מלכים א כב); וְזֶה, כִּי הִנֵּה מִפְּנֵי מַעֲשָׂיו, נִגְזַר עָלָיו שֶׁיֵּלֵךְ וְיִפֹּל בְּרָמֹת גִּלְעָד, וְהָיָה רָאוּי שֶׁיִּהְיֶה לוֹ פִּתּוּי חָזָק, שֶׁעַל יָדוֹ יִמָּשֵׁךְ וְיֵלֵךְ אֶל הַמִּלְחָמָה הַהִיא, וְלֹא יִסּוֹג מִמֶּנָּה, אַף שֶׁקָּרָה לוֹ מַה שֶּׁהָיָה רָאוּי שֶׁיִּמְנָעֵהוּ – וּכְמָה שֶׁאֵרַע לוֹ בֶּאֱמֶת, שֶׁאָמַר לוֹ יְהוֹשָׁפָט: "דְּרָשׁ־נָא כַיּוֹם אֶת־דְּבַר ד׳" וְכוּ׳, וְלֹא הִסְפִּיק לוֹ נְבוּאַת הָהֵם – שֶׁכָּל זֶה הָיָה צָפוּי לְפָנָיו יִתְבָּרַךְ – וְהִנֵּה בִּהְיוֹת הַמִּשְׁפָּט נֶעֱרָךְ לִפְנֵי בֵּית דִּין שֶׁל מַעְלָה, הָיוּ מְקַטְרְגִים וּמְלַמְּדִים זְכוּת, וְנִזְמְנוּ עִנְיָנִים לְפַתּוֹתוֹ, וְנִמְצָא הַיּוֹתֵר הָגוּן עִנְיַן הָרוּחַ, וְהוּא, כִּי כָל אוֹתָם נְבִיאֵי הַשֶּׁקֶר הָיוּ מִתְנַבְּאִים לְעֵינָיו וּבְפָנָיו שֶׁל אַחְאָב, וְהַיְנוּ שֶׁהָיוּ עוֹשִׂים הַמַּעֲשִׂים וּמִשְׁתַּדְּלִים בְּאוֹתָם הָעִנְיָנִים, שֶׁעַל יְדֵיהֶם נִמְשָׁךְ גִּלּוּי הַנְּבוּאָה, וְהִנֵּה הֵם לֹא הָיוּ מִשְׁתַּדְּלִים אֶלָּא לְהַמְשִׁיךְ גִּלּוּי הַטֻּמְאָה שֶׁזָּכַרְנוּ לְמַעְלָה וְלֹא יוֹתֵר, אֶלָּא שֶׁהָיוּ מְרַמִּים בַּמֶּלֶךְ, וּמַרְאִים לוֹ שֶׁמַּמְשִׁיכִים גִּלּוּי אוֹרוֹ יִתְבָּרַךְ. אָמְנָם עַל כָּל פָּנִים

those who believed in them. They were also able to bring about miracles to verify their prophecy, as mentioned above.

The false prophets themselves, however, knew that all this came from the side of Evil, which they themselves had chosen. They did not consider themselves true prophets, but engaged in this because of the evil in their hearts.

This evil, however, can also come to one who is not seeking it. It is therefore very necessary for those who strive for true prophecy to do so under the guidance of an experienced teacher, as discussed earlier. Only such guidance can prevent such errors on their part.

This is only true, however, before one attains full prophecy. Once a person actually attains this level, he is able to clearly recognize true prophecy and distinguish between the genuine and the spurious. It is impossible for a true prophet to have any doubts whatsoever, as discussed earlier.

[11] This explains what happened in the case of King Aḥab's prophets, as well as the concept of the Spirit that misled them.

As a result of his evil deeds, it was decreed that Aḥab go to Ramoth-Gilead and be killed there. It was also deemed appropriate that he be strongly enticed into battle, so that he should not retreat, even after suffering reverses.

This was then what actually happened. First, Jehoshaphat told the king (1 *Kings* 22:5), "Seek today the word of God." [The king then inquired of his four hundred prophets, who told him that he would be victorious in the battle.] This, however was not enough [to entice him sufficiently]. All this had been foreseen by God. When Aḥab's judgment came before the heavenly tribunal, there were some who accused him, and others who spoke up for him. It was finally decided that something be sent to entice him, and the most appropriate lure was this particular Spirit.[54]

All these false prophets were "prophesying" in Aḥab's presence. This means that they were exerting themselves and doing things that normally would bring about a prophetic revelation. The vision that they were seeking, however, was nothing more than the evil revelation mentioned earlier. They were deceiving the king, however, and making him think that they were actually trying to attain a

הָיוּ מִשְׁתַּדְּלִים בַּהַמְשָׁכָה לְפָנָיו, וְהָיָה נִמְשָׁךְ עֲלֵיהֶם בֶּאֱמֶת הַגִּלּוּי אֲשֶׁר הָיוּ מְבַקְשִׁים, וְדָבָר זֶה הָיָה נַעֲשֶׂה לְעֵינֵי הַמֶּלֶךְ לְהִתְחַזֵּק יוֹתֵר בֶּאֱמוּנָה בָם, וְהוּא שֶׁאָמַר הַכָּתוּב: ״וְכָל־הַנְּבִיאִים מִתְנַבְּאִים לִפְנֵיהֶם״; וְהִנֵּה מַה שֶּׁהָיָה נִמְשָׁךְ לָהֶם בְּאוֹתָהּ הַנְּבוּאָה הַטְּמֵאָה, הָיוּ מִלּוֹת אֵלֶּה: ״עֲלֵה... וְהַצְלַח וְנָתַן ד׳ בְּיַד הַמֶּלֶךְ״, אֵלֶּה הָיוּ הַדְּבָרִים שֶׁהָיָה הָרוּחַ הַהוּא מְדַבֵּר בְּפִיהֶם; וְלֹא הָיוּ טוֹעִים הֵם בְּעַצְמָם, כִּי הֵם הָיוּ יוֹדְעִים הִשְׁתַּדְּלוּתָם מֶה הָיָה, אֶלָּא אַחְאָב הָיָה טוֹעֶה בָהֶם וּמִתְפַּתֶּה, עַד שֶׁלֹּא הֶאֱמִין לְדִבְרֵי מִיכָיְהוּ, מֵרֹב אֱמוּנָתוֹ בְּמַה שֶּׁהָיָה רוֹאֶה בִנְבִיאֵי הַשֶּׁקֶר שֶׁלּוֹ. וְאָמְנָם צִדְקִיָּה בֶּן כְּנַעֲנָה הוֹסִיף עַל שְׁאָר נְבִיאִים הָהֵם, כִּי הֵם לֹא אָמְרוּ אֶלָּא כְּפִי שֶׁנִּמְשַׁךְ לָהֶם מֵאוֹתוֹ הָרוּחַ, אַךְ צִדְקִיָּה הוֹסִיף לַעֲשׂוֹת כְּעֵין מַה שֶּׁהָיוּ עוֹשִׂים נְבִיאֵי הָאֱמֶת, וְזֶה, כִּי כְבָר הֶאֱמִין בַּגִּלּוּי הַהוּא, וְחָשַׁב הֱיוֹתוֹ אֲמִתִּי וְנִמְשָׁךְ מִלְּפָנָיו יִתְבָּרַךְ, עַד שֶׁהֵזִיד לוֹמַר: ״כֹּה־אָמַר ד׳ בְּאֵלֶּה״ וְכוּ׳, וְהִנֵּה הוּא לֹא לָמַד בְּדַרְכֵי הַנְּבוּאָה הָאֲמִתִּית כָּרָאוּי, וְלֹא הִבְחִין בֵּין הַשֶּׁקֶר וְהָאֱמֶת, וְעַל כֵּן אָמְרוּ חֲכָמֵינוּ זִכְרוֹנָם לִבְרָכָה עָלָיו שֶׁאָמַר מַה שֶּׁלֹּא שָׁמַע, וְכֵן אָמְרוּ: ״רוּחַ נָבוֹת אַטְעִיתֵהּ״, וְאָמְרוּ עוֹד: ״אִבָּעֵי לֵהּ לְמִדַּק״, כְּפִי מַה שֶּׁהִזְהִירוֹ יְהוֹשָׁפָט שֶׁ״אֵין שְׁנֵי נְבִיאִים מִתְנַבְּאִים בְּסִגְנוֹן אֶחָד״ (סנהדרין פ״ט); וְהִנֵּה, בֶּאֱמֶת קָרָה לַנְּבִיאִים הָהֵם בְּאוֹתוֹ הַזְּמַן גִּלּוּי יוֹתֵר מִמַּה שֶּׁהָיוּ רְגִילִים לְהַשִּׂיג, וּבְדֶרֶךְ שׁוֹנָה מִמַּה שֶּׁהָיוּ רְגִילִים, עַד שֶׁטָּעָה צִדְקִיָּה, וְנִדְמָה לוֹ שֶׁאוֹתָהּ הַפַּעַם הָיְתָה נְבוּאָתוֹ אֲמִתִּית, אַף עַל פִּי שֶׁהִשְׁתַּדְּלוּתָם לֹא הָיָה אֶלָּא לְצַד הַטֻּמְאָה כְּמוֹ שֶׁזָּכַרְנוּ, אֲבָל זֹאת הָיְתָה נְסִבָּה מֵאֵת ד׳, וּכְמוֹ שֶׁזָּכַרְנוּ, וְהָבֵן הֵיטֵב.

revelation from God. They did this in the king's presence in order
to convince him all the more. The account thus says (*ibid* 22:10),
"And all the prophets were prophesying before them."

The false prophets continued in this manner until they ex-
perienced the revelation that they were seeking. The word that came
to them through this corrupt prophecy was then (*ibid.* 22:12), "Go
up [to Ramoth-Gilead] . . . and be successful, for God will deliver
it into the king's hand." These were the words that the Spirit had
spoken through their lips. The false prophets themselves, however,
were not misled, since they knew that they were not striving for
the truth. It was only King Aḥab who was misled and convinced,
for he had such great faith in these false prophets that he would not
believe Micaiah [who was actually a true prophet].

Zedekiah, son of Chenaanah, however, went even further than
these other false prophets. They had only repeated what had been
transmitted to them by that Spirit, knowing full well that it was
false. Zedekiah, on the other hand, had sought the ways of true
prophecy, and when the vision arrived he believed it and assumed
that it was from God. He was therefore convinced that he was telling
the truth when he said (*ibid.* 22:11), "*Thus says the Lord,* with these
[horns you shall gore the Arameans, until they are consumed]."

The reason Zedekiah was misled was that he was not properly
versed in the ways of true prophecy, and therefore could not dis-
tinguish between the genuine and the spurious. Our sages thus use
him as an example of a prophet who "declares what he had not
heard." They likewise state that "the spirit of Naboth misled him."

Our sages furthermore teach us that Zedekiah "should have
been more careful." He should have known that these prophets were
false, for Jehoshaphat had taught that "two prophets do not proph-
esy using the same language."[55]

What had happened at that time was that the false prophets had
attained a far greater revelation than usual, and had experienced
it in a totally different manner. Even though their efforts were
directed toward the side of corruption, as mentioned earlier, their
revelation was so intense that Zedekiah was misled into thinking
that their prophecy was true this time. This was all ultimately the
result of God's decree, as discussed earlier. Understand this well.

בְּהֶבְדֵּל כָּל הַנְּבִיאִים
מִמֹּשֶׁה רַבֵּנוּ עָלָיו הַשָּׁלוֹם

[א] הִנֵּה, מַדְרֵגוֹת הַנְּבוּאָה עַל דֶּרֶךְ כְּלָל יִתְחַלֵּק לִשְׁתַּיִם: הָאַחַת מַדְרֵגַת כָּל הַנְּבִיאִים חוּץ מִמֹּשֶׁה רַבֵּנוּ עָלָיו הַשָּׁלוֹם, וְהַשְּׁנִיָּה מַדְרֵגַת מֹשֶׁה רַבֵּנוּ עָלָיו הַשָּׁלוֹם; וְהַקָּדוֹשׁ בָּרוּךְ הוּא בְּעַצְמוֹ חִלְּקָם בְּחִלּוּק זֶה, וּבֵאֵר הֶבְדֵּלָם, כַּכָּתוּב: ״אִם־יִהְיֶה נְבִיאֲכֶם ד׳ בַּמַּרְאָה אֵלָיו אֶתְוַדָּע״ וְכוּ׳ ״לֹא־כֵן עַבְדִּי מֹשֶׁה״ וְכוּ׳ (במדבר יב, ו–ז).

[ב] כְּלָל כָּל הַנְּבִיאִים חוּץ מִמֹּשֶׁה, נְבוּאָתָם עַל יְדֵי מַרְאָה וַחֲלוֹם, וּכְמוֹ שֶׁכָּתוּב: ״בַּמַּרְאָה אֵלָיו אֶתְוַדָּע בַּחֲלוֹם אֲדַבֶּר־בּוֹ״; וְהַיְנוּ שֶׁהַקָּדוֹשׁ בָּרוּךְ הוּא מְשַׁמֵּשׁ מִן הַחֲלוֹם הֶחָקוּק כְּבָר בְּטִבְעָם שֶׁל בְּנֵי הָאָדָם, לִהְיוֹת לָהֶם לְאֶמְצָעִי, לְהַמְשִׁיךְ עַל יָדוֹ הַנְּבוּאָה לַנָּבִיא. וְלֹא שֶׁהַנְּבוּאָה וְהַחֲלוֹם מִמִּין אֶחָד, אֶלָּא שֶׁהַחֲלוֹם הוּא דָּבָר הָגוּן לִפְנֵי חָכְמָתוֹ יִתְבָּרַךְ, שֶׁיִּהְיֶה אֶמְצָעִי לְהַמְשִׁיךְ הַנְּבוּאָה עַל יָדוֹ; וְלֹא אָמְרוּ חֲכָמֵינוּ זִכְרוֹנָם לִבְרָכָה: ״חֲלוֹם אֶחָד מִשִּׁשִּׁים בִּנְבוּאָה״ (ברכות נ״ז), אֶלָּא מִצַּד הֱיוֹת בּוֹ הַגָּדָה וְהוֹדָעָה – לְמַעְלָה מִגֶּדֶר הַהוֹדָעָה הָרְגִילָה לִבְנֵי הָאָדָם כְּפִי חֹק הַשְׂכָּלָתָם, וּכְמוֹ שֶׁזָּכַרְנוּ לְמַעְלָה.

[ג] וְהִנֵּה, בְּהִתְגַּבֵּר שֶׁפַע הַנְּבוּאָה עַל הַנָּבִיא, יֵצֵא מֵהַרְגָּשׁוֹתָיו וְחוּשָׁיו, וְיִשְׁתַּקַּע כְּמוֹ בְשֵׁנָה, וְתִשָּׁאֵר מַחְשַׁבְתּוֹ כְּמַחְשֶׁבֶת הַיָּשֵׁן

III CHAPTER 5

Moses as a Prophet

[1] There are two totally different levels of prophecy. One is that of every prophet other than Moses, while the second was the unique level attained only by Moses. God Himself makes this distinction when He says (*Numbers* 12:6, 12), "If there be a prophet among you, I, God, will make Myself known to him in a vision. . . . Not so My prophet Moses."[56] [The necessity for this vast difference is because it was the Torah itself that was revealed through Moses' prophecy.]

[2] Every prophet other than Moses would receive his prophecy through a vision or dream, as the Torah states (*ibid.* 12:6), "I make Myself known to him through a vision, I speak to him in a dream." This means that God manipulates man's natural power to dream, and uses it as a means to transmit a prophetic vision.

This does not mean, however, that a dream and a prophetic vision are in the same category. God's wisdom merely deemed that a dream should be an adequate vehicle for prophecy. When our sages teach us that "a dream is a sixtieth of prophecy,"[57] they do not mean that the two are the same. What they are teaching us is that both contain information that man could not attain with his powers of reason alone, as discussed earlier.

[3] When the influence of a prophetic experience overcomes a prophet, he is deprived of all sense and feeling. He loses consciousness, his mind enters a state similar to sleeping and dreaming, and only

וְחוֹלֵם, וְאָז תִּמָּשֵׁךְ לוֹ הַנְּבוּאָה; וְאָמְנָם, אֶפְשָׁר שֶׁיַּגִּיעַ הַדָּבָר הַזֶּה אֶל הַנָּבִיא בְּעֵת יְקִיצָתוֹ, עַל הַדֶּרֶךְ שֶׁזָּכַרְנוּ, וְאֶפְשָׁר שֶׁבְּשָׁכְבוֹ עַל מִטָּתוֹ, בַּחֲלוֹם הַלַּיְלָה – תִּמָּשֵׁךְ לוֹ הַנְּבוּאָה. אָמְנָם עַל כָּל פָּנִים, לֹא תַגִּיעֵהוּ הַנְּבוּאָה אֶלָּא אַחַר הֱיוֹתוֹ חוּץ מֵחוּשָׁיו, וּמְשֻׁקָּע בְּאוֹתָהּ הַתַּרְדֵּמָה; אָמְנָם אֶפְשָׁר שֶׁיִּקְרֶה הַדָּבָר בִּמְעוּט זְמַן, וְיָשׁוּב תֵּכֶף אֶל מַצָּבוֹ הָרִאשׁוֹן, אֶלָּא שֶׁבְּעֵת הִנָּבְאוֹ יֵצֵא מִן הַהֶרְגֵּשׁ וְיִשְׁתַּקַּע בְּתַרְדֵּמָה לְשָׁעָה, עַד שֶׁיְּקַבֵּל הַנְּבוּאָה.

[ד] וְאָמְנָם רְאִיָּתָם שֶׁל הַנְּבִיאִים אֵינָהּ כְּמִי שֶׁרוֹאֶה אֶת חֲבֵרוֹ לְפָנָיו, אֶלָּא כְּמִי שֶׁרוֹאֵהוּ מֵאַסְפַּקְלַרְיָא, וְלֹא מֵאַחַת, אֶלָּא כְּמִי שֶׁרוֹאֶה מִתּוֹךְ אַסְפַּקְלַרְיוֹת רַבּוֹת, שֶׁנֶּעְתָּק בָּהֶן הַצִּיּוּר מִזּוֹ לָזוֹ, אַךְ הַנִּרְאֶה הוּא אֶחָד וַדַּאי, וּתְנוּעוֹתָיו – נִרְאוֹת מִתּוֹךְ הָאַסְפַּקְלַרְיוֹת, אַף עַל פִּי שֶׁאֵין מַבִּיטִים אֵלָיו בְּאֹרַח מִישׁוֹר; וְלֹא עוֹד, אֶלָּא שֶׁאֵין רְאִיָּתָם אֶלָּא כְּמִי שֶׁרוֹאֶה מִתּוֹךְ אַסְפַּקְלַרְיָא בִּלְתִּי מְצֻחְצַחַת שֶׁאִי אֶפְשָׁר לוֹ לִרְאוֹת הַנּוֹשֵׂא בְּבֵרוּר גָּמוּר, כָּךְ אִי אֶפְשָׁר לָהֶם לִרְאוֹת הַכָּבוֹד – אֲפִלּוּ אַחַר כָּל הֶעְתֵּקֵי הַצִּיּוּרִים הַלָּלוּ – בְּבֵרוּר, אַף עַל פִּי שֶׁמָּה שֶׁרוֹאִים, בֶּאֱמֶת הוּא כְּבוֹדוֹ יִתְבָּרַךְ, וְאֵין בָּזֶה סָפֵק אֶצְלָם כְּלָל; וְגַם בְּכָל זֶה יֵשׁ מַדְרֵגוֹת רַבּוֹת וְהֶבְדֵּל בֵּין נָבִיא לְנָבִיא, שֶׁיֵּשׁ שֶׁאַסְפַּקְלַרְיָא שֶׁלּוֹ מְצֻחְצַחַת מִשֶּׁל חֲבֵרוֹ, וּמַשִּׂיג בְּיוֹתֵר בֵּרוּר. וְאוּלָם הַנָּבִיא הַמַּשִּׂיג כָּל זֶה, מַשִּׂיג הָעִנְיָן לַאֲמִתּוֹ, דְּהַיְנוּ – כִּי הִנֵּה מִתְבָּרֵר אֶצְלוֹ שֶׁהַמִּתְגַּלֶּה וּמִתְוַדֵּעַ אֵלָיו הוּא הַבּוֹרֵא יִתְבָּרַךְ שְׁמוֹ, וּמַשִּׂיג עִנְיַן הָאַסְפַּקְלַרְיָא, מְצִיאוּתוֹ וְסוֹדוֹ, וּמַשִּׂיג וּמַשְׂכִּיל הַהַשְׂכָּלוֹת הַנִּשְׁפָּעוֹת לוֹ – בֶּאֱמֶת וּבְבֵרוּר, וּכְמוֹ שֶׁזָּכַרְנוּ לְמַעְלָה בְּפֶרֶק שְׁלִישִׁי. וְאָמְנָם כְּמוֹ שֶׁהִתְוַדֵּעַ הַכָּבוֹד אֵלָיו הוּא עַל יְדֵי כָּל הֶעְתֵּקֵי הַצִּיּוּר הָאֵלֶּה, כֵּן הַיְדִיעוֹת הַמַּגִּיעוֹת לוֹ, הֵם עַל יְדֵי חִידוֹת וּמְשָׁלִים, וּבְדֶרֶךְ

then can the prophetic vision come to him. This can take place while the prophet is awake, or it can occur while he is sleeping in bed, in which case the prophecy comes through a nighttime dream.

In any case, prophecy is never attained unless the prophet loses consciousness and becomes immersed in a trance. In some cases, this will last only a very short time, and he immediately returns to his normal state. During the time he experiences prophecy, however, he must be deprived of his senses, and must remain in a trance until the prophecy is received.

[4] The prophetic vision is not like seeing something directly. Rather, it is like seeing it through a lens (*Ispaklaria*), or rather through a series of lenses, where the image is refracted from one to the other. Although it is not seen directly, what is seen through the lenses is the object itself, together with all its motions.

Besides this, the prophetic vision is not seen as if it were transmitted through a clear polished lens, but rather, through a dull lens. It is thus impossible to see the Glory clearly, even after the image has undergone all these refractions. Despite this, however, what the prophet sees is actually God's Glory, and he is aware of this without any doubt whatsoever.

In this respect, there are also many levels and degrees of prophecy. One prophet may see through a clearer Lens than another, and therefore perceive his vision with greater clarity. No matter what level of prophecy is involved, however, the prophet always perceives the true essence of each concept. He knows for certain that the One who is revealed and made known to him is the Creator.

Every prophet also comprehends the concept of the Lens, as well as its essence and mystery. He perceives and understands the information that is revealed both clearly and accurately, as discussed earlier (3:3:1). Nevertheless, just as the Glory is shown to him as a refracted image, so is the information granted to him transmitted by means of allegories and metaphors. It furthermore only comes

231

הַחֲלוֹם, שֶׁהוּא הָאֶמְצָעִי שֶׁעַל יָדוֹ הַנְּבוּאָה מַגַּעַת, וּכְמוֹ שֶׁזָּכַרְנוּ לְמַעְלָה.

[ה] אַךְ נְבוּאָתוֹ שֶׁל מֹשֶׁה רַבֵּנוּ עָלָיו הַשָּׁלוֹם הִיא בְּדֶרֶךְ יוֹתֵר עֶלְיוֹן מִכָּל זֶה, וְהוּא: לָרִאשׁוֹנָה, שֶׁלֹּא הָיָה צָרִיךְ לָצֵאת מֵחוּשָׁיו וְהַרְגָּשׁוֹתָיו וְלֹא לַחֲלֹם כְּלָל, אֶלָּא הָיְתָה הַנְּבוּאָה מַגַּעַת לוֹ עוֹדוֹ בְּמַצָּבוֹ הַתְּמִידִי, וְזֶהוּ שֶׁנֶּאֱמַר בּוֹ: ״פֶּה אֶל־פֶּה אֲדַבֶּר־בּוֹ״; וְהָיָה מִתְגַּלֶּה לוֹ הָעִנְיָן כְּמִי שֶׁרוֹאֶה מִתּוֹךְ אַסְפַּקְלַרְיָא אַחַת לְבַד, וְהִיא עַצְמָהּ מְצֻחְצַחַת; וְכֵן הַיְדִיעוֹת הָיוּ מַגִּיעוֹת לוֹ בְּבֵרוּרָן, וְלֹא עַל יְדֵי חִידוֹת, וְהוּא שֶׁנֶּאֱמַר ״וּמַרְאֶה וְלֹא בְחִידֹת״. וְאוּלָם גַּם לוֹ הָיָה הַכָּבוֹד מִתְגַּלֶּה, כְּפִי מַה שֶּׁאֶפְשָׁר לוֹ לְקַבֵּל, וּכְמִי שֶׁדִּיּוּקְנוֹ מִצְטַיֵּר בְּתוֹךְ הַמַּרְאָה, כִּי זוּלַת זֶה אִי אֶפְשָׁר לָאָדָם שֶׁיַּשִּׂיג אֶת בּוֹרְאוֹ, אֲבָל הָיָה בְּדֶרֶךְ, שֶׁלְּפָחוֹת הַצִּיּוּר הַהוּא הָיָה מַשִּׂיגוֹ כֻּלּוֹ וּבְבֵרוּר, כְּמִי שֶׁרוֹאֶה בְּאַסְפַּקְלַרְיָא מְצֻחְצַחַת וּמְאִירָה שֶׁאֵין עִכּוּב לִרְאִיָּתוֹ, וְעַל זֶה נֶאֱמַר: ״וּתְמֻנַת ד׳ יַבִּיט״, כִּי אוֹתוֹ הַצִּיּוּר הַמִּצְטַיֵּר שֶׁהוּא הַתְּמוּנָה, הָיָה מַבִּיט אוֹתוֹ יָפֶה יָפֶה, מַה שֶּׁאֵינָם כֵּן שְׁאָר הַנְּבִיאִים, שֶׁאֲפִלּוּ אוֹתוֹ הַצִּיּוּר לֹא הָיָה אֶפְשָׁר לָהֶם שֶׁיַּעַמְדוּ עָלָיו הֵיטֵב; וְהִנֵּה מִתּוֹךְ הַצִּיּוּר שֶׁהָיָה מַשִּׂיג, הָיָה מַשְׂכִּיל הַשְׂכָּלָה גְּדוֹלָה וּבְרוּרָה מְאֹד, יוֹתֵר מִכָּל שְׁאָר הַנְּבִיאִים, וּכְמוֹ שֶׁזָּכַרְנוּ.

[ו] וְעוֹד הֶבְדֵּל הָיָה בֵּין שְׁאָר הַנְּבִיאִים לְמֹשֶׁה, שֶׁשְּׁאָר הַנְּבִיאִים לֹא הָיָה בְיָדָם לְהִנָּבֵא בְּכָל שָׁעָה, אֶלָּא בְּשָׁעָה שֶׁהָיָה הַבּוֹרֵא יִתְבָּרַךְ שְׁמוֹ רוֹצֶה, הָיָה מַשְׁרֶה שִׁפְעוֹ עֲלֵיהֶם וּמִתְנַבְּאִים, אַךְ מֹשֶׁה רַבֵּנוּ עָלָיו הַשָּׁלוֹם הָיָה הַדָּבָר תָּלוּי בִּרְצוֹנוֹ, וְהָיָה מָסוּר בְּיָדוֹ לְהִתְקַשֵּׁר בּוֹ יִתְבָּרַךְ וּלְהַמְשִׁיךְ אֵלָיו הַגִּלּוּי כְּפִי הַצֹּרֶךְ.

through a dream, which is the vehicle of prophecy, as discussed earlier.

[5]   The prophecy of Moses, however, was on a totally different level.

First, he did not have to be deprived of his senses or lose consciousness in order to experience prophecy. It furthermore did not come to him in a dream. Moses was able to experience prophecy while wide awake and in a normal state of consciousness. God therefore said about Moses (*Numbers* 12:8), "Mouth to mouth, I will speak to him."

Moses furthermore received every concept like one who sees something through a single highly polished lens.[58] The information therefore did not come as an allegory, but in a direct clear manner. This is what the Torah means when it says of Moses' prophecy (*ibid.*), "with vision, and not with allegories."

Even in the case of Moses, however, the Glory could only be revealed to the extent that he was able to accept it. Even he could not see the Glory directly, but only as an image formed in a mirror, since without this, no human being can have a perception of his Creator. The image that Moses saw, however, was one that was complete and clear, just like an image seen through a brilliantly clear lens, without a trace of dullness. Regarding this, the Torah states (*ibid.*), "he looks upon a Picture of God." The visualized form is the Picture, and Moses saw it most perfectly. This was not true of any other prophet, since none could even attain such a vision adequately.

Because of the nature of Moses' vision, the information that he received was both clear and voluminous. In this respect also, Moses exceeded all other prophets, as mentioned earlier.

[6]   Another difference between Moses and all other prophets was that all others could not voluntarily initiate a prophetic vision, but could only do so when God willed to bring His influence to bear on them. Moses, on the other hand, could do so at will. He was given the ability to bind himself to God whenever necessary, and thus experience a revelation.

וְעוֹד, שֶׁשְּׁאָר הַנְּבִיאִים לֹא הָיוּ מַשִּׂיגִים אֶלָּא עִנְיָנִים פְּרָטִיִּים, מַה שֶּׁהָאָדוֹן בָּרוּךְ הוּא הָיָה רוֹצֶה לְגַלּוֹת לָהֶם, אַךְ מֹשֶׁה רַבֵּנוּ עָלָיו הַשָּׁלוֹם זָכָה שֶׁיִּגָּלוּ לוֹ כָּל סִדְרֵי הַבְּרִיאָה, וְנִתַּן לוֹ רְשׁוּת לַחֲקֹר אֶת הַכֹּל וּלְחַפֵּשׂ בַּכֹּל, וְנִמְסְרוּ בְיָדוֹ כָּל הַמַּפְתְּחוֹת שֶׁלֹּא נִמְסְרוּ לְבֶן אָדָם מֵעוֹלָם, וְהוּא מַה שֶּׁאָמַר הַכָּתוּב: ״בְּכָל־בֵּיתִי נֶאֱמָן הוּא״, וְכֵן נֶאֱמַר: ״אֲנִי אַעֲבִיר כָּל־טוּבִי עַל־פָּנֶיךָ״ (שמות לג, יט).

[ז] וְהִנֵּה הַנְּבִיאִים כֻּלָּם, כְּמוֹ שֶׁהָיוּ מַשִּׂיגִים הַצִּיּוּר שֶׁהָיָה מִצְטַיֵּר לָהֶם מִן הַכָּבוֹד, כְּמוֹ שֶׁזָּכַרְנוּ, וְהָיוּ מַשִּׂיגִים סוֹד הַצִּיּוּר וְעִנְיָנוֹ, פֵּרוּשׁ – סוֹד הִמָּצֵא זֶה הָעִנְיָן – שֶׁיִּהְיֶה הַכָּבוֹד מִצְטַיֵּר, וְאֵיךְ נִמְשָׁךְ זֶה, וּמַה הַכַּוָּנָה בְּכָל זֶה, וְכֵן הָיוּ מַשִּׂיגִים הַשְׂכָּלָה אֲמִתִּית בְּסוֹדוֹת גְּדֻלָּתוֹ יִתְבָּרַךְ עַל יְדֵי הַצִּיּוּר הַהוּא; כֵּן הָיוּ מַשִּׂיגִים אֲמִתַּת הַדָּבָר, שֶׁבּוֹ יִתְבָּרַךְ בֶּאֱמֶת אֵין שׁוּם צִיּוּר כְּלָל, וְשֶׁאֵין הַצִּיּוּר הַהוּא אֶלָּא דָּבָר נַעֲשֶׂה לְעֵינֵי הַנָּבִיא כִּרְצוֹנוֹ יִתְבָּרַךְ, עַל הַטַּעַם הַיָּדוּעַ אֶצְלוֹ.

וְעַל דָּבָר זֶה נֶאֱמַר לְיִשְׂרָאֵל: ״וּתְמוּנָה אֵינְכֶם רֹאִים זוּלָתִי קוֹל״ וְכֵן ״כִּי לֹא רְאִיתֶם כָּל־תְּמוּנָה״ (דברים ד); כִּי הִנֵּה שְׁנֵי הַדְּבָרִים הִשִּׂיגוּ בֶּאֱמֶת, הִשִּׂיגוּ תְּחִלָּה שֶׁאֲמִתַּת מְצִיאוּתוֹ יִתְבָּרַךְ אֵין בּוֹ שׁוּם צִיּוּר כְּלָל וְעִקָּר, וְהוּא מְשֻׁלָּל מִכָּל אֵלֶּה הַדִּמְיוֹנוֹת לְגַמְרֵי, וְאַחַר הַיְדִיעָה הַזֹּאת, נִתְגַּלֵּית לָהֶם גַּם כֵּן תְּמוּנָה מִן הַתְּמוּנוֹת הַנְּבוּאִיּוֹת, שֶׁעָלֶיהָ נֶאֱמַר: ״וַיִּרְאוּ אֵת אֱלֹקֵי יִשְׂרָאֵל״ וְכוּ׳; וְלָזֶה קְרָאוּהָ חֲכָמֵינוּ זִכְרוֹנָם לִבְרָכָה: ״מַרְאֶה דִבּוּר״ (ספרי במדבר יב, ח), שֶׁאֵינוֹ מַרְאֶה הַכָּבוֹד בֶּאֱמֶת, אֶלָּא מַרְאֶה שֶׁמִּצְטַיֵּר מִכֹּחַ הַדִּבּוּר – שֶׁהוּא כְּעִנְיַן הַצִּיּוּר הַמִּצְטַיֵּר בָּאַסְפַּקְלַרְיָא, וּכְמוֹ שֶׁזָּכַרְנוּ לְמַעְלָה – שֶׁעַל יָדוֹ מַשִּׂיגִים פְּרָטֵי עִנְיָנִים בְּסוֹדוֹת אֱלֹקוּתוֹ יִתְבָּרַךְ וּבְרִיאָתוֹ וְהַנְהָגָתוֹ, וּכְמוֹ שֶׁבֵּאַרְנוּ.

The revelation of all other prophets was furthermore limited to the particular things that God desired to reveal to them. Moses, on the other hand, had all the systems of creation revealed to him. He was given authority to delve into all things and search out their hidden aspects. All the keys were placed in his hand, and he thus achieved what no other human being ever had. This is what God meant when He said of Moses (*Numbers* 12:7), "He is trusted in all My house."[59] God likewise told Moses (*Exodus* 33:19), "I will make all My good pass before you."[60]

[7] Just as all the prophets perceived the vision that was depicted to them from the Glory, as discussed earlier, they also comprehended the mystery of the vision as well as its subject matter. They thus understood why a concept exists whereby the Glory can be depicted, its mode of transmission, and the meaning of this entire concept.

Through such a vision, they would also percieve true enlightenment regarding the mysteries of God's greatness. They would also understand the truth that there can be no vision of God Himself, and that the vision exists only as something created for the eyes of the prophet. All this is a result of God's will, for reasons known only to Him.

Regarding this, Israel was told (*Deuteronomy* 4:12), "You saw no image, only a voice." They were likewise told (*ibid.* 4:15), "You have not seen any image."[61] All Israel comprehended two important truths. First they had to realize that God's true essence is not included in any image whatsoever, and that He is totally divorced from all possible visualization. Once they realized this, certain prophetic depictions were revealed to them. The Torah thus tells us (*Exodus* 24:10), "They saw the God of Israel."[62]

When our sages speak of any visualization [even that of Moses], they call it "the visualization of speech."[63] This means that the prophetic vision is not an actual depiction of the Glory, but a vision that is conceived from the power of speech. This "power of speech" is very much like the Lens (*Ispaklaria*) mentioned earlier, through which the vision is perceived. Through this, the prophetic experience can make one aware of the mysteries of God's divinity, as well as His creation and direction of the universe, as discussed earlier.

PART 4 חלק

•

בַּעֲבוֹדַת בּוֹרְאֵנוּ

•

SERVING GOD

בְּחֶלְקֵי הָעֲבוֹדָה

[א] כְּלַל הָעֲבוֹדָה מִתְחַלֵּק לִשְׁנֵי חֲלָקִים: הָאֶחָד הַתַּלְמוּד, וְהַשֵּׁנִי הַמַּעֲשֶׂה.

[ב] הַמַּעֲשֶׂה מִתְחַלֵּק לְאַרְבָּעָה: הָאֶחָד תְּמִידִי, הַשֵּׁנִי יוֹמִי, הַשְּׁלִישִׁי זְמַנִּי, הָרְבִיעִי מִקְרִי.

[ג] הַתְּמִידִי, הוּא מַה שֶּׁיְּחֻיַּב בּוֹ הָאָדָם תָּמִיד, כְּגוֹן אַהֲבַת ד׳ וְיִרְאָתוֹ. הַיּוֹמִי, מַה שֶּׁיְּחֻיַּב בּוֹ בְּכָל יוֹם, וְהַיְנוּ, הַקָּרְבָּנוֹת בִּזְמַן הַבַּיִת, וְעַכְשָׁו הַתְּפִלּוֹת וּקְרִיאַת שְׁמַע. הַזְּמַנִּי, מַה שֶּׁיְּחֻיַּב בּוֹ בִּזְמַנִּים יְדוּעִים, כְּגוֹן שַׁבָּתוֹת וְיָמִים טוֹבִים. הַמִּקְרִי, מַה שֶּׁיְּחֻיַּב בּוֹ – לְפִי מַה שֶּׁיַּגִּיעַ לוֹ מִן הַמִּקְרִים, כְּגוֹן: חַלָּה, וּמַעֲשֵׂר, פִּדְיוֹן הַבֵּן, וְכַיּוֹצֵא. וּבְכָל אֶחָד מֵאֵלֶּה יִמָּצְאוּ צִוּוּיִים וְאַזְהָרוֹת, דְּהַיְנוּ עֲשִׂין וְלָאוִין, וְהֵם הֵם סוּר מֵרָע וַעֲשֵׂה טוֹב.

IV CHAPTER 1

Devotion in General

[1] Devotion in general consists of two elements: study and observance.

[2] Observance has four categories. The first is continuous, the second daily, the third periodic, and the fourth circumstantial.

[3] Continuous observance includes all things by which man must constantly abide, such as the love and fear of God.

Daily observance includes the things that one must do every day. When the Holy Temple (*Beis HaMikdash*) stood, the daily sacrificial service was in this category. Today, these encompass such observances as the daily prayer service and the *Sh'ma*.

Periodic observance includes matters that must be observed at specific times, such as Sabbath observance and [the rituals associated with] the holy days.

Circumstantial observances are those which depend on a particular circumstance. Thus, for example, one can only fulfill the commandment of separating the dough offering (*Challah*) when one bakes.[1] Similarly, tithes (*Maaser*) can be separated only when one makes use of produce [grown in the Land of Israel].[2] One can likewise only fulfill the commandment of redeeming the firstborn (*Pidyon HaBen*) when he has a firstborn son.[3] There are many similar commandments.

All these observances can be divided into two categories, one consisting of what a person is required to do, and the other, of what

[ד] וְאָמְנָם, עִקַּר כָּל הָעִנְיָנִים הָאֵלֶּה בְּדֶרֶךְ כְּלָל, נִתְבָּאֵר בְּחֵלֶק רִאשׁוֹן, פֶּרֶק רְבִיעִי, שֶׁהוּא הַפְּנִיָּה אֵלָיו יִתְבָּרַךְ וּבַקָּשַׁת קִרְבָתוֹ, כְּפִי הַדְּרָכִים אֲשֶׁר חָקַק לָנוּ לִהְיוֹת מִתְקָרְבִים לוֹ וּמִתְדַּבְּקִים בּוֹ; וְהִנֵּה צָרִיךְ שֶׁנִּשְׁתַּדֵּל לְהָסִיר כָּל מְנִיעוֹת הָרַע הַדָּבֵק בְּחֹשֶׁךְ הַחָמְרִיּוּת וְהָעוֹלָם הַזֶּה, וּלְהִתְאַמֵּץ בְּהִתְקָרְבוּת לוֹ, עַד שֶׁנִּדָּבֵק בּוֹ, וְנִשְׁתַּלֵּם בִּשְׁלֵמוּתוֹ; שֶׁזֶּה כָּל חֶפְצוֹ יִתְבָּרַךְ, וְכָל תַּכְלִית בָּרְאוֹ אֶת הַבְּרִיאָה, וּכְמוֹ שֶׁזָּכַרְנוּ.

[ה] אַךְ פְּרָטֵי הָעִנְיָנִים הֵם, כְּפִי מַה שֶּׁהוּחַקּוּ חֻקּוֹת הָאֱנוֹשִׁיּוּת וְהָעוֹלָם בְּכָל בְּחִינוֹתֵיהֶם, וְהַדְּרָכִים שֶׁנִּתְּנוּ לָאָדָם לְהִשְׁתַּלֵּם בִּשְׁלֵמוּת, וּלְהַשְׁלִים עִמּוֹ אֶת הַבְּרִיאָה כֻּלָּהּ – כְּפִי סְדָרֶיהָ בְּכָל מַחְלְקוֹתֶיהָ – בְּשָׁרָשֶׁיהָ וּבַעֲנָפֶיהָ.

וּנְבָאֵר עַתָּה קְצָת מֵהֶם הַיּוֹתֵר שַׁיָּכִים וְנוֹהֲגִים בְּכָל מָקוֹם וּבְכָל זְמַן.

he is forbidden to do. These are usually referred to as positive and negative commandments. In general, these two categories fulfill the concept of (*Psalms* 34:15), "Depart from evil and do good."[4]

[4]   The main point of all these concepts, in general, was explained in Part 1, chapter 4 (1:4:6): It is to direct ourselves toward Him and seek to draw near to Him; through the ways He ordained for us, to draw close and become attached to Him.

[For this purpose] one must strive to remove all the obstacles of evil that are attached to the physical nature and spiritual darkness of this world. Then one can make strong efforts to bring himself near to Him, until one becomes attached to Him and becomes perfected by His wholeness. [In this manner one thus fulfills the concept of "Depart from evil and do good."] This is all that God desires of man, and it is the entire purpose of His creation, as discussed earlier.[5]

[5]   The details of these concepts, however, depend on the nature ordained for man and the world, as well as all their aspects. They also depend on the ways provided for man through which he can completely perfect himself together with the rest of creation. These in turn depend on all the systems and divisions of creation, in both Roots and branches.

We will now discuss some of the most relevant concepts which pertain to all times and places.

בְּתַלְמוּד תּוֹרָה

[א] הִנֵּה תַּלְמוּד הַתּוֹרָה הוּא עִנְיָן מֻכְרָח, לְפִי שֶׁזּוּלָתוֹ אִי אֶפְשָׁר לְהַגִּיעַ אֶל הַמַּעֲשֶׂה, כִּי אִם לֹא יֵדַע מַה הוּא מְצֻוֶּה שֶׁיַּעֲשֶׂה, אֵיךְ יַעֲשֵׂהוּ. אָמְנָם זוּלַת כָּל זֶה, יֵשׁ בְּתַלְמוּד תַּכְלִית גָּדוֹל לִשְׁלֵמוּתוֹ שֶׁל הָאָדָם. וּכְבָר הִזְכַּרְנוּ הָעִנְיָן בִּקְצָרָה בְּחֵלֶק רִאשׁוֹן, פֶּרֶק רְבִיעִי, אָמְנָם עַתָּה נַאֲרִיךְ יוֹתֵר.

[ב] בִּכְלַל הַהַשְׁפָּעוֹת הַנִּשְׁפָּעוֹת מִמֶּנּוּ יִתְבָּרַךְ לְצֹרֶךְ בְּרִיּוֹתָיו, יֵשׁ הַשְׁפָּעָה אַחַת, עֶלְיוֹנָה מִכָּל הַהַשְׁפָּעוֹת, שֶׁעִנְיָנָהּ הוּא הַיּוֹתֵר יָקָר וּמְעֻלֶּה מִכָּל מַה שֶּׁאֶפְשָׁר שֶׁיִּמָּצֵא בַּנִּמְצָאִים, וְהַיְנוּ, שֶׁהוּא תַּכְלִית מַה שֶּׁאֶפְשָׁר שֶׁיִּמָּצֵא בַּנִּמְצָאוֹת מֵעֵין הַמְּצִיאוּת הָאֲמִתִּי שֶׁלּוֹ יִתְבָּרַךְ וִיקָר וּמַעֲלָה מֵעֵין אֲמִתַּת מַעֲלָתוֹ יִתְבָּרַךְ, וְהוּא הוּא מַה שֶּׁמְּחַלֵּק הָאָדוֹן יִתְבָּרַךְ שְׁמוֹ מִכְּבוֹדוֹ וִיקָרוֹ אֶל בְּרוּאָיו. וְאָמְנָם, קָשַׁר הַבּוֹרֵא יִתְבָּרַךְ שְׁמוֹ אֶת הַשְׁפָּעָתוֹ זֹאת, בְּעִנְיָן נִבְרָא מִמֶּנּוּ יִתְבָּרַךְ לְתַכְלִית זֶה, וְהוּא הַתּוֹרָה. וְעִנְיָן זֶה מִשְׁתַּלֵּם בִּשְׁתֵּי בְחִינוֹת: בְּהִגָּיוֹן וּבְהַשְׂכָּלָה. וְזֶה, מַה שֶּׁבֵּאַרְנוּ שָׁם, כִּי הִנֵּה חִבֵּר הָאָדוֹן בָּרוּךְ הוּא כְּלַל מִלּוֹת וּמַאֲמָרִים, שֶׁהֵם כְּלַל חֲמִשָּׁה חֻמְשֵׁי תוֹרָה, וְאַחֲרֵיהֶם בְּמַדְרֵגָה, נְבִיאִים וּכְתוּבִים, וְקָשַׁר בָּהֶם הַהַשְׁפָּעָה הַזֹּאת, בְּאֹפֶן, שֶׁכְּשֶׁיְּדֻבְּרוּ הַדִּבּוּרִים הָהֵם תִּמָּשֵׁךְ הַהַשְׁפָּעָה הַזֹּאת לַמְדַבֵּר אוֹתָם –

IV CHAPTER 2

Study of the Torah

[1] The study of the Torah is an absolutely necessary matter, without which all other observance would be impossible. If a person does not know what he is required to do, then he cannot do it. Besides this, the study of Torah also has a very important function in man's perfection, as explained briefly above (1:4:9). We will now expand upon this.

[2] Among the Influences bestowed by God for the sake of His creation, there is one that is higher than all others, and whose essence is more excellent and significant than anything else that can possibly exist. This is the ultimate counterpart of God's essence that can be found in creation, and its excellence and loftiness resemble God's own to some degree. It is precisely through this Influence that God shares His Glory and excellence with His handiwork.

This Influence, however, was bound by God to a concept created specifically for such a purpose. This concept is the Torah.[6]

The ultimate aim of this concept is realized in two ways, namely, through recitation and comprehension [of the words of the Torah,] as explained in the above-mentioned section.

God composed a combination of words and sayings to constitute [the Torah, which consists of] the Five Books of Moses, and on a lower level, the Prophets (*Nevi'im*) and Writings (*Kesuvim*) [which taken together constitute the Bible or *Tanach*]. He then bound this highest Influence to the words of these books in such a way that when they are uttered, this highest Influence is transmitted to the one reciting them.

וּבִתְנַאי שֶׁיִּהְיֶה הַהִגָּיוֹן הַזֶּה בַּגְּבוּלִים שֶׁהֻגְבְּלוּ לוֹ, וּכְמוֹ שֶׁזָּכַרְנוּ לְפָנִים בְּסִיַּעְתָּא דִשְׁמַיָּא – וְכֵן בְּהַשְׂכָּלַת מַה שֶּׁנִּכְלָל בַּדִּבּוּרִים הָהֵם לְפִי דַרְכֵיהֶם הָאֲמִתִּיִּים, תִּמָּשֵׁךְ הַהַשְׁפָּעָה הַזֹּאת לַמַּשְׂכִּיל אוֹתָם.

וְאָמְנָם מַדְרֵגוֹת מַדְרֵגוֹת יֵשׁ בַּהַשְׁפָּעָה הַזֹּאת, כְּכָל שְׁאָר הַהַשְׁפָּעוֹת וְהָעִנְיָנִים שֶׁבַּמְּצִיאוּת, וְנִתְחַלְּקוּ הַמַּדְרֵגוֹת הָאֵלֶּה בְּחֶלְקֵי הַהִגָּיוֹן וְהַהַשְׂכָּלָה, כְּפִי מַה שֶּׁרָאֲתָה הַחָכְמָה הָעֶלְיוֹנָה הֱיוֹתוֹ נָאוֹת, שֶׁבְּחֵלֶק אֶחָד מִן הַהִגָּיוֹן תִּמָּשֵׁךְ מַדְרֵגָה אַחַת מִן הַהַשְׁפָּעָה, וּבְחֵלֶק אַחֵר מַדְרֵגָה אַחֶרֶת, וְכֵן בַּהַשְׂכָּלָה, אַךְ אֵין לְךָ חֵלֶק מִתַּלְמוּד הַתּוֹרָה שֶׁלֹּא תִמָּשֵׁךְ בּוֹ מַדְרֵגָה אַחַת מִמַּדְרֵגוֹת הַהַשְׁפָּעָה הָרָמָה הַזֹּאת, אִם יִשָּׁמְרוּ בוֹ הַתְּנָאִים הַמִּצְטָרְכִים.

[ג] וְהִנֵּה זֶה פָּשׁוּט, שֶׁכָּל מַה שֶּׁתִּתְעַלֶּה הַהַשְׂכָּלָה, תִּגְדַּל יוֹתֵר מַדְרֵגַת הַהַשְׁפָּעָה שֶׁתִּמָּשֵׁךְ עַל יָדָהּ, וְלֹא יִשְׁוֶה מִי שֶׁיַּשְׂכִּיל לְשׁוֹן הַמִּקְרָאוֹת לְבַד – עִם מִי שֶׁיַּשְׂכִּיל כַּוָּנָתָם, וְלֹא מִי שֶׁיַּשְׂכִּיל הַכַּוָּנָה הַשִּׁטְחִית שֶׁבָּהֶם עִם מִי שֶׁיַּעֲמִיק בָּהֶם יוֹתֵר, וְלֹא מִי שֶׁיַּעֲמִיק בָּהֶם קְצָת עִם מִי שֶׁיַּעֲמִיק בָּהֶם הַרְבֵּה; אָמְנָם הָיָה מֵחַסְדּוֹ יִתְבָּרַךְ, שֶׁבְּכָל חֵלֶק מִן הַהַשְׂכָּלָה תִּמָּשֵׁךְ מַדְרֵגָה מִן הַהַשְׁפָּעָה, עַד שֶׁכָּל מִי שֶׁהִשְׂכִּיל בָּהּ יַרְוִיחַ מִן הַהַשְׁפָּעָה הַגְּדוֹלָה הַזֹּאת מַה שֶּׁנִּקְשַׁר בַּהַשְׂכָּלָה הַהִיא, וּמִי שֶׁלֹּא הִגִּיעַ לְשׁוּם הַשְׂכָּלָה אֶלָּא לְהִגָּיוֹן לְבַד – כְּבָר יִהְיֶה אֶמְצָעִי לוֹ לְשֶׁיְּחַלֵּק גַּם לוֹ קְצָת מִן הַהַשְׁפָּעָה הַזֹּאת, וְנִמְצָא רֻבָּם שֶׁל יִשְׂרָאֵל זוֹכִים לָהּ, מִי מְעַט וּמִי יוֹתֵר.

[ד] וְאָמְנָם זוּלַת זֹאת הַהַדְרָגָה הַנִּמְצֵאת לִגְמוּל הִשְׁתַּדְּלוּת בְּנֵי הָאָדָם בָּהּ, כְּשִׁעוּרוֹ הָאֲמִתִּי, עוֹד נִמְצָא בָהּ הַדְרָגָה וְחִלּוּק לְפִי מַה שֶּׁצָּרִיךְ לְתַקֵּן בָּהּ כְּלַל הַבְּרִיאָה, עַד שֶׁאֵין חֵלֶק מִמֶּנָּה

[This is therefore the concept of involvement in the Torah.] The simple recitation of these books can have a great effect if done under conditions that will be discussed shortly. The same is true of comprehension. Through the content of these words' true meaning, this Influence is transmitted to the one who comprehends them.

Just as in the case of all other Influences and concepts in creation, this Influence has many degrees. The effects of both the recitation and the comprehension are thus differentiated as deemed proper by the Highest Wisdom. Each different recitation therefore transmits a particular degree of this Influence. The same is true of comprehension. There is no element of Torah study, however, that does not transmit some degree of this highest Influence, as long as the necessary conditions are fulfilled.

[3] It is obvious that the higher the level of comprehension, the higher will be the corresponding Influence derived through it. An individual who understands only the language of a Biblical passage is therefore not equal to one who understands its meaning. Likewise, one who understands only its superficial meaning is not the same as one who delves more deeply. Furthermore, even when one does go into the deeper meaning, the more he delves, the higher will be his level.

It is an aspect of God's love, however, that even the lowest level of comprehension can transmit a degree of this Influence. Everyone who comprehends any element of the Torah can thus benefit from this great Influence, merely as a result of what is bound together with such comprehension.

The same is true of one who does not understand the words at all, but only reads them. Even this is a means through which some of this Influence can be granted. To a greater or lesser extent, virtually every Jew therefore has access to this highest Influence.

[4] One level of the Torah's influence is therefore to reward the effort that people put into it, according to the true measure of that effort. Besides this, however, there is another aspect and level, and that is to rectify creation as a whole. There is no element in all crea-

שֶׁלֹּא יִתְקַן עַל יָדוֹ וְיַשְׁלִם חֵלֶק מֵחֶלְקֵי כְּלַל הַבְּרִיאָה, וְנִמְצָא, שֶׁהָרוֹצֶה לַעֲבֹד לִפְנֵי בּוֹרְאוֹ עֲבוֹדָה שְׁלֵמָה, צָרִיךְ שֶׁיַּעֲסֹק בְּכָל חֲלָקֶיהָ כְּפִי יְכָלְתּוֹ, כְּדֵי שֶׁיַּגִּיעַ מִמֶּנּוּ הַתִּקּוּן אֶל חֶלְקֵי הַבְּרִיאָה כֻּלָּהּ. וְעַל הַדֶּרֶךְ הַזֶּה אָמְרוּ חֲכָמֵינוּ זִכְרוֹנָם לִבְרָכָה: ״לְעוֹלָם יְשַׁלֵּשׁ אָדָם יָמָיו שְׁלִישׁ בְּמִקְרָא שְׁלִישׁ בְּמִשְׁנָה שְׁלִישׁ בַּגְּמָרָא״ (קדושין ל, עבודה זרה יט), וּבִכְלַל זֶה, כָּל חֶלְקֵי הַתּוֹרָה, שֶׁיְּחַלֵּק בָּהֶם זְמַנּוֹ, עַד שֶׁיֹּאחַז בְּכֻלָּם וְלֹא יַנִּיחַ יָדוֹ מֵאֶחָד מֵהֶם. אַךְ שִׁעוּר הָעֵסֶק שֶׁיַּעֲסֹק בְּכָל אֶחָד מֵהֶם, רָאוּי שֶׁיִּמָּדֵד לְפִי מַה שֶּׁהוּא הָאָדָם וּלְפִי כָּל הַמִּקְרִים הַקּוֹרִים אוֹתוֹ. וּכְבָר דִּבַּרְנוּ מִזֶּה בְּמַאֲמָר בִּפְנֵי עַצְמוֹ, עַיֵּן שָׁם.

[ה] אַךְ הַתְּנָאִים הַצְּרִיכִים לְהִתְלַווֹת לְתַלְמוּד הִנֵּה הֵם: הַיִּרְאָה בְּתַלְמוּד עַצְמוֹ, וְתִקּוּן הַמַּעֲשֶׂה בְּכָל עֵת.

וְזֶה, כִּי הִנֵּה, כָּל כֹּחָהּ שֶׁל הַתּוֹרָה אֵינוֹ אֶלָּא בְּמַה שֶּׁקָּשַׁר וְתָלָה יִתְבָּרַךְ אֶת הַשְׁפָּעָתוֹ הַיְקָרָה בָּהּ, עַד שֶׁעַל יְדֵי הַדִּבּוּר בָּהּ וְהַהַשְׂכָּלָה תִּמָּשֵׁךְ הַהַשְׁפָּעָה הַגְּדוֹלָה הַהִיא, אַךְ זוּלַת זֶה לֹא הָיָה הַדִּבּוּר בָּהּ אֶלָּא כְּדִבּוּר בִּשְׁאָר הָעֲסָקִים, אוֹ סִפְרֵי חָכְמוֹת וְהַשְׂכָּלָה בְּכָל שְׁאָר מֻשְׂכָּלוֹת הַמְּצִיאוּת הַטִּבְעִי לְמִינֵיהֶם, שֶׁאֵין בָּם אֶלָּא יְדִיעַת הָעִנְיָן הַהוּא, וְאֵין מַגִּיעַ מִמֶּנּוּ הִתְעַצְּמוּת יְקָר וּמַעֲלָה כְּלָל בַּנֶּפֶשׁ הַקּוֹרֵא – הַמְדַבֵּר וְהַמַּשְׂכִּיל, וְלֹא תִּקּוּן לִכְלַל הַבְּרִיאָה. וְאָמְנָם הַהַשְׁפָּעָה הַזֹּאת הִנֵּה עִנְיָנָהּ אֱלֹקִי כְּמוֹ שֶׁזָּכַרְנוּ, וְלֹא עוֹד אֶלָּא שֶׁהוּא הַיּוֹתֵר עֶלְיוֹן וְנִשְׂגָּב שֶׁבָּעִנְיָנִים הַנִּמְשָׁכִים וּמַגִּיעִים מִמֶּנּוּ יִתְבָּרַךְ אֶל הַבְּרוּאִים, וְכֵיוָן שֶׁכֵּן, וַדַּאי שֶׁיֵּשׁ לוֹ לָאָדָם לִירֹא וְלִרְעֹד בְּעָסְקוֹ בְּעִנְיָן כָּזֶה, שֶׁנִּמְצָא הוּא נִגָּשׁ לִפְנֵי אֱלֹקָיו, וּמִתְעַסֵּק בְּהַמְשָׁכַת הָאוֹר הַגָּדוֹל מִמֶּנּוּ אֵלָיו, וְהִנֵּה צָרִיךְ שֶׁיֵּבוֹשׁ

tion that is not rectified through the Torah. Furthermore, each element of the Torah has the ability to perfect some part of creation.

An individual who wants to serve his Creator with complete devotion must therefore involve himself in every aspect of the Torah to the best of his ability. Through this, he can take part in the rectification of all creation.

Our sages therefore teach us, "One should divide his study to include one third Scripture, one third Mishnah, and one third Gemara."[7] This includes every element of the Torah, and one should divide his study among them until he grasps them all, not omitting anything. The amount of one's study in each area, however, should depend on his own particular nature and situation. This has already been discussed in a separate essay, which should be consulted.[8]

[5] In order to have its desired effect, study of the Torah must conform to two conditions. These are reverence for the study itself and the constant rectification of one's own deeds.

The only reason why the Torah has any power at all is because God bound His most precious Influence to it, making it dependent on the Torah. It is for this reason that reciting and comprehending it can transmit this Influence. If God had not made it so, then the Torah would be no different from any other educational book involving the various aspects of natural inquiry. These books may contain accurate and valuable information, but they do not incorporate any significance and excellence in the soul of a person who reads, recites or comprehends them. Books such as these, furthermore, have absolutely no power to rectify creation.

The influence of the Torah, however, is a Godly thing, as discussed earlier. Not only that, but it is the highest and most important of all the concepts transmitted and conveyed by God to man.

Because of this fact, it is imperative that one should have reverence and awe when involved in the Torah. What one is then doing is approaching his God and involving himself in the transmission of the great Light from God to himself. The individual involved in the Torah should therefore be abashed by his human

מִשִּׁפְלוּתוֹ הָאֱנוֹשִׁי, וְיִרְעַשׁ מֵרוֹמְמוּתוֹ יִתְבָּרַךְ, וְהִנֵּה יָגֵל מְאֹד מֵחֶלְקוֹ הַטּוֹב שֶׁזָּכָה לָזֶה, אַךְ בִּרְעָדָה כְּמוֹ כֵן, וְנִכְלָל בָּזֶה שֶׁלֹּא יֵשֵׁב בְּקַלּוּת רֹאשׁ, וְלֹא יִנְהַג שׁוּם מִנְהַג בִּזָּיוֹן לֹא בִדְבָרֶיהָ וְלֹא בִסְפָרֶיהָ, וְיֵדַע לִפְנֵי מִי עוֹמֵד וּמִתְעַסֵּק, וְאִם הוּא עוֹשֶׂה כֵן אָז יִהְיֶה תַלְמוּדוֹ מַה שֶּׁרָאוּי לוֹ לִהְיוֹת בֶּאֱמֶת, וְתִמָּשֵׁךְ עַל יָדוֹ הַהַשְׁפָּעָה שֶׁזָּכַרְנוּ, וְיִתְעַצֵּם בּוֹ הַיְקָר הָאֱלֹקִי, וְיִמָּשֵׁךְ תִּקּוּן וְהֶאָרָה לְכָל הַבְּרִיאָה. אֲבָל אִם תְּנַאי זֶה יֶחְסַר מִמֶּנּוּ, לֹא תִמָּשֵׁךְ הַהֶאָרָה עַל יָדוֹ, וְלֹא יִהְיוּ דְבָרָיו אֶלָּא כִּשְׁאָר כָּל הַדִּבּוּרִים הָאֱנוֹשִׁיִּים, הֶגְיוֹנוֹ – כְּקוֹרֵא אִגֶּרֶת, וּמַחְשְׁבוֹתָיו – כְּחוֹשֵׁב בְּדִבְרֵי הָעוֹלָם, וְאַדְּרַבָּא לְאַשְׁמָה תֵחָשֵׁב לוֹ, שֶׁקָּרַב אֶל הַקֹּדֶשׁ בְּלִי מוֹרָא, וּמֵקֵל רֹאשׁוֹ לִפְנֵי בוֹרְאוֹ, עוֹדוֹ מְדַבֵּר לְפָנָיו וּמִתְעַסֵּק בִּקְדֻשָּׁתוֹ יִתְבָּרַךְ. וְאוּלָם כְּפִי מַדְרֵגַת הַמּוֹרָא, וְשִׁעוּר הַכָּבוֹד וְהַזְּהִירוּת בּוֹ, כֵּן יִהְיֶה שִׁעוּר יְקָר הַלִּמּוּד וּמַדְרֵגַת הַהַשְׁפָּעָה הַנִּמְשֶׁכֶת עַל יָדוֹ.

[ו] וְהַתְּנַאי הַשֵּׁנִי הוּא תִקּוּן הַמַּעֲשֶׂה, כִּי הִנֵּה מִי שֶׁיִּרְצֶה לְהַמְשִׁיךְ הַשְׁפָּעָה, רָאוּי שֶׁיִּהְיֶה הוּא הָגוּן וּמוּכָן לְהַמְשָׁכָה, אָכֵן אִם הוּא מְטַמֵּא אֶת עַצְמוֹ בַּאֲשָׁמוֹת וּפְשָׁעִים, וּמַרְחִיק עַצְמוֹ מִבּוֹרְאוֹ, וְזוֹנֶה מֵאַחֲרָיו אַחֲרֵי כֹּחוֹת הַטֻּמְאָה וְהָרָע, וַדַּאי שֶׁיֵּאָמֵר בּוֹ: ״וְלָרָשָׁע אָמַר אֱלֹקִים מַה־לְּךָ לְסַפֵּר חֻקָּי״ וְכוּ׳, וְכֵן אָמְרוּ חֲכָמֵינוּ זִכְרוֹנָם לִבְרָכָה: ״כָּל הַמְלַמֵּד לְתַלְמִיד שֶׁאֵינוֹ הָגוּן כְּאִלּוּ זוֹרֵק אֶבֶן לְמַרְקוּלִיס״ (חולין קלג), וְהִנֵּה אִישׁ כָּזֶה, וַדַּאי שֶׁתּוֹרָתוֹ לֹא תַמְשִׁיךְ מִן הַהַשְׁפָּעָה שֶׁזָּכַרְנוּ שׁוּם מַדְרֵגָה כְּלָל.

lowliness and tremble before God's loftiness. He should rejoice in what he can attain, but even this should be combined with the greatest possible awe.[9]

It is all the more important that one not behave frivolously when involved in the Torah, and not show any disrespect for its books or their words.[10] When occupied with the Torah, one must realize before whom he stands.[11]

When one fulfills these conditions, then his study of the Torah is as it should be. He can then draw down the Influence discussed earlier and incorporate in himself godly excellence, as well as rectify and illuminate all creation.

If this condition is not met, however, then it will not result in any such illumination, and reciting words of the Torah will be no different from any other human speech. Reading it will be no different from reading a letter, and thinking about it, no different than considering any wordly matter. Quite to the contrary, such involvement will be considered a misdeed, since this person is approaching the Holy without reverence, and behaving frivolously while speaking in the presence of his Creator and occupying himself with His holiness.

The value of a person's study, and the level of the resulting Influence, therefore vary according to the degree of his reverence and the measure of his respect and attentiveness.

[6] The second condition is the rectification of one's deeds. One who wishes to draw down God's Influence should be one who is worthy and prepared to do so.

If a person defiles himself with sin and guilt, he then divorces himself from his Creator, and corrupts himself through the Forces of pollution and evil. He places himself in the category regarding which it is written (*Psalms* 50:16), "To the wicked, God says, 'What do you have by speaking My statutes.'" Our sages likewise teach us, "Whoever teaches an unworthy student is like one who [commits idolatry by] casting a stone [in the worship of] Mercury."[12] When a person is unworthy, his study of the Torah will certainly not draw down any of the above-mentioned Influence, in any degree whatsoever.

249

וְאַף עַל פִּי כֵן, רָז גָּדוֹל גִּלּוּ לָנוּ חֲכָמֵינוּ זִכְרוֹנָם לִבְרָכָה, שֶׁאִלּוּ לֹא הָיוּ הָרְשָׁעִים עוֹזְבִים אֶת תַּלְמוּד הַתּוֹרָה, סוֹף – שֶׁהָיוּ חוֹזְרִים לְמוּטָב, כִּי אַף עַל פִּי שֶׁאֵין בְּכֹחָם לְהַמְשִׁיךְ שׁוּם הֶמְשֵׁךְ מִלְּפָנָיו יִתְבָּרַךְ כְּמוֹ שֶׁזָּכַרְנוּ, כְּבָר דִּבְרֵי הַתּוֹרָה בְּעַצְמָם מְקֻדָּשִׁים וְעוֹמְדִים, מִצַּד עַצְמָם, עַד שֶׁבְּהַתְמִיד הָעֵסֶק בָּהֶם, יַגִּיעַ מֵהֶם פַּעַם אַחַר פַּעַם קְצָת הִתְעוֹרְרוּת, וּכְמוֹ דְּמוּת הֶאָרָה – קְטַנָּה שֶׁבַּקְּטַנּוֹת, אֶל הָעוֹסֵק בָּם, שֶׁסּוֹף סוֹף תִּגְבַּר עָלָיו, וְתַחְזִירֵהוּ לְמוּטָב, וְהוּא מַה שֶּׁאָמְרוּ חֲכָמֵינוּ זִכְרוֹנָם לִבְרָכָה: "הַלְוַאי אוֹתִי עָזְבוּ וְתוֹרָתִי שָׁמָרוּ, שֶׁהַמָּאוֹר שֶׁבָּהּ מַחֲזִירָן לְמוּטָב" (מדרש איכה פתיחתא ב), וְאָמְנָם פָּשׁוּט הוּא, שֶׁאֵין הַדְּבָרִים אֲמוּרִים בְּמִי שֶׁיִּתְעַסֵּק בָּהּ דֶּרֶךְ שְׂחוֹק וְהִתּוּל, אוֹ לְגַלּוֹת בָּהּ פָּנִים שֶׁלֹּא כַהֲלָכָה, אֶלָּא שֶׁיִּתְעַסֵּק בָּהּ לְפָחוֹת כְּמוֹ שֶׁמִּתְעַסֵּק בִּשְׁאָר הַחָכְמוֹת.

[ז] וְאוּלָם מִי שֶׁמְּטַהֵר וּמְקַדֵּשׁ עַצְמוֹ בְּמַעֲשָׂיו, הוּא יַמְשִׁיךְ בְּתַלְמוּדוֹ הַשְׁפָּעָה כְּשִׁעוּר הַהֲכָנָה שֶׁהֵכִין אֶת עַצְמוֹ, וְכַשִּׁעוּר שֶׁיַּרְבֶּה בַּהֲכָנָה כֵּן יִרְבֶּה יְקַר הַתַּלְמוּד וְכֹחוֹ, וְהוּא, מַה שֶּׁמָּצִינוּ בַּחֲכָמִים הַקַּדְמוֹנִים, שֶׁתּוֹרָתָם הָיְתָה מַעֲטִירָתָם כֹּחַ גָּדוֹל, וְנוֹתֶנֶת לָהֶם מַעֲלָה וִיקָר, מַה שֶּׁלֹּא נִמְצָא בַּדּוֹרוֹת הָאַחֲרוֹנִים, מִפְּנֵי יִתְרוֹן הֲכָנָתָם עַל הֲכָנוֹת הָאַחֲרוֹנִים. וּכְבָר אָמְרוּ עַל יוֹנָתָן בֶּן עֻזִּיאֵל שֶׁבְּשָׁעָה שֶׁהָיָה עוֹסֵק בַּתּוֹרָה – כָּל עוֹף שֶׁהָיָה פּוֹרֵחַ עָלָיו הָיָה נִשְׂרָף (סוכה כח, בבא בתרא קלד) מִפְּנֵי עֹצֶם הַשְׁרָאַת הַשְּׁכִינָה שֶׁהָיְתָה שׁוֹרָה עָלָיו עַל יְדֵי לִמּוּדוֹ.

Our sages have revealed a very great mystery, however, namely, that if the wicked would only not abandon the study of the Torah, they would ultimately return to God. Even though they do not have the power to transmit anything from God, as discussed above, the words of the Torah themselves are intrinsically holy. One who consistently involves himself with the Torah therefore constantly receives a small measure of spiritual motivation from it. Even though this is the barest possible shadow of the true illumination, the fact that it is constantly reinforced gives it the power to ultimately overcome a person and make him good again. Our sages thus teach us that God said, "If they would only have kept My Torah, the Light in it would bring them back to the good."[13]

It is obvious, however, that this is not true of an individual who involves himself with the Torah scornfully or frivolously. It also does not apply to one who perverts its true meaning.[14] The only time the Torah can have even this benefit is when a person involves himself with it with the same seriousness and intellectual honesty that one should have when studying any other discipline.

[7]   When a person purifies and sanctifies himself, his study then transmits to him a degree of Influence depending on his level of preparation. The more he prepares himself, the greater will be the value and power of his study.

We thus find in the case of some of the earlier sages that the Torah would surround them with great power, and provide them with status and excellence that did not exist in later generations. This was a direct result of their preparation. It is thus said that when Jonathan ben Uziel studied Torah, any bird flying near him would be burned.[15] This was a result of the tremendous degree to which the Divine Presence (*Shechinah*) surrounded him as a result of his study.

251

בְּמַעֲלוֹת אַהֲבַת ד׳ וְיִרְאָתוֹ

[א] הִנֵּה, כְּבָר בֵּאַרְנוּ בְּחֵלֶק רִאשׁוֹן, פֶּרֶק רְבִיעִי, עִנְיְנֵי הָאַהֲבָה וְהַיִּרְאָה, שֶׁהֵם הַמְקָרְבִים וְהַמַּדְבִּיקִים הָאָדָם בְּבוֹרְאוֹ יִתְבָּרַךְ, וְזֶה נֶאֱמַר בָּאַהֲבָה וְיִרְאָה הָאֲמִתִּית, שֶׁהֵם אַהֲבַת שְׁמוֹ יִתְבָּרַךְ, וְלֹא אַהֲבַת הַשָּׂכָר, וְיִרְאַת רוֹמְמוּתוֹ, וְלֹא יִרְאַת הָעֹנֶשׁ.

וְהִנֵּה הַיִּרְאָה הַזֹּאת הִיא מְטַהֶרֶת אֶת הָאָדָם מֵחֹשֶׁךְ חָמְרִיּוּתוֹ וְגוּפָנִיּוּתוֹ, וּמַשְׁרָה עָלָיו הַשְׁרָאַת הַשְּׁכִינָה; וּכְפִי שִׁעוּר הַיִּרְאָה, כֵּן יִהְיֶה שִׁעוּר הַטָּהֳרָה וְהַהַשְׁרָאָה, וּמִי שֶׁמַּגִּיעַ לִהְיוֹת יָרֵא בְּיִרְאָה זֹאת תָּמִיד, תִּהְיֶה הַשְּׁכִינָה שׁוֹרָה עָלָיו תָּמִיד; וְדָבָר זֶה נִמְצָא בִּשְׁלֵמוּת בְּמֹשֶׁה רַבֵּנוּ עָלָיו הַשָּׁלוֹם, שֶׁאָמְרוּ עָלָיו: ״יִרְאָה לְגַבֵּי מֹשֶׁה מִלְּתָא זוּטַרְתִּי הִיא״ (ברכות לג), וְכֵן זָכָה לְהַשְׁרָאַת הַשְּׁכִינָה בִּתְמִידוּת.

וְהִנֵּה הַדָּבָר קָשֶׁה לִשְׁאָר בְּנֵי הָאָדָם שֶׁיַּשִּׂיגוּהוּ כָּרָאוּי, אָמְנָם כְּפִי מַה שֶּׁיַּשִּׂיג מִמֶּנָּה כֵּן יִהְיֶה כֹּחַ טָהֳרָתוֹ וּקְדֻשָּׁתוֹ, כְּמוֹ שֶׁזָּכַרְנוּ, וּבִפְרָט בְּעֵת הִתְעַסְּקוֹ בַּמִּצְוֹת אוֹ בַּתַּלְמוּד, הִנֵּה הִיא לוֹ תְּנַאי הֶכְרֵחִי לִשְׁלֵמוּת הַתַּלְמוּד הַהוּא אוֹ הַמִּצְוָה הַהִיא, וּכְמוֹ שֶׁזָּכַרְנוּ.

[ב] וְאַהֲבָה, הִיא הַמְדַבֶּקֶת וּמְקַשֶּׁרֶת אֶת הָאָדָם בְּבוֹרְאוֹ,

IV CHAPTER 3

Love and Fear of God

[1] We have already explained (1:4:8) how the love and fear of God are the particular concepts that bring a person nearer to his Creator and form a bond of attachment to Him. This refers to true love and fear, namely, love of God's Name and awe of His greatness, rather than love of His rewards and fear of His punishments.[16]

When one stands in awe before God's greatness, he is purified of the darkness associated with his physical body, and is enveloped by the Divine Presence. The greater this awe, the greater is this purification and envelopment. The highest level of this is when one attains the ability to constantly experience this awe, and therefore is always surrounded by the Divine Presence. This was the perfection attained by Moses, and our sages thus teach us, "With regard to Moses, fear [of God] was a small thing."[17] As a result of his constant awe, Moses was continuously surrounded by the Divine Presence.

This is a very difficult level for people to fully attain. To the degree that one does attain it, however, it has the power to purify and sanctify him, as mentioned earlier. This is particularly true with regard to one's observance of God's commandments and study of the Torah, since this is the one necessary condition for their true perfection.

[2] Love is the thing that binds and attaches man to his Creator,

וּמְיַפֶּה כֹּחוֹ, וּמַעֲטִירָתוֹ עֲטָרוֹת גְּדוֹלוֹת. וְהָעִקָּר בְּשִׂמְחַת הַלֵּב וְהִתְלַהֲטוּת הַנְּשָׁמָה לִפְנֵי בּוֹרְאָהּ, וְהִמָּסֵר הָאָדָם עִם כָּל מְאֹדוֹ לִקְדּוּשׁ שְׁמוֹ יִתְבָּרַךְ וְלַעֲשׂוֹת נַחַת רוּחַ לְפָנָיו. וּכְבָר נִתְבָּאֲרוּ עִנְיָנִים אֵלֶּה בִּמְקוֹמָם, וְאֵין צָרִיךְ לְהַאֲרִיךְ בָּם.

וְהִנֵּה לַחֵלֶק הַזֶּה מִתְחַבֵּר: הָאֱמוּנָה בּוֹ יִתְבָּרַךְ, וּבְיִחוּד הַבִּטָּחוֹן – וְכַיּוֹצֵא, כֻּלָּם עִנְיָנִים מַדְבִּיקִים הָאָדָם בַּבּוֹרֵא יִתְבָּרַךְ וּמְחַזְּקִים בּוֹ הַקְּדֻשָּׁה וְהַהֶאָרָה.

increasing his spiritual strength and enveloping him with an aura of the Divine. The main element of such love is the joy in one's heart, the flaming of the soul before its Creator, and the devotion of all of one's powers to sanctify God's name and fulfill His will. We have already discussed these concepts in their proper place, and there is no need to repeat them at length here.[18]

Also included in this general category is belief in God and, particularly, trust in Him. Through concepts such as these, man is bound to the Creator and grasps His holiness and illumination.

בִּקְרִיאַת שְׁמַע וּבִרְכוֹתֶיהָ

[א] שְׁתֵּי עֲבוֹדוֹת הֻטְּלוּ עָלֵינוּ לַעֲבֹד לְפָנָיו יִתְבָּרַךְ יוֹם בְּיוֹמוֹ, וְהֵן: הַקְּרִיאַת שְׁמַע וְהַתְּפִלָּה, וּבִזְמַן בֵּית הַמִּקְדָּשׁ: הַתְּמִידִים וְהַמּוּסָפִים, וְעַתָּה נְבָאֵר עִנְיָנָן. הָאַחַת הִנֵּה הִיא קְרִיאַת הַשְּׁמַע, וְעִנְיָנָהּ – יִחוּדוֹ יִתְבָּרַךְ וְקַבָּלַת עֹל מַלְכוּתוֹ.

וְהָעִנְיָן – כִּי הַבּוֹרֵא יִתְבָּרַךְ שְׁמוֹ הִמְצִיא בִּרְצוֹנוֹ נִמְצָאִים שׁוֹנִים, עֶלְיוֹנִים וְתַחְתּוֹנִים, רוּחָנִיִּים וְגַשְׁמִיִּים, וְסִדְּרָם בִּסְדָרִים שׁוֹנִים, וְנָתַן בְּחֹק כָּל אֶחָד מֵהֶם לִפְעֹל פְּעֻלּוֹת וְלַעֲשׂוֹת מַעֲשִׂים, לְהִתְגַּלְגֵּל בְּגִלְגּוּלִים וּבְסִבּוּבִים שׁוֹנִים, כְּפִי מַה שֶּׁפִּלְּגָה חָכְמָתוֹ יִתְבָּרַךְ לְכָל אֶחָד וְאֶחָד, וְאָמְנָם הִנֵּה הוּא יִתְבָּרַךְ שְׁמוֹ הַשֹּׁרֶשׁ וְהַסִּבָּה לְכֻלָּם. וְעִנְיָן זֶה מוּבָן בִּשְׁתֵּי בְחִינוֹת: בִּבְחִינַת הַמְּצִיאוּת וּבִבְחִינַת הַפְּעֻלָּה. בִּבְחִינַת הַמְּצִיאוּת – מַה שֶּׁכְּבָר בֵּאַרְנוּ בְּחֵלֶק רִאשׁוֹן, אֵיךְ כָּל הַמְּצִיאֻיּוֹת כֻּלָּם תְּלוּיִם בּוֹ יִתְבָּרַךְ וְנִמְשָׁכִים מֵרְצוֹנוֹ, מַה שֶּׁאֵינוֹ כֵּן מְצִיאוּתוֹ, שֶׁהוּא מְצִיאוּת מֻכְרָח מִצַּד עַצְמוֹ וּבִלְתִּי נִתְלֶה בְּזוּלָתוֹ, אַךְ כָּל שְׁאָר הַמְּצִיאֻיּוֹת אֵין לָהֶם מְצִיאוּת אֶלָּא

IV CHAPTER 4

The *Sh'ma* and its Blessings

[1] The two obligations that we must fulfill every day are the recital of the *Sh'ma* and the daily prayer service. When the Holy Temple (*Beis HaMikdash*) stood, the daily and additional sacrifices were also included among the daily observances. We will now explain their significance.

The first daily obligation is the *Sh'ma*. [This consists of the recitation of the verse (*Deuteronomy* 6:4), "Hear (*Sh'ma*) O Israel, the Lord is our God, the Lord is One," together with related paragraphs, which will be discussed later.] The main significance of the *Sh'ma* is that it is a confession of God's unity and the acceptance of the yoke of His Kingdom.

In order to understand this, we must realize that God willed many types of entities into existence. These include entities above and below, spiritual and physical, all arranged by God in various different ways. He gave each one a nature so that it should be able to act, accomplish, and bring about certain things in various ways, depending on what God's wisdom decreed for each one. The root and cause of all these things, however, is God alone.

This concept can be understood from two aspects: first, in relation to essence, and secondly, with respect to function.

We have already discussed the concept of the essence of existence in the first section (1:1:6). It was explained how all existence depends on God and is derived from His will. There is only one intrinsically imperative existence that does not depend on anything

מִצַּד מַה שֶּׁהוּא יִתְבָּרַךְ שְׁמוֹ רָצָה בָּהֶם וּמְקַיְּמָם בִּרְצוֹנוֹ. בִּבְחִינַת הַפְּעֻלָּה – הוּא, שֶׁאַף עַל פִּי שֶׁנִּתַּן בְּחָקָם שֶׁל הַנִּבְרָאִים לִשְׁלֹט בָּעִנְיָנִים מַה שֶּׁיְּכָלְתָּם מַקֶּפֶת, וּפוֹעֲלִים פְּעֻלּוֹת גְּדוֹלוֹת כָּל אֶחָד כְּפִי מַה שֶּׁבְּחֹק פְּעֻלָּתוֹ, הִנֵּה בֶּאֱמֶת אֵין בָּהֶם כֹּחַ וְלֹא שְׁלִיטָה אֶלָּא מַה שֶּׁמָּסַר לָהֶם הַבּוֹרֵא יִתְבָּרַךְ שְׁמוֹ, שֶׁהוּא הָאָדוֹן הָאֲמִתִּי הַשַּׁלִּיט וְכֹל יָכוֹל, וְכָל מַה שֶּׁהֵם פּוֹעֲלִים אֵינוֹ אֶלָּא מַה שֶּׁהוּא יִתְבָּרַךְ שְׁמוֹ נָתַן וְנוֹתֵן לָהֶם כֹּחַ שֶׁיִּפְעֲלוּ, וְהוּא אָדוֹן עֲלֵיהֶם לְהוֹסִיף וְלִגְרֹעַ כִּרְצוֹנוֹ בְּכָל עֵת וּבְכָל שָׁעָה.

וּמֵעֹמֶק הָעִנְיָן הוּא, כִּי הֲרֵי כְּפִי הַסְּדָרִים שֶׁסִּדְּרָה חָכְמָתוֹ יִתְבָּרַךְ לְתִקּוּנָם שֶׁל הַנִּבְרָאִים, כְּמוֹ שֶׁזָּכַרְנוּ בְּחֵלֶק רִאשׁוֹן, הִנֵּה יֵשׁ עִנְיָנִים רַבִּים שֶׁל רַע שֶׁמִּתְגַּלְגְּלִים וְסוֹבְבִים בָּעוֹלָם, אִם מִצַּד בְּחִירָתָם שֶׁל בְּנֵי הָאָדָם הַחוֹטְאִים, וְאִם מִצַּד מַה שֶּׁנִּגְזַר עֲלֵיהֶם לְעָנְשָׁם, וְנִרְאֶה הַדָּבָר לִכְאוֹרָה שֶׁזֶּה הֶפֶךְ רְצוֹנוֹ יִתְבָּרַךְ, כִּי הִנֵּה הוּא יִתְבָּרַךְ שְׁמוֹ אֵינוֹ רוֹצֶה אֶלָּא בַּטּוֹב, וְכָל חֶפְצוֹ לְהֵיטִיב, וְהִנֵּה שְׁמוֹ יִתְבָּרַךְ מִתְחַלֵּל בִּשְׁלִיטַת הָרְשָׁעִים וּבְהִתְגַּבְּרוּת הָרָעוֹת וְהַקִּלְקוּלִים. אָמְנָם הַיּוֹדֵעַ בִּדְרָכָיו יִתְבָּרַךְ וּמַעֲמִיק בְּעִנְיָנָם – יֵדַע כִּי עַל כָּל פָּנִים אֵין כָּל זֶה אֶלָּא סִבּוּב מְסִבּוֹת בְּדֶרֶךְ עָמֹק, כֻּלָּם מִתְכַּוְּנִים לִנְקֻדַּת הַשְׁלָמַת הַבְּרִיאָה וּבָהּ מִסְתַּיְּמִים, וּכְמוֹ שֶׁזָּכַרְנוּ בְּחֵלֶק רִאשׁוֹן; וְנִמְצָא שֶׁהַקָּדוֹשׁ בָּרוּךְ הוּא, הוּא הַמְנַהֵג אֶת הַכֹּל בֶּאֱמֶת, וַעֲצָתוֹ לְבַדָּהּ הִיא תָקוּם, שֶׁהוּא הַגִּיעַ טוּבוֹ וּשְׁלֵמוּתוֹ אֶל בְּרוּאָיו, וּכְמוֹ שֶׁזָּכַרְנוּ שָׁם, אֶלָּא שֶׁלְּפִי אֲמִתַּת הָעִנְיָן צְרִיכִים הַדְּבָרִים לְהִתְגַּלְגֵּל בְּגִלְגּוּלִים אֵלֶּה, עַל פִּי יְסוֹדוֹת הַחָכְמָה הַנִּפְלָאָה וְהַטּוֹב הָאֲמִתִּי, וְיִוָּדַע בְּסוֹף כָּל הַגִּלְגּוּלִים כִּי הוּא יִתְבָּרַךְ שְׁמוֹ אֶחָד יָחִיד וּמְיֻחָד, וְהוּא הַסּוֹבֵב שֶׁל הַמְּסִבּוֹת הָאֵלֶּה בְּדַרְכֵיהֶם לָבוֹא אֶל הַתַּכְלִית הָאֲמִתִּי, שֶׁהוּא הַטּוֹב הָאֲמִתִּי שֶׁזָּכַרְנוּ.

else whatsoever, and that is the existence of God. Everything else exists only because God desires it and wills that it exist.

The same is true of function. God gave the elements of creation the ability to rule over their own particular domains, and each one can accomplish many things, according to its particular nature. In reality, however, none of these things has any power or authority other than that given to it by God. The only One who is the true all-powerful Ruler and Authority is God Himself. All other things can accomplish only what God gives them the power to do, and He is their Master to increase or decrease their authority at any time, whenever He so desires.

This also includes another deep concept. The system devised by God's wisdom for the benefit of all things created includes many concepts of evil, as explained in the first section (1:5:8). The concept of evil can then have an effect and influence in the world. Some of these are a result of man's own free will and sins, while others are a consequence of what is decreed to punish him.

Superficially, this may seem to go against God's will. He wants only good, all His desire is to do good, and His Name is desecrated when the wicked have power and the Forces of evil and corruption prevail. Nevertheless, one who truly knows God's ways, and delves deeply into their significance, realizes the true meaning of this. All of this is a circuit consisting of various causes, which in a profound manner are all aimed toward one point, namely the perfection of all creation. When this purpose is accomplished, all these elements of evil will cease to exist, as explained in the first section (1:3:4).

God is therefore ultimately the actual Director of all things, and His plan alone is what will abide.[19] His good and perfection will then ultimately be bestowed upon all His handiwork, as explained in that section.

According to the way in which God's incomprehensible wisdom and true good founded creation, however, it was ordained that the true nature of the ultimate goal come about through these round-about ways [involving evil]. At the end of all these, however, it will be known that God is one, alone and unique (*Echad, Yachid, u'Meyuchad*), and that it was He who caused all these things in order

וּמִמַּה שֶׁנִּכְלָל עוֹד בְּעֹמֶק זֶה הָעִנְיָן הוּא גִּלּוּי אֲמִתַּת יִחוּדוֹ יִתְבָּרַךְ.

וְזֶה, כִּי הִנֵּה, כְּבָר בֵּאַרְנוּ שֶׁכְּלַל כָּל הַמְּסִבּוֹת הַסּוֹבְבוֹת בָּעוֹלָם הוּא, שֶׁהִנֵּה בָּרָא הַבּוֹרֵא יִתְבָּרַךְ אֶת הָרָע לְשֶׁיַּעֲבִירוּהוּ בְּנֵי הָאָדָם, וְיִקְבְּעוּ בְעַצְמָם וּבַבְּרִיאָה אֶת הַטּוֹב; וְהִנֵּה חֻקִּים רַבִּים וְשָׁרָשִׁים גְּדוֹלִים הֻשְׁרְשׁוּ בָּעִנְיָן הַזֶּה לְשֶׁיִּשְׁתַּלֵּם בְּכָל חֲלָקָיו וּבְחִינוֹתָיו, כִּי אוּלָם פְּרָטִים רַבִּים יִמָּצְאוּ בְעִנְיַן מְצִיאוּתוֹ שֶׁל הָרָע בַּבְּרִיאָה, פְּעֻלּוֹתָיו וּשְׁלִיטָתוֹ, וּפְרָטִים רַבִּים כְּמוֹ כֵן בְּעִנְיַן יַחֲסוֹ שֶׁל הָאָדָם עִמּוֹ, בְּמַה שֶּׁהוּא נָתוּן תַּחְתָּיו וּמוּשָׂם בְּתוֹכוֹ, וּבְעִנְיַן הִתְגַּבְּרוֹ עָלָיו וְהִתְפַּתְּחוֹ מִמַּאֲסָרָיו וְכָבְשׁוֹ אוֹתוֹ, וְעִנְיַן מְצִיאוּת הַטּוֹב – הִתְפַּשְּׁטוֹ וְהִתְחַזְּקוֹ כְּפִי הִכָּנַע הָרָע וְהִכָּבְשׁוֹ; וְאָמְנָם שֹׁרֶשׁ כָּל מְצִיאוּת הָרָע, פְּעֻלּוֹתָיו וּשְׁלִיטָתוֹ, הוּא הַעֲלִים הַבּוֹרֵא יִתְבָּרַךְ אֶת יִחוּדוֹ, שֶׁאֵינוֹ מִתְגַּלֶּה בְּעֹצֶם אֲמִתָּתוֹ לַכֹּל, וּכְפִי שִׁעוּר הַהֶעְלֵם כָּךְ הוּא שִׁעוּר כֹּחַ מְצִיאוּתוֹ שֶׁל הָרָע, וּכְמוֹ שֶׁזָּכַרְנוּ בְּחֵלֶק רִאשׁוֹן.

וְשֹׁרֶשׁ כָּל בִּטּוּל הָרָע וְהַעֲבָרָתוֹ וְהִקָּבַע כָּל הַבְּרִיאָה בַּטּוֹב – הוּא גִּלּוּי אֲמִתַּת יִחוּדוֹ יִתְבָּרַךְ, וְהוּא מַה שֶּׁאָמַר הַכָּתוּב: "רְאוּ עַתָּה כִּי אֲנִי אֲנִי הוּא" וְכוּ' (דברים לב, לט), וְכָתוּב: "לְמַעַן תֵּדְעוּ וְתַאֲמִינוּ ... לְפָנַי לֹא־נוֹצַר אֵל וְאַחֲרַי לֹא יִהְיֶה" (ישעיה מג, י); וְנִמְצָא שֶׁסּוֹף תִּקּוּן כָּל הַבְּרִיאָה תָּלוּי בְּגִלּוּי יִחוּדוֹ יִתְבָּרַךְ. וְהִנֵּה הוּא הָיָה וְהֹוֶה וְיִהְיֶה תָּמִיד אֶחָד יָחִיד וּמְיֻחָד, אֶלָּא שֶׁעַכְשָׁו אֵינוֹ מְגֻלֶּה לַכֹּל כָּרָאוּי, וְלֶעָתִיד לָבוֹא יִתְגַּלֶּה לְגַמְרֵי לְכָל הַבְּרוּאִים, כְּמוֹ שֶׁזָּכַרְנוּ: "בַּיּוֹם הַהוּא יִהְיֶה ד' אֶחָד וּשְׁמוֹ אֶחָד" (זכריה יד, ט). אָמְנָם יִשְׂרָאֵל, שֶׁזָּכוּ לְתוֹרָתוֹ הָאֲמִתִּית, יוֹדְעִים הָאֱמֶת הַזֶּה וּמְעִידִים עָלָיו גַּם עַתָּה,

to bring about the true goal, which is the genuine good that we have discussed.

Also included in this profound concept is the revelation of the true nature of God's unity.

We have already explained how all these roundabout ways are a general result of the fact that God created evil in order for man to banish it and thus integrate good, both in himself and in all creation. This concept gives rise to many principles and fundamental processes, all required by man to perfect every element and aspect of his being. For evil has many details, effects and influences, both in its intrinsic existence and in its relationship to man. Through all these, man is affected by evil and placed in its midst in such a way that he can overcome it, release himself from its fetters, and eventually conquer it completely. The existence of good, as well as its propagation and fortification, all depend on the extent to which evil is subjugated and conquered.

The basis of the existence of evil, as well as its activity and influence, is the fact that God hides His unity and does not reveal Himself with the power of His true essence. The degree to which evil can exist then depends on the degree to which God hides Himself, as discussed in the first section (1:5:8).

The basis of the annihilation and removal of evil, as well as the perpetuation of good in all creation, is therefore the revelation of God's unity. This is the meaning of what God says in the Torah (*Deuteronomy* 32:39), "Behold now that I — I am He — [and there is no god with Me]."[20] It is likewise written (*Isaiah* 43:10), "They must know and believe . . . [that I am He]; before Me no god was formed, and after Me there will be none."[21]

From all this, we see that the ultimate rectification of all creation depends on the revelation of God's unity. He was, is, and will be one, alone and unique, even though at the present this is not as universally recognized as it should be. In the ultimate future, however, this will be revealed to all creation, as it has been foretold (*Zechariah* 14:15), "On that day, God will be One, and His Name shall be One."

The Jews were worthy of God's true Torah, however, and are therefore aware of this truth and bear witness to it even now. God

261

וְהִנֵּה הוּא מַה שֶּׁאָמַר הַכָּתוּב: "וְאַתֶּם עֵדַי נְאֻם־ה'" (ישעיה מג, יב), וְזֶה זְכוּת גָּדוֹל לָנוּ.

וְהִנֵּה, כְּלַל הַהַנְהָגָה שֶׁל הָעוֹלָם הַזֶּה מִתְחַלֶּקֶת לְהַנְהָגַת הַיּוֹם וְהַנְהָגַת הַלַּיְלָה, וּכְמוֹ שֶׁזָּכַרְנוּ בְּחֵלֶק שְׁלִישִׁי פֶּרֶק רִאשׁוֹן, וּבְכָל בֹּקֶר וּבְכָל עֶרֶב מִתְחַדְּשִׁים הַסְּדָרִים וּמִשְׁמְרוֹת הַמַּלְאָכִים לְתַפְקִידָם, כְּפִי סֵדֶר הַהַנְהָגָה, וְאוּלָם אֲנַחְנוּ בְּנֵי יִשְׂרָאֵל – נִתְחַיַּבְנוּ לְהָעִיד עַל אֲמִתַּת יִחוּדוֹ יִתְבָּרַךְ, בְּכָל הַבְּחִינוֹת: פֵּרוּשׁ – בֵּין בִּבְחִינַת הַמְּצִיאוּת, שֶׁהוּא לְבַדּוֹ הַמָּצוּי הַמֻּכְרָח, וְכָל הַנִּמְצָאִים – מִמֶּנּוּ הֵם נִמְצָאִים וּבוֹ תְּלוּיִים; בֵּין בִּבְחִינַת הַשְּׁלִיטָה, שֶׁהוּא לְבַדּוֹ יִתְבָּרַךְ הַשַּׁלִּיט הַמְיֻחָד, וְאֵין פּוֹעֵל שֶׁיִּפְעַל אֶלָּא מִכֹּחַ וּרְשׁוּת שֶׁנָּתַן לוֹ מִמֶּנּוּ; בֵּין בִּבְחִינַת הַהַנְהָגָה, דְּהַיְנוּ שֶׁאַף עַל פִּי שֶׁהַמְּסִבּוֹת רַבּוֹת וּגְדוֹלוֹת וַעֲמֻקּוֹת, אֵין הַמְסַבֵּב אֶלָּא אֶחָד וְאֵין הַתַּכְלִית אֶלָּא אֶחָד, דְּהַיְנוּ הוּא יִתְבָּרַךְ שְׁמוֹ הַמְסַבֵּב אֶת הַכֹּל אֶל תַּכְלִית הַשְּׁלֵמוּת הָאֲמִתִּי, וְאַף עַל פִּי שֶׁאֵין דָּבָר זֶה גָּלוּי עַתָּה, בֶּאֱמֶת הִנֵּה אֲמִתַּת הַדָּבָר כָּךְ הוּא, וְכֵן יִגָּלֶה וְיִוָּדַע בְּסוֹף הַכֹּל.

[כ] וְהִנֵּה, מִמַּה שֶּׁיֵּשׁ עוֹד לְהַבְחִין, הוּא, כִּי הַבּוֹרֵא יִתְבָּרַךְ שְׁמוֹ הִנֵּה הוּא מֶלֶךְ עַל כָּל בְּרִיּוֹתָיו.

וּפֵרוּשׁ עִנְיָן זֶה הוּא, כִּי אָמְנָם אֲמִתַּת מְצִיאוּתוֹ יִתְבָּרַךְ הוּא דָּבָר בִּלְתִּי נִתְלֶה בְּזוּלָתוֹ כְּלָל וּבִלְתִּי מִתְיַחֵס לְזוּלָתוֹ, כִּי הִנֵּה הוּא מָצוּי מֻכְרָח וְשָׁלֵם מִצַּד עַצְמוֹ וְאֵין לוֹ שׁוּם יִחוּס עִם אַחֵר כְּלָל, לֹא לְמַעְלָה מִמֶּנּוּ וְלֹא לְמַטָּה מִמֶּנּוּ. פֵּרוּשׁ – שֶׁאֵין לוֹ סִבָּה שֶׁיִּתָּלֶה בָּהּ כְּלָל, לֹא כִמְסֻבָּב עִם סִבָּתוֹ, וְלֹא כְמִצְטָרֵף עִם מִצְטָרְפוֹ; וְהִנֵּה בִּבְחִינָה זֹאת נִקְרָאֵהוּ בְּשֵׁם אֱלֹקִים בָּרוּךְ הוּא, דְּהַיְנוּ הַמָּצוּי הַמֻּכְרָח מִצַּד עַצְמוֹ, וּכְמוֹ שֶׁזָּכַרְנוּ; וְאָמְנָם בִּהְיוֹת שֶׁרָצָה וּבָרָא נִבְרָאִים, וְכֻלָּם תְּלוּיִים בּוֹ בִּמְצִיאוּתָם

therefore told us through His prophet (*Isaiah* 43:12), "You are My witnesses, says God . . ." This is a very great privilege for us.

The daily cycle is divided into day and night, as discussed earlier (3:1:6). The same is true of its direction, and each morning and evening the system is renewed and the angels take their posts to do their assigned tasks, following the general ongoing order.

At these times, the Jew also has his assigned task. This is his obligation to bear witness to God's unity in all its aspects.

This unity includes the aspects of existence, authority and providence. With respect to existence, God alone is the only necessary Being, while the existence of all other things comes from Him and is dependent on Him. With respect to authority, God alone is the one unique Authority, and nothing can function without His giving it the power and authorization to do so. With regard to providence, everything has one Cause and purpose. Even though things may come about through many exceedingly complex roundabout ways, all this originates from God, who is bringing everything to its ultimate goal of true perfection. Even though this might not be obvious now, it is the ultimate underlying truth, and it will be revealed and known in the end.

[2] Among the things that one must understand is the concept that God is King over all His creation.

Actually, God's existence does not depend on anything else at all, nor is it related to anything else. He is the necessary Being, perfect in His own right, and there is nothing above or below Him to which He is related. He does not depend on anything whatsoever, neither as an effect of a cause, nor as something associated with it.

It is in this respect that He is called God. This means that He is the intrinsically necessary Being.

God willed and created all things, however, and all of them depend on Him for their existence, as discussed earlier. In this

263

וּבְכָל בְּחִינוֹתָם, וּכְמוֹ שֶׁזָּכַרְנוּ, נִקְרָאֵהוּ בִּבְחִינָה זוֹ אֲדוֹן כֹּל, כִּי הַכֹּל מִמֶּנּוּ, וְהַכֹּל שֶׁלּוֹ, וְהוּא שַׁלִּיט בַּכֹּל כִּרְצוֹנוֹ.

וְאוּלָם עוֹד רָצָה בְטוּבוֹ וַחֲסָדוֹ, לְהַשְׁפִּיל כִּבְיָכוֹל בְּעַנְוְתוֹ אֶת רוּם כְּבוֹדוֹ וְלִהְיוֹת מִתְיַחֵס אֶל נִבְרָאָיו, אַף עַל פִּי שֶׁבֶּאֱמֶת אֵין לָהֶם יַחַס עִמּוֹ כְּלָל, וְרָצָה לִהְיוֹת לָהֶם בְּמַדְרֵגַת מֶלֶךְ אֶל עַם, שֶׁיֵּחָשֵׁב לָהֶם לְרֹאשׁ וּלְמַנְהִיג וּלְהִתְכַּבֵּד כִּבְיָכוֹל בָּם, כְּמֶלֶךְ שֶׁמִּתְכַּבֵּד בְּעַמּוֹ, וּכְעִנְיָן שֶׁנֶּאֱמַר: "בְּרָב־עָם הַדְרַת־מֶלֶךְ" (משלי יד, כח), וּבִבְחִינָה זוֹ נִקְרָאֵהוּ מַלְכּוֹ שֶׁל עוֹלָם. וְהִנֵּה בִּבְחִינָה זוֹ הוּא נֶחְשָׁב לָנוּ לְרֹאשׁ, וּמִתְכַּבֵּד בָּנוּ, וְגַם אֲנַחְנוּ חַיָּבִים לַעֲבֹד עֲבוֹדָתוֹ, וְלִשְׁמֹעַ אֵלָיו לְכָל אֲשֶׁר יְצַוֶּה, כְּמֶלֶךְ בְּעַמּוֹ.

וְאוּלָם בִּבְחִינָה זוֹ גַּם כֵּן חַיָּבִים אָנוּ לְהַכִּירוֹ בְּכָל יוֹם, וּלְקַיֵּם מַלְכוּתוֹ עָלֵינוּ, וּלְהִשְׁתַּעְבֵּד אֵלָיו וְלִגְזֵרוֹתָיו, כַּעֲבָדִים אֶל מַלְכָּם, וְזֶה נִקְרָא קַבָּלַת עֹל מַלְכוּת שָׁמַיִם, וּנְכְלָל עִנְיָנָהּ בְּפָסוּק זֶה "שְׁמַע יִשְׂרָאֵל" – דְּהַיְנוּ – הַהוֹדָאָה בְּדָבָר זֶה שֶׁהוּא מֶלֶךְ מַלְכֵי הַמְּלָכִים מוֹלֵךְ בְּכָל בְּרִיּוֹתָיו הָעֶלְיוֹנִים וְהַתַּחְתּוֹנִים, וְקִבּוּל עֹל מַלְכוּתוֹ, וְהִשְׁתַּעְבֵּד אֵלָיו, וּכְמוֹ שֶׁזָּכַרְנוּ.

[ג] וְאָמְנָם מִכָּל הָעִנְיָנִים הָאֵלּוּ יוֹצְאוֹת תּוֹלָדוֹת גְּדוֹלוֹת לְתִקּוּן כְּלַל כָּל הַבְּרִיאָה. וְזֶה, כִּי אוּלָם סִדְרֵי הַבְּרִיאָה וְכוֹנְנִיּוֹתֶיהָ מְסֻדָּרִים בְּדֶרֶךְ, שֶׁכַּאֲשֶׁר מַלְכוּתוֹ יִתְבָּרַךְ שְׁמוֹ נוֹדַעַת וּמוֹדִים בָּהּ כָּל בְּרוּאָיו – נִמְצָא בַּבְּרוּאִים כָּל טוּב וְכָל שַׁלְוָה, וְהַבְּרָכָה מִתְרַבֵּית בָּהֶם וּשְׁלוֹמָם מִתְגַּדֵּל, וּבְהִתְפָּרֵץ הָעֲבָדִים וְאֵינָם מִשְׁתַּעְבְּדִים וּמוֹדִים בְּמַלְכוּתוֹ יִתְבָּרַךְ – כָּל טוּב חָסֵר, וְהַחֹשֶׁךְ מִתְגַּבֵּר וְהָרָעָה שׁוֹלֶטֶת; וְהִנֵּה נִמְשָׁכִים דַּרְכֵי ד׳ אֵלֶּה בְּכָל חֶלְקֵי הַבְּרִיאָה, הָעֶלְיוֹנִים וְהַתַּחְתּוֹנִים, הַפּוֹעֲלִים

respect, He is called Master of all. Everything comes from Him, all is His, and He has full authority over all things to do as He desires.

To the extent that we can express this concept, however, we can also say that as a result of His goodness and love, God also desired to display His humility.[22] He thus descended, at it were, from His lofty status, and associated Himself with His handiwork. Even though created things are actually not associated with Him at all, He desired to relate to them to the degree that a king relates to his subjects. In this respect, He would be considered as their Leader and Ruler and, figuratively speaking, He is then honored by them, just as a king is honored by his subjects. It is thus written (*Proverbs* 14:28), "In a multitude of people is a King's honor."[23]

It is in this respect that we call God the King of the universe. We consider Him as our Leader, and He is thus honored by us. We are also required to do His bidding and obey Him, no matter what He commands us, just like the subjects of a monarch.

As a result of this, we are also required to recognize God every day and confirm the authority of His Kindgom, subjecting ourselves to both Him and His decrees, like the subjects of a king. This is called the "acceptance of the yoke of the heavenly Kingdom."[24]

This is the significance of the essence of the *Sh'ma*, consisting of the verse (*Deuteronomy* 6:4), "Hear O Israel, the Lord is our God, the Lord is One." We are confessing that God is the ultimate King and Ruler of all creation, both above and below. We thus accept the yoke of His Kingdom, and subjugate ourselves to Him, as explained above.

[3]   All of these concepts also have a significant effect in rectifying all of creation in general. The patterns and systems of creation are set up in such a way that when God's authority is known and confessed by all mankind, every type of good and prosperity exists in the world. Blessings are increased, and the world abides in peace. When the servants rebel, on the other hand, and do not subjugate themselves to God and recognize His authority, then good is lacking, darkness prevails, and evil dominates.

These ways of God in general are transmitted to all parts of His creation, both above and below, including both those who act and

וְהַנִּפְעָלִים, וּכְמוֹ שֶׁזָּכַרְנוּ בְּחֵלֶק רִאשׁוֹן; וְאוּלָם הֱיוֹת מַלְכוּתוֹ יִתְבָּרַךְ נוֹדַעַת אוֹ לֹא נוֹדַעַת-נִמְשָׁךְ וַדַּאי מִמַּעֲשֵׂי הַתַּחְתּוֹנִים, וּכְבָר נִתְבָּאֲרוּ אֵלֶּה הַיְסוֹדוֹת בִּמְקוֹמָם; אַךְ מַה שֶּׁצָּרִיךְ עַתָּה לְעִנְיָנֵנוּ, שֶׁאִם יִהְיֶה טַעַם לְשֶׁיּוֹפִיעַ הַבּוֹרֵא יִתְבָּרַךְ בְּמַלְכוּתוֹ וְיִמְלֹךְ עַל עוֹלָמוֹ, יִמָּשֵׁךְ מִזֶּה הַטּוֹב הָרַב וְהַשַּׁלְוָה הַגְּדוֹלָה לַנִּבְרָאִים, וְתִרְבֶּה הַהֶאָרָה, הַקְּדֻשָּׁה וְהַטָּהֳרָה וְכָל דָּבָר טוֹב, וְכֹחוֹת הָרָע יִהְיוּ נִכְפָּפִים וּמְשֻׁעְבָּדִים וְלֹא יְקַלְקְלוּ טוֹבַת הָעוֹלָם; וְאִם לֹא, הִנֵּה הַקָּדוֹשׁ בָּרוּךְ הוּא מַסְתִּיר פָּנָיו וְאֵינוֹ מְגַלֶּה כֹּחַ מֶמְשַׁלְתּוֹ, וְכֹחוֹת הָרָע מִתְפָּרְצִים וְשׁוֹלְטִים, וְכָל תּוֹלְדוֹת הָעִנְיָן הַזֶּה – הַוּוֹת בְּכָל מָקוֹם שֶׁהֵן שַׁיָּכוֹת שָׁם, וְהוּא כְּלַל כָּל הָרָעוֹת הַנִּמְצָאוֹת בָּעוֹלָם; וְהִנֵּה, בִּהְיוֹת יִשְׂרָאֵל מִתְחַזְּקִים בְּכָל יוֹם עַל דָּבָר זֶה, וּמְקַבְּלִים מַלְכוּתוֹ יִתְבָּרַךְ וּמוֹדִים בָּהּ בְּלִבָּם וּבְפִיהֶם, מוֹפִיעַ הַקָּדוֹשׁ בָּרוּךְ הוּא בְּעוֹלָמוֹ, וְכֹחוֹת הָרָע נִרְפִּים תַּחַת הַטּוֹב, וְנִמְשֶׁכֶת הַבְּרָכָה לָעוֹלָם. וּבְהָעִיד עַל יִחוּדוֹ יִתְבָּרַךְ כְּמוֹ שֶׁזָּכַרְנוּ לְמַעְלָה, הִנֵּה כְּנֶגֶד זֶה נַעֲנֶה לָנוּ, וּמִתְנַשֵּׂא בְּיִחוּדוֹ וּמַחֲזִיקוֹ, וּמוֹסִיף לָעוֹלָם תִּקּוּן עַל תִּקּוּן, בִּבְחִינַת הַתִּקּוּן הָאֲמִתִּי שֶׁזָּכַרְנוּ, שֶׁאֵלָיו מִתְגַּלְגְּלִים כָּל מְסִבּוֹת הַהַנְהָגָה, וּמְקַיֵּם עֲצָתוֹ, שֶׁהִיא – הַעֲמִיד הַבְּרִיאָה עַל הַטּוֹב, הַשָּׁלֵם, וּכְמוֹ שֶׁזָּכַרְנוּ.

וּמַה שֶּׁצָּרִיךְ שֶׁתָּבִין בָּזֶה, הוּא, שֶׁאֵין כָּל הַדְּבָרִים הָאֵלֶּה אֲמוּרִים אֶלָּא לְשֶׁיִּהְיֶה תִּקּוּן הַבְּרִיאָה מִצַּד בְּנֵי הָאָדָם, וְלֹא מֵאֵלָיו; כִּי אוּלָם הַהַנְהָגָה כְּבָר מְסֻדֶּרֶת הִיא וְעוֹמֶדֶת עַל הַדֶּרֶךְ הַזֶּה, שֶׁכָּל גִּלְגּוּלֶיהָ הוֹלְכִים אֶל הַהַשְׁלָמָה, וְזֶה מַה שֶּׁהָאָדוֹן בָּרוּךְ הוּא מְסַבֵּב בְּטוּבוֹ וְכֹחוֹ, אֶלָּא שֶׁהָיְתָה גְּזֵרַת חָכְמָתוֹ שֶׁיִּהְיֶה זֶה נַעֲשֶׂה עַל יְדֵי בְּנֵי הָאָדָם, שֶׁאָז יִשְׁתַּלְּמוּ בְּנֵי הָאָדָם, שֶׁעָשׂוּ הַדָּבָר הַזֶּה, וְתִהְיֶה הַהַשְׁלָמָה עַצְמָהּ בְּתַכְלִית,

those who are acted upon, as discussed in the first section (1:4:7). Whether God's Kingdom is recognized or not, however, obviously depends completely on the deeds of man in the world below. All these principles have already be explained in their proper place.[25]

There is one important point that relates to our current discussion. Whenever any reason exists for the Creator to manifest Himself in His Kingdom and rule over His world, it results in great good and prosperity among mankind. There is an increase of the holy, pure Illumination together with everything good, while the Forces of evil are humbled and subjugated, so that they should not be able to undermine the good of the world.

When God hides His presence and does not reveal His power, then the Forces of evil propagate and become dominant. The results of this are misfortune in every place associated with these Forces, and this includes everything evil that exists in the world.

When the Jews fortify themselves every day by accepting God's Kingdom and confessing it with their hearts and mouths, then God manifests Himself in His world, and the powers of evil are enfeebled under the good. Blessing is thus transmitted to the world.

When the Jew bears witness to God's unity in the above manner, then God reciprocates, and responds in a similar manner. God exalts Himself in His unity and strengthens it, thus enhancing the rectification of the world. This proceeds step by step, through all the roundabout ways of this world, leading to the ultimate true rectification. God's plan is then fulfilled, namely that all creation should abide in a state of perfect good.

All this has one important purpose, and that is to demonstrate that the world is rectified only by man, and not by itself. According to the way in which the world was originally arranged and continues to function, every sequence of events must ultimately result in perfection. This is a result of God's goodness and power.

God's wisdom, however, decreed that this should come about through man. In bringing about the ultimate perfection, man is also perfecting himself. In this manner, man furthermore attains the highest possible degree of perfection, since he himself is its master,

בְּהִיוֹת הַבְּרוּאִים עַצְמָם בַּעֲלֵי שְׁלֵמוּתָם כְּמוֹ שֶׁזָּכַרְנוּ; וְנִמְצָא שֶׁזֶּה עִקָּרָם שֶׁל דְּבָרִים אֵלֶּה, שֶׁמָּה שֶׁסִּדֵּר הָאָדוֹן בָּרוּךְ הוּא וְהֵכִין לִהְיוֹת מַשְׁלִים אֶת בְּרִיּוֹתָיו – יְשֻׁלַּם וְיֵצֵא לַפֹּעַל עַל יְדֵי בְנֵי הָאָדָם, לְשֶׁיִּשְׁתַּלְּמוּ הֵם בַּשְּׁלֵמוּת הָרָאוּי לָהֶם.

[ד] וְהִנֵּה, כְּבָר בֵּאַרְנוּ בְּחֵלֶק רִאשׁוֹן, שֶׁהַשְּׁלֵמוּת הָאֲמִתִּי שֶׁל הַבְּרִיאָה הוּא הַמָּשֶׁךְ לָהּ מִשְּׁלֵמוּתוֹ יִתְבָּרַךְ, כִּי הוּא לְבַדּוֹ הַשְּׁלֵמוּת, וְאוּלָם גַּם זֶה מִתּוֹלְדוֹת הַמִּצְוָה הַזֹּאת, שֶׁבְּהָעִידֵנוּ עַל יִחוּדוֹ וּבִהְיוֹתֵנוּ תוֹלִים אֶת הַכֹּל בּוֹ, גַּם הוּא יִתְבָּרַךְ שְׁמוֹ נִדְרָשׁ לָנוּ, וְנִמְצָא לְכָל הַבְּרִיאָה שֶׁתִּשְׁתַּלֵּם בִּשְׁלֵמוּתוֹ, וְנִתְקָנִים כָּל הַמְּצִיאֻיּוֹת בַּמְּצִיאוּת הָאֲמִתִּי הַשָּׁרְשִׁי, שֶׁהוּא מְצִיאוּתוֹ יִתְבָּרַךְ, וּכְמוֹ שֶׁזָּכַרְנוּ שָׁם.

[ה] וְהִנֵּה מִתְּנָאֵי הַמִּצְוָה הַזֹּאת, לִהְיוֹת הָאָדָם גּוֹמֵר בְּדַעְתּוֹ לִמְסֹר נַפְשׁוֹ עַל יִחוּדוֹ יִתְבָּרַךְ, וּלְקַבֵּל עָלָיו כָּל יִסּוּרִים וּמִינֵי מִיתָה עַל קִדּוּשׁ שְׁמוֹ יִתְבָּרַךְ, וְנֶחְשָׁב לוֹ כְּאִלּוּ עָשָׂה הַדָּבָר בְּפֹעַל וְנֶהֱרַג עַל קִדּוּשׁ הַשֵּׁם. וְגַם מֵעִנְיָן זֶה יוֹצְאוֹת תּוֹלָדוֹת גְּדוֹלוֹת לְתוֹעֶלֶת הַבְּרִיאָה וּלְתִקּוּן הַכְּלָל.

וְזֶה, שֶׁמִּסִּדְרֵי הַחָכְמָה הָעֶלְיוֹנָה, בַּנִּבְרָאִים וּמְצִיאֻיּוֹתֵיהֶם, הוּא, שֶׁיִּמָּצְאוּ הַנִּמְצָאִים כֻּלָּם בְּמַדְרֵגָה יְדוּעָה, מַה שֶּׁשִּׁעֲרָה הַחָכְמָה הָעֶלְיוֹנָה הֱיוֹת נָאוֹת לְפִי הַנִּרְצֶה בָּעוֹלָם וּמַצָּבוֹ, וּכְלַל הַמַּדְרֵגָה הַזֹּאת, הִיא מַדְרֵגָה נוֹתֶנֶת מָקוֹם לַחֹשֶׁךְ לְהִמָּצֵא וְלַטֻּמְאָה לְהִתְפַּשֵּׁט וְלִפְעֹל, אָמְנָם כָּל זֶה בְּשִׁעוּר נוֹדָע, דְּהַיְנוּ שֶׁלֹּא יִמָּצֵא הַחֹשֶׁךְ וְלֹא תִשְׁלֹט הַטֻּמְאָה כָּל כָּךְ שֶׁיִּטַּמֵּא לָעוֹלָם לְגַמְרֵי וְיִתְקַלְקְלוּ הַבְּרִיּוֹת – שֶׁאִם הָיָה הַדָּבָר מַגִּיעַ לָזֶה, הָיוּ צְרִיכִים כֻּלָּם לְהִפָּסֵד וְלִמָּחוֹת, כְּמוֹ שֶׁקָּרָה בִּזְמַן הַמַּבּוּל – אַךְ בְּשִׁעוּר מַה שֶּׁלֹּא יְקַלְקֵל הָעוֹלָם, אֲבָל יִשָּׁאֲרוּ בוֹ הָעִנְיָנִים חֹל וְלֹא קֹדֶשׁ, חֲשׁוּכִים וְלֹא בְהִירִים. וְהִנֵּה

as discussed above.[26] The essence of the matter is therefore that whatever God arranged and prepared to perfect His handiwork will be fulfilled and translated into action by man, so that in doing so, man will be able to perfect himself in an appropriate manner.

[4] We have already discussed in the first section (1:2:1) how God alone is the only true perfection, and therefore, the perfection of all creation involves its association with the perfection of God Himself.

This concept is also enhanced by the observance of the commandment to recite the *Sh'ma*. When we bear witness to God's unity and the fact that everything depends on Him, then God also avails Himself to us. As a result of this, all creation is perfected through His own perfection, and all existence is rectified through the most basic real existence, which is that of God, as explained in that section.

[5] One of the conditions associated with this commandment is that, when reciting the *Sh'ma*, each individual should resolve to be ready to give his life for the sake of God's unity, and willingly undergo all types of torture and the cruelest of deaths for the sanctification of His Name.[27] Such resolve is counted as an actual deed, and one therefore receives the merit of actually giving his life for the sanctification of God's Name.[28]

Besides this, however, such resolve also results in a great benefit for all creation, as well as its general rectification.

One of the things that the Highest Wisdom set up among created things is that they should exist on a certain [spiritual] level. This level was the one determined by the Highest Wisdom as being best for what was desired in the world and its various states. In general, this level is one that allows darkness to exist and corruption to spread and be active.

All this, however, has a fixed limit. Darkness cannot prevail, nor corruption have authority, to such an extent that it should corrupt the world completely and pervert all mankind. If this limit would be exceeded, then everything would have to be destroyed and obliterated, as indeed happened in the time of the Flood.[29]

The limit is therefore one in which the world is not completely perverted, but it is still one where dark and secular concepts prevail,

269

סִדְרָה שֶׁזֹּאת תִּהְיֶה מַדְרֵגָתָם הָרִאשׁוֹנִית וְעִקָּרִית, אָמְנָם שֶׁבְּדֶרֶךְ תּוֹסֶפֶת תִּמָּצֵא בָם הֶאָרָה מְעֻלָּה וְהַשְׁפָּעַת יְקָר – יִתְעַלּוּ בָהּ מִן הַמַּדְרֵגָה הַשְּׁפָלָה הַזֹּאת, וְיַגִּיעַ לַבְּרוּאִים עִנְיַן קֹדֶשׁ וּבְהִירוּת, מַה שֶּׁרָאוּי שֶׁיַּגִּיעַ לָהֶם לְפִי הָעוֹלָם הַזֶּה; וְהִנֵּה הַדְּבָרִים מְשֹׁעָרִים בְּחָכְמָה נִפְלָאָה, כָּל דָּבָר בִּגְבוּלוֹ כָּרָאוּי, לֹא פָּחוֹת וְלֹא יוֹתֵר, וְהַיְנוּ כִּי שִׁעֵר מַה רָאוּי שֶׁיִּהְיֶה לָהֶם בְּדֶרֶךְ עִקָּר, וְגַם זֶה נִתְחַלֵּק לַחֲלָקִים וּמַדְרֵגוֹת פְּרָטִיּוֹת שׁוֹנוֹת, וּמָה רָאוּי שֶׁיִּהְיֶה לָהֶם בְּדֶרֶךְ תּוֹסֶפֶת, וְגַם הוּא נֶחְלַק לַחֲלָקִים וּמַדְרֵגוֹת פְּרָטִיּוֹת שׁוֹנוֹת, וְכֵן שִׁעֲרוּ הַזְּמַנִּים שֶׁרָאוּי שֶׁיִּהְיֶה לָהֶם הַתּוֹסֶפֶת הַזֶּה בְּמַדְרֵגוֹתָיו, וּכְמוֹ שֶׁנְּבָאֵר עוֹד לְפָנִים בְּעֶזְרַת הַשֵּׁם יִתְבָּרַךְ.

וְהִנֵּה בְּכָל יוֹם וָיוֹם צָרִיךְ שֶׁיִּתְחַדֵּשׁ הַשְׁפָּעָה וְהֶאָרָה בַּנִּבְרָאִים שֶׁתַּעֲלֶה אוֹתָם מִן הַמַּדְרֵגָה הַשְּׁפָלָה הַשָּׁרְשִׁית בָּהֶם וְיִתֵּן בָּהֶם קִדּוּשׁ וּבְהִירוּת כְּמוֹ שֶׁזָּכַרְנוּ. וְאוּלָם סִדְרָה הַחָכְמָה הָעֶלְיוֹנָה מְצִיאוּת הַהֶאָרָה הַזֹּאת – הַמִּתְחַזֶּקֶת וּמַעֲבֶרֶת הַחֹשֶׁךְ שֶׁל הָעוֹלָם וּמִתְגַּבֶּרֶת בּוֹ וּבִבְרוּאָיו הַיְקָר וְהַמַּעֲלָה וְהַקְּדֻשָּׁה שֶׁזָּכַרְנוּ – וְתָלְתָה הֶמְשֵׁכָהּ בְּמַעֲשֵׂה הַתַּחְתּוֹנִים, כִּשְׁאָר כָּל הַהַשְׁפָּעוֹת וְהַתִּקּוּנִים. וְאָמְנָם הַמַּעֲשֶׂה אֲשֶׁר תְּלוּיָה בּוֹ הוּא מְסוֹר אָדָם אֶת נַפְשׁוֹ עַל קִדּוּשׁ שְׁמוֹ יִתְבָּרַךְ; וְגַם בָּזֶה יֵשׁ מַדְרֵגוֹת, כִּי הַמְּסִירָה שֶׁיִּמְסֹר אָדָם עַצְמוֹ עַל קִדּוּשׁ הַשֵּׁם בְּפֹעַל יַמְשִׁיךְ הֶאָרָה גְּדוֹלָה וַחֲזָקָה מְאֹד, וִיתַקֵּן בַּבְּרִיאָה תִּקּוּן עָצוּם, וְיַרְבֶּה בָהּ הַקִּדּוּשׁ וְהַבְּהִירוּת רִבּוּי גָּדוֹל, וְהַמְּסִירָה בְּמַחְשָׁבָה דְּהַיְנוּ לִגְמֹר בְּלִבּוֹ לְהִמָּסֵר וּכְמוֹ שֶׁזָּכַרְנוּ, יַמְשִׁיךְ גַּם כֵּן הַשְׁפָּעָה מִמִּין הַשְׁפָּעָה הַזֹּאת, אֶלָּא שֶׁלֹּא תִהְיֶה כָּל כָּךְ עֲצוּמָה. וְאָמְנָם לְמַה שֶּׁצָּרִיךְ לְהִתְחַדֵּשׁ וּלְהִמָּשֵׁךְ בְּכָל

rather than the holy and radiant. The way things were set up, this is the original basic level.

[It is possible, however, for man to raise this basic level, and thus diminish the maximum power of evil and maintain the world in a higher minimal state of holiness.] The manner in which man can elevate the world from this lower basic level thus invests it with an additional quality. Through this, man can gain an elevated light and excellent Influence, and bring upon all created things as great a degree of holiness and brilliance as can appropriately exist in this world.

All this was determined by God's incomprehensible wisdom so that each level would have its proper limit, no more and no less. God thus determined how much [evil] should be able to exist on the basic level, and how much on this elevated level. Both levels are furthermore divided into different individual categories and sublevels. It was likewise determined at which times these levels should be increased, as will presently be discussed.

This Influence and illumination must be renewed among all created things each day, elevating them from their lower basic level, and embodying in them the sanctity and enlightenment discussed earlier. This illumination overcomes and obliterates the darkness that exists in the world, and strengthens the above-mentioned excellence, significance and holiness, both in man and in his world.

The Highest Wisdom, however, set up things so that the transmission of this illumination should depend on man in the world below, just like every other Influence and rectification.

[The basic level is therefore one where the only limitation placed on the Forces of evil is that they not overwhelm the world completely. Man, however, can raise this level, and thus diminish the maximum power of evil still more.] The deed upon which this depends is man's giving his life for the sanctification of God's Name.[30]

This, however, also has many levels. When a person actually gives his life for God, it results in a very great illumination. This in turn has a tremendous effect in rectifying all creation and increasing its sanctity and enlightenment.

When one resolves to give his life for God, this has a very similar effect, although it is not as powerful. With regard to what

271

יוֹם לְפִי סִדְרֵי הַהַנְהָגָה, דַּי הַמְּסִירָה בְּמַחְשָׁבָה, וְהוּא הַנַּעֲשֶׂה בְּפָסוּק "שְׁמַע", וְהַתּוֹלָדָה הַיּוֹצֵאת הִיא הַמְשָׁכַת הַשְׁפָּעַת הַקִּדּוּשׁ וְהַבְּהִירוּת בַּבְּרִיאָה כֻּלָּהּ, לָתֵת לָהּ קְצָת עִלּוּי מִן הַחֹל וְהַחֹשֶׁךְ שֶׁהִיא בָם כְּפִי מַדְרֵגָתָהּ הַשָּׁרְשִׁית.

[ו] נִמְצָא כְּלַל עִנְיַן פָּסוּק רִאשׁוֹן שֶׁל "שְׁמַע" הוּא: הָעֵדוּת וְהַהוֹדָאָה בְּיִחוּדוֹ יִתְבָּרַךְ בְּכָל הַבְחָנוֹתָיו, קַבָּלַת עֹל מַלְכוּתוֹ וְהַמְלִיכוֹ עַל כָּל הַבְּרוּאִים כֻּלָּם, וְגָמוּר בְּדַעְתֵּנוּ לְהִמָּסֵר עַל קִדּוּשׁ שְׁמוֹ. וְתוֹלְדוֹת כָּל זֶה – הֱיוֹת הָאָדוֹן בָּרוּךְ הוּא מַחֲזִיק מֶמְשֶׁלֶת יִחוּדוֹ עַל כָּל הַבְּרִיאָה, וְהִכָּנַע וְהִשְׁתַּעְבֵּד כֹּחוֹת הָרַע, וְהִתְחַזֵּק הַטּוֹב וְהִתְגַּבְּרוֹ, וְהִמָּצְאוֹ יִתְבָּרַךְ לַבְּרִיאָה שֶׁתִּתָּלֶה בּוֹ וְתִשְׁתַּלֵּם בִּשְׁלֵמוּתוֹ, וְהֶמְשֵׁךְ הַהַשְׁפָּעָה הַנּוֹתֶנֶת עִלּוּי לַבְּרוּאִים כַּשִּׁעוּר הַמִּצְטָרֵךְ, וְהִנָּתֵן בָּם בְּהִירוּת וְקִדּוּשׁ כְּפִי הַנָּאוֹת.

[ז] וְאָמְנָם לַתִּקּוּן הַגָּדוֹל הַזֶּה יִתְחַבֵּר תִּקּוּן אַחֵר, וְהוּא הַנִּכְלָל בַּשֶּׁבַח שֶׁאוֹמְרִים אַחַר זֶה, דְּהַיְנוּ: "בָּרוּךְ שֵׁם כְּבוֹד מַלְכוּתוֹ לְעוֹלָם וָעֶד". וְזֶה, כִּי הִנֵּה כְּבָר בֵּאַרְנוּ, שֶׁכְּלַל כָּל הַשְׁפָּעוֹתָיו יִתְבָּרַךְ וְהַאָרוֹתָיו הֵם עִנְיָנִים נִמְשָׁכִים בִּמְסִבּוֹת שׁוֹנוֹת, וְכֻלָּם נִשְׁרָשִׁים וְנִתְלִים בְּיִחוּדוֹ יִתְבָּרַךְ וּשְׁלֵמוּתוֹ הָאֲמִתִּי; וְהִנֵּה הַנִּבְרָאִים מִתְנַהֲגִים בְּגִלְגּוּלִים שׁוֹנִים לְפִי כְּלַל הַהַשְׁפָּעוֹת הָאֵלֶּה וּמְסִבּוֹתֵיהֶם, וְסוֹף הַכֹּל הוּא, שֶׁיַּגִּיעוּ לְהִשְׁתַּלֵּם בִּשְׁלֵמוּת הָאֲמִתִּי, כִּי אוּלָם גָּזְרָה הַחָכְמָה הָעֶלְיוֹנָה, שֶׁלֹּא יִמָּשֵׁךְ וְלֹא יַגִּיעַ הַהִשְׁתַּלֵּם לַבְּרוּאִים אֶלָּא עַל יְדֵי כָּל הַמְּסִבּוֹת הָאֵלֶּה וְאַחַר כָּל גִּלְגּוּלֵיהֶם. וְהִנֵּה, בִּהְיוֹת הַפְּעֻלָּה וְהַשְּׁלִיטָה

must be renewed and transmitted each day, however, such resolve alone is sufficient.

We accomplish this when we recite the *Sh'ma* [uttering the words, "Hear O Israel, the Lord is our God, the Lord is One," and resolving to sacrifice our lives for God]. When one does this, it causes sanctity and enlightenment to be transmitted to all creation, raising it by some degree from the worldly darkness that exists in its fundamental level.

[6]   The significance of the first verse of the *Sh'ma*, "Hear O Israel, the Lord is our God, the Lord is One," is therefore to bear witness to God's unity in all its aspects, as well as to accept the yoke of His Kingdom and His authority over all creation, and to resolve to give one's life for the sanctification of His Name.

As a result of this, God strengthens the authority of His unity in all creation, so that the Forces of evil are humbled and subjugated, and good is strengthened and prevails. God avails Himself to all creation, allowing it to depend on Him and be completely perfected. The Influence needed to give God's handiwork its necessary measure of excellence is transmitted, and all creation is given its optimum measure of brilliance and sanctity.

[7]   Besides this first verse of the *Sh'ma*, there is a second element involved in this observance, also teaching us an important concept. This is the second verse of the *Sh'ma*, "Blessed be the Name of His Kingdom's Glory forever and ever." [Although this verse is not a part of the original Biblical passage, it is included in the reading for reasons that will be discussed presently.]

We have already discussed how every Influence and Illumination emanating from God is a concept that is transmitted in various roundabout ways. All of them, however, originate in and depend on God's unity and true perfection. All men are furthermore directed through various chains of events, depending on these Influences in general as well as their roundabout ways, in such a manner that should ultimately result in their true self-perfection.

The Highest Wisdom may have decreed that man should attain this self-perfection only through these roundabout ways and after

273

לַיִּחוּד, נִתְלֶה הַכֹּל בּוֹ, וְנוֹדָעוֹת כָּל הַהַשְׁפָּעוֹת, שֶׁאֵינָן אֶלָּא עַנְפֵי הַיִּחוּד, וְהַדֶּרֶךְ לְהַגִּיעַ הַבְּרוּאִים אֵלָיו. וְהִנֵּה, בִּהְיוֹת הַכַּוָּנָה בְּפָסוּק רִאשׁוֹן לִתְלוֹת הַכֹּל בַּיִּחוּד כְּמוֹ שֶׁזָּכַרְנוּ, נִמְצְאוּ כָּל הַהַשְׁפָּעוֹת נִתְלוֹת בָּזֶה, וְהַכֹּל שָׁב אֶל עִנְיַן הַשְּׁלֵמוּת הָאֲמִתִּי שֶׁזָּכַרְנוּ.

וְהִנֵּה הַנּוֹלָד מִזֶּה בַּבְּרוּאִים הוּא: שֶׁיַּשְׁרֶה שְׁמוֹ עֲלֵיהֶם, וְתִתְדַּבֵּק בָּם קְדֻשָּׁתוֹ הִתְדַּבְּקוּת גָּדוֹל, וְיִשְׁלֹט בָּם, וְיַמְשִׁיכֵם אַחֲרָיו תָּמִיד, וְיִמָּצְאוּ כֻּלָּם נִתְלִים בּוֹ וּמִשְׁתַּלְּמִים בִּשְׁלֵמוּתוֹ, וְזֶהוּ הַמַּצָּב – שֶׁיַּגִּיעוּ לוֹ בֶּאֱמֶת בְּסוֹף כָּל הַגִּלְגּוּלִים. וְהִנֵּה בִּהְיוֹתָם כָּךְ, נִמְצָא חֶפְצוֹ יִתְבָּרַךְ נַעֲשֶׂה וּכְבוֹדוֹ מִתְגַּדֵּל, וְזֶה עִקַּר הָעֲטָרָה שֶׁהוּא מִתְעַטֵּר בִּבְרוּאָיו וְכִבְיָכוֹל מִתְגַּדֵּל בָּם. וְאָמְנָם עַתָּה אֵין הַדָּבָר הַזֶּה מִשְׁתַּלֵּם אֶלָּא בָּרוּחָנִים, כִּי הִנֵּה הֵם טְהוֹרִים וּקְדוֹשִׁים, וּשְׁמוֹ יִתְבָּרַךְ שׁוֹרֶה עֲלֵיהֶם וּמִתְקַשֵּׁר בָּם הִתְקַשְּׁרוּת גָּדוֹל, וְהֵם נִמְשָׁכִים מַמָּשׁ אַחֲרָיו בְּכָל עֵת וּבְכָל שָׁעָה, וּכְבוֹדוֹ מִתְגַּדֵּל בָּהֶם; אַךְ בַּתַּחְתּוֹנִים אֵין הַדָּבָר נִשְׁלָם, מִפְּנֵי שֶׁאֵינָם עֲדַיִן שְׁלֵמִים, וְהָרָע מִתְעָרֵב בָּהֶם וְלֹא הִטַּהֲרוּ מִמֶּנּוּ, וְכִבְיָכוֹל אֵין כְּבוֹדוֹ יִתְבָּרַךְ מִתְגַּדֵּל בָּהֶם כָּרָאוּי; וְהִנֵּה הַמַּלְאָכִים, מִצַּד הַתִּקּוּן שֶׁהֵם בּוֹ, מְשַׁבְּחִים שֶׁבַח זֶה: "בָּרוּךְ שֵׁם כְּבוֹד מַלְכוּתוֹ לְעוֹלָם וָעֶד", אַךְ הַתַּחְתּוֹנִים אִי אֶפְשָׁר לָהֶם לְשַׁבֵּחַ אוֹתוֹ, כִּי אֵינָם רְאוּיִים לָזֶה וְלֹא הַשֵּׁם שׁוֹרֶה עֲלֵיהֶם כָּרָאוּי וְלֹא הַכָּבוֹד מִתְגַּדֵּל בָּם; אֶלָּא יַעֲקֹב אָבִינוּ עָלָיו הַשָּׁלוֹם זָכָה כְּבָר לָזֶה בְּעֵת פְּטִירָתוֹ מִן הָעוֹלָם, בִּהְיוֹתוֹ עִם כָּל בָּנָיו הַקְּדוֹשִׁים סְבִיבָיו, שֶׁלֹּא הָיָה בָּהֶם פְּסוּל, וְנִתְעַטְּרוּ בְּיִחוּדוֹ יִתְבָּרַךְ, שֶׁאָמְרוּ: "שְׁמַע יִשְׂרָאֵל" וְכוּ', וְאָז עָנָה הַזָּקֵן:

all these chains of events. Nevertheless, since all initiative and authority belong to one Unity [namely God], then everything ultimately depends on Him. It is then obvious that all these Influences are nothing more than branches of this Unity as well as ways in which man can reach Him.

The first verse of the *Sh'ma* is a confession that everything depends on this Unity. Every possible Influence therefore depends on Him, and everything is destined to return to the true perfection mentioned above.

With regard to mankind, the ultimate result of this will be that God's Name will rest on them, and His holiness will become strongly attached to them. He will then rule over all men and constantly draw them to follow him. As a result of this, they will all depend on Him and be perfected through His perfection. God's will will then be done and His Glory increased. This is the main Crown with which God glories as a result of His creation and, to the extent that we can express it, makes Himself great through them.

At the present, however, this concept is fulfilled only among the spiritual beings. They are pure and holy, and God's Name rests upon them and is very strongly bound to them. They are literally drawn to Him at every instant, and His Glory increases itself through them.

Among earthly creatures, however, this concept is far from fulfilled. They are involved with evil, and by no means purified of it. God's Glory, as it were, is therefore not properly increased through them.

Because of their state of rectification, the angels can properly praise God with the words, "Blessed be the Name of His Kingdom's Glory forever and ever."[31] Earthly beings, on the other hand, are not worthy of praising Him in this manner. The Name does not rest on them, and the Glory is not increased because of them.

Just before Jacob died, however, he was worthy of attaining [a level equal to that of the angels]. He was surrounded by his holy children, all free of blemish and crowned with God's unity when they declared [to their father Jacob, who was also known as Israel], "Hear O Israel [our father], the Lord is our God, the Lord is One." At this moment, Jacob [was on such a high level that he] was able to respond

275

״בָּרוּךְ שֵׁם כְּבוֹד מַלְכוּתוֹ לְעוֹלָם וָעֶד״; וְנִמְצָא שֶׁמִּצִּדֵּנוּ אֵין אָנוּ רְאוּיִים לָעִנְיָן הַזֶּה, אֶלָּא קְצָת מִמֶּנּוּ נִתַּן לָנוּ מִצִּדּוֹ שֶׁל יַעֲקֹב אָבִינוּ עָלָיו הַשָּׁלוֹם, וְעַל כֵּן אָנוּ אוֹמְרִים אוֹתוֹ, אַךְ בַּחֲשַׁאי, זוּלַת בְּיוֹם הַכִּפּוּרִים, שֶׁמִּתְעַלִּים בּוֹ יִשְׂרָאֵל לְמַדְרֵגַת הַמַּלְאָכִים, וּכְמוֹ שֶׁנִּבְאַר בִּמְקוֹמוֹ, בְּסִיַּעְתָּא דִשְׁמַיָּא.

[ח] וְאָמְנָם שְׁאָר הַפָּרָשִׁיּוֹת הִנֵּה הֵן הַשְׁלָמַת הָעִנְיָן, וְנִכְלָל הָעִנְיָן בִּשְׁלֹשָׁה עִקָּרִים, וְהֵם: קַבָּלַת עֹל מַלְכוּתוֹ וְאַהֲבָתוֹ, קַבָּלַת עֹל מִצְווֹת וּזְכִירַת יְצִיאַת מִצְרָיִם.

הַפָּרָשָׁה רִאשׁוֹנָה – בָּהּ יִתְכַּוֵּן הָאָדָם לְהִתְחַזֵּק בְּאַהֲבָתוֹ יִתְבָּרֵךְ בְּכָל תְּנָאֶיהָ, דְּהַיְנוּ ״בְּכָל לְבָבְךָ וּבְכָל נַפְשְׁךָ וּבְכָל מְאֹדֶךָ״, וּלְהַמְשִׁיךְ הֶאָרַת קְדֻשָּׁתוֹ יִתְבָּרֵךְ וְעֹל מַלְכוּתוֹ יִתְבָּרֵךְ לְבָנָיו וּלְכָל צֶאֱצָאָיו, וְהַיְנוּ ״וְשִׁנַּנְתָּם לְבָנֶיךָ״, וּלְתַקֵּן בְּכָל בְּחִינוֹת מַצָּבוֹ שֶׁל הָאָדָם, דְּהַיְנוּ ״בְּשִׁבְתְּךָ בְּבֵיתֶךָ וּבְלֶכְתְּךָ״ וְכוּ׳, וּלְתַקֵּן בְּחִינַת הַבַּיִת שֶׁלּוֹ, וְהַיְנוּ ״וּכְתַבְתָּם״ וְכוּ׳.

[ט] אַחַר כָּךְ מְקַבֵּל עָלָיו עֹל מִצְווֹת בִּ״וְהָיָה אִם־שָׁמֹעַ״;

[like the angels], "Blessed be the Name of His Kingdom's Glory forever and ever."[32]

It is therefore evident that we are not worthy of this second praise. Because of Jacob our ancestor, however, we are worthy of it to a small degree, and we therefore utter this second verse in a whisper.[33] The only exception is on Yom Kippur, when all Israel elevate themselves to the level of angels, and are on a level where they can say it out loud.[34] We will discuss this further in a later section.[35]

[8] The rest of the *Sh'ma* then completes this concept. The three paragraphs that constitute the *Sh'ma* thus contain three basic concepts, namely, the love of God and acceptance of the yoke of His Kingdom, the yoke of His commandments, and the remembrance of the Exodus from Egypt.[36]

The first paragraph of the *Sh'ma* [begins with the acceptance of God's yoke with the words (*Deuteronomy* 6:4), "Hear O Israel, the Lord is our God, the Lord is One." It then] goes on to state (*ibid.* 6:5), "You shall love the Lord your God with all your heart, with all your soul, and with all your might." When one reads this, he should have in mind to strengthen this love of God in himself, in all the aspects mentioned in the verse, [namely, "all your heart, all your soul, and all your might." The passage therefore continues (*ibid.* 6:6), "These words that I command you today shall be on your heart."]

One should then have in mind to transmit the illumination of God's holiness and the yoke of His Kingdom to his children and all other descendants. The reading therefore goes on to say (*ibid.* 6:7), "You shall teach them to your children . . ." He should further-more have in mind to rectify man's state in general, as it continues (*ibid.*), "[and you shall speak of them] while you remain at home and when you go on your way." Finally, one should have in mind to rectify his house, as it concludes (*ibid.* 6:9), "You shall write them [in the *Mezuzah*] on the doorposts of your house . . ."

[9] Following this, one accepts the yoke of God's commandments in the second paragraph of the *Sh'ma* (*Deuteronomy* 11:13–21).[37]

277

וְאַחַר כָּךְ מַזְכִּיר יְצִיאַת מִצְרַיִם בְּפָרָשַׁת צִיצִית. וְהַיְנוּ, כִּי הִנֵּה יְצִיאַת מִצְרַיִם הָיָה תִּקּוּן גָּדוֹל שֶׁנִּתְקְנוּ בּוֹ יִשְׂרָאֵל, וְנִשְׁאַר הַדָּבָר לָנֶצַח.

וְהַיְנוּ, כִּי מֵאַחַר חֶטְאוֹ שֶׁל אָדָם הָרִאשׁוֹן נִשְׁאַר הָאֱנוֹשִׁיּוּת כֻּלּוֹ מְקֻלְקָל, כְּמוֹ שֶׁזָּכַרְנוּ בְּחֵלֶק רִאשׁוֹן, וְהָיָה הָרָע מִתְגַּבֵּר בְּכֻלּוֹ עַד שֶׁלֹּא הָיָה נִמְצָא מָקוֹם לַטּוֹב שֶׁיִּתְחַזֵּק כְּלָל, וְאַף עַל פִּי שֶׁנִּבְרַר אַבְרָהָם אָבִינוּ עָלָיו הַשָּׁלוֹם לִהְיוֹת הוּא וְזַרְעוֹ לַד׳ נִבְדָּלִים מִכָּל הָאֻמּוֹת, הִנֵּה עֲדַיִן לֹא הָיָה לָהֶם מָקוֹם שֶׁיּוּכְלוּ לְהִתְחַזֵּק וּלְהִתְכּוֹנֵן בִּבְחִינַת אֻמָּה שְׁלֵמָה, וְלִזְכּוֹת לָעֲטָרוֹת הָרְאוּיוֹת לָהֶם, מִפְּנֵי הָרָע שֶׁהָיָה מַחְשִׁיךְ עֲלֵיהֶם וְהַזֻּהֲמָא הָרִאשׁוֹנָה, שֶׁלֹּא יָצְאוּ מֵהֶם עֲדַיִן; וְעַל כֵּן הֻצְרַךְ שֶׁיִּגְלוּ לְמִצְרַיִם וְיִשְׁתַּעְבְּדוּ שָׁם, וּבְאוֹתוֹ הַשִּׁעְבּוּד הַגָּדוֹל יִצָּרְפוּ כַּזָּהָב בְּתוֹךְ הַכּוּר, וְיִטָּהֲרוּ; וְהִנֵּה, כְּשֶׁהִגִּיעַ הַזְּמַן הָרָאוּי, חִזֵּק הָאָדוֹן בָּרוּךְ הוּא אֶת הַשְׁפָּעָתוֹ וְהֶאָרָתוֹ עַל יִשְׂרָאֵל, וְכָפָה אֶת הָרָע לִפְנֵיהֶם, וְהִבְדִּיל אוֹתָם מִמֶּנּוּ, וְרוֹמֵם אוֹתָם מִן הַשִּׁפְלוּת שֶׁהָיוּ בּוֹ, וְהֶעֱלָם אֵלָיו, וְנִמְצְאוּ גְאוּלִים מִן הָרָע גְּאֻלַּת עוֹלָם; וּמִשָּׁם וָהָלְאָה הוּקְמוּ לְאֻמָּה שְׁלֵמָה, דְּבוּקָה בּוֹ יִתְבָּרַךְ וּמִתְעַטֶּרֶת בּוֹ.

וְהִנֵּה זֶה תִּקּוּן שֶׁנִּתְקְנוּ לְעוֹלָמִים כְּמוֹ שֶׁזָּכַרְנוּ, וְכָל הַטּוֹבוֹת שֶׁהִגִּיעוּ וְשֶׁמַּגִּיעוֹת לָנוּ כֻּלָּן תְּלוּיוֹת בּוֹ; וְעַל כֵּן נִצְטַוֵּינוּ לִזְכֹּר אוֹתוֹ תָּמִיד וּלְהַזְכִּירוֹ בְּפִינוּ, שֶׁעַל יְדֵי זֶה מִתְחַזֵּק הַתִּקּוּן הַהוּא עָלֵינוּ, וּמִתְאַמֵּץ הָאוֹר בָּנוּ, וּמַתְמִיד בָּנוּ הַתּוֹעֶלֶת הַנִּמְשָׁךְ מִן הַתִּקּוּן הַהוּא.

[י] וְאוּלָם עוֹד תִּקּוּן אֶחָד נִכְלָל בִּכְלַל קְרִיאַת הַפָּרָשִׁיּוֹת הָאֵלֶּה, וְהוּא לְתַקֵּן הָאָדָם, כָּל פְּרָטֵי בְּחִינוֹתָיו, בְּאוֹר יִחוּדוֹ יִתְבָּרַךְ, וְכֵן לְתַקֵּן בּוֹ כָּל פְּרָטֵי הַבְּרִיאָה, וְזֶה, כִּי הִנֵּה כְּלַל בְּחִינוֹתָיו שֶׁל הָאָדָם הֵן רְמַ״ח, וְהֵם רְמַ״ח אֵיבָרִים שֶׁלּוֹ, וְאוּלָם

Finally, in the last paragraph (*Numbers* 15:37–41), which deals primarily with the commandment of *Tzitzis* (tassels), one recalls the Exodus from Egypt.[38] The reason why this must be recalled daily is because the Exodus was the primary rectification of Israel, whose influence remained with us forever.

The reason behind this ultimately stems from Adam's sin. When he transgressed, all mankind was degraded, as discussed in the first section (1:3:5). Evil became so strong in man that there was no opportunity for the good to gain any strength.

Even though Abraham was selected so that his children should be set apart from all nations as a people dedicated to God, there was still no opportunity for them to strengthen themselves and establish themselves as a nation. Because of the initial pollution and evil that still blackened them, they could not gain possession of their appropriate Crown.[39]

It was for this reason that Israel had to be exiled and subjugated in Egypt. During this period, they were refined and purified, like gold in a smelter.[40] When the proper time came, God increased His Influence and Illumination over the Jews, repelling the evil and eliminating it from them. He then elevated them from their degraded state and lifted them up to Him. They were thus permanently redeemed from evil, and were subsequently able to exist as a perfect nation, attached to God and ennobled by Him.

This was a permanent rectification, as already mentioned, and all the good that we attain is a result of it. We are therefore commanded to remember it and recite it verbally [each day]. The rectification of the Exodus is then strengthened, its light enhanced, and its benefit constantly transmitted to us.

[10] There is another rectification that is also included in the recitation of the three paragraphs of the *Sh'ma*. Through this recitation, every element of man's being is perfected with the Light of God's unity, and as a result all creation is also rectified.

Man's essence consists of 248 concepts, paralleling the 248 parts of his body.[41] [Man is also a microcosm, and therefore] all creation

חֶלְקֵי הַבְּרִיאָה גַּם כֵּן לְפִי כּוֹנְנִיּוֹתֵיהֶם הֵם רְמַ״ח, בְּהַקְבָּלָה לְרמַ״ח אֵיבְרֵי הָאָדָם, וְאֵלּוּ וָאֵלּוּ צָרִיךְ שֶׁיִּתְקְנוּ בְּאוֹר יִחוּדוֹ יִתְבָּרֵךְ, וְזֶה נִתְקָן עַל יְדֵי רְמַ״ח תֵּבוֹת שֶׁבִּקְרִיאַת שְׁמַע.

[יא] וְהִנֵּה חֲכָמֵינוּ זִכְרוֹנָם לִבְרָכָה חִבְּרוּ לָעִנְיָן הַזֶּה הַבְּרָכוֹת שֶׁל הַקְּרִיאַת שְׁמַע. וְזֶה, כִּי הִנֵּה, בְּכָל יוֹם מִתְחַדֵּשׁ כָּל הַמְּצִיאוּת כֻּלּוֹ מִלְּפָנָיו יִתְבָּרַךְ; וְזֶה בִּשְׁתֵּי בְחִינוֹת: אַחַת בִּבְחִינַת הַקִּיּוּם וְהַהַתְמָדָה, שֶׁהִנֵּה מִתְחַדֵּשׁ הַשֶּׁפַע בַּכֹּל – לְהִתְקַיֵּם וּלְהַתְמִיד עַל מְצִיאוּתוֹ, וְהַשֵּׁנִית, כִּי הִנֵּה כָּל הַיָּמִים מִימֵי הַשֵּׁשֶׁת אַלְפֵי שָׁנָה הִנֵּה כֻּלָּם גְּזוּרִים וְעוֹמְדִים מִלְּפָנָיו יִתְבָּרֵךְ, בִּבְחִינַת הָאָרוֹת וְהַשְׁפָּעוֹת, מְצִיאֻיּוֹת וּמַצָּבִים, הַמִּצְטָרְכִים לָעוֹלָם לְשֶׁיַּשְׁלִים הַסִּבּוּב הַנִּרְצֶה וְיַגִּיעַ אֶל הַשְּׁלֵמוּת. וְנִמְצָא כָּל יוֹם בִּבְחִינָה חֲדָשָׁה מַמָּשׁ, וּבַבְּחִינָה הַהִיא מִתְחַדֵּשׁ כָּל הַמְּצִיאוּת כֻּלּוֹ, וְעַל זֶה נֶאֱמַר: ״מְחַדֵּשׁ בְּטוּבוֹ בְּכָל יוֹם מַעֲשֵׂה בְרֵאשִׁית״.

וְהִנֵּה, עַל הַשֹּׁרֶשׁ הַזֶּה תִּקְּנוּ הַבְּרָכוֹת הָאֵלֶּה וְהַשְּׁבָחִים, עַל כְּלַל הַבְּרִיּוֹת כֻּלָּם שֶׁהֵם הַמִּתְחַדְּשִׁים יוֹם בְּיוֹמוֹ. וְהִנֵּה כְּלַל הַבְּרִיּוֹת הָאֵלֶּה מִתְחַלֵּק לִשְׁנַיִם: הָאֶחָד-כָּל בְּרִיּוֹת הָעוֹלָם, הַתַּחְתּוֹנִים וְהָעֶלְיוֹנִים, וְהַשֵּׁנִי-כְּלַל מִין הָאֱנוֹשִׁי, וְהַיְנוּ יִשְׂרָאֵל שֶׁהֵם מִין הָאָדָם בֶּאֱמֶת. וְהִנֵּה עַל סֵדֶר זֶה, סִדְּרוּ בְּרָכָה רִאשׁוֹנָה בְּשֶׁבַח כְּלַל הַבְּרִיּוֹת וּפְקִידֵיהֶם, וְהֵם הַבְּרִיּוֹת לְמַטָּה וְהַמַּלְאָכִים לְמַעְלָה כָּל אֶחָד בִּסְדָרָיו, וְכָלְלוּ בָּזֶה עִנְיַן הַיּוֹם וְהַלַּיְלָה וְהַמְּאוֹרוֹת הַמּוֹשְׁלִים בָּהֶם; וְהַשֵּׁנִית בְּשֶׁבַח עַל עִנְיָנָם שֶׁל יִשְׂרָאֵל וְהָאַהֲבָה שֶׁאֲהֵבָם וְהַקֵּרוּב שֶׁקֵּרְבָם לַעֲבוֹדָתוֹ;

shares this same number of concepts, which are counterparts of these 248 parts. All of these must be rectified by the Light of God's unity, and this is accomplished by the 248 words contained in the three paragraphs of the *Sh'ma*.[42]

[11] Because of this concept, our sages composed the blessings surrounding the *Sh'ma*. [In the morning service, two such blessings precede the *Sh'ma*, while one follows it.][43]

The reason behind this is that all existence is renewed by God each day. This involves two basic concepts.

The first of these involves the world's preservation and continuity. God's abundance is renewed daily to sustain the world and maintain its existence.

The second concept involves the fact that every single day of the six thousand years [that the world is destined to exist] has its own separate decree emanating from God.[44] This decree determines the Illuminations, Influences, entities and states required to complete the desired circuit and attain the goal of ultimate perfection. Each day is therefore literally a new concept, through which all creation is renewed.

Both of these concepts are included in the words, "[God] renews the act of creation each day," [which are recited just before the end of the first blessing].

All the blessings and prayers surrounding the *Sh'ma* are based on this principle, making reference to all created things in general, which must be renewed each day.

Creation in general can be divided into two basic categories. The first includes everything in the world, both above and below [other than man]. The second category consists of the human race, and especially Israel, which is its ultimate realization.

The first blessing speaks of all creation other than man. It mentions the angels on high as well as things in the physical world, and speaks of their tasks and functions. It then concludes with the idea of day and night, and the astronomical bodies that rule over them.

The second blessing thanks God for the concept of Israel. It speaks of His love for Israel and the manner in which He brought them close to Him by allowing them to serve Him.

281

וְנִכְלְלוּ בַּבְּרָכוֹת הָאֵלֶּה כָּל אֵלֶּה הָעִנְיָנִים בִּדְרָכֵיהֶם הָאֲמִתִּיִּים; אַחַר כָּךְ קְרִיאַת שְׁמַע; וְאַחַר כָּךְ סִדְּרוּ בְרָכָה אַחֶרֶת, עַל כְּלַל הַנִּסִּים הַגְּדוֹלִים שֶׁעָשָׂה לָנוּ הָאָדוֹן בָּרוּךְ הוּא, וְהָעִקָּר הוּא יְצִיאַת מִצְרַיִם בִּפְרָטָיו, מְסֻדָּר עַל פִּי סוֹדוֹתָיו הָאֲמִתִּיִּים וְכָל הַבְחָנוֹתָיו.

[יב] וְהִנֵּה עִקַּר עִנְיָן זֶה בַּבֹּקֶר, שֶׁאָז הוּא הִתְחַדְּשׁוּת הַמְּצִיאוּת כְּמוֹ שֶׁזָּכַרְנוּ. וְאוּלָם בַּלַּיְלָה הִנֵּה נוֹסָף עִנְיָן בַּבְּרִיּוֹת כֻּלָּם לְפִי עִנְיַן הַלַּיְלָה, וְאֵין זֶה אֶלָּא כְּמוֹ גְּמַר עִנְיָנוֹ שֶׁל הַיּוֹם וְהַשְׁלָמָתוֹ, וּבִבְחִינָה זוֹ גַּם כֵּן סִדְּרוּ בִּרְכוֹת קְרִיאַת שְׁמַע שֶׁל עַרְבִית, אַךְ יוֹתֵר בְּקִצְרָה, כִּי אֵינוֹ אֶלָּא חֲזָרַת הַדְּבָרִים בְּקִצּוּר, כְּפִי מַה שֶּׁמִּתְחַדֵּשׁ בְּסִדְרֵי הַהַנְהָגָה – נִמְשָׁךְ אַחַר מַה שֶּׁנִּתְחַדֵּשׁ בַּיּוֹם. וְעוֹד הוֹסִיפוּ בְּרָכָה עַל עִנְיַן מְנוּחַת הַלַּיְלָה וְהַשֵּׁנָה בְּכָל בְּחִינוֹתֶיהָ, וְהַיְנוּ – בִּרְכַּת "הַשְׁכִּיבֵנוּ".

These blessings thus include all the concepts of existence. They are followed by the reading of the *Sh'ma*, which unifies them all.

This in turn is followed by yet another blessing, which speaks of the great miracles that God has done for us. Its main point, however, is the Exodus and its details, arranged according to its true mysteries and other aspects.

[12] The main concept of these blessings relates to the morning, since this is the time when all existence is renewed, as discussed earlier. In the evening, however, all creation receives an additional dimension according to the concept of nighttime, which in a sense is the conclusion and fulfillment of the daytime aspect.

Because of this added dimension, the blessings of the evening *Sh'ma* were instituted. [In the evening, two blessings precede the *Sh'ma* and two follow it.] They are much shorter than the blessings of the morning *Sh'ma*, since this new aspect is merely a continuation of what was renewed by day.

Besides this, our sages also added a fourth blessing after the evening *Sh'ma* which speaks of the concept of nighttime rest and sleep, in all their aspects. This is the blessing, "Let us lie down in peace . . ." (*Hashkivenu*).

בְּעִנְיַן הַתְּפִלָּה

[א] עִנְיַן הַתְּפִלָּה הוּא, כִּי הִנֵּה מִן הַסְּדָרִים שֶׁסִּדְּרָה הַחָכְמָה הָעֶלְיוֹנָה הוּא, שֶׁלִּהְיוֹת הַנִּבְרָאִים מְקַבְּלִים שֶׁפַע מִמֶּנּוּ יִתְבָּרַךְ, צָרִיךְ שֶׁיִּתְעוֹרְרוּ הֵם אֵלָיו וְיִתְקָרְבוּ לוֹ וִיבַקְשׁוּ פָּנָיו, וּכְפִי הִתְעוֹרְרוּתָם לוֹ כֵּן יִמָּשֵׁךְ אֲלֵיהֶם שֶׁפַע, וְאִם לֹא יִתְעוֹרְרוּ לֹא יִמָּשֵׁךְ לָהֶם.

וְהִנֵּה הָאָדוֹן בָּרוּךְ הוּא חָפֵץ וְרוֹצֶה שֶׁתִּרְבֶּה טוֹבַת בְּרוּאָיו בְּכָל זְמַנֵּיהֶם, וְהֵכִין לָהֶם עֲבוֹדָה זוֹ דְּבַר יוֹם בְּיוֹמוֹ, שֶׁעַל יָדָהּ יִמָּשֵׁךְ לָהֶם שֶׁפַע הַהַצְלָחָה וְהַבְּרָכָה, כְּפִי מַה שֶּׁהֵם צְרִיכִים לְפִי מַצָּבָם זֶה, בָּזֶה הָעוֹלָם.

[ב] וְאָמְנָם עֹמֶק יוֹתֵר יֵשׁ בָּעִנְיָן. וְהוּא, כִּי הִנֵּה הָאָדוֹן בָּרוּךְ הוּא נָתַן לָאָדָם דֵּעָה לִהְיוֹת מְנַהֵג עַצְמוֹ בְּעוֹלָמוֹ בְּשֵׂכֶל וּבִתְבוּנָה, וְהֶעֱמִיס הַמַּשָּׂא עָלָיו לִהְיוֹת מְפַקֵּחַ עַל צְרָכָיו כֻּלָּם. וְהָעִנְיָן הַזֶּה מְיֻסָּד עַל שְׁנֵי שָׁרָשִׁים: הָאֶחָד, לִיקָרוֹ שֶׁל הָאָדָם וַחֲשִׁיבוּתוֹ, שֶׁנִּתַּן לוֹ הַשֵּׂכֶל וְהַדֵּעָה הַזֹּאת לִהְיוֹת מְנַהֵל אֶת עַצְמוֹ כָּרָאוּי. וְהַשֵּׁנִי, לִהְיוֹת לוֹ עֵסֶק בָּעוֹלָם וְלִקָּשֵׁר בְּעִנְיָנָיו, וְזֶה מִמַּה שֶּׁמְּקַיְּמוֹ בְּמַצָּבוֹ הָאֱנוֹשִׁי שֶׁזָּכַרְנוּ לְמַעְלָה, שֶׁהוּא דֶּרֶךְ חֹל וְלֹא קֹדֶשׁ, וְהוּא מַה שֶּׁמִּצְטָרֵךְ לוֹ בִּזְמַנּוֹ זֶה, כְּפִי סִדְרֵי הַהַנְהָגָה.

IV CHAPTER 5

Prayer

[1] One of the arrangements ordained by the Highest Wisdom was that in order for a person to receive any sustenance (*Shefa*) from God, he must first motivate himself and address himself to God, requesting the things that he needs. The amount of sustenance will then depend on the degree to which he is so motivated. If a person is not aroused at all, then no divine sustenance will reach him at all.

This is the significance of prayer.

God desires and wills to constantly benefit mankind, and He therefore arranged that this service be a daily activity for them. Through it, they can receive God's sustenance, together with the success and blessing required by their state in this world.

[2] To understand this on a deeper level, however, we must realize that God gave man the intelligence to function in this world as well as the responsibility of caring for all his own needs.

This concept in turn is founded on two principles.

The first involves the significance and importance of man himself, insofar as he was given the intellect and knowledge to be able to properly care for himself.

The second principle is based on the fact that man must be involved with the world and bound to its various aspects. This stems from the fact that man must be maintained in his physical human state, as discussed earlier.[45] Although this is a worldly rather than a holy path, it is what man needs during this period of his existence, according to the general order.

וְהִנֵּה זֶה בֶּאֱמֶת מִצַּד אֶחָד יְרִידָה לוֹ וּלְעִנְיָנוֹ, אֲבָל הִיא יְרִידָה מִצְטָרֶכֶת לוֹ, וְגוֹרֶמֶת לוֹ עֲלִיָּה אַחֲרֵי כֵן, כִּמְבֹאָר בְּחֵלֶק רִאשׁוֹן. וְאוּלָם כְּמוֹ שֶׁיְּרִידָה זוֹ מִצְטָרֶכֶת לוֹ לְפִי עִנְיָנוֹ בָּעוֹלָם הַזֶּה, הִנֵּה מִצַּד אַחֵר צָרִיךְ שֶׁלֹּא תִרְבֶּה יוֹתֵר מִמַּה שֶּׁרָאוּי, כִּי הִנֵּה כְּפִי מַה שֶּׁיַּרְבֶּה לְהִסְתַּבֵּךְ בְּעִנְיְנֵי הָעוֹלָם, כָּךְ מִתְרַחֵק מִן הָאוֹר הָעֶלְיוֹן וּמִתְחַשֵּׁךְ יוֹתֵר.

וְהִנֵּה הֵכִין הַבּוֹרֵא יִתְבָּרַךְ שְׁמוֹ תִּקּוּן לָזֶה, וְהוּא מַה שֶּׁיַּקְדִּים הָאָדָם וְיִתְקָרֵב וְיַעֲמֹד לְפָנָיו יִתְבָּרַךְ, וּמִמֶּנּוּ יִשְׁאַל כָּל צְרָכָיו, וְעָלָיו יַשְׁלִיךְ יְהָבוֹ, וְיִהְיֶה זֶה רֵאשִׁית כְּלָלִי וְעִקָּרִי לְכָל הִשְׁתַּדְּלוּתוֹ, עַד שֶׁכַּאֲשֶׁר יִמָּשֵׁךְ אַחַר כָּךְ בִּשְׁאָר דַּרְכֵי הַהִשְׁתַּדְּלוּת, שֶׁהֵם דַּרְכֵי הַהִשְׁתַּדְּלוּת הָאֱנוֹשִׁי, לֹא יִקְרֶה שֶׁיִּסְתַּבֵּךְ וְיִשְׁתַּקַּע בְּגוּפָנִיּוֹת וְחָמְרִיּוֹת, כֵּיוָן שֶׁכְּבָר הִקְדִּים וְתָלָה הַכֹּל בּוֹ יִתְבָּרַךְ, וְלֹא תִהְיֶה יְרִידָתוֹ יְרִידָה רַבָּה, אֶלָּא תִּסָּמֵךְ עַל יְדֵי הַתִּקּוּן הַזֶּה שֶׁקָּדַם לָהּ.

[ג] וְהִנֵּה הָיָה מֵחַסְדּוֹ יִתְבָּרַךְ לָתֵת לָאָדָם מָקוֹם שֶׁיִּתְקָרֵב לוֹ יִתְבָּרַךְ, אַף עַל פִּי שֶׁכְּפִי מַצָּבוֹ הַטִּבְעִי נִמְצָא רָחוֹק מִן הָאוֹר וּמְשֻׁקָּע בַּחֹשֶׁךְ, וְהַיְנוּ שֶׁנָּתַן לוֹ רְשׁוּת שֶׁיַּעֲמֹד לְפָנָיו וְיִקְרָא בִשְׁמוֹ, וְאָז יִתְעַלֶּה מִן הַשִּׁפְלוּת אֲשֶׁר לוֹ בְּחֻקּוֹ לְפִי שָׁעָה, וְיִמָּצֵא מְקֹרָב לְפָנָיו וּמַשְׁלִיךְ עָלָיו יְהָבוֹ כְּמוֹ שֶׁזָּכַרְנוּ.

וְהִנֵּה זֶה חֹמֶר הַתְּפִלָּה שֶׁאָסוּר לְהַפְסִיק בָּהּ כְּלָל, מִפְּנֵי הֱיוֹתוֹ בָהּ הָאָדָם בְּקִרְבָה גְּדוֹלָה אֵלָיו יִתְבָּרַךְ; וְכֵן סֻדַּר בָּהּ הַהִפָּטֵר בְּסוֹפָהּ, שֶׁיֵּלֵךְ לַאֲחוֹרָיו שָׁלֹשׁ פְּסִיעוֹת, וְהוּא שׁוּב הָאָדָם אֶל מַצָּבוֹ הַתְּמִידִי, כְּמוֹ שֶׁמִּצְטָרֵךְ לוֹ בִּשְׁאָר כָּל זְמַנּוֹ.

[ד] וְאָמְנָם הוֹדִיעוּנוּ חֲכָמֵינוּ זִכְרוֹנָם לִבְרָכָה הַתְּנָאִים הַפְּרָטִיִּים הַצְּרִיכִים לְהִתְלַוּוֹת אֶל הַתְּפִלָּה, לְהַשְׁלִים עִנְיָנָהּ,

In one respect, this indeed implies a degradation for man and his essence. It is a lowering, however, that is required for his ultimate elevation, as discussed in the first section (1:4:4).

Although it was necessary that man be lowered to some degree in this manner, it was also imperative that he not be lowered too much. The more he would become entangled in worldly affairs, the more he would darken himself spiritually and divorce himself from the highest Light.

God therefore prepared a remedy for this, and that was that man should initiate all worldly endeavor by first bringing himself close to God and petitioning Him for all his worldly needs. He thus "casts his burden upon God."[46]

This initiation is most important for all human effort. When a person subsequently engages in various forms of human activity, he is no longer considered entangled and immersed in the physical and worldly. Having initiated all this effort by making it depend on God, he is supported by this remedy, and is therefore not lowered nearly as much by his worldly needs.

[3]   Among God's acts of love was the opportunity that He gave man to approach Him, even in this world. Even though man is immersed in darkness and far from the Light in his natural physical state, he is still permitted to stand before God and call Him by His Name. Man is thus able to temporarily elevate himself from his lowly natural state to exist in a state of closeness to God, casting his burden upon Him, as discussed earlier.

This is the reason for the strict rule prohibiting any interruption whatsoever during [the Amidah, which is the paradigm of] prayer.[47] This is because of the very high degree of closeness to God that one places himself in at such a time.

This is also the reason why it was ordained to take leave at the end of the Amidah, by taking three steps backwards. These steps represent man's return to his normal state, where he must remain at all other times.[48]

[4]   Our sages also taught us a number of specific conditions that must accompany prayer in order to make it complete. These all

בֵּין בְּמַה שֶּׁנּוֹגֵעַ אֶל הַקְּרִיבָה הַזֹּאת שֶׁזָּכַרְנוּ, בֵּין בְּמַה שֶּׁנּוֹגֵעַ אֶל הַמְשָׁכַת הַהַשְׁפָּעוֹת, וּכְפִי כָּל זֶה סִדְּרוּ לָנוּ הַתְּפִלָּה בְּבִרְכוֹתֶיהָ, וְחָקְקוּ לָנוּ כָּל דִּינֶיהָ וְהִלְכוֹתֶיהָ.

[ה] וְהִנֵּה, כָּל זֹאת שֶׁבֵּאַרְנוּ עַד הֵנָּה בִּקְרִיאַת שְׁמַע וּבִתְפִלָּה, הוּא לְפִי עִנְיַן הַמִּצְוֹות הָאֵלֶּה כְּפִי מַה שֶּׁהֵם, אָמְנָם עוֹד סִדְּרוּ לָנוּ מְסַדְּרֵי הַתְּפִלָּה הַסֵּדֶר הָרָאוּי לְהַשְׁלִים גַּם בְּעַד עֲבוֹדַת הַקָּרְבָּנוֹת הַחֲסֵרָה מִמֶּנּוּ עַתָּה, וְהוּא מַה שֶּׁמִּצְטָרֵךְ לְפִי חִדּוּשׁ כָּל יוֹם מֵהַיָּמִים, כְּפִי חֻקּוֹת הַזְּמַן בְּכָל חֲלָקָיו, וִיבֹרַר בַּפֶּרֶק הַבָּא לְפָנֵינוּ בְּסִיַּעְתָּא דִשְׁמַיָּא.

relate to the closeness to God that one experiences during the Amidah, as well as the various Influences that are transmitted through it. Taking all this into account, they ordained the various blessings of the Amidah, as well as all its laws and rituals.

[5] Everything that we have discussed with regard to the *Sh'ma* and Amidah pertains to the intrinsic nature of these observances. The [prophets and sages] who composed the Amidah, however, also included it in an appropriate order, giving it the ability to make up for the sacrificial system that is now lacking. The daily service thus fulfills everything necessary for the proper renewal of each individual day, according to the requirements of every element of time. This will be explained in detail in the next chapter.

ד פרק ששי

פְּרָטֵי סֵדֶר הַיּוֹם וְהַתְּפִלָּה

[א] סִדְּרָה הַחָכְמָה הָעֶלְיוֹנָה, שֶׁתִּהְיֶה בַּלַּיְלָה שְׁלִיטָה לְכֹחוֹת
הַטֻּמְאָה, לְהִתְפַּשֵּׁט בְּכָל מַרְכְּבוֹתֵיהֶם, וְיִשׁוֹטְטוּ עַנְפֵיהֶם
בָּעוֹלָם; וְכִוְּנָה שֶׁבְּאוֹתוֹ הַזְּמַן יֵאָסְפוּ בְּנֵי הָאָדָם אֶל בָּתֵּיהֶם
וְיִשְׁכְּבוּ בְמִטּוֹתֵיהֶם יְשֵׁנִים וְנָחִים עַד הַבֹּקֶר, שֶׁאָז נִטַּל
הַהִתְפַּשְּׁטוּת וְהַשְּׁלִיטָה מִן הַכֹּחוֹת הָהֵם וּמִכָּל עַנְפֵיהֶם, וְיַחְזְרוּ
בְּנֵי הָאָדָם וְיֵצְאוּ לַעֲבוֹדָתָם עֲדֵי עָרֶב; וְהוּא מַה שֶּׁבֵּאַר דָּוִד
הַמֶּלֶךְ עָלָיו הַשָּׁלוֹם: "תָּשֶׁת־חֹשֶׁךְ וִיהִי לָיְלָה...   תִּזְרַח
הַשֶּׁמֶשׁ ... יֵצֵא אָדָם לְפָעֳלוֹ" וְכוּ' (תהלים קד).   וְאוּלָם כָּל
הָעִנְיָנִים הָאֵלֶּה, בְּכָל גְּבוּלֵיהֶם וְשִׁעוּרֵיהֶם, מִשְׁתָּרְשִׁים בְּשָׁרְשֵׁי
יְסוֹדוֹת הַהַנְהָגָה, כְּפִי הַבְחָנוֹת הַהַשְׁפָּעוֹת, הַנִּשְׁפָּעוֹת לַבְּרוּאִים
בְּכָל מַדְרֵגוֹתֵיהֶם, וּכְמוֹ שֶׁזְּכַרְנוּ בְּחֵלֶק רִאשׁוֹן, עַיֵּן שָׁם.

וְצָרִיךְ שֶׁתֵּדַע, שֶׁאַף עַל פִּי שֶׁעַל דֶּרֶךְ כְּלָל נֹאמַר שֶׁהַלַּיְלָה
הוּא זְמַן שְׁלִיטַת הַכֹּחוֹת הָאֵלֶּה, הִנֵּה בֶּאֱמֶת אֵין זֶה אֶלָּא בַּחֲצִי
הַלַּיְלָה הָרִאשׁוֹנָה, אַךְ בַּחֲצוֹת הַלַּיְלָה, נִשְׁפַּעַת הַשְׁפָּעַת הָאָרָה
וְרָצוֹן מִלְּפָנָיו יִתְבָּרַךְ בְּכָל הָעוֹלָמוֹת, וְנִטֶּלֶת הַשְּׁלִיטָה מִכֹּחוֹת
הָרָע, וְעַנְפֵיהֶם נִגְרָשִׁים מִמְּקוֹם הַיִּשּׁוּב, וּמַתְחֶלֶת הַהֶאָרָה שֶׁל
הַיּוֹם לְהִתְעוֹרֵר, עַד שֶׁמֵּאִיר הַיּוֹם וְנִמְשֶׁכֶת הַהַשְׁפָּעָה הָרְאוּיָה,
וּמִתְחַדֵּשׁ בָּה כָּל הַמְּצִיאוּת.

וְאָמְנָם עִנְיַן הַשְּׁלִיטָה הַזֹּאת שֶׁשּׁוֹלְטִים כֹּחוֹת הָאֵלֶּה בַּלַּיְלָה,

IV CHAPTER 6

The Order of the Day

[1] The Highest Wisdom ordained that the night should be a time when the Forces of evil have the authority to proliferate in all their vehicles and cause their offshoots in the world to move about freely. The intention was that people should remain at home, sleeping and resting until the morning. When the morning comes, authority is taken away from these Forces and their offshoots, and people can once again go about their occupations until nightfall. All this is explained in a Psalm, in which King David exclaims to God (*Psalms* 104:20–23), "You make darkness, and it is night, and all the Beasts of the forest creep forth. . . . The sun rises, they slink away. . . . Man then goes forth to his work, and to his labor until evening."[49]

All these concepts, with all their domains and limits, originate in the fundamental Roots, following the various aspects of the Influences that affect man at every level. This has already been discussed in the first section (1:5:3).

Even though nighttime in general is the time when these Forces have authority, this is actually only true of the first half of the night. At midnight, an Influence of illumination and favor emanates from God to all worlds, and authority is taken away from these Forces of evil. Their offshoots are driven away from the places of human habitation, and the [spiritual] illumination of the day begins to be awakened.[50] This continues until daybreak, when the appropriate Influence is transmitted, renewing all existence.

The fact that these Forces are given authority at night and driven

וְגֵרוּשָׁם שֶׁנִּגְרָשִׁים בַּיּוֹם, הִנֵּה הוּא דָּבָר מְחוּקָּק בְּטֶבַע הָעוֹלָם וּסְדָרָיו, זוּלַת הַשְּׁלִיטָה וְהַהַכְנָעָה שֶׁמַּגַּעַת לָהֶם בְּמַעֲשֵׂה הָאָדָם. וְזֶה, שֶׁשִּׁעֲרָה הַחָכְמָה הָעֶלְיוֹנָה, שֶׁלִּהְיוֹת מְצִיאוּת הַטּוֹב וְהָרָע הָאֲמִתִּי, שֶׁהוּא הַנִּמְשָׁךְ מִמַּעֲשֵׂי בְּנֵי הַבְּחִירָה, צָרִיךְ שֶׁיִּהְיֶה הָעוֹלָם בְּחָקוֹ הַטִּבְעִי עָלוּל לִשְׁלִיטַת הָרָע בּוֹ, בְּאֹפֶן שֶׁכָּךְ יִהְיֶה אֶפְשָׁרוּת לְהִתְפַּשְּׁטוּת הָרָע הַזֶּה בַּחֲלָקִים מִמֶּנּוּ, כְּמוֹ לְהֵעָדֵר הִתְפַּשְּׁטוּתוֹ בָּהֶם; וְאוּלָם לְשֶׁיִּהְיֶה זֶה, גָּזְרָה הַחָכְמָה הָעֶלְיוֹנָה הֱיוֹת רָאוּי, שֶׁבַּזְּמַן עַצְמוֹ יִהְיֶה חֵלֶק אֶחָד שֶׁיִּנָּתֵן לוֹ שְׁלִיטָה וְהִתְפַּשְּׁטוּת מִצַּד עַצְמוֹ, וְהִנֵּה הוּא הֲכָנָה לְמַה שֶּׁאֶפְשָׁר שֶׁיִּנָּתֵן לוֹ מִצַּד מַעֲשֵׂי הָאָדָם, וְיִהְיֶה חֵלֶק אַחֵר שֶׁיִּנָּטֵל מִמֶּנּוּ הַשְּׁלִיטָה, וְיִהְיֶה הַזְמָנָה לְמַה שֶּׁאֶפְשָׁר שֶׁיִּגְרְמוּ לוֹ מַעֲשֵׂי הָאָדָם. וְהִנֵּה שָׂם הָאָדוֹן בָּרוּךְ הוּא שְׁתֵּי מְצִיאוּיוֹת חֲזָקִים, הָאוֹר וְהַחֹשֶׁךְ, שֶׁהֵם נִמְשָׁכִים מִבְּחִינַת הַהֶאָרָה וְהַהֶעְלֵם שֶׁבֵּאַרְנוּ בְּחֵלֶק רִאשׁוֹן, וְנָתַן לָהֶם חֵלֶק בַּזְּמַן, וְהַיְנוּ הַיּוֹם וְהַלַּיְלָה, וְאַחֲרֵיהֶם נִמְשָׁכִים שְׁלִיטַת כֹּחוֹת הַטֻּמְאָה שֶׁזָּכַרְנוּ וְגֵרוּשָׁם, וְהַכֹּל הַזְמָנָה לְתוֹלְדוֹת הַמַּעֲשִׂים, וּכְמוֹ שֶׁזָּכַרְנוּ.

[ב] וְאָמְנָם בְּהִנָּתֵן שְׁלִיטָה זֹאת אֶל כֹּחוֹת הָרָע הָאֵלֶּה וּבְהִפָּשְׁטָם בָּעוֹלָם, נִמְצָא חָשְׁכּוֹ שֶׁל עוֹלָם מִתְרַבֶּה וּמִתְחַזֵּק; וְהָאָדָם גַּם הוּא בִּהְיוֹתוֹ שׁוֹכֵב עַל מִטָּתוֹ, גַּם עָלָיו מִתְפַּשֵּׁט הִתְפַּשְּׁטוּת מִן הַטֻּמְאָה הַמְשׁוֹטֶטֶת, בְּשִׁעוּר שֶׁיִּנָּתֵן לָהּ, כְּפִי הַשַּׁיָּכוּת אֲשֶׁר לָהּ בְּגוּפוֹ שֶׁל הָאָדָם מִצַּד חָמְרִיּוּת וְיֵצֶר הָרָע שֶׁבּוֹ; וְנוֹסָף עַל זֶה, שֶׁכְּבָר הוּכַן בְּסִדְרֵי הַהַנְהָגָה, שֶׁבִּהְיוֹת הָאָדָם יָשֵׁן, חֲלָקֵי נִשְׁמָתוֹ הָעֶלְיוֹנִים מִסְתַּלְּקִים מִמֶּנּוּ וּכְמוֹ שֶׁזָּכַרְנוּ בְּחֵלֶק שֵׁנִי, וְטוֹעֵם טַעַם מִיתָה בְּמִקְצָת, וְהוּא מַה שֶּׁאָמְרוּ חֲכָמֵינוּ זִכְרוֹנָם לִבְרָכָה: "שֵׁנָה אֶחָד מִשִּׁשִּׁים בְּמִיתָה" (ברכות נז), וְנִמְצָא שֶׁאָז מִתְגַּבֵּר יוֹתֵר בְּגוּפוֹ הַחֹשֶׁךְ, בְּהֵעָדֵר אוֹר הַנְּשָׁמָה הַמְזַכֵּךְ אוֹתוֹ, עַל כֵּן נִמְצָא שָׁם בֵּית כְּנִיסָה יוֹתֵר אֶל

away by day was ordained as part of the natural order of creation. This is in addition to the authority or subjugation of evil that is a result of man's deeds.

True good and evil are primarily the results of man's deeds. In order for this arrangement to be possible, however, the Highest Wisdom determined that the laws of nature contain a framework for the expansion of evil as well as its prevention. To achieve this, the Highest Wisdom decreed that a portion of the daily cycle be given over to evil, where it would have authority and proliferate so that it would be prepared to assimilate the product of man's deeds.[51] It was also decreed that there be another portion of the daily cycle when this ability be taken away from evil, so that it be in a state [of weakness] where man's deeds can cause it [to be subjugated].

God therefore set up two concepts, namely, [spiritual] light and darkness, which are the results of His illumination and its absence respectively, as discussed in the first section (1:2:3). God then divided the daily cycle among them, providing daytime for this light, and nighttime for this darkness. The authority of these Forces of evil is then given to them at night, and they are driven away by day. All this is so that they should be prepared to assimilate the products of man's deeds, as discussed earlier.

[2] When the Forces of evil are given authority and proliferate in the world, the spiritual darkness of the world is likewise increased and strengthened. Therefore, even though man may be sound asleep [and not involved in any evil], the corruption (*Tum'ah*) that is prevalent spreads over him. The degree to which it can do so depends on the amount of spiritual darkness that exists in the individual's body as a result of his materialism and Evil Urge (*Yetzer HaRa*).[52]

Besides this, it is also part of the general order that when a person sleeps, the higher portions of his soul remove themselves from him, as discussed above (3:1:6). He therefore experiences a taste of death while he sleeps, and our sages therefore teach us that "sleep is one sixtieth of death."[53]

As a result of the absence of the purifying light of the soul (*Neshamah*), spiritual darkness becomes all the more potent in man's

הַטֻּמְאָה לִשְׁרוֹת עָלָיו, וְהוּא עִנְיַן רוּחַ הָרָעָה שֶׁפֵּרְשׁוּ חֲכָמֵינוּ זִכְרוֹנָם לִבְרָכָה שֶׁשּׁוֹרָה עַל הַיָּדַיִם (שבת קט); אַךְ שְׁרוֹתָהּ עַל הַיָּדַיִם וְלֹא עַל מָקוֹם אַחֵר, הוּא, כִּי זֶה הַשִּׁעוּר וְזֶה הַגְּבוּל שֶׁהִגְבִּילָה לָהּ הַחָכְמָה הָעֶלְיוֹנָה מַה שֶּׁתִּשְׁרֶה עַל הָאָדָם, שֶׁהוּא הַנָּאוֹת לְפִי מַצָּבוֹ בָּעוֹלָם, לֹא פָּחוֹת וְלֹא יוֹתֵר.

[ג] וְהִנֵּה הֵכִינָה הַחָכְמָה הָעֶלְיוֹנָה לָאָדָם, מַה שֶּׁיִּשְׁתַּדֵּל בּוֹ בַּבֹּקֶר, וְיִתְרוֹמֵם מִמַּה שֶּׁנִּשְׁפַּל בְּמַצַּב הַלַּיְלָה, לִטָּהֵר מִמַּה שֶּׁנִּטְמָא, וְכֵן יָשׁוּב וִירוֹמֵם הָעוֹלָם כֻּלּוֹ מִמַּה שֶּׁנִּשְׁפַּל, וְיָאִיר אוֹתוֹ מִן הַחֹשֶׁךְ שֶׁהָחְשַׁךְ. וְעִנְיָן זֶה כֻּלּוֹ נִכְלָל בְּתַקָּנוֹת הַנִּתְקָנוֹת לִזְמַן הַקִּימָה, מִן הַפְּעֻלּוֹת וּמִן הַדִּבּוּרִים, וּכְמוֹ שֶׁנְּבָאֵר בְּסִיַּעְתָּא דִשְׁמַיָּא.

[ד] הִנֵּה הַפֹּעַל הָרִאשׁוֹן הוּא טָהֳרַת הַיָּדַיִם, כִּי הִנֵּה הֵם הֵם שֶׁנִּטְמְאוּ וְשָׁרְתָה עֲלֵיהֶם רוּחַ הָרָעָה, וְלָזֶה צָרִיךְ לְגָרְשָׁהּ מֵהֶם וּלְטַהֲרָם; וְהִנֵּה חָקַק הַבּוֹרֵא יִתְבָּרַךְ שְׁמוֹ שֶׁתִּגָּרֵשׁ מֵהֶם עַל יְדֵי הַנְּטִילָה הָרְאוּיָה, כְּמוֹ שֶׁלִּמְּדוּנוּ חֲכָמֵינוּ זִכְרוֹנָם לִבְרָכָה; וְנִמְצָא כָּל גּוּפוֹ שֶׁל הָאָדָם נִטְהָר בָּזֶה, כְּמוֹ שֶׁכֻּלּוֹ הָיָה נִטְמָא מֵהַשְׁרָאָתָהּ שֶׁל רוּחַ הָרָעָה עֲלֵיהֶם; וְיֵשׁ בָּעִנְיָן הַזֶּה גַּם כֵּן תִּקּוּן לְכָל הַבְּרִיאָה כֻּלָּהּ, לִטָּהֵר מִטֻּמְאַת הַלַּיְלָה וְלָצֵאת מֵחֶשְׁכָתָהּ. וְהִנֵּה חִבְּרוּ לָזֶה גַּם כֵּן נְקִיּוּת הָאָדָם אֶת גּוּפוֹ בְּהִפָּנוֹתוֹ, וְנִמְצָא כֻּלּוֹ מְטֹהָר וּמְזֻמָּן לְהִתְקָרֵב לִפְנֵי בּוֹרְאוֹ יִתְבָּרַךְ שְׁמוֹ.

[ה] וְאוּלָם אַחַר זֶה יָבוֹאוּ שְׁנֵי מַעֲשִׂים, אֲשֶׁר כְּבָר הֵם בְּעַצְמָם מִכְּלַל הַתַּרְיַ״ג מִצְווֹת, וּמִתְחַבְּרִים עִם תִּקּוּנֵי הַתְּפִלָּה, לְהַשְׁלָמַת הָעֲבוֹדָה הַיּוֹמִית, וְהֵם הַצִּיצִית וְהַתְּפִלִּין, וּנְבָאֵר בִּתְחִלָּה עִנְיָנָם הַפְּרָטִי, וְאַחַר כָּךְ נְבָרֵר מַדְרֵגָתָם בְּתִקּוּנֵי הָעֲבוֹדָה הַיּוֹמִית שֶׁזָּכַרְנוּ.

body. The body is therefore much more open for this corruption to spread over it.

This is the concept of the noxious spirit that rests on a person's hands when he wakes up in the morning, as our sages teach us.[54]

The reason that it rests on the hands, and nowhere else, is the result of the limits that the Highest Wisdom determined for it. According to man's state in this world, this is the appropriate degree that this unclean spirit should affect him, no more and no less.

[3] The Highest Wisdom prepared a procedure for man, whereby each morning he can strive to elevate himself from his lowly nighttime state, and illuminate his spiritual darkness. All of this is included in the regulations that were ordained both in word and in deed when man wakes up in the morning.

[4] The first act is the washing of one's hands. It is the hands that are defiled and upon which the noxious spirit rests, and it is therefore necessary to purify them and drive away this evil.

God ordained that this noxious spirit should be driven away through proper washing, as our sages taught us, [namely, by one's pouring water over his hands three times alternately].[55] Through this, man's entire body is also purified, just as it was all defiled as a result of the noxious spirit that pervaded his hands.

[Man is a microcosm, and therefore] this concept also includes a rectification of creation as a whole. Through the ritual of washing one's hands, the world is also purified of its nighttime corruption, and brought out of its spiritual darkness.[56]

Related to this is the cleansing of one's body by attending the lavatory.[57] Through all these things, man is purified and prepared to approach his Creator.

[5] This is then followed by two observances, each of which is included among the 613 commandments of the Torah.[58] These two observances are the Tzitzis [the tassels on the four-cornered garment] and Tefillin, which together with prayer complete the daily service. We will first explain their own particular significance, and then go into the role they play in the rectification of the daily order.

[ו] עִנְיַן הַצִּיצִית הוּא, כִּי הִנֵּה רָצָה הָאָדוֹן בָּרוּךְ הוּא שֶׁיִּהְיוּ יִשְׂרָאֵל מְתֻקָּנִים בְּכָל בְּחִינוֹתֵיהֶם בְּעִנְיְנֵי קְדֻשָּׁה, וְעַל כֵּן נָתַן לָהֶם מִצְווֹת לְכָל זְמַנֵּיהֶם וּכְפִי כָּל מִקְרֵיהֶם, כְּדֵי שֶׁיִּתְקְנוּ בְּכֻלָּם, וְהִנֵּה מִכְּלַל מַה שֶּׁלָּאָדָם – הוּא הַמַּלְבּוּשִׁים שֶׁהוּא לוֹבֵשׁ, וּלְמַעַן גַּם הֵם יִתְקְנוּ בִקְדֻשָּׁה, צִוָּה שֶׁיּוּשַׂם בָּהֶם הַצִּיצִית, וְאָז נִמְצָאִים נִתְקָנִים בַּקֹּדֶשׁ.

וְעִנְיָן עָמֹק מִזֶּה נִכְלָל עוֹד בְּמִצְוָה זוֹ, וְהוּא הֱיוֹת הָאָדָם נִסְמָן לֵאלֹקָיו כְּעֶבֶד לַאֲדוֹנָיו, וַהֲרֵי זֶה מִכְּלַל קַבָּלַת עֻלּוֹ יִתְבָּרַךְ וְהִשְׁתַּעְבֵּד אֵלָיו יִתְבָּרַךְ; וְהִנֵּה נִתַּן לָאָדָם לִהְיוֹת מְתַקֵּן אֶת כָּל הַבְּרִיאָה כַּמְבֹאָר בְּחֵלֶק רִאשׁוֹן, וְנִמְצָא שֶׁהוּא עוֹבֵד עֲבוֹדָתוֹ שֶׁל הַבּוֹרֵא יִתְבָּרַךְ וְעוֹסֵק בִּמְלַאכְתּוֹ, שֶׁהוּא הָעֲמִיד הַבְּרִיאָה אֲשֶׁר בָּרָא עַל הַמַּצָּב הַנִּרְצֶה מִמֶּנּוּ יִתְבָּרַךְ, וְאוּלָם זֶה יוֹצֵא מִמַּעֲשֵׂה הָאָדָם וּפְעֻלּוֹתָיו שֶׁיִּפְעַל כְּפִי הַתּוֹרָה וְהַמִּצְוָה שֶׁעָלָיו; אָמְנָם כְּלַל כָּל הָעֲבוֹדָה הַזֹּאת עוֹמֵד עַל יְסוֹד אֶחָד, שֶׁהוּא הֱיוֹת הָאָדָם עַבְדּוֹ שֶׁל הַבּוֹרֵא יִתְבָּרַךְ, שֶׁנִּמְסַר לוֹ הָעִנְיָן הַזֶּה שֶׁל תִּקּוּן הַבְּרִיאָה וְהֻפְקַד בְּיָדוֹ, שֶׁעַל כֵּן הַדָּבָר הַזֶּה מַצְלִיחַ בְּיָדוֹ, וּמַעֲשָׂיו מַגִּיעִים לְהוֹלִיד תּוֹלָדוֹת אֵלֶּה; וְאוּלָם כְּלַל מְצִיאוּת הֱיוֹת מַשָּׂא זֶה עַל הָאָדָם – נִקְרָא עֻלּוֹ יִתְבָּרַךְ שֶׁעָלָיו, כְּעֹל הָאָדוֹן עַל עַבְדּוֹ; וְדָבָר זֶה מִתְחַזֵּק עַל יְדֵי פְּרָטִים יְדוּעִים שֶׁתְּלָאוֹ בָּהֶם הָאָדוֹן בָּרוּךְ הוּא, וּמִכְּלָלָם הָרִשּׁוּם וְהַצִּיּוּן בְּצִיּוּן זֶה שֶׁל הַצִּיצִית.

וְאָמְנָם מִלְּבַד הֱיוֹת הַדָּבָר הַזֶּה מִצְוָה תְּמִידִית, עָשׂוּ מִמֶּנּוּ חֲכָמֵינוּ זִכְרוֹנָם לִבְרָכָה תִּקּוּן מִתִּקּוּנֵי הַתְּפִלָּה, וְהוּא לִהְיוֹת מִתְעַטֵּף בְּטַלִּית לְהִתְפַּלֵּל בּוֹ, וְהַתִּקּוּן הוּא קַבָּלַת הָעֹל שֶׁזָּכַרְנוּ, לִהְיוֹת בְּכֹחַ זֶה תּוֹפֵס וְאוֹחֵז בִּמְלַאכְתּוֹ יִתְבָּרַךְ, דְּהַיְנוּ תִּקּוּן הָעוֹלָם, וּכְמוֹ שֶׁזָּכַרְנוּ.

[ז] אַךְ עִנְיַן הַתְּפִלִּין הוּא יוֹתֵר גָּדוֹל מִן הַצִּיצִית הַרְבֵּה, וְהוּא

[6] The significance of Tzitzis stems from the fact that God desired that Israel be sanctified through everything associated with them. He therefore gave them commandments relating to all times and circumstances, so that everything should serve to rectify them.

Among the things associated with man is the clothing that he wears. In order that this also be rectified with holiness, God commanded that Tzitzis be placed on the corners of all [four-sided] garments, thus consecrating them with a degree of holiness.[59]

There is also a deeper concept included in this commandment Man must wear God's insignia, very much as a vassal wears the inisgnia of his master. This is part of accepting God's yoke and subjugating oneself to Him.

Man was given the task of rectifying all creation, as discussed in the first section (1:4:7). In maintaining all things in the state desired by God, man is serving God and doing His work. This is accomplished through man's actions, based on the Torah and commandments that he was given.

All of this, however, is based on the fact that man is God's servant, and was therefore given the task of rectifying all creation. It is for this reason alone that his deeds can have such an effect and he can thus actually accomplish this.

The fact that man has this responsibility is called God's yoke, and it is very much like the yoke that a master places on his slave. Man's ability to rectify creation is strengthened by certain aspects of this yoke, as determined by God. Among these aspects is the distinction and insignia which we wear as the Tzitzis.[60]

Besides the fact that one must constantly wear Tzitzis, our sages also associated it with the morning service in particular. They thus ordained that a person must wear a Tallis [containing Tzitzis] during the morning prayers.[61] This is another aspect of the acceptance of God's yoke, and it has the power to help one partake of God's work, which is the rectification of the universe, as discussed above. [Since the morning service is meant to accomplish this, its concept is thus enhanced by the commandment of Tzitzis.]

[7] The concept of Tefillin is much higher than that of Tzitzis.[62]

כִּי נָתַן הַבּוֹרֵא יִתְבָּרַךְ לְיִשְׂרָאֵל שֶׁיִּהְיוּ מַמְשִׁיכִים עֲלֵיהֶם הֶמְשֵׁךְ מַמָּשׁ מִקְדֻשָּׁתוֹ יִתְבָּרַךְ וְיִתְעַטְּרוּ בוֹ, בְּאֹפֶן שֶׁכָּל בְּחִינוֹתֵיהֶם הַנַּפְשִׁיּוֹת וְהַגּוּפִיּוֹת יִתְיַחֲסוּ תַּחַת הָאוֹר הַגָּדוֹל הַזֶּה וְיִתְקְנוּ בוֹ תִּקּוּן גָּדוֹל, וְהוּא מַה שֶּׁאָמַר הַכָּתוּב: ״וְרָאוּ כָּל־עַמֵּי הָאָרֶץ כִּי שֵׁם ד׳ נִקְרָא עָלֶיךָ״ וְכוּ׳ (דברים כח, י), וְתָלָה עִנְיָן זֶה בְּמִצְוָה זוֹ, בְּכָל הִלְכוֹתֶיהָ וּפְרָטוֹתֶיהָ.

וְאָמְנָם שְׁנֵי אֵיבָרִים רָאשִׁיִּים נִמְצָאִים בָּאָדָם, וּבָהֶם הַנְּשָׁמָה מִתְגַּבֶּרֶת תִּגְבֹּרֶת גָּדוֹל, וְהֵם הַמֹּחַ וְהַלֵּב, וְצִוָּה הַבּוֹרֵא יִתְבָּרַךְ שֶׁיִּמָּשֵׁךְ הָאוֹר הַזֶּה אֶל הַמֹּחַ תְּחִלָּה עַל יְדֵי תְּפִלָּה שֶׁל רֹאשׁ, וְיִתְקַן בּוֹ הַמֹּחַ וְהַנְּשָׁמָה שֶׁבּוֹ, וְיִתְפַּשֵּׁט אַחַר כָּךְ עַל הַלֵּב עַל יְדֵי תְּפִלָּה שֶׁל יָד שֶׁכְּנֶגְדּוֹ, וְיִתְקַן גַּם הוּא בוֹ, וְעַל יְדֵי זֶה נִמְצָא הָאָדָם כֻּלּוֹ בְּכָל בְּחִינוֹתָיו נִכְלָל תַּחַת הֶמְשֵׁךְ הַקְּדֻשָּׁה הַזֹּאת וּמִתְעַטֵּר בָּהּ, וּמִתְקַדֵּשׁ קְדֻשָּׁה רַבָּה. וְאָמְנָם פְּרָטֵי עִנְיָנִים שׁוֹנִים נִמְצָאִים בְּתְנָאֵי הַמִּצְוָה בְּכָל חֶלְקֵיהֶם כֻּלָּם, עִנְיָנִים מִצְטָרְכִים לְהַשְׁלָמַת הַתִּקּוּן הַנִּרְצֶה בְּכָל חֲלָקָיו, כְּפִי מַחְלְקוֹת בְּחִינוֹתָיו שֶׁל הָאָדָם.

[ח] וְהִנֵּה נִצְטַוִּינוּ לְהִתְעַטֵּר בְּעִטּוּר זֶה כָּל הַיָּמִים, חוּץ מִימֵי הַקֹּדֶשׁ, שֶׁהֵם עַצְמָם ״אוֹת״ לְיִשְׂרָאֵל, וּמִצִּדָּם מִתְעַטְּרִים יִשְׂרָאֵל בְּעִטּוּרֵיהֶם בְּלִי הִשְׁתַּדְּלוּת אַחֵר, מַה שֶּׁאֵין כֵּן שְׁאָר הַיָּמִים שֶׁאִי אֶפְשָׁר לְהַשִּׂיג הָעִטּוּרִים אֶלָּא בְּהִשְׁתַּדְּלוּת הַזֶּה, וְגַם אַחַר הַהִשְׁתַּדְּלוּת עַצְמוֹ אֵין מַעֲלַת הָעִטּוּר הַמֻּשָּׂג בּוֹ כְּמַעֲלַת הָעִטּוּר הַנִּמְשָׁךְ מֵאֵלָיו בִּימֵי הַקֹּדֶשׁ, אֶלָּא פָּחוֹת מִמֶּנּוּ הַרְבֵּה. אָמְנָם הַדְּבָרִים כֻּלָּם בְּכָל גְּבוּלֵיהֶם מְשֹׁעָרִים מִן הַחָכְמָה הָעֶלְיוֹנָה כְּפִי מַה שֶּׁהוּא הַיּוֹתֵר נָאוֹת.

[ט] וְהִנֵּה אַחַר הֱיוֹת הָאָדָם מְצֻיָּן בְּצִיצִית וּמְעֻטָּר בִּתְפִלִּין, נִתְקְנוּ לוֹ סִדְרֵי הַתְּפִלָּה לְתַקֵּן כְּפִי הַמִּצְטָרֵךְ, וְהַכַּוָּנָה בִּכְלָל,

Through the Tefillin, God gave Israel the power to transmit His holiness to such a degree that it literally engulfs each individual. All of an individual's spiritual and bodily qualities relate themselves to this great Light, and he thus experiences tremendous rectification. The Torah thus says (*Deuteronomy* 28:10), "All the nations of the earth shall see that God's Name is called upon you," and this is particularly related to the commandment of Tefillin with all its laws and details.[63]

There are two main parts of the human body where the soul (*Neshamah*) strongly manifests itself. These are the heart and the brain.[64]

God therefore commanded that we first transmit this Light to the brain through the Tefillin worn on the head. The brain and the soul (*Neshamah*) manifest in it are thus rectified. This rectification is then extended to the heart through the Tefillin that are worn on the arm in proximity to the heart.

The entire man, in his every aspect, is thus included in this transmission of holiness, and is engulfed and greatly sanctified by it.

The various concepts and details associated with this commandment are all necessary to complete all the elements of this rectification as they relate to the various aspects of man himself.

[8] We are commanded to surround ourselves with this aura by putting on Tefillin every day. The only exception is on the holy days, which in themselves serve as an insignia for Israel, and therefore engulf the Jew with their aura without any effort on his own part.[65]

On all other days, however, it is impossible to attain this aura [without wearing Tefillin. Even with Tefillin] this aura is much less than that attained on the holy days, and its effects are much less manifest. Nevertheless, all these limitations are determined by the Highest Wisdom, according to what is ultimately the most beneficial.

[9] Once man wears the insignia of Tzitzis and the crown of Tefillin, he is then ready to proceed with the ordained prayer service to rectify what is required. The general intent of this service is to rectify

לְהַעֲמִיד הַבְּרִיאָה כֻּלָּהּ – כָּל הָעוֹלָמוֹת בְּמַצָּב הָרָאוּי לְשֶׁיֻּשְׁפַּע בָּם הַשֶּׁפַע הָעֶלְיוֹן, וּלְהַמְשִׁיךְ הַשֶּׁפַע מִלְּפָנָיו יִתְבָּרַךְ אֲלֵיהֶם כְּפִי הַמִּצְטָרֵךְ.

[י] וְאוּלָם כְּלַל הַתְּפִלָּה מִתְחַלֵּק לְאַרְבָּעָה חֲלָקִים: הָרִאשׁוֹן הַקָּרְבָּנוֹת, הַשֵּׁנִי פְּסוּקֵי דְזִמְרָה, הַשְּׁלִישִׁי קְרִיאַת שְׁמַע וּבִרְכוֹתֶיהָ, הָרְבִיעִי הַתְּפִלָּה וּמַה שֶּׁלְּאַחֲרֶיהָ.

הַקָּרְבָּנוֹת – הַכַּוָּנָה בָּהֶם בִּכְלָל, הוּא לְטַהֵר הָעוֹלָם כֻּלּוֹ, וּלְהָסִיר מִמֶּנּוּ כָּל מַה שֶּׁהוּא עִכּוּב וּמְנִיעָה אֶל בִּיאַת הַשֶּׁפַע הָעֶלְיוֹן בּוֹ.

פְּסוּקֵי דְזִמְרָה – הַכַּוָּנָה בָּהֶם בִּכְלָל, לְגַלּוֹת אוֹר פָּנָיו יִתְבָּרַךְ עַל יְדֵי הַתְּהִלּוֹת שֶׁאָנוּ מִתְהַלְּלִים בּוֹ וּמְסַפְּרִים בְּשִׁבְחוֹ, שֶׁזֶּה עִנְיַן תְּלָאוֹ הַבּוֹרֵא יִתְבָּרַךְ בְּמַעֲשֶׂה הַזֶּה, דְּהַיְנוּ – בַּהִלּוּל לְפָנָיו, וְהוּא עִנְיַן: "הַבּוֹחֵר בְּשִׁירֵי זִמְרָה".

קְרִיאַת שְׁמַע וּבִרְכוֹתֶיהָ – כְּבָר בֵּאַרְנוּ עִנְיָנָם בִּכְלָל, וּמִלְּבַד מַה שֶּׁבֵּאַרְנוּ נִכְלָל בָּהֶם עוֹד עִנְיָן אַחֵר, וְהוּא, כִּי סִדְרֵי כּוֹנְנִיּוֹת הַבְּרִיאָה וְהִשְׁתַּלְשְׁלוּתָהּ, כְּבָר בֵּאַרְנוּ בְּחֵלֶק רִאשׁוֹן, שֶׁאוּלָם הַנִּבְרָאִים כֻּלָּם מִשְׁתַּלְשְׁלִים וּבָאִים מַדְרֵגָה אַחַר מַדְרֵגָה מִן הַכֹּחוֹת הַשָּׁרְשִׁיִּים עַד הַגַּשְׁמִיִּים; וְאוּלָם גָּזְרָה הַחָכְמָה הָעֶלְיוֹנָה, שֶׁלִּהְיוֹת הַנִּבְרָאִים כֻּלָּם מְקַבְּלִים הַשֶּׁפַע מִלְּפָנָיו יִתְבָּרַךְ, יִהְיוּ תְּחִלָּה מִתְקַשְּׁרִים זֶה בָּזֶה מִלְּמַטָּה לְמַעְלָה, הַתַּחְתּוֹנִים בָּעֶלְיוֹנִים מֵהֶם, וְהָעֶלְיוֹנִים בָּעֶלְיוֹנִים יוֹתֵר, וְכֵן עַל דֶּרֶךְ זֶה עַד הַכֹּחוֹת הַשָּׁרְשִׁיִּים, וְהֵם יִתָּלוּ בּוֹ יִתְבָּרַךְ וְיֻשְׁפַּע לָהֶם שִׁפְעוֹ, וְאַחַר כָּךְ יִתְפַּשֵּׁט הַשֶּׁפַע מִלְּמַעְלָה לְמַטָּה בְּכָל מַדְרֵגוֹת הַבְּרִיאָה כָּרָאוּי, וְיָשׁוּבוּ וְיִתְיַצְּבוּ כֻּלָּם עַל מַדְרֵגוֹתֵיהֶם לְפָעֳלָם כְּפִי מַה שֶּׁסֻּדַּר לָהֶם; וְאוּלָם הַבְּרָכוֹת הָאֵלֶּה שֶׁל קְרִיאַת שְׁמַע סֻדְּרוּ עַל פִּי הָרָזִים הָאֵלֶּה, וּבְאוֹתוֹ הַשֶּׁבַח וְהַהִלּוּל מִתְעַלּוֹת מַדְרֵגוֹת הַבְּרִיאָה מִלְּמַטָּה

all creation. All universes are to be raised to a state in which they are capable of receiving the highest sustenance, which is then transmitted to them by God according to their needs.

[10]   The morning prayer service is divided into four general sections. The first (*Korbanos*) involves readings associated with the sacrificial system, the second (*Pesukey DeZimrah*) consists of Psalms and other Biblical praises, the third is the *Sh'ma* and its blessings, and the fourth is the Amidah and concluding prayers.[66]

The readings associated with the sacrifices (*Korbanos*) are intended to purify the world as a whole, and remove all obstacles and barriers that would hold back the highest sustenance.

The Biblical Praises (*Pesukey DeZimrah*) are intended to cause the Light of God's presence to be revealed. God made this depend on the singing of His praises, and this is the meaning of the phrase, "He chooses songs of praise . . ."[67]

Although we have already explained the significance of the *Sh'ma* and its blessings in general, they also include another aspect.

The order of systems and sequences that exist in creation has already been discussed in the first section (1:5:3). All things exist in a sequence of steps, from the fundamental Forces down to the physical world.

The Highest Wisdom decreed that in order for all things to receive God's sustenance, they must first bind themselves to each other. The lowest things must bind themselves to those above them, and these in turn to the ones that are still higher, continuing in this manner until the root Forces, which in turn depend on God Himself. His sustenance is then extended to these Forces, and it spreads downward appropriately to all levels of creation. In this manner, they all regain their ordained level and function.

The blessings of the *Sh'ma* were arranged so that they should relate to these mysteries. Through this liturgy, every level of creation elevates itself, until each one is bound to the one above it [and all are

לְמַעְלָה, עַד הִתְקַשֵּׁר הַכֹּל בְּמַדְרֵגָה הַיּוֹתֵר עֶלְיוֹנָה, וְאָז נִקְשָׁר הַכֹּל וְנִתְלֶה בְּאוֹרוֹ יִתְבָּרֵךְ, וְנִמְשָׁךְ הַשֶּׁפַע לְכָל הַבְּרוּאִים, וְהוּא מַה שֶּׁנַּעֲשֶׂה בִּתְפִלַּת שְׁמוֹנֶה עֶשְׂרֵה.

[יא] וְהִנֵּה צָרִיךְ שֶׁתֵּדַע, שֶׁסּוּגֵי הַהַשְׁפָּעָה הָעֶלְיוֹנָה, שֶׁתַּחְתֶּיהָ נִכְלָלִים כָּל מִינֵי הַהַשְׁפָּעוֹת וּפְרָטֵיהֶם, הֵם שְׁלֹשָׁה, וְהֵם הַנִּרְמָזִים בְּשָׁלֹשׁ אוֹתִיּוֹת הַשֵּׁם בָּרוּךְ הוּא, וְחִבּוּרָם בְּיַחַד לְהַשְׁלָמַת הַבְּרִיאָה כֻּלָּהּ נִרְמָז בְּה׳ אַחֲרוֹנָה, וּכְנֶגְדָּם שְׁלֹשָׁה הַכִּנּוּיִים ״הַגָּדוֹל הַגִּבּוֹר וְהַנּוֹרָא״, וְהַמַּמְשִׁיךְ אוֹתָם כָּרָאוּי הוּא זְכוּתָם שֶׁל אַבְרָהָם יִצְחָק וְיַעֲקֹב, וְהַמַּמְשִׁיךְ הַהַשְׁלָמָה הַיּוֹצֵאת מֵחִבּוּרָם הוּא זְכוּתוֹ שֶׁל דָּוִד הַמֶּלֶךְ עָלָיו הַשָּׁלוֹם, שֶׁמִּתְחַבֵּר עִם הָאָבוֹת וּמַשְׁלִים תִּקּוּנָם שֶׁל יִשְׂרָאֵל.

וְהִנֵּה, כְּנֶגֶד שְׁלֹשָׁה הַסּוּגִים הָאֵלֶּה נִתְקְנוּ שָׁלֹשׁ בְּרָכוֹת רִאשׁוֹנוֹת שֶׁל הַתְּפִלָּה, וּבָהֶם נִמְשָׁךְ הַשֶּׁפַע הָעֶלְיוֹן בִּכְלָל, וְאַחַר כָּךְ בְּאֶמְצָעִיּוֹת נִמְשָׁךְ לַפְּרָטִים כְּפִי הַצֹּרֶךְ, וּבְשָׁלֹשׁ אַחֲרוֹנוֹת מִתְחַזֵּק וּמִתְיַשֵּׁב בַּמְּקַבְּלִים, עַל יְדֵי הַהוֹדָאָה שֶׁנּוֹתְנִים עָלָיו, וְזֶה כְּלַל תִּקּוּן הַתְּפִלָּה כֻּלָּהּ.

[יב] וְאוּלָם בִּימוֹת הַחֹל נִמְשָׁךְ הַדָּבָר כְּפִי סֵדֶר זֶה. וּבִימוֹת הַקֹּדֶשׁ לֹא הִטְרִיחוּ חֲכָמִים אֶת הָאָדָם בְּיוֹתֵר מִשֶּׁבַע בְּרָכוֹת, כִּי הִנֵּה הַיּוֹם מְקֻדָּשׁ וּמְבֹרָךְ בְּעַצְמוֹ, וְעוֹזֵר בְּהַמְשָׁכַת הַשֶּׁפַע, וְדַי שֶׁיִּשְׁתַּדֵּל הָאָדָם עַל הַכְּלָל, וְהַיְנוּ שֶׁבַע בְּרָכוֹת, שָׁלֹשׁ רִאשׁוֹנוֹת עַל הַשְּׁלֹשָׁה סוּגִים, וְכֵן שָׁלֹשׁ הָאַחֲרוֹנוֹת וּכְמוֹ שֶׁזָּכַרְנוּ

bound to the highest level]. When they are all bound together and dependent on God's Light, sustenance can then be transmitted to all of God's handiwork. This in turn is accomplished by the Amidah.[68]

[11]   [In order to understand the significance of the Amidah] we must first be aware of a number of fundamental concepts.

[God's Influences in general are related to all creation through the Tetragrammaton, the four-lettered ineffable Name (*Yod Hay Vav Hay*).] The highest Influences are divided into three major categories, and these include all types of Influence and their details. These three categories are alluded to by the first three letters of the Tetragrammaton (*Yod Hay Vav*). In order for all creation to be perfected, these three letters must be brought together, and their interconnection is alluded to by the final *Hay*.[69]

These three primary categories are also alluded to in the initial descriptions of God found in the Amidah, namely, "the Great, Mighty and Fearsome."[70]

The concept that properly transmits these three categories is the merit of the three patriarchs, Abraham, Isaac and Jacob.[71] This in turn is completed by the merit of King David, which brings them all together. King David is thus associated with the patriarchs to complete the rectification of Israel.[72]

The first three blessings of the Amidah were ordained to parallel these three categories, and through these blessings the highest sustenance is transmitted generally. The [thirteen] middle blessings then transmit the details of this sustenance as it is needed. Finally, through the three final blessings, this sustenance is strengthened and integrated in its recipients, through the thanks that are given for it.[73] This is the significance of the Amidah in general.

[12]   This is the weekday order. On holy days, however, only seven blessings were ordained for the Amidah. These days have their own intrinsic blessing and sanctity which transmit God's sustenance. All that is therefore needed is a general effort, and this consists of the seven blessings of the holy day Amidah.[74]

These seven blessings consist of the [same] first and last three [as in the weekday service], which pertain to the three general

לְמַעְלָה, וְהָאֶמְצָעִית עַל כְּלַל קְדֻשַּׁת הַיּוֹם שֶׁתִּתְחַזֵּק וְתָאִיר וְתִמְשֹׁל, וְהִיא הָעוֹזֶרֶת וּמַשְׁלֶמֶת לְכָל הַפְּרָטִים. וְעוֹד נְדַבֵּר מִזֶּה לְפָנִים בְּסִיַּעְתָּא דִשְׁמַיָּא.

[יג] עוֹד צָרִיךְ שֶׁתֵּדַע, שֶׁהִנֵּה כְּלַל הָעוֹלָמוֹת מִתְחַלֵּק לְאַרְבָּעָה: וְהַיְנוּ עוֹלָם הַזֶּה בִּשְׁנֵי חֲלָקָיו עֶלְיוֹן וְתַחְתּוֹן, שֶׁהֵם: הַחֵלֶק הַשְּׁמֵימִי, וְנִקְרָא עוֹלַם הַגַּלְגַּלִּים, וְהַיְסוֹדִי, וְהוּא הַנִּקְרָא עוֹלָם הַשָּׁפָל, וּכְלַל שְׁנֵיהֶם נִקְרָא עוֹלָם אֶחָד; וְעַל הָעוֹלָם הַזֶּה יֵשׁ עוֹלַם הַמַּלְאָכִים; וְעָלָיו עוֹלַם הַכֹּחוֹת הָעֶלְיוֹנִים – שָׁרְשֵׁי הַבְּרִיּוֹת שֶׁזָּכַרְנוּ בְּחֵלֶק רִאשׁוֹן, וְנִקְרָא עוֹלַם הַכִּסֵּא; וְהִנֵּה לְמַעְלָה מִזֶּה בְּמַדְרֵגָה, יִבָּחֵן כְּלַל הַשְׁפָּעוֹתָיו יִתְבָּרַךְ, גִּלּוּיֵי אוֹרוֹ שֶׁמֵּהֶם נִמְשָׁכִים כָּל הַמְּצִיאוּיוֹת כֻּלָּם, וּבָהֶם הֵם תְּלוּיִים, וּכְמוֹ שֶׁזָּכַרְנוּ בְּחֵלֶק שְׁלִישִׁי פֶּרֶק שֵׁנִי, וְהִנֵּה עַל דֶּרֶךְ הַשְׁאָלָה נִקְרָא לִכְלַל כָּל הַהַשְׁפָּעוֹת הָאֵלֶּה עוֹלָם אֶחָד, וְנִקְרָאֵהוּ עוֹלַם הָאֱלֹקוּת; וְאָמְנָם הִנֵּה תִּרְאֶה שֶׁאֵין שַׁיָּךְ בּוֹ שֵׁם זֶה אֶלָּא עַל דֶּרֶךְ הַשְׁאָלָה כְּמוֹ שֶׁזָּכַרְנוּ, וְעַל הַטַּעַם שֶׁנְּבָאֵר, מַה שֶּׁאֵין כֵּן שְׁלשָׁה הָעוֹלָמוֹת הַקּוֹדְמִים, שֶׁבָּהֶם יִכּוֹן הַשֵּׁם הַזֶּה בֶּאֱמֶת.

וְזֶה, כִּי עוֹלָם יִקָּרֵא קִבּוּץ עֲצָמִים רַבִּים וְנִמְצָאִים שׁוֹנִים בְּמָקוֹם, מִתְחַלְּקִים לְמַחְלָקוֹת רַבּוֹת, וּמִתְיַחֲסִים זֶה לָזֶה בְּיַחֲסִים שׁוֹנִים, וְהִנֵּה בְּעַצְמוּת כֻּלָּם – יִהְיוּ מוּחָשִׁים אוֹ רוּחָנִיִּים – יִתָּכֵן עִנְיָן זֶה בֶּאֱמֶת, וְנִמְצָא שֶׁיִּקָּרֵא עוֹלָם הַזֶּה – עוֹלָם, בִּהְיוֹתוֹ קִבּוּץ גּוּפִים שְׁפָלִים אוֹ שְׁמֵימִיִּים בְּמָקוֹם אֶחָד, וְנִקְרָא עוֹלַם הַמַּלְאָכִים – עוֹלָם, בִּהְיוֹתוֹ גַּם הוּא קִבּוּץ מַלְאָכִים רַבִּים בְּמָקוֹם אֶחָד כְּפִי מַה שֶּׁשַּׁיָּךְ בָּם, וְעוֹלַם הַכִּסֵּא – עוֹלָם, בִּהְיוֹתוֹ קִבּוּץ כֹּחוֹת רַבִּים בְּמָקוֹם שֶׁשַּׁיָּךְ בָּם. אַךְ הַשְׁפָּעוֹתָיו יִתְבָּרַךְ הִנֵּה אֵינָן עֲצָמִים מְרֻבִּים וְנִמְצָאִים שׁוֹנִים כְּלָל, אֲבָל הַבְחָנוֹת הֵן, וְהֵן מִינֵי גִלּוּי אוֹר מִמֶּנּוּ יִתְבָּרַךְ,

categories discussed above. The middle blessing relates to the general sanctity of the day, causing it to be strengthened, shine forth and rule, thus enhancing and perfecting every detail of creation. We will speak of this further in a later section.[75]

[13] It is also necessary to realize that there are four general universes.[76]

The physical world consists of two parts, the astronomical and the terrestrial.[77] The astronomical is the realm of stars and planets, while the terrestrial is the earth that we live on. The two together are considered to be a single universe, namely the physical.

Above this is another universe, namely the world of angels.

Higher than this is still another universe, which is the world of the highest Forces discussed in the first section (1:5:1). This is the universe of the Throne.[78]

On a still higher level, we can speak of God's Influences in general. These consist of the revelations of His Light, from which all existence is derived and upon which it all depends, as discussed earlier (3:2:4). In figurative terms, these Influences in general can also be said to constitute a universe, and it is usually referred to as the Universe of Godly Essence.[79]

The term "universe" does not really apply to this highest domain, except in a figurative fashion. Each of the other three worlds, however, can properly be called a "universe."

The reason for this is that a universe is defined as a collection of many diverse entities and principles, divided and interrelated in various ways in a single conceptual space. This definition of universe applies to such an array whether its individual members are spiritual or physical.

The physical world is therefore considered a universe because it contains terrestrial and astronomical entities within a single concept of space. The same is true of the world of angels, since it is a collection of many angels in the conceptual space pertaining to them. The world of the Throne is also a universe, insofar as it contains numerous Forces in a similar conceptual space.

God's Influences, however, cannot be considered plural entities or diverse beings in any manner whatsoever. Rather, they are all

שֶׁאֵין עִנְיָנָם אֶלָּא מַה שֶׁהוּא יִתְבָּרֵךְ שְׁמוֹ נִמְצָא לִבְרִיּוֹתָיו וּמַשְׁפִּיעַ לָהֶם כְּפִי עִנְיְנֵיהֶם; אַךְ בִּהְיוֹת שֶׁנַּבְחִין בְּהַשְׁפָּעוֹת אֵלֶּה חִלּוּק סֵדֶר וְהַדְרָגָה כְּפִי מַה שֶּׁרָאוּי לַמְקַבְּלִים, שֶׁבָּם נִשְׁרָשִׁים חִלּוּקֵיהֶם, סִדְרֵיהֶם וְהַדְרָגוֹתֵיהֶם שֶׁל הַנִּמְצָאִים, כְּמוֹ שֶׁזָּכַרְנוּ בְּחֵלֶק שְׁלִישִׁי פֶּרֶק שֵׁנִי, עַל כֵּן נִקְרָא לִכְלָל כָּל זֶה עוֹלָם, וְנַחְשְׁבֵהוּ לְמַעְלָה מִכָּל הַשְּׁלֹשָׁה, כִּי לְפִי הַהַדְרָגָה כָּךְ הוּא, שֶׁהֲרֵי הַהִשְׁתַּלְשְׁלוּת כֻּלּוֹ עוֹלֶה בְּהַדְרָגָה זוֹ: הַמּוּחָשִׁים בַּמַּלְאָכִים, הַמַּלְאָכִים בְּמַה שֶׁעֲלֵיהֶם, דְּהַיְנוּ הַכִּסֵּא וּמַדְרֵגוֹתָיו, וְהַכִּסֵּא בְּהַשְׁפָּעוֹתָיו יִתְבָּרַךְ וּבְגִלּוּיֵי אוֹרוֹ, שֶׁהוּא הַשֹּׁרֶשׁ הָאֲמִתִּי לַכֹּל.

[יד] וְהִנֵּה עַל פִּי סֵדֶר זֶה נִתְקְנוּ חֶלְקֵי הַתְּפִלָּה, דְּהַיְנוּ שְׁלֹשָׁה חֲלָקִים בִּתְחִלָּה, לְתִקּוּן שְׁלֹשָׁה הָעוֹלָמוֹת: עוֹלָם הַזֶּה, עוֹלַם הַמַּלְאָכִים, עוֹלַם הַכִּסֵּא, וְזֶה, בְּקָרְבָּנוֹת, זְמִירוֹת, וּבִרְכוֹת קְרִיאַת שְׁמַע; אַחַר כָּךְ תְּפִלָּה מְעֻמָּד, וְהוּא כְּנֶגֶד עוֹלַם הָאֱלֹקוּת, לְהַמְשִׁיךְ הַהַשְׁפָּעוֹת לְפִי בְּחִינוֹתֵיהֶן, וְאַחַר כָּךְ שְׁלֹשָׁה חֲלָקִים אֲחֵרִים, לְהַמְשִׁיךְ מֶשֶׁךְ הַשֶּׁפַע לָעוֹלָמוֹת זֶה אַחַר זֶה לְבְסוֹף, וְהַיְנוּ קְדֻשָּׁה דְּסִדְרָא, שִׁיר הַלְוִיִּם, וְאֵין כֵּאלֹקֵינוּ; וְאַחַר כָּל זֶה עָלֵינוּ, וְהוּא לַחֲזֹר וּלְהַמְלִיךְ מַלְכוּתוֹ יִתְבָּרַךְ עַל כָּל הָעוֹלָמוֹת אַחַר שֶׁנִּתְבָּרְכוּ מִמֶּנּוּ.

[טו] וְהִנֵּה נִתְחַבְּרוּ לָזֶה עוֹד קְצָת עִנְיָנִים פְּרָטִיִּים לְעוֹרֵר הָרַחֲמִים וּלְהַרְבּוֹת הַבְּרָכָה, וּמִכְּלָל זֶה: עִנְיַן הַוִּדּוּי, הַזְכָּרַת הַשְּׁלֹשׁ עֶשְׂרֵה הַמִּדּוֹת, וּנְפִילַת אַפַּיִם. וְהַיְנוּ כִּי הַוִּדּוּי הוּא לִסְתֹּם פִּי הַמְקַטְרְגִים, וְלֹא יִגְרְמוּ לוֹ שֶׁתִּדָּחֶה תְּפִלָּתוֹ חַס וְשָׁלוֹם; הַזְכָּרַת הַשְּׁלֹשׁ עֶשְׂרֵה מִדּוֹת, זֶה כֹּחָם שֶׁיִּתְפֹּס הָאָדוֹן בָּרוּךְ הוּא בְּמִדַּת רַחֲמָנוּת, וּבִשְׁלִיטַת רוֹמְמוּתוֹ יַעֲבֹר עַל

distinctions and revelations of God's Light, differentiated only by the fact that God avails Himself to the various things that He created and influences them according to their various aspects. The only reason why these Influences comprise a "universe" is that division, order and sequence are distinguishable among these Influences according to what is appropriate for their recipients, which are the Roots of all divisions, orders and sequences, as discussed earlier (3:2:4).[80]

This "universe" is furthermore considered to be higher than the other three, following the general sequence. Creation as a whole thus follows this sequence: The physical depends on the angels, and the angels on that which is above them, namely the Throne and its steps. The Throne in turn is dependent on God's Influences and the revelations of His Light, which is the true Root of everything.

[14]   The four parts of the daily service follow this order. The first three thus rectify the lower three universes. The sacrificial readings (*Korbanos*) thus pertain to the physical world, the Biblical Praises (*Pesukey DeZimrah*) to the world of angels, and the *Sh'ma* and its blessings to the world of the Throne. This is followed by the Amidah, which pertains to the Universe of Godly Essence, transmitting the Influences of this world according to their various aspects.[81]

The Amidah is followed by three other prayers, which transmit a continuity of God's sustenance to the [three] worlds, one after the other. These are the *Kedushah* of the Order [in *U'Va LeTzion*],[82] the Levites' Psalm [for each day],[83] and "None is Like our God" (*En K'Elokenu*).[84] We conclude the service with *Alenu*, which [speaks of God's Kingdom, and thus] establishes His rule over all creation again after every part of it is blessed by God.[85]

[15]   Associated with this are three other prayers designated to arouse God's mercy and increase His blessing. These are the Confession,[86] the Thirteen Attributes, and the "falling on one's face" [in the *Tachanun*].

The purpose of the Confession is to prevent the Accusers from speaking out and causing the service to be cast aside.

We then recite the Thirteen Attributes [of Mercy] because they have the power to cause God to be grasped through His Attribute of

פֶּשַׁע, וְיָחֹן אַף בְּהֶעְדֵּר הַזְּכוּת; וּנְפִילַת אַפַּיִם אַף הִיא כְּנִיעָה גְּדוֹלָה לְפָנָיו יִתְבָּרַךְ, אֲשֶׁר כֹּחָהּ גָּדוֹל לְשֶׁתִּתְפַּיֵּס מִדַּת הַדִּין, וְיִכָּמְרוּ הָרַחֲמִים הַגְּדוֹלִים, וְיִהְיֶה הַשֶּׁפַע נִמְשָׁךְ בְּרִבּוּי וּבִרְוָחָה.

וְאוּלָם זֶה הוּא הַסֵּדֶר הַכּוֹלֵל שֶׁעָלָיו נוֹסְדָה הַתְּפִלָּה, וְיֵשׁ פְּרָטִים רַבִּים לִכְלָל זֶה, שֶׁבָּהֶם תְּלוּיִים פְּרָטֵי הַסֵּדֶר בַּמִּזְמוֹרִים וּבִשְׁאָר הַפְּסוּקִים שֶׁנִּתְקְנוּ כָּל דָּבָר בִּמְקוֹמוֹ.

[טז] וְצָרִיךְ שֶׁתֵּדַע, שֶׁהִנֵּה בְּסִדְרֵי הַהַנְהָגָה הַיּוֹם יִתְחַלֵּק לִשְׁנֵי חֲלָקִים: וְהוּא הַבֹּקֶר, וְאַחַר חֲצוֹת שֶׁהוּא בֵּין הָעַרְבַּיִם; וְגַם הַלַּיְלָה מִתְחַלֵּק לִשְׁנַיִם, וּכְמוֹ שֶׁזְּכַרְנוּ לְמַעְלָה; וְאָמְנָם בְּכֻלָּם צָרִיךְ שֶׁתִּמָּשֵׁךְ הֶאָרָה וְהַשְׁפָּעָה לָעוֹלָמוֹת כְּפִי בְּחִינַת חֵלֶק הַזְּמַן הַהוּא, וְעַל זֶה סִדְּרוּ הַתְּפִלּוֹת בְּמִנְיָנָם. וְהִנֵּה לִשְׁנֵי חֶלְקֵי הַיּוֹם תִּקְּנוּ תְּפִלַּת שַׁחֲרִית וּמִנְחָה; וְהִנֵּה בַּבֹּקֶר, שֶׁהוּא זְמַן הִתְחַדֵּשׁ הַשֶּׁפַע כְּפִי בְּחִינַת הַיּוֹם, תִּקְּנוּ הַסֵּדֶר בַּאֲרֻכָּה כְּפִי כָּל הַמִּצְטָרֵךְ, אַךְ לַחֵלֶק הַשֵּׁנִי שֶׁל הַיּוֹם שֶׁנִּמְשָׁךְ אַחַר הָרִאשׁוֹן לֹא יִצְטָרֵךְ אֶלָּא קְצָת הִשְׁתַּדְּלוּת, לְהַשְׁלָמַת הָעִנְיָן כְּפִי חֵלֶק הַזְּמַן הַהוּא, וּבַלַּיְלָה – לִהְיוֹת בְּעִנְיָן יוֹתֵר חִדּוּשׁ, מִפְּנֵי הִשְׁתַּנּוּת הַבְּחִינוֹת, דְּהַיְנוּ – בְּחִינַת הַלַּיְלָה, שֶׁהִיא יוֹתֵר מִתְחַלֶּפֶת מֵהַיּוֹם, מִמַּה שֶּׁהוּא בֵּין הָעַרְבַּיִם מֵהַבֹּקֶר, עַל כֵּן תִּקְּנוּ סֵדֶר יוֹתֵר בַּאֲרֻכָּה מִשֶּׁל מִנְחָה, וְהַיְנוּ – בְּבִרְכוֹת הַקְּרִיאַת שְׁמַע, אַךְ קָצָר מִשֶּׁל הַבֹּקֶר, כִּי עַל כָּל פָּנִים כְּבָר הַשֶּׁפַע נִמְשָׁךְ וּבָא מֵהַבֹּקֶר. וְאוּלָם לַחֵלֶק הַשֵּׁנִי שֶׁל הַלַּיְלָה לֹא קָבְעוּ סֵדֶר לַכֹּל, שֶׁלֹּא לְהַטְרִיחַ אֶת הַצִּבּוּר, אֲבָל הִנִּיחוּ הַדָּבָר לַחֲסִידִים

Mercy,[87] so that through His superior authority He should overlook sin and have compassion even when merit is lacking.[88]

The "falling on one's face" in Tachanun is also a high degree of self-subjugation before God. It therefore has the power to appease the Attribute of Justice and arouse great mercy. God's sustenance can then be transmitted with blessing and abundance.[89]

This is the general arrangement of the daily service. The precise order of Psalms, Biblical readings and other details depends on the details of what this service is meant to accomplish.

[16]   The order of the day is divided into two parts: first the morning and then the afternoon, which is called "between the evenings."[90] As discussed earlier, the night is also divided into two equal parts. In each of these [four] divisions, God's Illumination and Influence must be transmitted to all universes according to the aspect of that particular time of day.

It is for this reason that a fixed number of daily services were ordained. For the morning and afternoon, there are the *Shacharis* (morning) and *Minchah* (afternoon) services. Since the morning is the time when God's sustenance is renewed for the entire day as a whole, it requires a longer [more inclusive] prayer service. In the afternoon, on the other hand, only the latter portion of the day must be perfected, and therefore a lesser amount of effort is required. [The *Minchah* service is correspondingly the shortest of the day.]

The difference between night and day is greater than that between morning and afternoon, and nightfall therefore involves a greater conceptual change. It is for this reason that the *Ma'ariv* (evening) service is longer than *Minchah*. The *Ma'ariv* service also contains the *Sh'ma* and its blessings, but since the sustenance of the morning service is still retained, the blessings are much shorter.[91]

No universal service was ordained for the second part of the night, since this would unduly burden the community. A midnight service (*Tikun Chatzos*) exists, however, but it is only designated for the especially devout, who rise and cry out to God, each one according to his own understanding.[92]

309

שֶׁיָּקוּמוּ וִירַנְּנוּ כָּל אֶחָד כְּפִי יְדִיעָתוֹ; וּכְבָר אֲפִלּוּ תְּפִלַּת עַרְבִית עַצְמָהּ רְשׁוּת הָיְתָה, אֶלָּא "שֶׁקְּבָעוּהָ חוֹבָה" (רי״ף ברכות פ״ד), כָּל שֶׁכֵּן תִּקּוּן חֲצוֹת הַלַּיְלָה.

וְהִנֵּה תִּרְאֶה, כִּי הַשָּׁלשׁ תְּפִלּוֹת-אָבוֹת תִּקְנוּם, וּמִצַּד זֶה מֻטָּל עַל כָּל יִשְׂרָאֵל לְסַדְּרָן, וְאוּלָם תִּקּוּן חֲצִי הַלַּיְלָה הָאַחֲרוֹנָה דָּוִד נִזְדָּרֵז בּוֹ, וּכְמוֹ שֶׁזָּכַרְנוּ: "חֲצוֹת-לַיְלָה אָקוּם לְהוֹדוֹת לָךְ" (תהלים קיט), וְהוּא הַמַּשְׁלִים עִם הָאָבוֹת תִּקּוּנָם שֶׁל יִשְׂרָאֵל וּכְמוֹ שֶׁזָּכַרְנוּ לְמַעְלָה, אֲבָל לֹא נִקְבַּע הָעִנְיָן לְהַטִּילוֹ עַל כָּל יִשְׂרָאֵל, כִּי אִם עַל חֲסִידֵיהֶם, לִהְיוֹתוֹ בְּמַדְרֵגָה קְצָת לְמַטָּה מִן הָאָבוֹת.

[יז] וְהִנֵּה, בִּימֵי הַקֹּדֶשׁ נוֹסֶפֶת תְּפִלָּה, כְּנֶגֶד קָרְבַּן הַמּוּסָף, וְהִיא בִּבְחִינַת הַשֶּׁפַע הַנּוֹסָף בַּיּוֹם הַהוּא כְּפִי בְּחִינַת קְדֻשָּׁתוֹ וְעִנְיָנוֹ.

The evening Amidah itself was not compulsory, even though it was later accepted as an obligation.[93] The Midnight Service (*Tikun Chatzos*) is therefore certainly not compulsory.

The three main daily services were ordained by the Patriarchs, and are therefore a universal obligation for every Jew.[94]

The Midnight Service, on the other hand, which rectifies the second half of the night, was something that King David voluntarily accepted upon himself, and he thus sang (*Psalms* 119:62), "At midnight I will rise, to give thanks to You." Together with the Patriarchs, King David thus completed the rectification of Israel, as discussed above. Because David was on a somewhat lower level than Abraham, Isaac and Jacob, however, the service that he ordained did not become a universal obligation. It is therefore upheld only by the particularly devout.

[17]   On the holy days, a [*Musaf*] prayer is added in place of the Additional (*Musaf*) Sacrifice that was offered on these days.[95] This is related to the additional sustenance that is granted on such days, according to their holiness and other aspects.

הָעֲבוֹדָה הַזְּמַנִּית

[א] הָעֲבוֹדָה הַזְּמַנִּית הִיא מַה שֶּׁנִּתְחַיַּבְנוּ בוֹ בִּזְמַנִּים יְדוּעִים, וּפְרָטָם: שְׁבִיתַת הַשַּׁבָּת וּקְדֻשָּׁתוֹ, שְׁבִיתַת הֶעָשׂוֹר וְעִנּוּיָיו, שְׁבִיתַת הַיּוֹם טוֹב וּקְדֻשָּׁתוֹ, חֻלּוֹ שֶׁל מוֹעֵד, הֶחָמֵץ וְהַמַּצָּה בִּזְמַנָּם, שׁוֹפָר בִּזְמַנּוֹ, סֻכָּה וְלוּלָב בִּזְמַנָּם, רֹאשׁ חֹדֶשׁ, חֲנֻכָּה, וּפוּרִים. וְעַתָּה נְבָאֵר עִנְיָנָם.

[ב] עִנְיַן הַשַּׁבָּת בִּכְלָלוֹ, הוּא, כִּי הִנֵּה, כְּבָר בֵּאַרְנוּ לְמַעְלָה שֶׁעִנְיַן הָעוֹלָם הַזֶּה נוֹתֵן שֶׁיִּהְיוּ הַדְּבָרִים בּוֹ חֹל וְלֹא קֹדֶשׁ, אָמְנָם הֻצְרַךְ גַּם כֵּן שֶׁמִּצַּד אַחֵר יִנָּתֵן קְצָת קִדּוּשׁ לַבְּרוּאִים, כְּדֵי שֶׁלֹּא יִגְבַּר בָּם הַחֹשֶׁךְ יוֹתֵר מִדַּי, וְהִנֵּה שִׁעֲרָה הַחָכְמָה הָעֶלְיוֹנָה אֶת כָּל זֶה בְּתַכְלִית הַדִּקְדּוּק, בְּאֵיזוֹ מַדְרֵגָה צָרִיךְ שֶׁיִּהְיֶה הַחֹל, וּבְאֵיזוֹ מַדְרֵגָה הַקִּדּוּשׁ הַנּוֹסָף הַזֶּה, וְהִגְבִּילָה לְכָל זֶה הַגְּבוּלִים הַנָּאוֹתִים, בִּבְחִינַת הַכַּמּוּת וְהָאֵיכוּת, הַמָּקוֹם וְהַזְּמַן, וְכָל הַהַבְחָנוֹת שֶׁיֵּשׁ לִבְחֹן בַּנִּמְצָאוֹת.

וְאוּלָם בִּבְחִינַת הַזְּמַן סִדְּרָה עִנְיַן הַיָּמִים שֶׁל חֹל וְשֶׁל קֹדֶשׁ, וּבִימֵי הַקֹּדֶשׁ עַצְמָם מַדְרֵגוֹת זוֹ לְמַעְלָה מִזּוֹ כְּפִי הַנָּאוֹת, וְהִנֵּה סִדְּרָה שֶׁרֹב הַיָּמִים יִהְיֶה חֹל, וְלֹא יִהְיֶה קֹדֶשׁ אֶלָּא הַשִּׁעוּר הַמִּצְטָרֵךְ.

וְאוּלָם גָּזְרָה שֶׁיִּהְיוּ הַיָּמִים כֻּלָּם מִתְגַּלְגְּלִים בְּשִׁעוּר מִסְפָּר

IV CHAPTER 7

Periodic Observances

[1] Periodic devotion includes all the commandments associated with particular days of the year. These include the observance and sanctification of the Sabbath, the observance and fast of Yom Kippur, the observance and sanctification of the festivals and their intermediate days (*Chol HaMoed*), *Chametz* (leaven) and Matzah on Passover, the Shofar on Rosh HaShanah, the Succah and Lulav on Succos, the New Moon (*Rosh Chodesh*), Chanukah, and Purim. We will discuss the significance of each one of these.

[2] The general significance of the Sabbath is based on the fact that the world contains aspects that are worldly and not holy, as discussed earlier.[96] It was therefore necessary that man be given some sanctification so as not to be unduly overcome by this spiritual darkness.

The Highest Wisdom determined with the utmost precision the level necessary for the worldly as well as that required for this additional sanctity. God delineated this within appropriate boundaries, both quantitatively and qualitatively, with regard to time, place and other considerations.

The concept of time was therefore arranged so that it should contain days of worldliness and days of holiness. The holy days themselves were set on various appropriate levels. It was further ordained that the majority of days be worldly, and only the necessary number, holy.

It was furthermore decreed that days be set up in a constantly

אֶחָד, שֶׁיְּסוֹבֵב בַּזְּמַן כֻּלּוֹ בְּסִבּוּב, וְהוּא מִסְפַּר הַשִּׁבְעָה יָמִים, וְזֶה, כִּי הִנֵּה בָם נִבְרָא הַמְּצִיאוּת כֻּלּוֹ, וְנִכְלַל כָּל הֲוָיָתוֹ בְּמִסְפָּר זֶה, וְנִמְצָא מִסְפָּר זֶה מַה שֶּׁרָאוּי שֶׁיִּקָּרֵא שִׁעוּר שָׁלֵם, כֵּיוָן שֶׁכָּלוֹ הֻצְרַךְ לַהֲוָיַת כָּל הַמְּצִיאוּת, וְיוֹתֵר מִזֶּה לֹא הֻצְרַךְ כְּלָל, כִּי כְבָר נִגְמְרָה בּוֹ כָּל הַהֲוָיָה. אָמְנָם יִהְיֶה מִסְפָּר זֶה מִתְגַּלְגֵּל וְהוֹלֵךְ, וְחוֹזֵר בִּסְבוּבָיו עַד סוֹף כָּל הַשֵּׁשֶׁת אֲלָפִים. וְלֹא עוֹד, אֶלָּא שֶׁיְּמוֹת כָּל הָעוֹלָם כֻּלּוֹ גַּם הֵם יִשְׁמְרוּ הַשִּׁעוּר הַזֶּה בַּכַּמּוּת הַגָּדוֹל, וְהַיְנוּ שֵׁשֶׁת אֲלָפִים וְאֶלֶף מְנוּחָה, וְאַחַר כָּךְ תִּתְחַדֵּשׁ הַהֲוָיָה לַמְּצִיאוּת בְּסֵדֶר אַחֵר כְּפִי גְּזֵרַת הַחָכְמָה הָעֶלְיוֹנָה. וְהִנֵּה, כַּוָּנָה שֶׁסּוֹף הַסִּבּוּב יִהְיֶה תָּמִיד בַּקֹּדֶשׁ, וְנִמְצָא זֶה עִלּוּי גָּדוֹל לְכָל הַיָּמִים, שֶׁאַף עַל פִּי שֶׁרֻבָּם חֹל וְרַק חֵלֶק אֶחָד מִשֶּׁבַע הוּא הַקֹּדֶשׁ, וְהוּא מַה שֶּׁמִּצְטָרֵךְ לָעוֹלָם הַזֶּה כְּמוֹ שֶׁזָּכַרְנוּ, אָמְנָם מִצַּד אַחֵר בִּהְיוֹת הַחֵלֶק הַזֶּה סוֹף הַסִּבּוּב וְחִתּוּמוֹ, נִמְצָא הַסִּבּוּב כֻּלּוֹ נִתְקָן וּמִתְעַלֶּה עַל יְדֵי זֶה, עַד שֶׁנִּמְצָאִים כָּל יְמוֹת הָאָדָם מִתְקַדְּשִׁים.

וְהִנֵּה זוֹ מַתָּנָה גְדוֹלָה שֶׁנָּתַן הַקָּדוֹשׁ בָּרוּךְ הוּא לְיִשְׂרָאֵל, לִהְיוֹת שֶׁרָצָה שֶׁיִּהְיוּ לוֹ עַם קָדוֹשׁ, וְלֹא נְתָנָהּ לִשְׁאָר הָאֻמּוֹת כְּלָל, שֶׁאֵין הַמַּעֲלָה הַזֹּאת רְאוּיָה וְלֹא מְיֻעֶדֶת לָהֶם.

[ג] וְאָמְנָם כְּפִי הַמַּעֲלָה הַזֹּאת שֶׁמַּשִּׂיגִים יִשְׂרָאֵל בְּיוֹם זֶה כֵּן רָאוּי שֶׁיִּהְיֶה הִתְנַהֲגָם בּוֹ. וְאוּלָם הִנֵּה הָעֵסֶק בָּעוֹלָם כְּבָר בֵּאַרְנוּ לְמַעְלָה שֶׁהוּא מִמָּה שֶּׁמְּקַשֵּׁר הָאָדָם בַּחָמְרִיּוּת, וּמַשְׁפִּיל עִנְיָנוֹ, וּמוֹרִידוֹ מִן הַמַּעֲלָה וְהַיְקָר שֶׁהָיָה רָאוּי לוֹ, וּמִזֶּה צָרִיךְ שֶׁיִּנָּתֵק בְּשַׁבָּת, כֵּיוָן שֶׁמִּתְעַלֶּה עִנְיָנוֹ מִמָּה שֶׁהוּא בְּחֹל, וְיִהְיֶה מַחֲזִיק עַצְמוֹ בָּעֵרֶךְ הָרָאוּי לַמַּעֲלָה הַזֹּאת.

וְאָמְנָם, לְהִנָּתֵק לְגַמְרֵי מִן הַגּוּפָנִיּוּת וְעִסְקוֹ אִי אֶפְשָׁר, שֶׁעַל כָּל פָּנִים בָּעוֹלָם הַזֶּה הוּא, וְקִשּׁוּרֵי הַגּוּפָנִיּוּת עָלָיו, אֲבָל שִׁעֲרָה הַחָכְמָה הָעֶלְיוֹנָה הַמַּדְרֵגָה שֶׁרָאוּי שֶׁיִּנָּתֵק מִן הַגּוּפָנִיּוּת,

repeating cycle, consisting of a specific number of days. The designated number was seven, since all existence was created in seven days, and therefore every element of its being is included in this number. It is thus appropriate that this number of days be considered a complete cycle. This cycle then contains everything necessary for creation as a whole, and no more is required, since all existence was completed within a single phase of this cycle.

This cycle then constantly repeats itself, until the end of the six thousand [years, which constitute the sum total of all human history].

This cycle, on a larger scale, also exists for the entire scope of human history. Existence is divided into an initial six thousand years followed by a thousand years of "rest." At the end of this cycle, all existence will be renewed in a new system, as decreed by the Highest Wisdom.

It was determined that the end of each cycle be holy, and this elevates all the other days. Even though all the others are worldly, and only every seventh one is holy, this is the necessary amount mentioned above.

In another respect, however, the fact that this holy day is the end and seal of each cycle rectifies and elevates the entire cycle as a whole. In this manner, all of man's days are made holy.[97]

This was a great gift that God gave to Israel because He desired that it be His holy nation. It was not given to any other nation, since its benefits were neither appropriate nor appointed for them.[98]

[3] It is appropriate that on this day the Jew should behave in a manner befitting the benefit it bestows.

Man's involvement in the worldly is a result of the fact that he is bound to the physical, as discussed earlier.[99] This lowers man and brings him down from his appropriate elevation and excellence. Since man is elevated above this weekday status on the Sabbath, all worldly involvement must also be diminished. As a result of this, man is then able to adequately strengthen himself to receive this benefit.

As long as man is in this world and bound to his physical body, it is impossible that he abolish his worldly involvement completely. The Highest Wisdom decreed, however, the appropriate degree of his disinvolvement, as well as the degree to which he must remain

וְהַמַּדְרֵגָה שֶׁצָּרִיךְ שֶׁיִּשָּׁאֵר בָּהּ, וְהַמַּדְרֵגָה שֶׁרָאוּי שֶׁיִּנָּתֵק צִוְּתָה לוֹ שֶׁיִּנָּתֵק וְהִזְהִירָה שֶׁלֹּא יֶחְדַּל מִלְּהִנָּתֵק, וְזֶה כְּלַל הַמְּלָאכוֹת כֻּלָּן שֶׁנֶּאֶסְרוּ בְּשַׁבָּת.

[ד] וּמִלְּבַד מַה שֶּׁנֶּאֱסַר שֶׁלֹּא לִפְגֹּם בִּכְבוֹד הַקֹּדֶשׁ הַנִּשְׁפָּע בְּיוֹם זֶה כְּמוֹ שֶׁזָּכַרְנוּ, עוֹד נִצְטַוִּינוּ לְכַבֵּד הַקְּדֻשָּׁה הַזֹּאת הַנִּשְׁפַּעַת, וְהוּא כְּלַל עֹנֶג הַשַּׁבָּת וּכְבוֹדוֹ, בְּבוֹאוֹ וּבְצֵאתוֹ, בְּקִדּוּשׁ וּבְהַבְדָּלָה, וּשְׁאָר כָּל פְּרָטָיו, כֻּלָּם עִנְיָנִים נוֹסָדִים בִּכְלָלָם עַל הַיְסוֹד הַזֶּה, שֶׁהוּא לִשְׁמֹר אֶת עַצְמֵנוּ בָּעֵרֶךְ הָרָאוּי לַקְּדֻשָּׁה הַנִּשְׁפַּעַת לָנוּ, וּלְכַבֵּד הַמַּעֲלָה הַזֹּאת וְלִיַּקְּרָהּ, לִכְבוֹד עִנְיָנָהּ, שֶׁהוּא-קִרְבָה גְּדוֹלָה אֵלָיו יִתְבָּרַךְ וּדְבֵקוּת גָּדוֹל בּוֹ, וְלִכְבוֹד נוֹתְנָהּ יִתְבָּרַךְ שֶׁנָּתַן לָנוּ מַתָּנָה גְּדוֹלָה כָּזוֹ. וּפְרָטֵי הָעִנְיָנִים מְכֻוָּנִים אֶל פְּרָטֵי הַקְּדֻשָּׁה הַזֹּאת וּבְחִינוֹתֶיהָ, דְּרָכֶיהָ וְתוֹלְדוֹתֶיהָ, כְּפִי מַה שֶּׁהֵם בֶּאֱמֶת.

[ה] וְאָמְנָם, גָּזְרָה הַחָכְמָה הָעֶלְיוֹנָה לְהוֹסִיף לְיִשְׂרָאֵל קִדּוּשׁ עַל קִדּוּשׁ, וְנָתְנָה לָהֶם יְמֵי קֹדֶשׁ מִלְּבַד הַשַּׁבָּת, שֶׁבָּהֶם יְקַבְּלוּ יִשְׂרָאֵל מַדְרֵגוֹת מִמַּדְרֵגוֹת הַקִּדּוּשׁ, אָמְנָם כֻּלָּם לְמַטָּה מִמַּדְרֵגַת הַשַּׁבָּת, הַשְׁפָּעָתוֹ וְקִדּוּשׁוֹ.

וְהִנֵּה, כְּפִי מַדְרֵגַת הַשְׁפָּעָתָם שֶׁל הַיָּמִים הָאֵלֶּה כֵּן הֻצְרַכְנוּ לְנָתֵק מִן הָעֵסֶק הָעוֹלָמִי, וּכְפִי זֶה אִסּוּר הַמְּלָאכוֹת בָּהֶם, וְהַיְנוּ יוֹם הַכִּפּוּרִים לְמַעְלָה מִכֻּלָּם, וְאַחֲרֵיהֶם יָמִים טוֹבִים, וְאַחֲרֵיהֶם חֻלּוֹ שֶׁל מוֹעֵד, וְאַחֲרֵיהֶם רֹאשׁ חֹדֶשׁ, וְאֵין בּוֹ בִּטּוּל מְלָאכָה אֶלָּא לַנָּשִׁים, וְאַחַר כָּל זֶה חֲנֻכָּה וּפוּרִים, שֶׁאֵין בָּהֶם בִּטּוּל מְלָאכָה, אֶלָּא הוֹדָאָה בַּחֲנֻכָּה, וְשִׂמְחָה גַּם כֵּן בְּפוּרִים, וְכָל זֶה כְּפִי עֵרֶךְ הַשֶּׁפַע הַנִּשְׁפָּע וְהָאוֹר הַמֵּאִיר הַהוּא.

[ו] וְאוּלָם מִלְּבַד הַקִּדּוּשׁ הַזֶּה, הַנִּשְׁעָר בְּמַדְרֵגוֹתָיו כְּפִי מַדְרֵגַת

involved with the physical world. Man was then commanded to renounce the appropriate amount and forbidden to discontinue this renouncement [on the appropriate days]. This is the overall significance of the types of activity that are forbidden on the Sabbath.[100]

[4] Besides the fact that we are forbidden to blemish the holy Glory that is transmitted on the Sabbath, we are also commanded to honor its holiness. This includes such observances as Sabbath delight (*Oneg Shabbos*), as well as honoring its arrival with *Kiddush* and its departure with *Havdalah.*

These and other details are all based on the general principle that we must adequately ready ourselves for the holiness granted to us, as well as honor and value its benefit. We do this out of respect for the great closeness and attachment to God that results from the Sabbath, as well as esteem for the One who gave it for granting us such a great gift. The details of its observance then follow from the particulars of this holiness, as well as the true nature of its procedures and results.

[5] The Highest Wisdom also decreed to give Israel additional sanctity by granting them holy days other than the Sabbath, when the Jew receives various levels of holiness. None of these holy days, however, have as much influence and sanctity as the Sabbath.

The degree to which a person must abstain from worldly occupations on these days depends on the level of their influence. Various types of work are therefore forbidden on many of these days. Yom Kippur is the highest of these holy days, and therefore the prohibition against work is the most severe. Below this are the other festivals, and on a still lower level, their intermediate days (*Chol HaMoed*). Lower yet is the New Moon (*Rosh Chodesh*), when only women abstain from work.[101] Finally, there are Chanukah and Purim, when work is not curtailed at all. On Chanukah thanks are offered, and in addition to this, Purim is a time of joy. All these levels depend on the particular sustenance granted, as well as the Light that shines on each particular day.

[6] Besides the sanctification that exists to various degrees depend-

קְדֻשַּׁת הַיָּמִים, יֵשׁ עוֹד עִנְיָנִים פְּרָטִיִּים, מְיֻחָדִים לְכָל זְמַן מִזְּמַנִּים אֵלֶּה כְּפִי עִנְיָנוֹ; וְשֹׁרֶשׁ כֻּלָּם הוּא סֵדֶר שֶׁסִּדְּרָה הַחָכְמָה הָעֶלְיוֹנָה, שֶׁכָּל תִּקּוּן שֶׁנִּתְקַן וְאוֹר גָּדוֹל שֶׁהֵאִיר בִּזְמַן מֵהַזְּמַנִּים, בְּשׁוּב תְּקוּפַת הַזְּמַן הַהוּא, יָאִיר עָלֵינוּ אוֹר מֵעֵין הָאוֹר הָרִאשׁוֹן, וְתִתְחַדֵּשׁ תּוֹלֶדֶת הַתִּקּוּן הַהוּא בְּמִי שֶׁקִּבְּלוֹ.

וְהִנֵּה עַל פִּי זֶה נִצְטַוֵּינוּ בְּחַג הַפֶּסַח, בְּכָל הָעִנְיָנִים שֶׁנִּצְטַוֵּינוּ, לְזֵכֶר יְצִיאַת מִצְרַיִם; כִּי בִּהְיוֹת הַתִּקּוּן הַהוּא תִּקּוּן גָּדוֹל מְאֹד שֶׁנִּתְקַנּוּ בוֹ, וּכְמוֹ שֶׁזָּכַרְנוּ לְמַעְלָה, הֻקְבַּע שֶׁבְּשׁוּב תְּקוּפַת הַזְּמַן הַהוּא יָאִיר עָלֵינוּ אוֹר מֵעֵין הָאוֹר שֶׁהֵאִיר אָז, וְתִתְחַדֵּשׁ בָּנוּ תּוֹלֶדֶת אוֹתוֹ הַתִּקּוּן, וְעַל כֵּן נִתְחַיַּבְנוּ בְּאוֹתָם הָעִנְיָנִים כֻּלָּם.

וְעַל דֶּרֶךְ זֶה חַג הַשָּׁבוּעוֹת לְמַתַּן הַתּוֹרָה; וְחַג הַסֻּכּוֹת לְעִנְיַן עַנְנֵי הַכָּבוֹד – אַף עַל פִּי שֶׁאֵינוֹ אוֹתוֹ הַזְּמַן בִּפְרָט, אֶלָּא שֶׁקָּבְעָה הַתּוֹרָה חַג זֶה לְזִכְרוֹן עִנְיָן זֶה, וּכְמוֹ שֶׁכָּתוּב: ״כִּי בַסֻּכּוֹת הוֹשַׁבְתִּי״ וְכוּ׳; וְכֵן חֲנֻכָּה, וְכֵן פּוּרִים.

וְעַל דֶּרֶךְ זֶה הָיוּ כָּל יְמֵי מְגִלַּת תַּעֲנִית (שבת יג), אֶלָּא שֶׁנִּתְבַּטְּלוּ מִפְּנֵי שֶׁלֹּא הָיוּ יִשְׂרָאֵל יְכוֹלִים לַעֲמֹד בָּהֶם, וְנִפְטְרוּ מִהְיוֹת עוֹשִׂים זֵכֶר לָהֶם לְהִתְעוֹרְרוּת אוֹר הַמֵּאִיר. וְעַתָּה נְבָאֵר הַמִּצְווֹת הָאֵלֶּה בִּפְנֵי עַצְמָן.

ing on the holiness of each particular day, there is another concept that is specific to each one.

On each of these special days, something happened whereby at this time a great rectification was accomplished and a great Light shone. The Highest Wisdom decreed that on every anniversary of this period, a counterpart of its original Light should shine forth, and the results of its rectification renewed to those who accept it.

We are therefore commanded to observe the Passover with all its rituals to recall the Exodus. At the time of the Exodus, we experienced an extremely great rectification, and therefore, on the anniversary of this event, there shines forth a Light that parallels the one that illuminated us then. Since the results of that rectification are renewed in us, we are obliged to keep all these rituals.

Shavuos likewise involves a great rectification, since it is the time when the Torah was given.

Succos involves the Clouds of Glory, as it is written (*Leviticus* 23:43), "That future generations may know that I made the children of Israel dwell in Succos. . . ."[102] Even though this is not celebrated on the anniversary of the Exodus, the Torah set a time that is appropriate for its commemoration.[103]

Chanukah and Purim also involve this same concept. The same is true of the days mentioned in the Scroll of Fasts (*Megillas Taanis*).[104] These were annulled, however, because the Jews could not abide by them, and were therefore exempted from commemorating them to stimulate their original light.[105]

We will now explain each of these observances separately.

ד פרק שמיני

בְּמִצְווֹת הַזְּמַנִּים

[א] עִנְיַן הֶחָמֵץ וְהַמַּצָּה הוּא, כִּי הִנֵּה עַד יְצִיאַת מִצְרַיִם הָיוּ יִשְׂרָאֵל מְעֹרָבִים בִּשְׁאָר הָאֻמּוֹת גּוֹי בְּקֶרֶב גּוֹי, וּבִיצִיאָתָם נִגְאֲלוּ וְנִבְדָּלוּ.

וְהִנֵּה עַד אוֹתוֹ הַזְּמַן הָיוּ כָּל בְּחִינוֹת גּוּפוֹת בְּנֵי הָאָדָם חֲשׁוּכוֹת בְּחֹשֶׁךְ וְזֻהֲמָא שֶׁהָיָה מִתְגַּבֵּר עֲלֵיהֶם, וּבִיצִיאָה נִבְדְּלוּ יִשְׂרָאֵל, וְנִמְצְאוּ גוּפוֹתָם לְטָהֵר וּלְהִזְדַּמֵּן לַתּוֹרָה וְלָעֲבוֹדָה; וּלְעִנְיָן זֶה נִצְטַוּוּ בְּהַשְׁבָּתַת הֶחָמֵץ וַאֲכִילַת הַמַּצָּה. וְהַיְנוּ – כִּי הִנֵּה הַלֶּחֶם שֶׁהוּכַן לִמְזוֹן הָאָדָם הוּא מִשְׁתַּוֶּה בֶּאֱמֶת אֶל הַמַּצָּב הַנִּרְצֶה בָּאָדָם, וְעִנְיַן הַחִמּוּץ שֶׁהוּא דָּבָר טִבְעִי בַּלֶּחֶם לְשֶׁיִּהְיֶה קַל הָעִכּוּל וְטוֹב הַטַּעַם, הִנֵּה גַּם הוּא נִמְשָׁךְ לְפִי הַחֹק הָרָאוּי בָּאָדָם, שֶׁגַּם הוּא צָרִיךְ שֶׁיִּהְיֶה בּוֹ הַיֵּצֶר הָרַע וְהַנְּטִיָּה הַחָמְרִית; אָמְנָם לִזְמַן מְיֻחָד וּמִשַּׁעַר הֻצְרְכוּ יִשְׂרָאֵל לְהִמָּנַע מִן הֶחָמֵץ וְלָזוּן מִמַּצָּה, לִהְיוֹת מְמַעֲטִים בְּעַצְמָם כֹּחַ הַיֵּצֶר הָרַע וְהַנְּטִיָּה חָמְרִית, וּלְהַגְבִּיר בְּעַצְמָם הַהִתְקָרְבוּת אֶל הָרוּחָנִיּוּת; וְאוּלָם שֶׁיִּזּוֹנוּ כָּךְ תָּמִיד אִי אֶפְשָׁר, כִּי אֵין זֶה הַנִּרְצֶה בָּעוֹלָם הַזֶּה, אַךְ הַיָּמִים הַמְשֻׁעָרִים לָזֶה רָאוּי שֶׁיִּשְׁמְרוּ

IV CHAPTER 8

Seasonal Commandments

[1] The significance of Matzah is related to the Exodus from Egypt.

Until the Exodus, Israel was assimilated among other peoples, one nation in the midst of another.[106] With the Exodus, they were redeemed and separated.

Until that time, every aspect of the human being was darkened by the spiritual opaqueness and pollution that overcame it. With the Exodus, the Jews were set aside so that they would have the opportunity to purify their bodies and prepare themselves for the Torah and for dedication to God. In order for this to be possible, they were commanded to rid themselves of leaven and eat Matzah.

Bread is designated as man's primary food, and it is therefore precisely what is required by the state that God desired for man in this world. Leaven is a natural element of bread, making it more digestible and flavorous. This also is a result of man's appropriate nature, since he must have an Evil Urge (*Yetzer HaRa*) and an inclination toward the physical.

At a particular determined time, however, Israel was required to abstain from leaven, and be nourished by Matzah, which is unleavened bread. This reduced the strength of each individual's Evil Urge and inclination toward the physical, thus enhancing his closeness to the spiritual.[107]

It would be impossible, however, for man to constantly nourish himself in this manner, since this is not the state desired for him in this world. This practice is therefore observed only on certain designated

זֶה הָעִנְיָן, שֶׁעַל יְדֵי זֶה יַעַמְדוּ בַּמַּדְרֵגָה הָרְאוּיָה לָהֶם; וְהִנֵּה זֶה עִקַּר עִנְיָנוֹ שֶׁל חַג הַמַּצּוֹת.

וּשְׁאָר מִצְוֹות הַלַּיְלָה הָרִאשׁוֹנָה כֻּלָּם עִנְיָנִים פְּרָטִיִּים, מְקַבִּילִים לִפְרָטֵי הַגְּאֻלָּה הַהִיא.

[כ] עִנְיַן הַסֻּכָּה וְהַלּוּלָב הוּא, כִּי הִנֵּה עֲנָנֵי הַכָּבוֹד שֶׁהִקִּיף הַקָּדוֹשׁ בָּרוּךְ הוּא אֶת יִשְׂרָאֵל, מִלְּבַד תּוֹעַלְתָּם בְּגַשְׁמִיּוּת, שֶׁהָיָה לְסַכֵּךְ עֲלֵיהֶם וּלְהָגֵן בַּעֲדָם, עוֹד הָיְתָה תּוֹלָדָה גְדוֹלָה נוֹלֶדֶת מֵהֶם בְּדַרְכֵי הָרוּחָנִיּוּת, וְהוּא כְּמוֹ שֶׁעַל יְדֵי הָעֲנָנִים הָהֵם הָיוּ נִמְצָאִים יִשְׂרָאֵל מֻבְדָּלִים לְבַדָּם וּנְשׂוּאִים מִן הָאָרֶץ, כֵּן הָיָה נִמְשָׁךְ לָהֶם מְצִיאוּת הֶאָרָה הַמְּשַׁכֶּנֶת אוֹתָם לְבַד, נִבְדָּלִים מִכָּל הָעַמִּים, וּמְנֻשָּׂאִים וּמְנֻטָּלִים מִן הָעוֹלָם הַזֶּה עַצְמוֹ, וְעֶלְיוֹנִים מַמָּשׁ עַל כָּל גּוֹיֵי הָאָרֶץ; וְדָבָר זֶה נַעֲשָׂה בְּשַׁעְתּוֹ לְיִשְׂרָאֵל, לְהַגִּיעָם אֶל הַמַּעֲלָה הָעֶלְיוֹנָה הָרְאוּיָה לָהֶם, וְנִמְשֶׁכֶת תּוֹלַדְתּוֹ זֹאת לְכָל אֶחָד מִיִּשְׂרָאֵל לְדוֹר דּוֹרִים, שֶׁאָמְנָם אוֹר קְדֻשָּׁה נִמְשָׁךְ מִלְּפָנָיו יִתְבָּרַךְ וּמַקִּיף כָּל צַדִּיק מִיִּשְׂרָאֵל, וּמַבְדִּילוֹ מִכָּל שְׁאָר בְּנֵי הָאָדָם, וּמְנַשְּׂאוֹ לְמַעְלָה מֵהֶם, וּמְשִׂימוֹ עֶלְיוֹן עַל כֻּלָּם; וּמִתְחַדֵּשׁ דָּבָר זֶה בְּיִשְׂרָאֵל בְּחַג הַסֻּכּוֹת עַל יְדֵי הַסֻּכָּה.

וְאוֹר הַשֵּׁם בָּרוּךְ הוּא מֵאִיר עַל רֹאשָׁם שֶׁל יִשְׂרָאֵל וּמַעֲטִירָם, בְּאֹפֶן שֶׁתִּהְיֶה אֵימָתָם נוֹפֶלֶת עַל כָּל אוֹיְבֵיהֶם, עַל יְדֵי נְטִילַת הַלּוּלָב וּמִינָיו, וְהוּא מַה שֶּׁאָמַר הַכָּתוּב: "וְרָאוּ כָּל־עַמֵּי הָאָרֶץ כִּי שֵׁם ד׳ נִקְרָא עָלֶיךָ וְיָרְאוּ מִמֶּךָּ" (דברים כח, י). וּכְבָר הָיוּ מַשִּׂיגִים זֶה הָעִנְיָן בְּגִלּוּי מִיָּד, אִלּוּ לֹא הָיוּ הַחֲטָאִים מוֹנְעִים אוֹתוֹ, אָמְנָם עַל כָּל פָּנִים מִזְדַּמֵּן הַדָּבָר לָצֵאת לַפֹּעַל בִּזְמַנּוֹ. וְעַל יְדֵי פְּרָטִיּוּת מִצְוַת הַלּוּלָב, בִּנְעָנוּעָיו וְהַקָּפוֹתָיו, מִשְׁתַּלֵּם עִנְיָן זֶה, לְהִתְחַזֵּק שְׁלִיטַת הַשֵּׁם בָּרוּךְ הוּא עַל רֹאשָׁם שֶׁל יִשְׂרָאֵל, וּלְהַפִּיל אוֹיְבֵיהֶם לִפְנֵיהֶם וּלְהַכְנִיעָם תַּחְתָּם, עַד

days, when he must be on an appropriately higher level. This is the main concept of Passover as the Festival of Matzos.

The other rituals of the Seder night are also all details paralleling various particular aspects of the redemption from Egypt.

[2]   Succos observances in general are related to the Clouds of Glory.

Besides the physical benefit of providing shelter and protection, these Clouds also provided an important spiritual benefit. Just as these Clouds caused Israel to be set apart and elevated physically, they likewise were responsible for the transmission of the essence of Illumination that made them unique. As a result, they were differentiated from all peoples and literally elevated and removed from the physical world itself. Israel thus became the highest of all the nations of the world.

It was through these Clouds that Israel attained the high level that was meant for them. The result of this was then transmitted to every Jew for all generations. This is the Light of holiness, transmitted by God, which surrounds every righteous man of Israel, distinguishing him from all other individuals, and raising and elevating him above them all. This is the concept that is renewed every Succos through the Succah itself. [108]

The Light of God also shines over Israel and engulfs them in such a manner that when they take the Lulav and its associated species [109] their enemies are terrified of them. Regarding this, the Torah says (*Deuteronomy* 28:10), "All the nations of the earth shall see that God's Name is called upon you and they shall fear you."

This concept would have openly attained immediately if it were not prevented by sin. Nevertheless, however, it still exists [potentially], and will be translated into action at the appropriate time.

This concept is completed through the various observances associated with the Lulav, such as when we shake it and march around [the synagogue] with it. [110] God's Kingdom over Israel is strengthened, ultimately causing their enemies to fall and be subjugated before them, until they finally choose to be their slaves of

שֶׁהֵם בְּעַצְמָם יִבְחֲרוּ לִהְיוֹת לָהֶם לַעֲבָדִים; וְהוּא הָעִנְיָן שֶׁנֶּאֱמַר: "אַפַּיִם אֶרֶץ יִשְׁתַּחֲווּ לָךְ" וְכוּ' "וְהָלְכוּ אֵלַיִךְ שְׁחוֹחַ בְּנֵי מְעַנַּיִךְ" וְכוּ' (ישעיה מט, כג; ס, יד), כִּי כֻּלָּם יִשְׁתַּעְבְּדוּ לָהֶם וְיִשְׁתַּחֲווּ לָהֶם, לְקַבֵּל עַל יָדָם אוֹר מֵאוֹר הַשֵּׁם בָּרוּךְ הוּא הַשּׁוֹרֶה עֲלֵיהֶם; וְהִנֵּה תִּשְׁפַּל כָּל גַּאֲוָתָם וְיִכָּנְעוּ תַּחַת יִשְׂרָאֵל, וְיָשׁוּבוּ עַל יָדָם אֶל עֲבוֹדָתוֹ יִתְבָּרַךְ שְׁמוֹ; וְלָזֶה הוֹלֵךְ כָּל עִנְיַן הַלּוּלָב בִּפְרָטָיו וּכְמוֹ שֶׁזָּכַרְנוּ.

[ג] עִנְיַן חֲנֻכָּה וּפוּרִים הוּא לְהָאִיר הָאוֹר הַמֵּאִיר בַּיָּמִים הָהֵם, כְּפִי הַתִּקּוּנִים שֶׁנִּתְקְנוּ בָם. חֲנֻכָּה, בְּהִתְגַּבְּרֶת הַכֹּהֲנִים עַל הָרְשָׁעִים בְּנֵי יָוָן, שֶׁהָיוּ מִתְכַּוְּנִים לְהָסִיר יִשְׂרָאֵל מֵעֲבוֹדַת ד', וְנִתְחַזְּקוּ הַכֹּהֲנִים וְעַל יָדָם שָׁבוּ לַתּוֹרָה וְלַעֲבוֹדָה; וּבִפְרָט עִנְיַן הַמְּנוֹרָה לְפִי תִּקּוּנֶיהָ, שֶׁהָיוּ הַקִּטְרוּגִים נֶגֶד עִנְיָנָהּ, וְהֶחֱזִירוּהָ הַכֹּהֲנִים עַל בֻּרְיָהּ. וּפוּרִים, לְעִנְיַן הַצָּלָתָם שֶׁל יִשְׂרָאֵל בְּגָלוּת בָּבֶל, וַחֲזָרַת קַבָּלַת הַתּוֹרָה, שֶׁחָזְרוּ וְקִבְּלוּ עֲלֵיהֶם לְעוֹלָם, כְּמוֹ שֶׁאָמְרוּ חֲכָמֵינוּ זִכְרוֹנָם לִבְרָכָה: הֲדַר קַבְּלוּהָ בִּימֵי אֲחַשְׁוֵרוֹשׁ (שבת פח). וּפְרָטֵי הָעִנְיָנִים כְּפִי פְּרָטֵי הַתִּקּוּן.

[ד] אַךְ עִנְיַן הַשּׁוֹפָר בְּרֹאשׁ הַשָּׁנָה הוּא, כִּי הִנֵּה, בְּיוֹם זֶה הַקָּדוֹשׁ בָּרוּךְ הוּא דָן אֶת כָּל הָעוֹלָם כֻּלּוֹ, וּמְחַדֵּשׁ כָּל הַמְּצִיאוּת בִּבְחִינַת הַסִּבּוּב הֶחָדָשׁ, דְּהַיְנוּ הַשָּׁנָה הַחֲדָשָׁה, וְהִנֵּה נִסְדָּרִים הַסַּנְהֶדְרָאוֹת וְנֶעֱרָךְ הַדִּין עַל כָּל הַיְצוּר כְּפִי סִדְרֵי הַדִּין הָעֶלְיוֹן, וּכְמוֹ שֶׁזָּכַרְנוּ בְּחֵלֶק שֵׁנִי, וְהַקַּטֵּגוֹר מִזְדַּמֵּן לְקַטְרֵג כְּפִי עֲווֹנוֹתֵיהֶם שֶׁל בְּנֵי הָאָדָם, וְהִנֵּה צִוָּנוּ הַקָּדוֹשׁ בָּרוּךְ הוּא לִתְקֹעַ בְּשׁוֹפָר, וְהַכַּוָּנָה בּוֹ לְהַמְשִׁיךְ הַהַנְהָגָה בְּרַחֲמִים וְלֹא בְּתֹקֶף הַדִּין, וּלְעַרְבֵּב הַקַּטֵּגוֹר שֶׁלֹּא יְקַטְרֵג.

their own accord. This is the significance of such prophecies as (*Isaiah* 49:23), "With their faces to the earth, they will bow down to you . . ." and (*ibid.* 60:14), "The sons of those who persecuted you shall come to you bowing." All the nations will then be subjugated and bow down to Israel, and through the Jews they will partake of God's light that shines upon Israel. All their pride will be brought low, they will be humbled under Israel, and through the Jews they will return to God. This is the general significance of the Lulav and its details.

[3]   The significance of Chanukah and Purim is to bring forth the particular Light that shone at the time of their original miracles as a result of the rectification that they accomplished.

On Chanukah, the *Kohanim* (priests) prevailed over the wicked Hellenists, who wanted to dissuade Israel from serving God. These *Kohanim* overcame them, and thus brought all Israel back to Torah and devotion to God.[111] This especially involved the concept of the Menorah, since the Accusers were against what it stood for.[112] The *Kohanim*, however, were able to restore everything to its rightful state.

Purim involved Israel being saved from destruction during the Babylonian exile. As a result of this, they reconfirmed their acceptance of the Torah, this time taking it upon themselves forever. Our sages thus teach us that "they accepted the Torah once again in the days of Ahasuerus."[113]

The details of the observance of both these festivals are related to the particular rectification associated with them.

[4]   The significance of sounding the Shofar on Rosh HaShanah is related to the fact that on this day God judges all the world.[114]

On Rosh HaShanah, God renews all creation as part of a new cycle, namely a new year. Courts of justice are set up [on high] and all created beings brought to trial. This follows the system of the highest judgment explained in the second section (2:6:5).

At this time, the Prosecutor [or Satan] is prepared to accuse mankind for its sins. God therefore commanded us to sound the Shofar, in order to invoke a process of mercy, rather than one of

וְהִנֵּה כְּבָר בֵּאַרְנוּ בְּחֵלֶק שֵׁנִי, שֶׁכְּמוֹ שֶׁאֵין מִדַּת הַדִּין נוֹתֶנֶת שֶׁיַּגִּיעַ טוֹב לִבְנֵי הָאָדָם אִם לֹא יִזְכּוּ לוֹ, כֵּן מֵחֹק הַמִּשְׁפָּט עַצְמוֹ הוּא, בַּמַּעֲשִׂים מִן הַמַּעֲשִׂים שֶׁיַּעֲשׂוּ בְּנֵי הָאָדָם, בְּהִגָּמְלָם הַגְּמוּל – הָרָאוּי לָהֶם לְפִי עִנְיָנָם – שֶׁיִּנְהַג עִמָּהֶם בִּכְלַל דִּינָם בְּרַחֲמִים וּבְחֶמְלָה וְלֹא יְדַקְדֵּק עֲלֵיהֶם בְּדִקְדּוּק גָּמוּר, וּכְעִנְיַן מַה שֶּׁאָמְרוּ חֲכָמֵינוּ זִכְרוֹנָם לִבְרָכָה: "כָּל הַמַּעֲבִיר עַל מִדּוֹתָיו מַעֲבִירִין לוֹ עַל כָּל פְּשָׁעָיו" (ראש השנה יז), כִּי הֲרֵי זֶה מִדָּה כְּנֶגֶד מִדָּה, כְּמוֹ שֶׁהוּא מוּתָּר כָּךְ יְוַתְּרוּ לוֹ, וְנִמְצָא שֶׁמִּתְנַהֲגִים עִמּוֹ בְּרַחֲמִים וְזֶה עַצְמוֹ מִדַּת מִשְׁפָּט; וְאָמְנָם לֹא הַמַּעֲשֶׂה הַזֶּה לְבַד יִגָּמֵל עַל דֶּרֶךְ זֶה, אֲבָל כָּל מַעֲשֶׂה שֶׁתִּגְזֹר הַחָכְמָה הָעֶלְיוֹנָה עָלָיו הֱיוֹתוֹ רָאוּי לִגָּמֵל כָּךְ, יִגָּמֵל כָּךְ; וּמִכְּלַל זֶה מִצְוָה זוֹ שֶׁל תְּקִיעַת שׁוֹפָר, שֶׁנִּצְטַוּוּ בָהּ יִשְׂרָאֵל לִהְיוֹת מַמְשִׁיכִים עֲלֵיהֶם הַהַנְהָגָה בְּרַחֲמִים, וּכְשֶׁיִּשְׁמְרוּ אוֹתָהּ כָּרָאוּי זֶה יִהְיֶה הַפְּרִי שֶׁיִּלְקְטוּ מִמֶּנָּה.

וְאָמְנָם, פְּרַט הָעִנְיָן – הַיַּחַס אֲשֶׁר לִתְקִיעַת הַשּׁוֹפָר עִם הַמְשָׁכַת הָרַחֲמִים, תָּלוּי בְּשָׁרְשֵׁי הַהַנְהָגָה וִיסוֹדוֹתֶיהָ כְּפִי הַדְּבָרִים הָאֲמִתִּיִּים שֶׁלָּהּ, וְהַכַּוָּנָה בָזֶה בֶּאֱמֶת, לְעוֹרֵר אֲבוֹת הָעוֹלָם לְהִתְחַזֵּק בִּזְכוּתָם, לְעוֹרֵר אֶת הָרַחֲמִים, וּלְפַיֵּס מִדַּת הַדִּין, וּלְהַגְבִּיר הַטּוֹב עַל הָרָע, וְלִכְפּוֹת כֹּחוֹת הָרָע, וְלִטֹּל הַכֹּחַ מֵהַמְקַטְרְגִים, וּלְהִתְכַּוֵּן שֶׁיִּשְׁתַּמֵּשׁ הָאָדוֹן בָּרוּךְ הוּא מֵרוֹמְמוּתוֹ, לְהַנְהִיג בִּשְׁלִיטַת יִחוּדוֹ וְלַעֲבֹר עַל פֶּשַׁע, וְכָל זֶה עַל יְדֵי מִצְוָה זֹאת, כְּשֶׁתִּתְחַבֵּר עִמָּהּ תְּשׁוּבָתָם שֶׁל יִשְׂרָאֵל כָּרָאוּי. וּפְרָטֵי כָּל עִנְיָן זֶה, כְּפִי פְּרָטֵי הַתִּקּוּן בִּדְרָכָיו.

[ה] אָמְנָם עִנְיַן יוֹם הַכִּפּוּרִים הוּא, שֶׁהִנֵּה הֵכִין הָאָדוֹן בָּרוּךְ הוּא לְיִשְׂרָאֵל יוֹם אֶחָד, שֶׁבּוֹ תִּהְיֶה הַתְּשׁוּבָה קַלָּה לְהִתְקַבֵּל,

harsh judgment.[115] This in turn confounds the Prosecutor to such an extent that he is no longer able to accuse.[116]

As it has already been explained in the second section (2:8:11), the Attribute of Justice does not allow any good to come to an individual if he does not deserve it. This very rule of Justice, however, gives rise to the principle that certain deeds should have the power to abate strict justice. According to the fitting reward for their significance, various deeds cause a person to be judged with mercy and compassion, so that Justice is not totally exacting with them.

One such concept is included in the teaching, "When one disregards his own nature [and does not retaliate when another wrongs him], then [God] disregards all his sins."[117] This is also part of God's "measure for measure" judgment.[118] Just as this individual is forgiving toward others, God is also forgiving toward him. The heavenly courts thus act toward him with mercy, but this itself is ultimately a result of the Attribute of Justice.

This, however, is only one of a number of things that the Highest Wisdom decreed should be repaid in this manner. Another concept in this same category is the sounding of the Shofar. Israel was commanded to sound the Shofar [on Rosh HaShanah] in order to bring forth the process of Mercy, and when they observe it correctly it has this result. The details of how sounding the Shofar is related to the transmission of Mercy depend on the roots and foundations of the overall process, as well as the actual concepts contained in this observance.

The true significance of the Shofar is therefore to arouse the Fathers of the world,[119] to grasp hold of their merit, to satisfy the Attribute of Justice, to cause good to overwhelm evil, to humble the powers of evil, to remove power from the Prosecutor, and finally, to place ourselves in a position so that God should make use of His superiority and direct things with His sole authority to disregard sin.[120] All this is accomplished through the Shofar when it is properly accompanied by the repentance of all Israel. The details of this concept then depend on the various particulars of the manner in which it accomplishes this rectification.

[5]   The significance of Yom Kippur is that God set aside one day

וְהָעֲווֹנוֹת קְרוֹבִים לְמָחוֹת, דְּהַיְנוּ לְתַקֵּן כָּל הַקִּלְקוּלִים שֶׁנַּעֲשׂוּ, וּלְהָסִיר כָּל הַחֹשֶׁךְ שֶׁנִּתְגַּבֵּר עַל יְדֵיהֶם, וּלְהָשִׁיב הַשָּׁבִים אֶל מַדְרֵגַת הַקְּדֻשָּׁה וְהַקִּרְבָה אֵלָיו יִתְבָּרַךְ שְׁמוֹ, שֶׁנִּתְרַחֲקוּ מִמֶּנָּה עַל יְדֵי חַטֹּאתֵיהֶם. וְהִנֵּה, בְּיוֹם זֶה מֵאִיר אוֹר שֶׁבְּכֹחוֹ נִשְׁלָם כָּל זֶה הָעִנְיָן, וְאָמְנָם הוּא אוֹר שֶׁלְּקַבֵּל אוֹתוֹ צָרִיךְ שֶׁיִּשְׁמְרוּ יִשְׂרָאֵל מַה שֶּׁנִּצְטַוּוּ לְיוֹם זֶה, וּבִפְרָט עִנְיַן הָעִנּוּי, שֶׁעַל יָדוֹ מִתְנַתְּקִים מִן הַגּוּפָנִיּוּת נִתּוּק גָּדוֹל, וּמִתְעַלִּים בְּמִקְצָת אֶל בְּחִינַת הַמַּלְאָכִים. וּשְׁאָר כָּל פְּרָטֵי הַדְּבָרִים כְּפִי פְּרָטֵי הַתִּקּוּן.

[ו] וְהִנֵּה צָרִיךְ שֶׁתֵּדַע, שֶׁמִּן הַתִּקּוּנִים הַגְּדוֹלִים שֶׁבֵּרְרוּ הַנְּבִיאִים לְיִשְׂרָאֵל, הָיָה עִנְיַן הַקְּרִיאָה בַּתּוֹרָה, וְזֶה נִכְלָל בִּשְׁתֵּי בְחִינוֹת: הָאַחַת קְרִיאַת סֵפֶר הַתּוֹרָה עַל הַסֵּדֶר עַד תֻּמּוֹ, וְחוֹזֵר חֲלִילָה עַל דֶּרֶךְ זֶה, וְהַשֵּׁנִית קְרִיאַת פָּרָשִׁיּוֹת מְיֻחָדוֹת בִּזְמַנִּים מְיֻחָדִים. וְזֶה, כִּי הִנֵּה סֵפֶר הַתּוֹרָה הוּא כְּלַל מַה שֶּׁנִּמְסַר לָנוּ מִמֶּנּוּ יִתְבָּרַךְ לִהְיוֹתֵנוּ הוֹגִים בּוֹ, שֶׁעַל יְדֵי זֶה תִּמָּשֵׁךְ לָנוּ הֶאָרָתוֹ, וּכְמוֹ שֶׁזָּכַרְנוּ בְּחֵלֶק רִאשׁוֹן וּבְחֵלֶק זֶה גַּם כֵּן פֶּרֶק שֵׁנִי; וְהִנֵּה לְקַבֵּל הֶאָרָה זוֹ בִּתְמִידוּת תִּקְּנוּ שֶׁנִּהְיֶה הוֹגִים בּוֹ בְּמַקְהֲלוֹתֵינוּ בִּתְמִידוּת עַל הַסֵּדֶר, וְזֶה מִלְּבַד הַהֶגְיוֹן הַפְּרָטִי הָרָאוּי לְכָל אֶחָד וְאֶחָד בִּפְרָטוֹ; וְהִנֵּה עַל יְדֵי הַקְּרִיאָה הַתְּמִידִית הַזֹּאת מַתְמִיד בָּנוּ אוֹר הַקְּדֻשָּׁה הַזֹּאת; וְגַם בַּזְּמַנִּים הַמְיֻחָדִים, כְּפִי עִנְיָנָם, רָאוּי שֶׁנִּקְרָא הַפָּרָשִׁיּוֹת הַנּוֹגְעוֹת לְעִנְיָנִים הָהֵם, לְחַזֵּק הֶאָרַת הַיָּמִים עַל יְדֵי כֹּחַ הַתּוֹרָה, שֶׁהוּא הַכֹּחַ הַיּוֹתֵר חָזָק שֶׁיֵּשׁ לָנוּ.

for Israel, when their repentance is readily accepted and their sins can easily be erased. This rectifies all the spiritual damage caused by these sins, and removes the darkness that strengthened itself as a result of them. Individuals who repent on this day can therefore return to the levels of holiness and closeness to God from which they were cast as a result of their sins,[121] for it is on this day that a Light shines forth that can complete this entire concept.

In order to receive this Light, Israel must keep all the commandments associated with this day. This is particularly true of the fast, since this causes each individual to be greatly divorced from the physical and elevated, to some degree, toward the aspect of the angels.[122] Other details of this day depend on the particulars of this rectification.

[6]   It is important to realize that one of the major rectifications that the prophets selected for Israel was the concept of reading the Torah.[123]

This reading includes two basic concepts. The first is the annual Torah reading, where the entire Torah is read [each year], following a constant cycle. The second consists of the special portions that are read at specific times [such as the various holy day readings].

The reason for this is that the Torah (the Five Books of Moses) consists of something that was given to us by God to read. It was furthermore designated so that His Light should be transmitted to us through such reading, as discussed earlier in this section (4:2:2).

In order that we receive this illumination constantly, the Prophets ordained that we should read the Torah publicly, consistently, and in a determined order. This is in addition to the individual reading that is appropriate for each particular person. Through this regular Torah reading, we then constantly avail ourselves of the Light of this holiness.

On certain special days, it is also appropriate that special portions be read, relating to the concepts of those days.[124] The Illumination of these days is thus strengthened through the power of the Torah, which is the strongest Power that we have.

ד פרק תשיעי

הָעֲבוֹדָה הַמִּקְרִית וְהַבְּרָכוֹת

[א] אַךְ הָעֲבוֹדוֹת הַמִּקְרִיּוֹת הֵן כְּפִי הַמִּקְרִים שֶׁקּוֹרִים לִבְנֵי הָאָדָם בְּכָל יְמֵי חַיֵּיהֶם, כְּפִי מַצָּבָם בְּזֶה הָעוֹלָם, בְּמַאַכְלֵיהֶם, בְּמַלְבּוּשֵׁיהֶם, בְּכָל צָרְכֵיהֶם הָאֱנוֹשִׁיִּים וְעִסְקֵיהֶם הַמְּדִינִיִּים.

וּכְלַל כֻּלָּן נוֹסָד עַל מַה שֶּׁבֵּאַרְנוּ בַּחֲלָקִים הַקּוֹדְמִים, וְהוּא, שֶׁאֵין לְךָ עִנְיָן בְּכָל עִנְיְנֵי הָעוֹלָם, חֹק אוֹ מִקְרֶה בְּאֵיזֶה נִמְצָא מִן הַנִּמְצָאוֹת, שֶׁלֹּא הוּסַד וְהוּחַק כְּפִי מַה שֶּׁמִּצְטָרֵךְ לִמְצֹא בַּנִּמְצָאוֹת לְפִי הַתַּכְלִית הָאֲמִתִּי שֶׁל הַבְּרִיאָה שֶׁזָּכַרְנוּ לְמַעְלָה, שֶׁלְּהַשִּׂיג אוֹתוֹ בִּשְׁלֵמוּת הֻצְרְכוּ כָּל הַפְּרָטִים הָאֵלֶּה בַּגְּבוּלוֹת הָהֵם שֶׁהֵם מֻגְבָּלִים בֶּאֱמֶת. אָמְנָם, צֹרֶךְ הַפְּרָטִים כֻּלָּם וְצוּרוֹתֵיהֶם נִמְשָׁךְ אַחַר חֶלְקֵי הַמְּצִיאוּת וְהַדְרָגוֹתָיו וְהַהַשְׁפָּעוֹת עֲלֵיהֶם לְמִינֵיהֶן וּמַדְרֵגוֹתֵיהֶן כְּמוֹ שֶׁזָּכַרְנוּ לְמַעְלָה. וְהִנֵּה בְּכָל הָעִנְיָנִים הָאֵלֶּה נִצְטַוּוּ מִצְווֹת כְּפִי עִנְיָנָם, לְהַעֲמִיד הַדְּבָרִים עַל צַד הַטּוֹב וְלֹא עַל צַד הָרָע, שֶׁכְּשֶׁיִּשָּׁמְרוּ הַמַּעֲשִׂים הָהֵם בַּגְּבוּלִים הָהֵם יִהְיוּ עִנְיָנָם לְפִי הַטּוֹב, וְהַנִּמְשָׁךְ וְנוֹלָד מֵהֶם טוֹב וְתִקּוּן.

וְאִם לֹא יִשָּׁמְרוּ – הִנֵּה יִשָּׁאֲרוּ הַמַּעֲשִׂים לְצַד הָרָע, וְתִתְפַּשֵּׁט עַל יְדֵיהֶם הַטֻּמְאָה וְהַזֻּהֲמָא, וְהַחֹשֶׁךְ הַגָּדוֹל יְחַסֵּר הַהֶאָרָה הָעֶלְיוֹנָה, וְיִתְרַבֶּה הַהֶעְלֵם וְאַחֲרָיו כָּל הַתּוֹלָדוֹת

IV CHAPTER 9

Circumstantial Observances and Blessings

[1] Circumstantial observances are contingent on the various events that occur to an individual during his lifetime, depending on his particular circumstances. They can be related to food, clothing, other necessities of life, or social interactions.

All of these observances are based on the principles discussed in previous sections.[125] There does not exist a single concept in the world, whether it be a process or circumstance in anything that exists, that is not set up and ordained according to what must exist to fulfill the purpose of creation discussed earlier. In order that it be attained completely, all these details must exist within the limits in which they were actually placed. The need for all these details, however, as well as the forms they assume, follows the various divisions and levels of existence, as well as the Influences affecting them all, according to their categories and levels, as discussed above.

Commandments were therefore given for the various aspects of all these concepts, in order to place them on the side of the good, rather than on that of evil. When man's activities are kept within the limits [defined by these commandments], these concepts follow the good, and benefit and rectification are brought forth and transmitted by them.

If, on the other hand, these limits are not observed, such activities remain on the side of Evil. They then result in the spread of corruption and pollution, as well as the great spiritual darkness that decreases the highest Illumination. God then hides His presence all

הָרָעוֹת שֶׁזָּכַרְנוּ, הַכֹּל כְּפִי מְצִיאוּת הָעִנְיָן הַהוּא שֶׁלֹּא נִשְׁמַר בִּגְבוּלָיו, וְהַיַּחַס אֲשֶׁר לוֹ עִם הָאָדָם, וְהַחֵלֶק אֲשֶׁר לוֹ בַּסִּבּוּב וְגִלְגּוּל הַכְּלָלִי שֶׁל הַנִּמְצָאוֹת, הַמִּתְגַּלְגְּלִים וְהוֹלְכִים לִקְבַע בַּשְּׁלֵמוּת וּכְמוֹ שֶׁזָּכַרְנוּ לְמַעְלָה.

[ב] וְהִנֵּה עַל פִּי דֶּרֶךְ זֶה הוּסַד עִנְיַן הַבְּרָכוֹת שֶׁתִּקְּנוּ חֲכָמֵינוּ זִכְרוֹנָם לִבְרָכָה עַל כָּל עִנְיְנֵי הָעוֹלָם וַהֲנָאוֹתָיו, וְשֹׁרֶשׁ לְכֻלָּן בִּרְכַּת הַמָּזוֹן, שֶׁנִּצְטַוֵּינוּ בָהּ בַּתּוֹרָה. וְעִנְיָן זֶה הוּא, כִּי הִנֵּה כְּבָר בֵּאַרְנוּ, שֶׁכָּל הָעִנְיָנִים הַנִּמְצָאִים וַחֲקוּקִים בַּטֶּבַע הִנֵּה הֵם כֻּלָּם פְּרָטִים מְכֻוָּנִים אֶל תַּכְלִית הַכְּלָלִי, שֶׁהוּא הַגִּיעַ הַמְּצִיאוּת כֻּלּוֹ אֶל הַשְּׁלֵמוּת, וְחֶלְקָם בַּדָּבָר הַזֶּה כְּפִי הַמַּדְרֵגָה אֲשֶׁר הֵם בָּהּ בַּאֲמִתַּת מְצִיאוּתָם; וְאוּלָם הָאָדָם הַנִּמְשָׁךְ אַחַר חֻקּוֹת טִבְעוֹ וּפוֹעֵל הַפְּעֻלּוֹת כְּפִי מַה שֶּׁהוּחַק לוֹ, יֵשׁ לוֹ לְהִתְכַּוֵּן תָּמִיד לַעֲבוֹדַת בּוֹרְאוֹ, וּלְמַה שֶּׁיּוֹצֵא מִן הַפְּעֻלּוֹת הָהֵן תּוֹעֶלֶת וְעֵזֶר אֶל הַשָּׂגַת הַתַּכְלִית הַזֶּה – יִהְיֶה בְּאֵיזֶה דֶּרֶךְ שֶׁיִּהְיֶה – כְּפִי מַה שֶּׁסֻּדְּרוּ הַדְּבָרִים בֶּאֱמֶת; פֵּרוּשׁ – כִּי כְּבָר יִהְיוּ עִנְיָנִים מְשַׁמְּשִׁים לַדָּבָר הַזֶּה מִיָּד, וּדְבָרִים יְשַׁמְּשׁוּ לִמְשַׁמְּשִׁים אֲחֵרִים, עַד שֶׁאַחַר גִּלְגּוּל גָּדוֹל שֶׁל עִנְיָנִים רַבִּים נִמְשָׁכִים זֶה אַחַר זֶה יַגִּיעוּ אֵלָיו; וְאוּלָם, יִהְיוּ הַדְּבָרִים בְּאֵיזֶה מַדְרֵגָה שֶׁיִּהְיוּ, הִנֵּה רָאוּי שֶׁלֹּא יִנָּטְלוּ אֶלָּא לְכַוָּנָה זוֹ, לְמַה שֶּׁמַּגִּיעַ מֵהֶם אֲפִלּוּ אַחַר עֶשֶׂר מַדְרֵגוֹת עֵזֶר אֶל הַשָּׂגַת הַתַּכְלִית, וְלֹא לְכַוָּנָה אַחֶרֶת, דְּהַיְנוּ כַּוָּנַת הַתַּאֲווֹת, וְהַנְּטִיָּה הַחָמְרִית אֶל הַמּוֹתָרוֹת, וְיִשָּׁמְרוּ כֻּלָּם בַּגְּבוּלִים שֶׁחָקְקָה לָהֶם הַתּוֹרָה הָאֱלֹקִית, וְאָז יִהְיוּ כֻּלָּם בֶּאֱמֶת עוֹזְרִים לַדָּבָר הַזֶּה, וְיֵחָשְׁבוּ כֻּלָּם תְּנָאֵי עֲבוֹדָה. וְהִנֵּה לִמְּדַתְנוּ הַתּוֹרָה שֶׁאַחַר שֶׁנֶּהֱנֵינוּ בְּמַאֲכָלֵינוּ וּשְׁתִיָּתֵנוּ נוֹדֶה לְפָנָיו יִתְבָּרַךְ וְנִבָרֵךְ שְׁמוֹ, וְנַחֲזִיר הַדָּבָר אֶל הַתַּכְלִית הָאֲמִתִּי שֶׁלּוֹ, שֶׁהוּא הָעֵזֶר אֶל הַתַּכְלִית הַכְּלָלִי שֶׁזָּכַרְנוּ, עַד שֶׁנִּמְצָא בְּכֻלָּם

the more, and this brings about all the detrimental results that we have discussed earlier.[126]

All this depends on the intrinsic essence of the concept whose limits are violated, as well as its relationship to man and its place in the overall cycle and chain of events, which continuously progresses toward the goal of permanently attaining this perfection, as discussed earlier.

[2] This is also the basis of the blessings ordained by our sages for all worldly concepts and pleasures.

The basis of all of these is the Grace after Meals (*Birkas Ha-Mazon*), which is ordained in the Torah.[127] Its significance is based on what we have just discussed, namely, that everything that exists in nature is a detail leading to the overall goal that all existence should attain perfection. The role that each thing plays in this depends on its place in the scheme of things according to its true nature.

— Man is drawn after his natural tendencies and acts according to the ways established for him. He must therefore constantly direct himself towards the service of God, in order that all his activities should, in some way, help him to attain this ultimate goal.

— This in turn depends on the manner in which things were set up. Thus, some things serve this purpose directly. Others only serve other instrumentalities, and attain this goal only after a long sequence, where many concepts result from one another.

No matter which such level a particular thing has, however, it should only be used with one intent. That is, that one should attain some help in attaining his ultimate goal through it, even if only after ten such steps. It should not be used for any extraneous purpose, such as fulfilling one's mundane desires or his worldly inclinations toward the superfluous. If every concept is then kept within the limits set by God's Torah, they are all actually helping man attain his goal, and are considered elements of devotion.

The Torah therefore taught us that after we enjoy food and drink, we must thank God and bless His Name. This enjoyment is thus directed back to its true purpose, namely to serve as an aid in attaining the genuine goal discussed earlier. As a result of this,

מִתְגַּדֵּל כְּבוֹדוֹ יִתְבָּרַךְ, בְּמַה שֶּׁחֶפְצוֹ נַעֲשֶׂה וַעֲצָתוֹ מִתְקַיֶּמֶת, וְזֶה כְּלַל עִנְיַן בִּרְכַּת הַמָּזוֹן, וְכֵן כָּל שְׁאָר בִּרְכוֹת הַנֶּהֱנִין שֶׁאַחַר הַהֲנָאָה.

וְאוּלָם עוֹד הוֹסִיפוּ חֲכָמֵינוּ זִכְרוֹנָם לִבְרָכָה לְתַקֵּן בִּרְכוֹת קֹדֶם הַהֲנָאָה, לְהַגְדִּיל זֶה הָעִנְיָן, וְהוּא שֶׁגַּם קֹדֶם שֶׁיִּשְׁתַּמֵּשׁ הָאָדָם מִן הָעוֹלָם יַזְכִּיר שְׁמוֹ יִתְבָּרַךְ עָלָיו וִיבָרְכֵהוּ, וְיִתְכַּוֵּן שֶׁמִּמֶּנּוּ יִתְבָּרַךְ בָּא לוֹ הַטּוֹב הַהוּא, וְיִתְכַּוֵּן בַּאֲמִתַּת הַטּוֹב הַהוּא, שֶׁאֵינוֹ עִנְיָן גּוּפָנִי וַהֲנָאָה חָמְרִית בִּלְבַד, אֶלָּא שֶׁבֶּאֱמֶת הוּא עִנְיָן מוּכָן מִמֶּנּוּ יִתְבָּרַךְ לְמַה שֶּׁיּוֹצֵא מִמֶּנּוּ תּוֹעֶלֶת לַטּוֹב הָאֲמִתִּי כְּמוֹ שֶׁזָּכַרְנוּ, וּבְהַקְדִּים הָעִנְיָן הַזֶּה לַמַּעֲשֶׂה יִשָּׁאֵר הַמַּעֲשֶׂה הַהוּא כֻּלּוֹ לְצַד הַטּוֹב וְלֹא לְצַד הָרַע, וִיתֻקַּן בּוֹ הָאָדָם וְיִתְעַלֶּה, וְלֹא יִתְקַלְקֵל וְיִשָּׁפֵל, וּכְמוֹ שֶׁזָּכַרְנוּ.

[ג] וְאוּלָם גַּם בְּמַעֲשֵׂה הַמִּצְווֹת תִּקְּנוּ לָנוּ חֲכָמֵינוּ זִכְרוֹנָם לִבְרָכָה בְּרָכוֹת אֵלֶּה, לְחִבּוּבָהּ שֶׁל הַמִּצְוָה, לְהוֹדוֹת לוֹ יִתְבָּרַךְ שֶׁרָצָה בָנוּ וְנָתַן לָנוּ תִּקּוּנִים גְּדוֹלִים כָּאֵלֶּה, וְנִמְצָא עַל יְדֵי זֶה מִתְעַלֶּה הַמַּעֲשֶׂה יוֹתֵר, וְנֶעֱזָר בּוֹ הָאָדָם מִמֶּנּוּ יִתְבָּרַךְ שְׁמוֹ, כִּי כֵן הִיא הַמִּדָּה, כְּפִי הַהִתְעוֹרְרוּת שֶׁמִּתְעוֹרְרִים בְּנֵי הָאָדָם אֵלָיו יִתְבָּרַךְ שְׁמוֹ, כֵּן יִהְיֶה שִׁעוּר הָעֵזֶר שֶׁיֵּעָזְרוּ מִמֶּנּוּ – אִם מְעַט וְאִם הַרְבֵּה – בְּכָל פֹּעַל שֶׁיִּהְיֶה כְּפִי מַה שֶּׁהוּא. וּבוֹטֵחַ בַּד׳ אַשְׁרָיו.

תָּם וְנִשְׁלָם שֶׁבַח לָאֵל בּוֹרֵא עוֹלָם

God's Glory is increased through all these enjoyments, since His will is done and His plan fulfilled. This is the general significance of the Grace after Meals (*Birkas HaMazon*), as well as the other blessings recited after eating.

In order to amplify this concept, our sages also ordained other blessings before one partakes of any enjoyment. Before man makes any use of the world, he should pronounce God's Name over it, blessing Him and realizing that this good ultimately comes from God. He should consider the true nature of that good, namely, that it is more than a mere physical pleasure and material concept, but is actually something prepared by God to bring about the true benefit discussed earlier. When one initiates each act in such a manner, the act then remains on the side of good rather than on that of evil. It then serves as a means through which man is rectified and elevated and not damaged and lowered, as discussed earlier.

[3]   Our sages also ordained blessings before the observance of various commandments, in order to make them all the more significant.[128] We thus thank God for choosing us and giving us such great means of self-rectification. Through these blessings, the observance is elevated still more.

As a result of the blessing, God also helps the individual fulfill the particular commandment completely.   For this is the way things operate: The amount of help that one receives from God depends on the degree to which he motivates himself toward God, whether it is to a greater or lesser degree. This is true with respect to every possible act, whatever it may be.

When one trusts in God, happy is he!

Ended and completed, praised be God the Creator

NOTES

INTRODUCTION

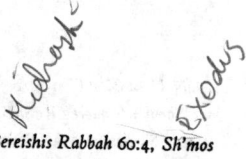

1 *Sifri* (306) on Deuteronomy 32:2. Cf. *Chagigah* 6a, *Bereishis Rabbah* 60:4, *Sh'mos Rabbah* 41:6; *Tanchuma, Ki Sissa* 16.

2 Cf. *Sifri* (336) on Deuteronomy 32:47. The statement there, however, is worded somewhat differently. The entire statement is found only in *Derech HaShem* as it appears in *Sefer HaDerachim*. It is omitted in the edition reprinted here, from *Yalkut Yedios HaEmes*.

3 Cf. Joshua 1:8.

4 Deuteronomy 12:15, 16:17.

PART ONE

1 See *Yad, Yesodey HaTorah* 1:1. God is defined as the Creator, as we find in the opening sentence of the Torah.

2 *Yad, loc. cit.* 2:8, *Emunos VeDeyos* 1:4, *Ikkarim* 2:1.

3 *Yad, loc. cit.* 1:2, 3. This also includes the fact that God has no needs, *cf.* Psalms 50:12, *Chulin* 61a; Psalms 102:26-28, Job 35:6-8. See note 7.

4 *Yad, loc. cit.* 1:7; *Ikkarim* 2:9; *Pardes Rimonim* 5:4.

5 *Emunos VeDeyos* 2:1, *Moreh Nevuchim* 1:53, 56. Also see *Tikuney Zohar* 17b, *Zohar Chadash* 34d, *Zohar* 2:42b.

6 *Yad, loc. cit.* 2:9.

7 See *Shomer Emunim* (HaKadmon) 2:9-11.

8 See *Emunos VeDeyos* 1:4 end, 3:0; *Or HaShem* (Crescas) 2:6:2; *Sefer HaYashar* 1; *Pardes Rimonim* 2:6; *Etz Chaim, Shaar HaKelalim* § 1. The author discusses this point in a number of his other works: see particularly, *Kalach Pis'chey Chochmah* 2, *Daas Tevunos* (in *Yalkut Yedios HaEmes* II, Tel Aviv 1965), p. 4, *Pis'chey Chochmah VoDaas* 1.

9 Cf. *Mesilas Yesharim* 1. Also see Psalms 34:9, 73:28; *Berachos* 17a; *Yad, T'shuvah* 8:2; *Kuzari* 1:109ff.

10 The author discusses this in a number of places; see *Daas Tevunos* p. 8, *Pis'chey Chochmah VoDaas ibid.*, *Kinas HaShem Tzevaos* p. 5, *Kalach Pis'chey Chochmah* 4, based on *Yerushalmi Orlah* 1:3 (6a). Also see *Emunos VeDeyos*, introduction to chapter 3; *Zohar* 2:163b; *Pardes Rimonim* 25:3; *Likutey Torah HaAri, Haazinu* (ed. Ashlag, Jerusalem 5730) p. 283.

11 See *Koheles Rabbah* on 7:13, *Sanhedrin* 37a, *Zohar* 1:134b; *Emunos VeDeyos*, introduction to chapter 4; *Ikkarim* 1:11. The Rambam (Maimonides), however, apparently disputes this in *Moreh Nevuchim* 3:13.

12 See below, 1:4:4, 4:4:1, 4:5:1, 4:9:2.

13 *Yad, T'shuvah* 5:1; *Moreh Nevuchim* 3:17.

14 *Sotah* 11a, *Sanhedrin* 100b. Cf. *Yoma* 76a.

15 See *Kuzari* 1:115 (77b), Ramban on Genesis 2:17, R. Bachya, Alshech, on Genesis 2:15. It is furthermore taught that Adam originally did not exist on a physical plane, see *Likutey Torah HaAri* (ed. Ashlag, Jerusalem 5730) p. 26; *Etz Chaim, Shaar*

MaN U'MaD 1 (Tel Aviv 5720) p. 227; *Adir BeMarom* (B'nai Brak 5728) p. 11a. Also see *Shaar Maamarey RaShBY* (Jerusalem 5721) p. 174, from *Zohar* 3:83a.

16   *Sanhedrin* 97a, Raavad on *Yad, T'shuvah* 8:8; *Zohar* 1:50b, 1:128a, 2:20b, *Zohar Chadash* 16d. Also see *Nitzotzey Zohar* 2:10a, § 10. The Rambam, however, in *Moreh Nevuchim* 2:29, maintains that this is an individual opinion, and is furthermore not to be taken literally. Also see below 4:4:11, 4:7:2.

17   *Emunos VeDeyos* 9:6, *Nitzotzey Zohar* loc. cit. In the Graveside Kaddish, we read, "In the world that [God] will renew, resurrecting the dead and inaugurating the World to Come . . ."

18   Cf. *Bava Basra* 75a, *VaYikra Rabbah* 30:2, *Yerushalmi Chagigah* 2:1 (9a), *Midrash Tehillim* 11:7, *Sifri* (10) on Deuteronomy 1:10, *Emunos VeDeyos* 9:7, Rambam, *Perek HaHatzlachah* 3 (p. 12), *Sefer Chasidim* 166, 365, *Mesilas Yesharim* 4. Also see *Zohar* 1:39a, 1:130a, 1:215a, 1:231b, 2:246b, 3:196b.

19   *Emunos VeDeyos* 6:7; *Moreh Nevuchim* 1:70; *Ikkarim* 4:30; Ramban on Leviticus 18:29; *Toras HaAdam, Shaar HaGemul* (in *Kisvey HaRamban*, Jerusalem 5724) p. 294. Also see *Shabbos* 152b, from 1 Samuel 25:29; *Chagigah* 12b; *Tosafos, Rosh HaShanah* 16b, s.v. *LeYom Din*; Radak on Zechariah 3:4, 3:7; *VaYikra Rabbah* 18:1; *Koheles Rabbah* 12:7.

20   This is the majority opinion; see *Emunos VeDeyos* 7:8; Raavad on *Yad, T'shuvah* 8:2; *Toras HaAdam*, end of *Shaar HaGemul* (p. 309 f.); *Yad Ramah, Chidushey HaRan* and Bertinoro on *Sanhedrin* 10:1 (90a); Ritva on *Rosh HaShanah* 16b; *Avodas HaKodesh* 2:42, 43; *Sh'nei Luchos HaB'ris, Beis David* (Jerusalem 5720) 1:31b. Also see *Sanhedrin* 91a, *Zohar* 1:114a, 3:216a, *Tikuney Zohar* 10b. The Rambam, however, holds that the final reward is purely spiritual and that the Resurrection is only temporary; see *Yad, T'shuvah* 8:2; *Moreh Nevuchim* 2:27; *Iggeres Techiyas HaMeysim*. A similar view is apparently found in *Kuzari* 1:115, 3:20, 21; *Chovos HaLevavos* 4:4:6; *Ikkarim* 4:30, 33; and *Or HaShem* (Crescas) 3:4:2.

21   *Berachos* 17a. Cf. *Zohar* 2:83a, 1:135b; *Shaar HaGemul* p. 309.

22   It is thus taught that "Sages have no rest, neither in this world nor in the next": *Berachos* 64a, *Emunos VeDeyos* 9:10.

23   Cf. *Zohar* 1:245b, *Emunos VeDeyos* 6:4, *Pardes Rimonim* 31:5.

24   Cf. *Zohar* 1:4a.

25   *Shulchan Aruch, Orach Chaim* 231. Cf. *Berachos* 63a; *Avos DeRabbi Nathan* 17:7, from Proverbs 3:6; *Avos* 2:12; *Tosafos, Avodah Zarah* 11a, s.v. *Tz'non*.

26   *Berachos* 32b, from Deuteronomy 4:9, 4:15; *Yad, Rotzeyach* 11:4; *Shulchan Aruch, Choshen Mishpat* 427:5; *Sefer HaChinuch* § 546; Ran, *Shavuos* (on Rif 10a), s.v. *Malkin*.

27   See below, 4:3. Also see *Yad, T'shuvah* 10:1–3.

28   This is discussed in detail below, 4:2.

29   See *Mesilas Yesharim* 1, from *Koheles Rabbah* on 7:13.

30   It is thus taught that "The commandments were only given to purify man": *Bereishis Rabbah* 44:1; *VaYikra Rabbah* 13:3; *Tanchuma, Sh'mini* 8; *Midrash Tehillim* 18:25. Also see *Moreh Nevuchim* 3:26; *Avodas HaKodesh* 2:3; *Sh'nei Luchos HaB'ris Shaar HaGadol* (1:48b).

31 See part 4.

32 See below, 4:6:13; *Yad, Yesodey HaTorah* 3. The information (or "forms") contained in the physical world is still considered part of the physical realm, even though it does not actually consist of matter. The author therefore considers everything directly associated with the physical as part of the physical world, even though it might not actually be "physical" insofar as it consists of matter. In this manner, he resolves an apparent paradox found in the Kabbalah, since in some places it appears that the lowest universe is purely physical, while in others it appears to have spiritual elements. See also what he says with regard to the "animal soul," later in this section, and in 3:1:1. Man's thoughts and the information in his mind are therefore considered part of the physical world, see *Yad, T'shuvah* 8:3. This lowest universe is what the Kabbalists call the world of *Asiyah* or "completion," which includes the physical world, but also has a spiritual element. See below, part four, note 76; *Pardes Rimonim* 16:1, 7; *Pelach Rimon* 16:2; *Etz Chaim, Shaar D'rushey ABYA* 4, *Shaar Tziur HaOlamos* 2. The *Ophanim* (Ezekiel 1:16, 3:13, 10:9) are considered the angels of *Asiyah*; see *Etz Chaim, loc. cit.* 13, *Shaar Penimius VeChitzonius* 15.

33 See below, 4:6:13, where the author distinguishes between the world of angels and the world of forces, calling the latter the "universe of the Throne." In Kabbalistic terminology, the universe of angels is *Yetzirah* (Formation), while that of the Forces is *Beriyah* (Creation). See *Etz Chaim, Shaar Penimius VeChitzonius* 13, and Malbim on Ezekiel 1:1, that the angels of *Yetzirah* are called *Chayos* (Ezekiel 1:5, 10:15), while those of *Beriah* are called *Serafim* (Isaiah 6:2). Besides meaning Force, the word *Koach* also means "potential," as opposed to action. Concepts are conceived potentially among the Forces, and then translated into action by the angels. The word for angel in Hebrew is therefore *Mal'ach*, meaning "messenger," and coming from the same root as *Melachah*, meaning work. The Kabbalists therefore speak of the world of the Forces as the universe of thought, and that of angels, as the universe of speech or expression.

34 See *Chagigah* 16a, *Yevamos* 122a, *Avos* 5:9, *Bereishis Rabbah* 7:5, *Avos DeRabbi Nathan* 37:3; *Zohar* 3:76b, 3:277a, 3:110a, 3:253a, 1:14a, where we find that *Shedim* share the characteristics of both humans and angels. *Shedim* are also mentioned in the Bible: see Deuteronomy 32:17, Psalms 106:37. Also see Ramban and Ibn Ezra on Leviticus 17:7, as well as *Sifra ad loc.* and *VaYikra Rabbah* 22:8. The Rambam, however, disputes the existence of *Shedim*; see his commentary on *Avodah Zarah* 4:7, and *Yad, Avodas Kochavim* 11:16. Many later authorities, however, wrote that this opinion was the result of Aristotelian influence: see *Shomer Emunim (HaKadmon)* 1:13, HaGra on *Yoreh Deah* 179:13.

35 Animals thus have no immortality; cf. *Yad, T'shuvah* 8:1, *Sefer Chasidim* § 1131, *Chochmas HaNefesh* 6d. Also see Ecclesiastes 3:21, *Pirkey DeRabbi Eliezer* 11, Radal *ad loc.* 11:11, Ramban on Genesis 1:20. Animals similarly do not partake in the Resurrection: cf. *VaYikra Rabbah* 13:2, *Midrash Tehillim* 19:1 (81b), Rashi on Genesis 2:7.

36 See above, 1:3:2, and below, 3:1:1.

37 It is thus taught, "There is no blade of grass down below that does not have an angel on high that strikes it and tells it to grow": *Bereishis Rabbah* 10:6, *Zohar* 1:34a, 1:251a, 2:15b, 2:30b, 2:80b, 2:171b, 3:86a, *Zohar Chadash* 15b. Everything

below, no matter how small, has a counterpart on high: *Zohar* 1:156b; Ibn Ezra and Ramban on Genesis 28:12; *Moreh Nevuchim* 2:4, *Ikkarim* 3:5. Each person also has a guardian angel: see *Chagigah* 16a, *Berachos* 60b, *Targum J.* on Genesis 33:10. Also see *Shaar RaShBY* on *Perek Shirah* (p. 299). See part 3, note 7.

38 This is explained in detail in *Nefesh HaChaim* 1:3. See *Eichah Rabbah* 1:35, *Zohar* 1:5a, and *Etz Chaim, Shaar Mati VeLo Mati* 2.

39 Below, 2:3:4.

40 Above, 1:2:4.

41 *Bereishis Rabbah* 3:6; *Tanchuma, Sazria* 9; *Tosafos, Taanis* 3a, s.v. *Ve'Ilu.*

42 The word "create" always refers to the creation of "something out of nothing," and therefore, the fact that the verse says "creates evil" indicates that it is not something that previously existed in God. See *Bahir* 13, *Moreh Nevuchim* 3:10, *Kalach Pis'chey Chochmah* 30 (24b). In Kabbalistic terms, this is the *Klipah* (shell, husk) or *Sitra Achara* (Other Side).

43 See below, 2:8:2 and 3:2:8.

44 Cf. Psalms 103:20, 21.

PART TWO

1 Cf. Jeremiah 17:10, 32:19.

2 Below, 2:2:3 and 4:8:4. Regarding the concept of measure for measure in general, see *Shabbos* 105b, *Nedarim* 32a, *Sanhedrin* 90a, *Mechilta* on Exodus 14:26 and 18:11, *Targum* and Rashi *ibid., Or HaShem* (Crescas) 3:3:1 (72b), *Ikkarim* 4:9, *Moreh Nevuchim* 3:17.

3 Cf. *Shomer Emunim* (*HaKadmon*) 2:81. Also see *Moreh Nevuchim* 3:17, *Ikkarim* 4:10, *Kol Yehudah* on *Kuzari* 3:11 (19b), as well as *Moreh Nevuchim* 3:51 (67a); *Menoras HaMaor* end of part 3 (237); Radak on Jonah 4:11; Rashi, *Shabbos* 53b, s.v. *Mazley.* There were some who maintained that this was a dispute between the Rambam and Ramban, with only the latter holding that individual providence exists for each thing: *cf. Yaaros Devash* 2:6 (New York 5724, from 5628 edition) p. 126d, s.v. *VeZehu.* According to this, the Rambam would hold that Providence might decree that a bird should be captured, but it would not decree the identity of the particular bird. The Ramban, on the other hand, would dispute this, and maintain that even the identity of the individual bird is also predetermined. (See, however, Ramban on Genesis 18:19 and 36:7, which would seem to contradict this. Also see R. Bachya on Genesis 18:19.) This latter view was accepted by most Chasidic masters: see *Derech Chaim, Shaar HaTshuvah* 9; *Pe'er LiYesharim* 38; *Pri HaAretz* on *Bo* (p. 13a, top); *Divrey Chaim,* beginning of *MiKetz.* See, however, *Yad, Yesodey HaTorah* 2:9, and *Moreh Nevuchim* 1:69, where the Rambam apparently does not dispute the fact that each individual act is ultimately determined by God alone. See *Kalach Pis'chey Chochmah* 13.

4 Above, 1:2:3 and 1:3:4.

5 Above, 1:3:1.

6 *Kiddushin* 39b, *Sanhedrin* 111a, *Yerushalmi Peyah* 1:1 (5a), *Yerushalmi Kidushin* 1:9 (23a), *Yerushalmi Sanhedrin* 10:1 (49a), *Avos DeRabbi Nathan* 25:1, *Bereishis Rabbah*

33:1, *VaYikra Rabbah* 27:1, *Koheles Rabbah* 7:23; *Tanchuma, Kedoshim* 1 and *Emor* 5; *Emunos VeDeyos* 5:2; *Shaarey T'shuvah* (R. Yonah) 3:122; *Ikkarim* 4:12.

7 *Eduyos* 2:9. For a discussion of the nature of this punishment, see Rambam, introduction to *Sanhedrin* 10 (Vilna Shas, end of 123d); Raavad, introduction to *Sefer Yetzirah* (6a); *Shaar HaGamul* p. 283 ff. A number of authorities identify the spiritual "fire" of Gehinom with the shame that a person experiences as a result of his sins when standing in God's presence in the World of Souls. See *Ikkarim* 4:33, *Nishmas Chaim* 1:13, *Shaar HaGamul* p. 289. Also see Daniel 12:2, Isaiah 66:24, Jeremiah 7:19, *Midrash Tehillim* on Psalms 6:11. For the origin of this name, see *Kuzari* 1:115 (77b), *Eruvin* 19a.

8 Cf. Isaiah 16:14.

9 *Sanhedrin* 10:1 (90a), *Rosh HaShanah* 17a. See R. Yechezkel Landau (in Vilna Shas) *ad loc.* for a discussion of the difference between these two categories.

10 Above, 1:3:9. Cf. *Tosafos, Rosh HaShanah* 16b, s.v. *LeYom Din.*

11 *Zohar* 1:24a, 1:31b, 3:86b, 3:99b, 3:128a, *Sh'nei Luchos HaB'ris, Beis Chochmah* (1:26b). Cf. *Shabbos* 49a, *Devarim Rabbah* 8:4, and also Isaiah 59:2.

12 *Berachos* 5a, *Zohar* 3:153a.

13 Above, 2:2:3.

14 Above, 1:2:2.

15 *Avos* 3:15.

16 These are the individuals mentioned in *Rosh HaShanah* 17a, whose "souls are burned and scattered by the wind, so that they become ashes under the feet of the righteous," as well as the ones who "scream and rise." See *Shaar HaGamul* p. 288. Also see *Shabbos* 152b, *Zohar* 3:188a.

17 Cf. Ecclesiastes 8:14, Psalms 73:12–14, Job 12:6, Malachi 3:15, *Berachos* 7a, *Sh'mos Rabbah* 45:6, *Avos* 4:14, *Chovos HaLevavos* 4:3, *Moreh Nevuchim* 3:19, *Ikkarim* 4:14.

18 Below, 2:3:4.

19 Above, 2:2:2.

20 *Sh'mos Rabbah* 31:3; *Tanchuma, Mishpatim* 8. Cf. *Pesachim* 65a, *Kidushin* 82b, *Bava Basra* 10a, 16a, *Sanhedrin* 100b.

21 Cf. *Berachos* 7a. Things such as "life, children, and sustenance" depend on *Mazal* or "fortune": cf. *Moed Katan* 28a. See below, 3:7:2.

22 Above, 1:5:7.

23 *Yoma* 38b. Cf. *Shabbos* 104a, *Bava Basra* 119a, *Makkos* 10b, *Yerushalmi Peah* 1:1 (5b).

24 *Yad, T'shuvah* 6:3, *Shemonah Perakim* 8, Rambam on *Avos* 5:18. Cf. *Sh'mos Rabbah* 13:4, *Chagigah* 15a, as well as Isaiah 6:10, Exodus 7:3, Deuteronomy 2:30, Joshua 11:20.

25 *Megillah* 6a, *Bereishis Rabbah* 75:9, *Sh'mos Rabbah* 20:1.

26 *Berachos* 5a.

27 The passage continues, "If they hearken and serve Him, they shall spend their days in prosperity, and their years in pleasure." Cf. *Tanchuma, Re'eh* 2. Also see *Yoma* 86a, that some sins are atoned for only by suffering.

28 See *Sotah* 9a, *Arachin* 15a, *BeMidbar Rabbah* 14:17, *Midrash Tehillim* 10:5, Rashi on Genesis 15:16, *Kuzari* 2:44 (53b).

29 *Yoma* 38b. See note 23.

30 *Eduyos* 2:9. The five things are, "looks, strength, wealth, intelligence and longevity."

31 See *Zohar* 3:220b, *Tikuney Zohar* 32 (76b), that Tzadikim enter Gehinom to help others to leave. Cf. *Anaf Yosef* on *Tanchuma, VaYeishev* 3, and *Zohar Chadash* 25a. This is even true of those who the Talmud says have no portion in the world to come. They can still share the portion of a Tzadik: cf. R. Bachya on Leviticus 18:29, quoted in *Shikchas Leket* (in *Yalkut Reuveni,* Warsaw 5644) 2:17a, s.v. *Mah*; quoted in *Taamey HaMinhagim, Kuntres Acharon* § 536 (p. 232). Also see *Ramasayim Tzofim* 15 on *Tana DeVei Eliahu Rabbah* (p. 64a). Also see *Kesubos* 111b.

32 *Shavuos* 39a, *Sanhedrin* 27b, *Sifra* and Rashi on Leviticus 26:37. Also see *Shabbos* 55a, *VaYikra Rabbah* 4:6, *Tana DeVei Eliahu Rabbah* 11 (66b); *Mechilta* on Exodus 19:6. Regarding the logic that people should be able to help each other spiritually for this reason, see *Sotah* 37b, Rashi *ad loc.* s.v. *Amar Rav Mesharshia.* We also find that because of this mutual responsibility, one person can in some cases fulfill the responsibility of another, *cf. Rashi, Rosh HaShanah* 29a, s.v. *Af Al Pi*; Ran *ibid.* (on Rif 8a), s.v. *Tani*; Ran, *Pesachim* (on Rif 27b), s.v. *SheYuchal*; *Magen Avraham* 167:40.

33 *Negaim* 2:1; Bertinoro *ad loc.* s.v. *Beis*; *Bava Metzia* 84b; *Yerushalmi Berachos* 2:8 (20a), *Bereishis Rabbah* 33:1, 44:6; *VaYikra Rabbah* 2:5; *Shir HaShirim Rabbah* 6:6; *Koheles Rabbah* 5:14; *Pesikta* 30 (191a); *Zohar* 1:65a, 1:67b, 1:180a, 2:10b, 2:36b, 2:38b, 2:53a, 2:195a, 2:212a, 2:269a, 2:257a, 3:17b, 3:38a, 3:46b, 3:118a; *Sefer Chasidim* § 528. Cf. *Shabbos* 139b, *Sanhedrin* 39a, *Zohar* 3:20b, 3:115a, Ramban on Exodus 32:32, *Ikkarim* 4:13. We thus find that the death of the righteous atones for the sins of their generation: cf. *Shabbos* 33b, *Moed Katan* 25a, 28a, *Yerushalmi Yoma* 1:1 (2a), *Sh'mos Rabbah* 35:4, *VaYikra Rabbah* 27:7, *Pesikta* 27 (174b).

34 Above, 1:2:3, 1:3:4.

35 Rabbi Shimon thus said that he could rectify the entire world from the time of creation, and therefore he also attained a highest level in the Future World: *Succah* 45b, Maharsha *ad loc.*, *Yerushalmi Berachos* 9:2 (65a), *Avos DeRabbi Nathan* 16:4, *Eruvin* 65a top, *Sefer Chasidim* § 611. Cf. *Yoma* 38b, *Chagigah* 12b, *Mechilta* on Exodus 15:1, *Bereishis Rabbah* 75:11; *Tanchuma, BeShalach* 10, *Nitzavim* 2. Also see *Taanis* 8a, from Isaiah 64:4; *Menoras HaMaor* 5:3:1:2 (299). Cf. Daniel 12:3, Rashi *ad loc.*; *Tanchuma, Noaḥ* 7; *Berachos* 17b, *Taanis* 24b, *Chulin* 26a, *Yerushalmi Maaser Sheni* 5:5 (35a); *Taanis* 21b, *Bava Metzia* 85a, *Sanhedrin* 114a.

36 Above, 1:2:3.

37 Cf. *Bereishis Rabbah* 19:7, that the sins of mankind caused the *Shechinah* (Divine Presence) to depart from the world, whereas the righteous were able to bring it back.

38 Above, 2:2:4.

39 The concept of Reincarnation is discussed widely in the *Zohar*: cf. *Zohar* 1:186b, 1:94a, 3:215a; *Tikuney Zohar* 6 (22b), 32 (76b), and many other places. Also see *Bahir* 195, *T'shuvos Ralbach* 8, *Nishmas Chaim* 4:6 ff. The *Targum J.* on Deuteronomy 33:6 and Isaiah 22:14, 65:6, also speaks of a "second death." The Ramban also alludes to this,

based on Job 33:29, 30: see his *Shaar HaGemul*, p. 275 and p. 279 end, and Ramban on Genesis 38:8, Job 33:30. Others, however, disputed reincarnation as a Jewish concept: see *Emunos VeDeyos* 6:3, *Sh'vil Emunah ad loc.*, *Or HaShem* 4:7.

40   This explains why children are born blind or crippled; see *Sh'viley Emunah* 9 (86b), *Nishmas Chaim* 4:11 § 3, *Shaar HaGilgulim* 28, *Tiferes Yisrael* (Maharal) 63.

41   The Warsaw 5696 (1936) edition of *Derech HaShem* (included in *Yalkut Yedios HaEmes*) was published by Rabbi Yosef Begon, and contained a number of notes in the back. These were reprinted in the 5706 (1946) Torah Umesorah, New York edition. In his first set of notes, the only source that Rabbi Begon finds is *Sifri* (119) on Numbers. In his second set of notes, he cites *VaYikra Rabbah* 5:4 and *Yerushalmi Horayos* 3:4 as the sources. He likewise refers to *Bereishis Rabbah* 42:1, *Tana DeVei Eliahu Rabbah* 22, *Tana DeVei Eliahu Zuta* 4.

42   *Niddah* 31a. Cf. *Midrash Tehillim* 118:19, 136:3; *Ikkarim* 4:13; *Sheviley Emunah* 9 (87b); *Yevamos* 102b.

43   *Berachos* 60a.

44   All future generations were thus shown to Adam; cf. *Avodah Zarah* 5a. Each person is furthermore associated with a different part of Adam's body: see *Sh'mos Rabbah* 40:3; *Tanchuma, Ki Sisa* 12; *Sefer HaGilgulim* 1 (3a), from Job 38:4. It is likewise written (Isaiah 41:4), "[God] calls the *generations* from the beginning": cf. Radak *ad loc.*, *Tosefta Eduyos* 1:11, *Zohar* 1:227b and 2:133b. All souls were created from the beginning of time, and must therefore enter appropriate bodies, cf. *Yevamos* 62a, 63b, *Avodah Zarah* 5a, *Niddah* 13b.

45   Above, 1:3:3.

46   Genesis 11:1-9, see Alshech *ad loc.* At the time that the Tower was built, Abraham was 48 years old: see *Seder Olam* 1, *Bereishis Rabbah* 64:4, Rashi *ad loc.* and *Shabbos* 10b, s.v. *SheYeshivasa*; and Rashi on Genesis 10:25. Abraham lived ten generations after Noah, who in turn was the tenth generation from Adam: *Avos* 5:2, 3, *Midrash Sh'muel ad loc.*, *Tikuney Zohar* 69 (102b top); cf. *Berachos* 27b, *Megilah* 13b, *Sanhedrin* 94a, Rashi on Exodus 18:9; Deuteronomy 23:3, 4, *Sifri ad loc.*, Rashi, *Bechoros* 17a (top), s.v. *Hayinu*. It was with this "separation" that Abraham recognized God (*Bereishis Rabbah loc. cit.*) and was chosen: cf. Deuteronomy 32:7-9, *Sifri*, *Targum J.*, Ibn Ezra *ad loc.*; *Pirkey DeRabbi Eliezer* 24; Introduction to *Shaar HaKavanos*. The concept of Roots and Branches is discussed in *Zohar* 3:298b, *Tikuney Zohar* 69 (102b). The author discusses this entire concept in greater detail in *Adir BaMarom* p. 11, cited in *Yalkut Yedios HaEmes* p. 323.

47   Genesis 5:21-24.

48   *Ibid.* 5:25. Cf. *Sanhedrin* 108b, *Targum J.* on Genesis 7:10, Rashi on Genesis 7:4.

49   *Yad, Avodas Kochavim* 1:2. Cf. *Tana DeVei Eliahu Rabbah* 28 (109a), *Bereishis Rabbah* 63:8, Rashi on Genesis 25:22, where we find that they maintained an academy.

50   *Seder Olam* 1, quoted in *Yalkut* (62) on Genesis 10:25; Rashi, *ibid.*

51   See above, note 28.

52   Cf. Nehemiah 9:7, Joshua 34:3. See *Sifri* (312) on Deuteronomy 32:9, that it was God who chose Israel, and not vice versa.

53   Cf. *Succah* 55a, *Sotah* 36b, *Targum J.* on Genesis 11:8, Rashi on Deuteronomy

32:8. The seventy nations are the ones mentioned in Genesis 10 and 1 Chronicles 1:5–23: From Jafeth: [1] Gomer, [2] Magog, [3] Madai (Media), [4] Yavan (Ionia or Greece), [5] Tubal, [6] Meshech, [7] Tiras (Thrace), [8] Ashkenaz, [9] Rifath, [10] Togarmah, [11] Elisha, [12] Tarshish (Tarsus), [13] Kittim, [14] Dodanim. From Ḥam: [15] Cush (Ethiopia), [16] Mitzraim (Egypt), [17] Put, [18] Canaan, [19] Seba, [20] Ḥavilah, [21] Sabtah, [22] Raamah, [23] Sabteca, [24] Sheba, [25] Dedan, [26] Ludim, [27] Anamim, [28] Lehabim, [29] Naphtuḥim, [30] Pathrusim, [31] Casluḥim, [32] Philistines, [33] Caphtorim, [34] Sidon, [35] Ḥeth (Hitites), [36] Jebusites, [37] Amorites, [38] Girgashites, [39] Ḥivites, [40] Arkites, [41] Sinites, [42] Arvadites, [43] Zemarites, [44] Ḥamathites. From Shem: [45] Elam, [46] Asshur (Assyria), [47] Arpachshad, [48] Lud (Lydia), [49] Aram, [50] Uz, [51] Ḥul, [52] Gether, [53] Mash, [54] Shelaḥ, [55] Ever, [56] Peleg, [57] Yoktan, [58] Almodad, [59] Sheleph, [60] Ḥazarmaveth, [61] Yeraḥ, [62] Hadoram, [63] Uzal, [64] Diklah, [65] Obal, [66] Abimael, [67] Sheba, [68] Ophir, [69] Ḥavilah, [70] Yovav. These can be identified to some extent from the *Targum J.* on Genesis, the *Targum* on Chronicles, and from Josephus. [See also Shimon Kasher, *Peshuto shel Mikra*, II (Jerusalem 1968) on Genesis 10.]

54 *Yevamos* 63a. The teaching that "Abraham was the father of converts," however, is derived from Genesis 17:5; cf. *Yerushalmi Bikkurim* 1:4 (3b); *Yad, Bikkurim* 4:3; *Shabbos* 105a, *Bereishis Rabbah* 49:6, *Zohar* 1:105a (Rabbi Yosef Begon).

55 Exodus 12:37, 38:26, Numbers 1:46, 11:21. This was the number of males over twenty years of age who left Egypt. The total number, however, was approximately three million: cf. *Targum J.* and *Mechilta*, on Exodus 12:37. We thus find that every generation has these 600,000 as roots; cf. *Koheles Rabbah* on Ecclesiastes. 1:4, *Yalkut* 2:966, *Zohar* 3:273a. We likewise find that the Torah has 600,000 letters (including vowels) corresponding to these roots: *Zohar Chadash* 74d.

56 Cf. Ezekiel 16:7, 8, and *Targum*, Rashi, Radak *ad loc.*

57 It is thus taught that God offered the Torah to every nation, but none would accept it: *Avodah Zarah* 2b; *Mechilta* on Exodus 20:2; *Sifri* (343); *Targum J.*, Rashi, Ramban, on Deuteronomy 33:2; *Sh'mos Rabbah* 27:8; *BeMidbar Rabbah* 14:22; *Eichah Rabbah* 3:3; *Tanchuma, Yisro* 14; *Shoftim* 9, *VeZos HaBerachah* 4; *Pirkey DeRabbi Eliezer* 41 (95b). Even though only Esau and Ishmael are mentioned, these include all seventy nations, cf. *Nitzotzey Oros* on *Zohar* 3:227b, as well as *Tikuney Zohar* 22 (64a).

58 *Tosafos, Avodah Zarah* 5a, s.v. *Ein*; *Zohar* 47a: *Zohar Chadash* 10c: *Likutey Amarim (Tanya)* 1 (6a). See especially *Etz Chaim, Shaar HaKelipos* 2.

59 Genesis 2:24, 9:3–7. The seven universal commandments prohibit: [1] idolatry, [2] blasphemy, [3] murder, [4] incest, etc., [5] robbery, and [6] eating flesh from a living animal. The seventh commandment stipulates that a judicial system be set up to enforce the other six: *Sanhedrin* 56b, *Tosefta Avodah Zarah* 9:4, *Bereishis Rabbah* 16:9, *Devarim Rabbah* 2:17; *Yad, Melachim* 9:1; *Moreh Nevuchim* 1:2, *Kuzari* 3:73 (75b).

60 *Avodah Zarah* 5a. Rabbi Yosef Begon, however, cites *Bereishis Rabbah* 2:7, 3:10, 30:8. In his second set of notes, he cites *Esther Rabbah, Pesichta* 10. See above, note 44.

61 It is thus taught that non-Jews have a portion in the World to Come; see *Sanhedrin* 105a, *Tosefta Sanhedrin* 13:1; *Yad, Edus* 11:10, *Melachim* 8:11, *T'shuvah* 3:5

end; Rambam on Mishnah, *Sanhedrin* 10:2; *Midrash Tehillim* 9:15. Nevertheless, they do not have a full reward for obeying their commandments; see *Bava Kama* 38a, *Avodah Zarah* 3a; Rashi, *Avodah Zarah* 6a, s.v. *V'Lifney Iver.* They therefore have a separate, lesser "World to Come," cf. *Zohar Chadash* 78d. Also see *Yerushalmi Shevi'is* 4:8 (13a), *Yerushalmi Berachos* 9:1 (63b). Non-Jews will furthermore not partake in the resurrection, and will therefore exist in the Future World only as souls. See *Sanhedrin* 91b from Isaiah 61:5, *Bereishis Rabbah* 13:4, *VaYikra Rabbah* 13:2, *Metzudos* on Daniel 12:2. Also see *Yalkut* (2:428), R. Joseph Kara on Isaiah 25:8, *Bereishis Rabbah* 26:3.

62   *Targum J.* on Deuteronomy 32:8, Genesis 11:7, 8; *Pirkey DeRabbi Eliezer* 24; Ibn Ezra on Zechariah 1:8.

63   See below, 2:7:3, 2:8:4; above, 2:1:3, note 3.

64   Isaiah 51:16, *Zohar* 1:5a, *Tikuney Zohar* 69 (104a, 118a), *Nefesh HaChaim* 1:12. Cf. *Sanhedrin* 99b, *Yerushalmi Taanis* 4:2 (21a), *Pesikta* 19 (140b); *Tanchuma, Yisro* 14, *Re'eh* 1; *Avos* 1:2, *Shabbos* 10a.

65   Above, 2:3:12.

66   See *Yad, Yesodey HaTorah* 2:9. Cf. Jeremiah 23:24.

67   Below, 2:6:3.

68   *Zohar* 2:43a. Cf. *Yad, Yesodey HaTorah* 2:5–7, *Koheles Rabbah* 10:7.

69   *Bereishis Rabbah* 5:4, *Sh'mos Rabbah* 21:6, *Zohar* 2:49a, 2:56a, 2:170b. For other explanations, see Rambam, Meiri, *Midrash Sh'muel* and *Tosefos Yom Tov* on *Avos* 5:6; *Moreh Nevuchim* 2:29; *Kuzari* 3:73 (78a). Also see *Pirkey DeRabbi Eliezer* 19 (44a), *Targum J.* on Numbers 22:28, *Koheles Rabbah* 3:17.

70   *Rosh HaShanah* 11a, *Chulin* 60a.

71   This precise wording is not found, but a similar expression may be found in *Zohar* 1:197a and *Berachos* 58a (Rabbi Yosef Begon). Also see *Pachad Yitzchok*, s.v. *Terachov* (*ibid.* second notes). Also see *Zohar* 3:176b, *Zohar Chadash* 29d.

72   *Sanhedrin* 38b, *Sh'mos Rabbah* 6:1, Rashi on Genesis 1:26.

73   Rashi *ad loc.*, *Yerushalmi Sanhedrin* 1:1 (2b). Even though we are taught (*Avos* 4:8) that God judges by Himself, the *Yerushalmi* states that this refers only to the final seal of judgment, but the judgment itself is by the heavenly courts. See 2:6:2, that it is God who pronounces the final judgment.

74   Above, 2:1:3.

75   Cf. *Bereishis Rabbah* 8:5. Also see *Avos* 4:11, Job 33:23, *Tomer Devorah* (Ramak) 1:2, *Yerushalmi Kidushin* 1:9 (29b).

76   Above, 1:5:2.

77   Cf. *Taanis* 11a, *Zohar* 3:126a, 3:175b.

78   Cf. Rashi *ad loc.* and on Job 1:1.

79   Cf. Rashi, Ibn Ezra *ad loc.*

80   Cf. Rashi on Job 1:1, *Moreh Nevuchim* 1:44, 46.

81   It is likewise taught that whenever Scripture begins a verse with the phrase "*And God,*" the reference is to God and His heavenly court. Cf. *Yerushalmi Berachos* 9:5 (67a), *Sanhedrin* 1:1 (2a); *Bereishis Rabbah* 51:3; *Tanchuma, VaEira* 16; *Zohar* 1:64b, 1:192b, 2:227b; *Rashi* on Genesis 19:24, Exodus 12:29.

82   The Satan is also mentioned in Zechariah 3:1, 2, where the Targum renders the

word as *Yechata*, namely, "he who makes others sin." It is also mentioned in Psalms 109:6. In *Bava Basra* 16a, we find that the Satan is identified with both the Evil Urge (*Yetzer HaRa*) and the Angel of Death (*Malach HaMaves*).

83 *Yerushalmi Shabbos* 2:6 (19b); *Bereishis Rabbah* 91:12; *Tanchuma, Metzora* 9. Cf. *Shabbos* 32a. The Satan is also denunciatory in a time of plenty: cf. *Bereishis Rabbah* 38:9.

84 The three things are: standing under an unsound wall, scrutinizing one's prayers to see if they are all answered, and asking God to punish another: *Berachos* 55a.

85 On Passover for grain, on Shavuos for fruits of the tree, on Succos for rain, and on Rosh HaShanah for each individual: *Rosh HaShanah* 1:2 (16a).

86 *Rosh HaShanah* 16a.

87 *Ibid.*

88 *Rosh HaShanah* 17b, 18a; *Yevamos* 49a, 105a; *Avodah Zarah* 17b; *Niddah* 70b; *Yerushalmi Yevamos* 12:6 (69a); *Bereishis Rabbah* 81:2; *BeMidbar Rabbah* 11:15; *Tanchuma, VaYikra* 5, *Tzav* 5; *Zohar* 1:57a; *Yad, T'shuvah* 2:6.

89 Above, 1:5:3.

90 See R. Bachya on Deuteronomy 18:10; Abarbanel on *ibid.* 18:9; anonymous commentary on *Yad, Yesodey HaTorah* 2:5; *Zohar Chadash* 92c. Also see Ramban on Genesis 1:18 and Deuteronomy 18:9, *T'shuvos HaRamban* (in *Kisvey HaRamban* p. 378), quoted in *T'shuvos Rashba* 283, *T'shuvos Rivash* 92, *Beis Yosef, Yoreh Deyah* 179; *T'shuvos Rashba* 1:413. The Rambam, however, maintains that the stars have no astrological influence: see his commentary on Mishnah *Avodah Zarah* 4:7. For a discussion of both opinions, see *Ikkarim* 4:4.

91 *Moed Katan* 28a. See above, note 21.

92 *Shabbos* 156a, and *Tosafos ad loc.*, s.v. *Ein.*

93 *Bereishis Rabbah* 85:2; *Yad, Yesodey HaTorah* 10:3.

94 Cf. *Bereishis Rabbah* 14:1.

95 See *Kalach Pis'chey Chochmah* 30 (22b). Also see *Elimah Rabosi* (Ramak) 1:1:12 (5a), *Shomer Emunim* (*HaKadmon*) 2:11 (§ 4).

96 See *Kalach Pis'chey Chochmah* 13.

97 See Leviticus 26:27, 28; *Yad, Taanis* 1:3; *Moreh Nevuchim* 3:36; *Igeres Teimon* p. 27; *Menoras HaMaor* 5:3:1:1 (298). Cf. *Tosafos, Rosh HaShanah* 17a, s.v. *Shelrah.*

98 *Sanhedrin* 97a, Rashi *ad loc.* s.v. *Sh'nei, Avodah Zarah* 9a, *Tikuney Zohar* 36 (77b).

99 Deuteronomy 30:6, Isaiah 10:9, 35:5, 40:5, Jeremiah 31:30–33, 32:39, 40, Ezekiel 11:19, 36:25–29, Joel 3:1, 2, Micah 4:1–4, Zephaniah 3:9, Zechariah 2:15, 8:20–23 (Rabbi Yosef Begon).

100 Cf. Joel 3:1.

PART THREE

1 Above, 1:5:1. Regarding the animal soul in general, see *Zohar* 2:94b, 3:33b; *Tanchuma, VaYikra* 8; Ramban on Genesis 1:20, Leviticus 17:14; Ralbag on Proverbs 12:10; *Etz Chaim, Shaar Klipas Nogah* 3, *Shaar Kitzur ABYA* 2, 7, *Mavo Shaarim* 6:2:7 (*Shaar Klipas Nogah*), *Shaarey Kedushah* § 1; *Or HaChaim* on Genesis 1:21, Leviticus

17:10; *Likutey Amarim* (*Tanya*) 1:1 (5b). See part 1, note 32, that this animal soul can be identified with the information contained in man's mind and body as well as with its ability to function.

2   *Etz Chaim, Shaar Kitzur ABYA* 10. Also see *Shemonah Perakim* 1, and Ramban on Genesis 2:9, Leviticus 17:11.

3   Cf. Genesis 9:4, Leviticus 17:11, 14, Deuteronomy 12:23. R. Bachya on Leviticus 17:11 writes that this refers to the last *Revi'is* (quarter *Lug*, approximately 3 oz.) of blood in the body; cf. *Yad, Tum'as Mes* 2:12. Also see *Oholos* 2:2, *Chulin* 72a, *Shabbos* 31b. Rashi, *Sotah* 5a, s.v. *Adam*, writes that this is the minimal amount of blood with which a person can live, while *Tosafos ibid.* writes that this is the amount of blood in the heart. A third opinion is that of the Rambam on *Oholos* 2:2, who writes that this is the amount of blood with which a person is born; cf. *Tosefta Oholos* 3:2, *Tosefta Kelim* 1:3, Rash on *Oholos* 2:2. The most significant explanation is that of the Ari in *Etz Chaim*. In *Shaar Derushey ABYA* 1, he explains that this "*Revi'is* of blood" refers to the highest element of the blood, namely, the "life of the brain," which in turn, is intermediate between the spiritual and the physical. We can understand this on the basis of other statements found in *Etz Chaim*. The nerves, as well as the veins and arteries, are said to contain a type of "blood," but that in the nerves is its highest fraction (*Shaar Ha-Mochin* 5, *Shaar Penimius VeChitzonius* 12, *Shaar HaChashmal* 1). The only thing that flows through the nerves, however, is the neural impulses, and therefore these impulses must be considered the highest fraction of the "blood." This, of course, is the "life of the brain" mentioned earlier, since all mental activity depends on neurological impulses. According to this, the "animal soul," which is the information in man's brain as well as his ability to process it, would depend on this "blood," namely, the neurological processes. This is the meaning of the statement that the "soul is in the blood." The reason for the prohibition against eating all blood would then also be because this neurological activity directly depends on the blood for sustenance. Cf. *Kol Yehudah* on *Kuzari* 5:12 (20a).

4   *Zohar* 2:94b; *Etz Chaim, Shaar MaN U'MaD* 5, and *Shaar HaGilgulim* 1.

5   *Betzah* 16a, *Taanis* 27b, *Zohar* 2:204a, b (Rabbi Yosef Begon). Also see *Zohar* 2:135b, 3:242b, 3:288b; *Tikuney Zohar* 13b, 50 (141b), 60 (143b).

6   *Bereishis Rabbah* 14:9, *Devarim Rabbah* 2:9, *Shaar HaGilgulim* 1. The Midrash states that the *Nefesh* is in the blood, while the *Ruach* goes up and down (from Ecclesiastes 3:21). The *Neshamah* is said to be man's "disposition" (*Ofi*): cf. Rashi *ad loc.*, Maharazav on *Sh'mos Rabbah* 40:3. In the *Zohar* 3:25a (top) we find that "the *Nefesh* is bound to the *Ruach*, the *Ruach* to the *Neshamah*, and the *Neshamah* to the Blessed Holy One." The three thus form a sort of chain, linking man to God. The idea of these three parts is best explained on the basis of the verse (Genesis 2:7), "God formed man out of the dust of the earth, and He *blew* in his nostrils a breath of life." This is likened to the process of blowing glass, which begins with the breath (*Neshimah*) of the glass-blower, flows as a wind (*Ruach*) through the glassblowing pipe, and finally comes to rest (*Nafash*) in the vessel that is being formed. The *Neshamah* thus comes from the same root as *Neshimah*, meaning breath, and this is the "breath of God." The *Nefesh* comes from a root meaning "to rest" (cf. Exodus 23:12, 31:17), and refers to the part

of the soul that is bound to the body and "rests" there. *Ruach* means a wind, and it is the part of the soul that binds the *Neshamah* and *Nefesh*. See *Nefesh HaChaim* 1:15; *Etz Chaim, Shaar TaNTA* 5, from Psalms 23:31. Also see *Sanhedrin* 91a, *Bereishis Rabbah* 14:7, *Midrash Tehillim* 2:11, Ramban on Genesis 1:7; Rashi on *Chagigah* 12b, s.v. *Ruchos U'Neshamos*. The lowest four parts of the soul are associated with the four universes in the following fashion: *Nefesh* is associated with *Asiyah*, *Ruach* with *Yetzirah*, *Neshamah* with *Beriyah*, and *Chayah* with *Atzilus*. See below, 4:6:13, note 76; above, part 1, note 33. Also see *Zohar* 2:94b, and *Shaar HaGilgulim* 1. Of these five parts, only *Nefesh, Ruach* and *Neshamah* have any relationship with the body, while *Chayah* and *Yechidah* only surround it in a general sense. See *Etz Chaim, Shaar Akudim* 5, *Shaar Penimius VeChitzonius* 10, 12; *Nefesh HaChaim* 2:17. The *Chayah* is mentioned in the Bible: see Ezekiel 9:13, Radak and *Metzudos ad loc.*, Psalms 143:3 and *Metzudos ad loc.*, Job 33:18, 20, 22, 28, 36:14. Cf. Psalms 68:11, 78:50, Isaiah 40:16. The reason why it is called *Chayah* is that it is associated with *Atzilus*, which is the source and "life" of all existence. It is sometimes also referred to as the "soul of the soul" and the "root of the soul." Finally, the *Yechidah* is also mentioned in the Bible: see Psalms 22:21, 35:17, as well as *BeMidbar Rabbah* 17:2; *Tanchuma, Sh'lach* 14; Rashi on *Bereishis Rabbah* 56:7, s.v. *Ki*. This exists on the level above *Atzilus*, where everything is an absolute Unity (known to Kabbalists as *Adam Kadmon*). Using the above analogy of the breath of a glassblower, the *Chayah* would be the blower himself, while the *Yechidah* would be his soul.

7   *Megillah* 3a, *Sanhedrin* 94b. Rashi, *Megillah* 3a, s.v. *Mazley* explains that this Mazal is the "overseer" (*Sar*) who protects each individual. Also see Rashi, *Shabbos* 53b, s.v. *Mazley* and above, part 1, note 37. In *Bava Kama* 2b, s.v. *Mazla*, however, Rashi explains that man's *Mazal* is his intellect. The author, though, relates *Mazal* to man's soul. Cf. *Shabbos* 146a.

8   Lamentations 3:23.

9   Cf. *Berachos* 66b, and Rashi *ad loc.* s.v. *Hirhurey*, where we find that all dreams follow one's daytime thoughts. See *Zohar* 1:183a.

10   Cf. *Pirkey DeRabbi Eliezer* 34 (79b); Rashi on *Bereishis Rabbah* 14:9, s.v. *SheHi*; *Etz Chaim, Shaar Kitzur ABYA* 10. It is the *Neshamah*, however, that actually has the perception, as the author himself states later, and this is then transmitted through the *Ruach*. Cf. *Zohar Chadash* 90d. Also see *VaYikra Rabbah* 32:2, that the soul speaks to an angel.

11   These are the angels that oversee prophecy (Rabbi Yosef Begon). Cf. *Yad, Yesodey HaTorah* 2:7. Also see below, note 38.

12   Above, 1:5:1, note 34.

13   *Ikkarim* 4:11, *Pirkey DeRabbi Eliezer* 34.

14   This is because both the *Neshamah* and these Forces are on the same level, namely *Beriyah*. See above, notes 6 and 10.

15   *Berachos* 55b.

16   *Ibid.* 55a.

17   Above, 1:5:3.

18   Above, 1:5:8.

19 Above, 1:5:2, 2:1:2, 2:3:2.

20 See R. Bachya *ad loc.* From *Kiddushin* 71a we see that this was the Name said by the *Kohen Gadol* (High Priest) on *Yom Kippur* in the Holy Temple.

21 See R. Bachya and R. Menachem Recanati *ad loc.* Also see Radal on *Pirkey DeRabbi Eliezer* 35:35.

22 These Influences refer to the Ten *Sefiros*; see below, 4:6:13, note 79. The ten Names associated with God allude to the Ten *Sefiros*: see *Pardes Rimonim* 20:1; *Shaarey Orah* (beginning of each Shaar); *Sh'nei Luchos HaB'ris, Beis HaShem* (1:5a). Through proper use of these Names, miracles could be worked: see *Sifsey Kohen* (*Shach*), *Yoreh Deyah* 179:18; *Be'er HaGolah* (Maharal) 2 (Pardes, Tel Aviv) p. 11. For examples, see *Yevamos* 49a, *Gittin* 68b, *Sanhedrin* 95a, *Bechoros* 8b; Rashi, *Shabbos* 81b, s.v. *Imru*, and *Sanhedrin* 68b, s.v. *Aski*; Rashi and Ramban on Exodus 2:14; *Sh'mos Rabbah* 1:35; *Koheles Rabbah* 3:15; *Midrash Tehillim* 91:8; *Pesikta* 19 (104a); *Yalkut* 2:336; Ramban, *Toras HaShem Temimah* (in *Kisvey HaRamban* I) p. 168. The Rambam, however, disputes the fact that such Names can have any miraculous influence: see *Moreh Nevuchim* 1:61 (92b), 1:62 (94a), Shem Tov *ad loc.* See HaGra, *Yoreh Deyah* 179:13, who writes that the Rambam's opinion was affected by Aristotelian influence. Also see *Shomer Emunim* (*HaKadmon*) 1:13.

23 Cf. Rashi and *Tosafos, Chagigah* 14b, s.v. *Nichnesu*; *Tosafos, Gittin* 84a, s.v. *Al Menas SheTaali*; *Shaar Ruach HaKodesh* (ed. Ashlag, Tel Aviv 5723), pp. 74, 108. See below, 3:4:4, note 45.

24 Below, 3:4:2, 3:4:5.

25 See above, 2:5:6.

26 *Midrash Tehillim* 36:8; Rashi on Isaiah 29:12, Jeremiah 21:4, Lamentations 2:2; *Sefer Chasidim* § 473; *T'shuvos Chasam Sofer, Orach Chaim* 197, 198. Also see *Zohar* 1:56b, 1:109b, 2:112a, 3:184a, 3:310a, *Tikuney Zohar* 66 (97a), 70 (131b).

27 *Avos* 1:13, Bertinoro *ad loc.*, *Avos DeRabbi Nathan* 12:13, *Yoreh Deyah* 246:21 — *Hagah.* Cf. *Yoreh Deyah* 179:16 — *Hagah.*

28 *Sifsey Kohen* (*Shach*), *Yoreh Deyah* 179:18.

29 Cf. Rashi, *Avodah Zarah* 17b, s.v. *Lamah*; *Sanhedrin* 101b, s.v. *U'VeLashon*; *Tosafos, Berachos* 7a, s.v. *HaHu*; *Sefer Chasidim* §§ 205, 484; *Ikkarim* 1:18; Rabbi Yaakov Emden on *Eruvin* 43a; *Chochmas Adam* 89:8; *T'shuvos Rashba* 1:220; *T'shuvos Yachin U'Boaz* 135 (54c). Cf. *Sanhedrin* 106a, from Numbers 24:23. In *Shaar Ruach HaKodesh, Tikun* 3 (p. 31), we find that these Names may only be used by a person who has been purified by the ashes of the Red Heifer (Numbers 19). Also see *Shaar HaMitzvos, Sh'mos* (ed. Ashlag, Tel Aviv 5722) p. 26; *Likutey Toras HaAri, Taamey HaMitzvos, Sh'mos* (ed. Ashlag, Jerusalem 5730) pp. 132, 133.

30 Cf. *Chagigah* 15a, *Zohar* 3:47b, 3:282a. Cf. *Etz Chaim, Shaar HaK'lipos* 1.

31 Above, 1:5:8, 1:3:4.

32 Exodus 22:17, Deuteronomy 18:10, 11; *Sanhedrin* 7:7 (65a), 7:11 (67a); *Yad, Avodas Kochavim* 11:14–16.

33 Cf. *Sanhedrin* 67b, 101a; *Beis Yosef, Yoreh Deyah* 179 (935b); *Shulchan Aruch, Yoreh Deyah* 179:16; HaGra *ad loc.* 179:26. Cf. *Gittin* 68a.

34 *Sanhedrin* 67b, *Chulin* 7b, *T'shuvos Rivash* 92. Cf. Rashi, *Berachos* 17a (top),

s.v. *BePamalia*, who states that this *Pamalia* or "community" refers to the assemblage of angels.

35 *Sanhedrin* 67b.

36 *Ibid.*

37 See *Shaarey Kedushah* 3:5.

38 See note 11. Cf. *Yad, Yesodey HaTorah* 7:6 and *Moreh Nevuchim* 2:34, that all prophecy other than that of Moses was through an angel. The Ramban, however, on Genesis 18:2, Numbers 22:23, 31, writes that a message given through an angel is not necessarily prophetic. Cf. *VaYikra Rabbah* 1:9; *Zohar* 1:149b, 2:234b; *Berachos* 55b.

39 *Tosafos Yom Tov* on *Kelim* 30:2 interprets *Ispaklaria* as a lens. *Rashi, Succah* 45b likewise writes that it is a barrier between man and the *Shechinah* (Divine Presence). Also see Rashi, *Sanhedrin* 97b. We likewise find that *Zechuchis* (glass) is rendered *Aspaklaria* in the *Targum* on Job 28:17. Bertinoro and *Tiferes Yisroel* on *Kelim*, however, interpret *Ispaklaria* to mean a mirror. The Ari relates the *Ispaklaria* to various *Sefiros*: see *Shaar Ruach HaKodesh* p. 12; *Etz Chaim, Shaar HaYere'ach* 2. See below, note 58. In *Adir BaMarom* 78a, the author himself states that a "Shining *Ispaklaria*" is a lens, while a "Non-shining *Ispaklaria*" is a mirror. In the Targum on Job, *loc. cit.* the word is vocalized as *Aspaklaria* (with a *Patach*), but in the *Targum J.* on Exodus 19:17, it is *Ispaklaria* (with a *Chirek*).

40 Genesis 15:12, Daniel 10:8, Rambam on *Sanhedrin* 10:1, Thirteen Principles, § 7; *Yad, Yesodey HaTorah* 7:2.

41 1 Kings 20:35, 2 Kings 2:3, 2:5, 2:7, 2:15, 4:1, 4:38, 5:22, 6:1, 9:1, *Targum ad loc.* See Radak on 2 Kings 2:3, *Yad, Yesodey HaTorah* 7:5; *Moreh Nevuchim* 2:32.

42 1 Samuel 3:4 ff. Cf. *Moreh Nevuchim* 2:44. R. Joseph Kara on 1 Samuel 3:1 writes that Samuel heard a *Bas Kol*.

43 Exodus 3.

44 *Sh'mos Rabbah* 3:1, 45:5; *Tanchuma, Sh'mos* 19.

45 Above, 3:2:5, note 23. See *Shaarey Kedushah* 3:6. The Ramban, in *Toras HaShem Temimah* (in *Kisvey HaRamban* I) p. 168, writes that the verses of the first chapter of Ezekiel contain the Names needed to open these spiritual doors.

46 1 Kings 13:9, 18, 21, 22, 28. The prophet in question was Iddo, who is mentioned in 2 Chronicles 12:15, 13:22, 9:29; cf. *Targum* and *Metzudos ad loc.* See *Sanhedrin* 98b; Rashi and Radak on 1 Kings 13:1. The Radak on Zechariah 1:1 identifies this Iddo as the grandfather of the prophet Zechariah.

47 *Sanhedrin* 89b.

48 See Rashi *Sanhedrin* 89b, s.v. *MeIkra*, and Rashi on Jonah 3:4.

49 *Sanhedrin* 89b. The reading in the Talmud is, "Jonah was the one who did not know if it was for good or for bad" (note in Hebrew edition). Also see *T'shuvos Rashba* 1:11.

50 Cf. *Kuzari* 5:20 (50b), Ramban on Numbers 23:5, Sforno on Numbers 22:38, from 2 Samuel 23:2. The Rambam, however, seems to dispute this in *Yad, Yesodey HaTorah* 7:3.

51 Jeremiah 13.

52 *Ibid.* 27.

53   Ezekiel 4.

54   The prophetic vision is vividly described in 1 Kings 22:21: "I saw God sitting on His Throne, and all the host of heaven were standing at His right and at His left. And God asked, 'Who will entice Aḥab, that he may go up and fall at Ramoth-Gilead?' One [of those standing there] spoke up in one manner, and another, in another manner. And there came forth the Spirit, who stood before God and said, 'I will entice him.' And God asked him, 'In what manner?' [The Spirit] answered, 'I will go forth and there will be a lying spirit in the mouth of his prophets.' [God] said, 'You shall entice him, and you shall prevail. Go forth and do so.'" This Spirit (Ruach) was that of Naboth, whom Aḥab had killed, as mentioned in 1 Kings 21; see *Sanhedrin* 89a, Maharsha *ad loc.* s.v. *Ruach Naboth.* Cf. *Shabbos* 149b.

55   *Sanhedrin* 89a.

56   Rambam on *Sanhedrin* 10:1; Thirteen Principles § 7; *Yad, Yesodey HaTorah* 7:2; *Moreh Nevuchim* 2:36, 41, 42, 44.

57   *Berachos* 57b. Cf. *Bereishis Rabbah* 17:7, 44:19; *Zohar* 1:149b, 1:183b, 1:191b, 1:238a, 2:247b, 3:222b, 3:234b; *Moreh Nevuchim* 2:36.

58   It is thus taught that "All other prophets saw through a dull lens, while Moses saw through a clear lens"; *Yevamos* 49b, Rashi and Ramban *ad loc.*, *Sanhedrin* 97b, *VaYikra Rabbah* 1:14, *Zohar* 1:171a, Rashi and Sforno on Numbers 12:6, Ramban on Genesis 18:2; *Yad, Yesodey HaTorah* 7:6, Rambam on *Kelim* 20:2, *Ikkarim* 3:17. We likewise find that "All other prophets looked through nine lenses, but Moses looked through only one"; *VaYikra Rabbah loc. cit.*

59   Cf. R. Bachya *ad loc.*

60   Cf. Ramban *ad loc.*

61   See Rambam on *Sanhedrin* 10:1, Thirteen Principles § 3.

62   See R. Bachya *ad loc.*

63   *Sifri* on Numbers 12:8. Cf. *Mechilta* and Rashi on Exodus 20:15.

PART FOUR

1   Numbers 15:19–21; *Yad, Bikkurim* 5:1; *Yoreh Deyah* 332. This law states that one must separate a small amount from every batch of dough for the *Kohen.* Since this portion is now usually ritually impure, it must be burned.

2   Numbers 18:21–26. This was required of all produce grown in the Land of Israel, and was to be given to the Levite. A second tithe was to be eaten in Jerusalem: cf. Leviticus 27:32, Deuteronomy 12:17, 14:22–27, 26:12.

3   Exodus 13:13, 22:28, 34:20, Numbers 3:13, 18:15.

4   See Psalms 37:27.

5   Above, 1:4:4.

6   We are therefore taught that God's Influence and the Torah are one. Cf. *Zohar* 3:73a, 3:93a; *Nefesh HaChaim* 1:16, note s.v. *Af Al Pi*, 4:11. It is likewise taught that "a variety of the supernal Wisdom is the Torah"; *Bereishis Rabbah* 17:5; *Etz Chaim, Shaar HaKelalim* 1.

7   *Kidushin* 30a, *Avodah Zarah* 19b; *Yad, Talmud Torah* 1:11; *Yoreh Deyah* 246:4.

8   See *Derech Etz Chaim* and *Derech Chochmah*, by the author.

9   Psalms 2:11.

10   *Kidushin* 33b, *Yerushalmi Megillah* 4:1 (26b); *Shabbos* 14a, *Avos* 4:6, *Sanhedrin* 10:1 (90a).

11   *Berachos* 28b, *Derech Eretz Rabbah* 3.

12   *Chulin* 133a.

13   *Yerushalmi Chagigah* 1:7 (6b); *Eichah Rabbah*, introduction 2; *Pesikta* 15 (121a); *Reishis Chochmah, Shaar HaTshuvah* 7 (123c).

14   *Avos* 3:11, *Avos DeRabbi Nathan* 26:4. Cf. *Yoma* 85b, *Shavous* 13a; *Tosafos, Berachos* 17a, s.v. *HaOseh*; idem, *Pesachim* 50b, s.v. *V'Kan*; idem, *Taanis* 7a, s.v. *Kol HaOsek*.

15   *Succah* 28a, *Bava Basra* 134a.

16   See *Zohar* 1:11b, *Tikuney Zohar* 5b end; *Reishis Chochmah, Shaar HaYirah* 4; *Yad, Yesodey HaTorah* 2:2.

17   *Berachos* 33b.

18   Above, 1:4:8; below, 4:4:5. Also see *Mesilas Yesharim*.

19   Cf. Proverbs 19:21.

20   See *Sifri* ad loc.

21   See Ibn Ezra and Radak *ad loc.*

22   It is thus taught, "Wherever we find God's greatness, we also find His humility": *Megillah* 31a.

23   *Pirkey DeRabbi Eliezer* 3.

24   *Berachos* 2:2 (13a).

25   Above, 2:8:2, 1:5:4.

26   Above, 1:2:2.

27   *T'shuvos Rashba* 5:55, from Psalms 44:23; Bach, Orach Chaim 61; *Chayey Adam* 21:13; *Mishneh Berurah* 61:3; Ibn Ezra on Psalms 44:23; *Shaar HaKavanos, Kavanos Kerias Sh'ma* (ed. Ashlag, Tel Aviv 5722) p. 153. Also see *Berachos* 9:5 (54a), 61b.

28   *Sefer Chasidim* §§ 40, 222, 704. Cf. *Kidushin* 40a.

29   Genesis 6:5–8, 12, 13. See above, part 2, note 28.

30   *Shaar HaKavanos, loc. cit., Nefilas Apayim* 5 (p. 310). Cf. *Etz Chaim, Shaar HaKelalim* 1, *Shaar MaN U'MaD* 1, *Shaar Kitzur ABYA* 5, with regard to the Ten Sages, who were martyred. See *Zohar* 2:254b.

31   See *Devarim Rabbah* 2:36, R. Bachya on Deuteronomy 6:4, *Magen Avraham* 619:8.

32   *Pesachim* 56a, *Devarim Rabbah* 2:35. See especially *Bereishis Rabbah* 96:3, *Targum J.* and *Sifri* on Deuteronomy 6:4, and *Tanchuma, VaYechi* 18.

33   *Pesachim ibid.*

34   *Devarim Rabbah* 2:36, Orach Chaim 619:2. Cf. *Pirkey DeRabbi Eliezer* 46.

35   Below, 4:8:5.

36   *Berachos* 2:2 (13a).

37   *Ibid.*

38   *Ibid.* See Rashi, *Berachos* 12b, s.v. *Mazkirin*; *Yad, Kerias Sh'ma* 1:3.

39   See *Shaar HaKavanos, Inyan Pesach* (p. 137), *Shaar HaPesukim, Sh'mos* (p. 101).

40 Cf. Deuteronomy 4:20, 1 Kings 8:51, Jeremiah 11:4, Radak *ad loc.* See Ezekiel 22:17–22, Proverbs 17:3.

41 *Bahir* 8, *Oholos* 1:8. Cf. *Makkos* 23b and *Targum J.* on Genesis 1:27, that this corresponds to the number of positive commandments.

42 *Tanchuma, Kedoshim* 6; *Zohar* 1:101a (*Sisrey Torah*), 1:253a, *Zohar Chadash* 48a, 77d, 90d, *Tikuney Zohar* 10 (25b), *Orach Chaim* 61:3.

43 *Berachos* 1:4 (11a); *Yad, Kerias Sh'ma* 1:5–7.

44 See above, 1:3:9, note 16.

45 Above, 1:2:3, 1:3:4, 2:2:1.

46 Cf. Psalms 55:23.

47 See *Berachos* 5:1 (30b).

48 *Yoma* 53b, *Orach Chaim* 123:1. See *Beis Yosef, Orach Chaim* 123 (105b), s.v. *Kasav*; *Zohar* 3:120b, *Tikuney Zohar* 10 (26a end), 18 (33a, 37b).

49 *Yalkut* 2:13, Rashi on Exodus 12:22, *Zohar* 1:34b.

50 See *Zohar* 1:217b, 2:130a, 2:173b. Cf. *Berachos* 3b.

51 See *Etz Chaim, Shaar HaKelipos* 2, from *Zohar* 1:217b, that it is at night that the Forces of evil derive their nourishment from the Holy.

52 The sages of the Talmud were therefore so holy that they were not defiled by night. See *Maadaney Yom Tov* (on Rosh), *Berachos* 9:23, § 6. Also see R. Yonah, *Berachos* (on Rif 44b); *Bach, Orach Chaim* 46, s.v. *U'LeFi*.

53 *Berachos* 57b.

54 *Shabbos* 108b; Rashi *ad loc.* s.v. *Yad LeEyin*; *Orach Chaim* 4:2; *Zohar* 1:184b.

55 *Shabbos* 109a, *Orach Chaim loc. cit.*

56 See *Pri Etz Chaim, Shaar HaTefillah* 1 (p. 16), 7 (p. 35), *Shaar HaKavanos, Inyan Birkas HaShachar* (p. 3).

57 See *Berachos* 15a, *Orach Chaim* 2:6.

58 Both Tzitzis and Tefillin are said to encompass all other 613 commandments. Regarding Tzitzis, see *Nedarim* 25a, *Shavuos* 29a, *Menachos* 43b, *Sifri* (115), Rashi on Numbers 15:39. Regarding Tefillin, see *Kidushin* 35a.

59 See *BeMidbar Rabbah* 17:5; *Tanchuma, Naso* 15.

60 *Menachos* 43b, Rashi and Tosefos *ad loc.* s.v. *Chosem*; Sforno, Abarbanel and *Or HaChaim* on Numbers 15:39; R. Bachya *ibid.* quoting *Bahir* 93; *Sefer HaChinuch* § 386; *Zohar* 3:174b; *Etz Chaim, Shaar HaShemos* 7 (p. 343).

61 *Tosafos, Berachos* 14b, s.v. *U'Meiniach*; *Yad, Tzitzis* 3:11; *Orach Chaim* 24:1. Cf. *Midrash Tehillim* 35:2, Ibn Ezra on Numbers 15:39, R. Bachya *ibid.*; *Sefer Mitzvos Gadol (S'mag)*, Positive Commandment § 26. Also see *Zohar* 3:226b, 3:278a, *Tikuney Zohar* 11 (26b).

62 *Orach Chaim* 25:1. Cf. HaGra *ad loc.* s.v. *SheMaalin BaKodesh.*

63 *Berachos* 6a, 57a, *Sotah* 17a, *Menachos* 35b, *Chulin* 89a.

64 *Sefer Mitzvos Gadol (S'mag)*, Positive Commandment § 3; R. Yonah, *Berachos* (on Rif 8a), s.v. *HaRotzeh*; *Orach Chaim* 25:5.

65 *Eruvin* 96a, *Menachos* 36a, *Orach Chaim* 31:1. Cf. *Betzah* 17a.

66 See below, note 81.

67 The word *Zimrah* here means praise, as we find in Genesis 43:11. See *Kol Bo,*

Din Yishtabach 5 (2b). This expression is found in the prayer *Yishtabach*, and the entire passage is, "He who chose by hymns of praise ... the Life of [all] worlds." That is, God chose to become the "Life of all worlds" through these hymns. Cf. *Zohar* 2:132a.

68   *Shaar HaKavanos, Drush Tefillas HaShachar* 1 (p. 78), *Inyan Kavanas Kerias Sh'ma* end of 8 (p. 182), *Kavanas HaAmidah* 2 (p. 184).

69   See *Zohar* 3:92a, *Pardes Rimonim* 19:3. The four letters of the Tetragrammaton allude to the four universes discussed in section 13: cf. *Tikuney Zohar* 6b, *Pardes Rimonim* 19:2. The final *Hey* therefore alludes to this physical world, which is where man unites all the other universes.

70   *Shaar HaKavanos, Kavanos HaAmidah* 2 (p. 198). This *Hey* also alludes to the initial *Hey* of the words *HaGadol, HaGibor veHaNorah*. Cf. *Abudraham* (Jerusalem 5723) p. 94.

71   *Zohar* 2:261a, *T'shuvos Rashba* 1:423.

72   *Pesachim* 117b, from 2 Samuel 7:9; *Zohar* 1:99a, 2:73a, b.

73   *Berachos* 34a; *Zohar* 3:223a.

74   *Berachos* 21a, 29a; *Eruvin* 40a; *Betzah* 17a; *Yad, Tefillah* 2:5; *Magen Avraham* 268:1; *Zohar* 2:206a; *Shaar HaKavanos, Inyan Shinuy HaTefillos* (vol. 2 p. 14); *Pri Etz Chaim, Shaar HaTefillah* 7.

75   Below, 4:7:2.

76   In the Kabbalah, these are referred to as *Atzilus* (Emanation), *Beriyah* (Creation), *Yetzirah* (Formation) and *Asiyah* (Completion). They are alluded to in the verse (Isaiah 43:7), "All that is called by My Name, for My Glory (*Atzilus*), I have created it (*Beriyah*), I have formed it (*Yetzirah*), and I have completed it (*Asiyah*)." See *Pardes Rimonim* 16:1, *Shaarey Kedushah* 3:6. *Asiyah* is the physical world together with its spiritual aspect, *Yetzirah* is the world of angels, *Beriyah* is the world of the Throne and the Forces, and *Atzilus* is the world of God's Influences, which are the *Sefiros*. See above, part 1, note 33.

77   See above, 1:5:1.

78   This is God's Throne mentioned in 1 Kings 22:19, Isaiah 6:1. From Ezekiel 1:26 we see that this throne is "above the sky that is above the heads" of the *Chayos* (the angels of *Yetzirah*), and therefore the Throne is in a higher universe than the angels. (The *Serafim* mentioned in Isaiah 6:1 as surrounding the Throne are the angels of *Beriyah*, and allude to the Forces. See part 1, note 33.) In general, the concept of "sitting" is that of lowering, and therefore, when we say that God "sits," we allegorically refer to the fact that He "lowers" Himself to be concerned with the world. (Cf. *Zohar* 2:37a; *Avodas HaKodesh, Shaar HaTachlis* 42.) God's Throne is therefore the vehicle of this "lowering" and concern, which is the sum total of the Forces involved in His providence. See *Shiur Komah* (Ramak) 21.

79   *Elohus* in Hebrew. In Kabbalistic terms, it is the universe of *Atzilus*, and these Influences are the *Sefiros*. See *Pardes Rimonim* 4:7–9.

80   See *Kalach Pis'chey Chochmah* 6.

81   *Shaar HaKavanos, Derushey Tefillas HaShachar* 1 (p. 77); *Pri Etz Chaim, Shaar HaTefillah* 6.

82   *Sotah* 49a; *Zohar* 2:129a, 2:133a; *Yad, Tefillah* 9:6; *Orach Chaim* 132:1; *Shaar HaKavanos, Inyan Mizmor Ya'an'cha* (p. 323).

83   *Tamid* 7:4, *Rosh HaShanah* 31a, *Abudraham* p. 123, *Orach Chaim* 132:2 — Hagah.

84   *Orach Chaim ibid.* In the Sefardic ritual this is said every day, while in the Ashkenazic it is said only on the Sabbath.

85   *Tur, Orach Chaim* 133; *Shaar HaKavanos* p. 335.

86   *Shaar HaKavanos* p. 278. This daily confession is said only in the Sefardic ritual, and is the same as that said by the Ashkenazim on Yom Kippur. From this it is obvious that the author (who lived in Italy) followed the Sefardic ritual.

87   *Rosh HaShanah* 17b. The Thirteen Attributes of Mercy are cited in Exodus 34:6: "God [1], merciful [2] and gracious [3], slow [4] to anger [5], and abundant in kindness [6] and truth [7]; keeping mercy [8] to the thousandth generation [9], forgiving sin [10], rebellion [11] and error [12], and cleansing [13]." See *Etz Chaim, Shaar Arich Anpin* 9, and *Shaar HaKavanos, Inyan VaYaavor* 3 (p. 286); *Zohar* 2:4b, 3:131b. For other ways of enumerating them, see Rashi, Ramban, *Baaley Tosafos*, Sforno, *ad loc.*; *Tosafos, Rosh HaShanah* 17b, s.v. *Shalosh*; *Sefer Chasidim* § 250. These Thirteen Attributes are also alluded to in Micah 7:18-20; see *Zohar* 3:131b, *Etz Chaim, loc. cit.* and *Tomer Devorah* (Ramak) 1.

88   This is also part of the Sefardic ritual. See *Shaar HaKavanos, Inyan VaYaavor* (p. 279 ff.); *Pri Etz Chaim, Shaar HaSelichos.*

• 89   Cf. *Megillah* 22a, *Bava Metzia* 59b, *Orach Chaim* 131:1; *Shaar HaKavanos, Inyan Nefilas Apayim* 2 (p. 302); *Pri Etz Chaim, Shaar Nefilas Apayim* 2.

90   From Numbers 28:4. See *Mechilta*, Rashi and Ramban, on Exodus 12:6; and *Zevachim* 11b.

91   See *Yerushalmi Berachos* 4:1 (29b); *Shaar HaKavanos, Inyan Shinuy HaTefillos* (vol. 2, p. 10), *Inyan Nefilas Apayim* 1 (vol. 1, p. 301); *Pri Etz Chaim, Shaar Nefilas Apayim* 1.

92   See *Zohar* 1:132b.

93   Ibid. See *Berachos* 27b: Rif *ad loc.* 19a; *Yad, Tefillah* 1:6.

94   *Berachos* 26b. Regarding the Midnight Service, see *Berachos* 3b.

95   See Numbers 28, 29; *Yad, Tefillah* 1:5.

96   See above, 1:3:4, 1:5:9, 4:6:1.

97   See *Shaar HaKavanos, Inyan Rechitzas Panav* (vol. 2, p. 31).

98   See *Sanhedrin* 58b; *Yad, Melachim* 10:9; *Zohar* 2:63b (end), 2:89a.

99   Above, 3:1:3.

100   There are thus 39 types of work that are forbidden on the Sabbath; see *Shabbos* 7:2 (73a). Also see *Shabbos* 12:1 (102b), according to *Maggid Mishneh* on *Yad, Shabbos* 9:13. Cf. *Meleches Shelomoh* on *Shabbos* 1:1.

101   *Orach Chaim* 417:1. See *Pirkey DeRabbi Eliezer* 45, *Yerushalmi Pesachim* 4:1 (25b), *Yerushalmi Taanis* 1:6 (6a); Rashi, *Megillah* 22b, s.v. *Roshey Chodashim*; *Tosafos ibid.* s.v. *VeShanin*; *Chagigah* 18a, s.v. *Rosh Chodesh*; *Rosh HaShanah* 23a, s.v. *Mishum.*

102   *Succah* 11b, Rashi on Leviticus 23:43, *Orach Chaim* 625:1.

103   *Tur, Orach Chaim* 625, Ramban on Leviticus 23:43.

104   *Shabbos* 13b.

105 *Rosh HaShanah* 18b.

106 Cf. Deuteronomy 4:34.

107 Leaven thus alludes to the Evil Urge; cf. *Berachos* 17a, *Bereishis Rabbah* 34:9. See *Zohar* 2:182a, Ramban on Leviticus 23:17.

108 *Zohar* 3:103a, *Tikuney Zohar* 21 (55a).

109 These are the Lulav (date palm frond), Esrog (citron), myrtle and willow: Leviticus 23:40.

110 See *Succah* 37b, *Tikuney Zohar* 6 (23a).

111 Mattathias and his sons were all *Kohanim*, as we find in the prayer *Al HaNissim*. Cf. *Zohar Chadash* 23c.

112 See *Rokeach* 225, Ramban on Numbers 8:2.

113 *Shabbos* 88a, from Esther 9:27.

114 *Rosh HaShanah* 1:2 (16a). See above, 2:6:5, note 95.

115 *VaYikra Rabbah* 29:3, on Psalms 47:6; *Pesikta Rabosi* 41.

116 *Rosh HaShanah* 16b, *Zohar* 1:114b (top), *Pesikta Rabosi ibid.*

117 *Rosh HaShanah* 17a. Cf. Rashi *ad loc.* s.v. *HaMa'avir.*

118 Above, 2:1:3, note 2.

119 *Rosh HaShanah* 16a, *Zohar* 3:99b.

120 Above, 2:8:1.

121 *Yoma* 86a, from Leviticus 16:30.

122 *Pirkey DeRabbi Eliezer* 46; Rosh, *Yoma* 8:24; *Orach Chaim* 610:4 — *Hagah*; *Magen Avraham* 619:10.

123 *Bava Kama* 82a; *Yad, Tefillah* 12:1.

124 *Megillah* 31a; *Yad, ibid.* 12:2.

125 Above, 1:4:4.

126 Above, 2:8:2.

127 Deuteronomy 8:10; *Berachos* 21a; *Yad, Berachos* 1:1. Cf. Deuteronomy 6:11, 11:15.

128 *Tosefta, Berachos* 6:14; *Yad, Berachos* 1:3, 11:2. Also see HaGra on *Orach Chaim* 8:1.

INDEX

The triple numbers refer respectively to part, chapter, and section (as marked in the running heads). Notes are indicated by the prefix n. Thus, for example, n2:25 means part 2, note 25.

BIBLICAL REFERENCES

Genesis

3:19	1:3:11
11:5	2:3:6
12:3	2:4:4

Exodus

3:15	3:2:5
20:21	3:2:5
24:10	3:5:7
33:19	2:8:1, 3:5:6

Leviticus

23:43	4:7:6

Numbers

12:6	3:5:1, 3:5:2
12:7	3:5:6
12:8	3:5:2
15:37-41	4:4:9

Deuteronomy

4:9	1:1:2
4:12	3:5:7
4:15	3:5:7
4:35	3:2:9
6:4	4:4:1, 4:4:2
6:5-9	4:4:8
6:24	1:4:5
8:5	2:8:1
11:13-21	4:4:9
13:2	3:4:10

28:10	4:6:7, 4:8:2
32:7	2:3:10
32:29	4:4:1
34:10	3:3:6

1 Samuel

2:9	2:3:4

1 Kings

22:5	3:4:11
22:10-12	3:4:11
22:19	2:6:2

Isaiah

12:1	2:3:12
43:10	4:4:1
43:12	4:4:1
45:7	1:5:8
47:13	2:7:4
49:23	4:8:2
60:14	4:8:2

Ezekiel

18:20	2:3:7

Amos

3:2	2:4:8

Jonah

3:4	3:4:7

Zechariah

1:10	4:6:3
4:10	2:6:3
14:15	4:4:1

Psalms

34:15	4:1:3
45:7	2:8:1
50:16	4:2:6
104:20-23	4:6:1
106:9	2:5:6
119:62	4:6:16
140:9	2:3:4

Proverbs

14:28	4:4:2
29:4	2:8:1

Job

1:6	2:6:3, 2:6:4
20:22	2:3:6
33:15	3:1:6
36:10	2:3:5

Ecclesiastes

7:14	3:2:8

Daniel

4:14	2:6:1
7:9	2:6:2

רבנו משה חיים לוצאטו

מאמר העקרים

★

AN ESSAY

ON FUNDAMENTALS

by

MOSHE CHAIM LUZZATTO

בַּבּוֹרֵא יִתְבָּרַךְ

מַה שֶּׁצָּרִיךְ שֶׁתֵּדַע בִּתְחִלַּת הַכֹּל, הוּא, שֶׁיֵּשׁ מָצוּי אֶחָד, אֲדוֹן כָּל הַנִּמְצָאוֹת שֶׁהִמְצִיאָם בָּעֵת שֶׁרָצָה, וּמְקַיְּמָם כָּל הַזְּמַן שֶׁיִּרְצֶה, וְשׁוֹלֵט בָּהֶם שְׁלִיטָה גְמוּרָה, הוּא הָאֱלֹהַּ יִתְבָּרַךְ שְׁמוֹ.

הַמָּצוּי הַזֶּה יִתְבָּרַךְ הוּא מָצוּי שָׁלֵם בְּכָל מִינֵי שְׁלֵמוּת, אֵין בּוֹ שׁוּם חִסָּרוֹן כְּלָל וְעִקָּר; אֵינוֹ תָלוּי בְּזוּלָתוֹ וְלֹא מִתְפַּעֵל מִזּוּלָתוֹ כְּלָל; אֵין הַתְחָלָה לִמְצִיאוּתוֹ וְלֹא סוֹף כְּלָל, פֵּרוּשׁ שֶׁלֹּא נִתְהַוָּה אַחַר הַהֶעְדֵּר, וְלֹא יְבוֹאֵהוּ הַהֶעְדֵּר כְּלָל, אֲבָל תָּמִיד הָיָה וְתָמִיד יִהְיֶה, אִי אֶפְשָׁר הֶעְדֵּרוֹ כְּלָל וּכְלָל; הוּא סִבַּת כָּל הַהֲוָיִים, וְאֵין עָלָיו סִבָּה אַחֶרֶת, אֶלָּא הוּא מֵעַצְמוֹ מֻכְרַח הַמְּצִיאוּת.

עוֹד צָרִיךְ שֶׁתֵּדַע, שֶׁהַמָּצוּי הַזֶּה יִתְבָּרַךְ שְׁמוֹ אֵין בּוֹ שׁוּם הַרְכָּבָה וְלֹא רִבּוּי בְּשׁוּם פָּנִים, אֶלָּא הוּא פָּשׁוּט בְּתַכְלִית הַפְּשִׁיטוּת, וְאֵין שַׁיָּךְ בּוֹ שׁוּם עִנְיָן מֵעִנְיְנֵי הַגּוּפִים וּמִקְרֵיהֶם, וְהוּא מְשֻׁלָּל מִכָּל גְּבוּל וְגֶדֶר, מִכָּל יַחַס וּמִכָּל חֹק טִבְעִי.

וְעַל הַכֹּל צָרִיךְ שֶׁתֵּדַע, שֶׁאֲמִתַּת עִנְיָנוֹ וּמְצִיאוּתוֹ יִתְבָּרַךְ אֵינָהּ מֻשֶּׂגֶת כְּלָל, וְאֵין לָהּ דִּמְיוֹן עִם שׁוּם אֶחָד מִן הָעִנְיָנִים שֶׁבַּבְּרוּאִים וְעִם שׁוּם אֶחָד מֵהַצִּיּוּרִים שֶׁמְּדַמֶּה הַדִּמְיוֹן וּמַשְׂכִּיל הַשֵּׂכֶל, וְאֵין מִלּוֹת וּתְאָרִים שֶׁיִּהְיוּ רְאוּיִים לוֹ וּנְאוֹתִים אֵלָיו

THE CREATOR

The first thing that a person must know is that there exists a Being, who is the Master of everything that exists, and who brought all things into being at the time that He desired. He sustains them as long as He so desires, and rules over them with complete authority. This Being is God.

This Being is perfect in every way, having absolutely no imperfection whatsoever. He does not depend on anything else, and is not affected by anything whatsoever.

God's existence is absolutely without beginning or end. That is, He did not pass from nonexistence into existence, and will absolutely never pass into nonexistence. He therefore always was, and always will be, and it is impossible for Him to cease to exist.

God is the cause of all that is, but He himself is not the result of any cause. Rather, His existence is necessary, intrinsic to His nature.

It is also necessary to know that God has absolutely no structure, nor does He have any element of multiplicity. Rather, He is structureless and ultimately simple.

Nothing that applies to the physical relates to God at all. He is divorced from any boundary or limit, from every association, and from every natural law.

Above all, it is necessary to know that the true essence and nature of God cannot be grasped at all. It has no analogy, neither with any concept that exists among created things, nor with any idea that the imagination can conceive or the intellect comprehend. There are

בֶּאֱמֶת, אֲבָל נְדַבֵּר בּוֹ כָּל מַה שֶּׁנְּדַבֵּר בְּמִלּוֹת – עַל דֶּרֶךְ הַהַשְׁאָלָה וְהַהַעְתָּקָה, כְּדֵי שֶׁנָּבִין מַה שֶּׁיִּצְטָרֵךְ לָנוּ לְהָבִין מֵעִנְיָנוֹ יִתְבָּרַךְ, כִּי כֵיוָן שֶׁאֵין אִתָּנוּ אֶלָּא מִלּוֹת יוֹרוּ עַל עִנְיָנִים טִבְעִיִּים וּמְגֻבָּלִים בִּגְבוּלֵי הַנִּבְרָאִים, אִי אֶפְשָׁר לְדַבֵּר בְּלֹא מִלּוֹת אֵלֶּה, אֲבָל זוֹ מוֹדָעָא רַבָּה לְכָל מַה שֶּׁנִּדְרֹשׁ וּנְדַבֵּר בְּעִנְיָנוֹ יִתְבָּרַךְ, שֶׁאֵין הַתְּאָרִים וְהַמִּלּוֹת הַמִּתְיַחֲסוֹת לוֹ מִתְיַחֲסוֹת עַל צַד הָאֱמֶת, אֶלָּא עַל צַד הַהַשְׁאָלָה, לֹא זוּלַת, וְהִזָּהֵר בָּזֶה מְאֹד.

בָּרוּחָנִיִּים

הָאָדוֹן יִתְבָּרַךְ שְׁמוֹ, כְּמוֹ שֶׁבִּיכָלְתּוֹ הַבִּלְתִּי בַּעַל תַּכְלִית בָּרָא הַנִּמְצָאִים הַגּוּפָנִיִּים שֶׁרוֹאִים עֵינֵינוּ, כֵּן רָצָה וּבָרָא נִמְצָאִים אֲחֵרִים מְעֻלִּים מִכָּל אֵלֶּה, בִּלְתִּי מֻרְגָּשִׁים וּמוּחָשִׁים מִן הַחוּשִׁים שֶׁלָּנוּ. וּכְמוֹ שֶׁנָּתַן לַנִּמְצָאִים הַגּוּפָנִיִּים הָאֵלֶּה גְּבוּלִים מְיֻחָדִים וְחֻקִּים, כֵּן נָתַן חֻקִּים אֲחֵרִים לַנִּמְצָאִים הַמְעֻלִּים הָאֵלֶּה, כְּפִי מַה שֶּׁגָּזְרָה חָכְמָתוֹ הֱיוֹת נָאוֹת לָהֶם לְפִי עִנְיָנָם. וְאָמְנָם, לְמַה שֶּׁהֻגְבַּל בַּגְּבוּלִים הַנּוֹדָעִים אֶצְלֵנוּ, שֶׁהֵם הַגְּבוּלִים הַטִּבְעִיִּים שֶׁבָּהֶם נִרְגָּשִׁים מֵחוּשֵׁינוּ, נִקְרָא גּוּפָנִי, וּמַה שֶּׁשֻּׁלַּל מִגְּבוּלִים אֵלֶּה נִקְרָא רוּחָנִי, וּגְבוּלָיו וְחֻקָּיו כְּפִי מַה שֶּׁרָאוּי לְעִנְיָנוֹ, וּכְמוֹ שֶׁנִּזְכַּרְנוּ.

וְצָרִיךְ שֶׁתֵּדַע שֶׁכְּמוֹ שֶׁבַּגּוּפָנִים יֵשׁ מִינִים שׁוֹנִים, וּכְפִי הִתְחַלֵּף הַמִּין כֵּן יִתְחַלְּפוּ הַחֻקִּים הַמְיֻחָדִים לוֹ, כֵּן בָּרוּחָנִיִּים יִמָּצְאוּ מִינִים שׁוֹנִים כֻּלָּם מִן הַסּוּג הָרוּחָנִי, וּבְהִתְחַלֵּף הַמִּין יִתְחַלְּפוּ הַחֻקִּים אֲשֶׁר לָהֶם. אָמְנָם כְּלָל גָּדוֹל הוּא בְּכָל הַסּוּג הָרוּחָנִי, שֶׁאֵין עִנְיָנוֹ וְלֹא גְבוּלָיו מוּשָּׂג לָנוּ בֶּאֱמֶת כְּמוֹת שֶׁהוּא,

no words or descriptions which are truly fitting and proper to use in relation to God.

When we speak of God, we make use of words, but we do so only in borrowed or metaphorical terms, so that we should understand what we must regarding Him. Our vocabulary contains only words pertaining to natural concepts, bound by the limitations of created things, and it is therefore impossible for us to say anything at all without these words. But all who seek God and speak about Him must clearly realize that any descriptions or words used in relation to God do not truly relate to Him. They can apply only as borrowed terms, and in no other sense. One must be very careful in this respect.

THE SPIRITUAL WORLD

Just as God, through His infinite ability, created physical things that are visible to the eye, He likewise saw fit to create other entities that are vastly superior to these, which cannot be detected or felt by our [physical] senses. And just as He gave each physical entity its own particular limitations and properties, so He gave different properties to these higher entities, as His wisdom decreed proper according to their ultimate purpose.

Things that God delineated with boundaries that are familiar to us, which have natural properties that we can detect with our senses, are called physical. Things that are divorced from these properties are called Spiritual, and the properties that they have, as well as the rules that they must follow, are what are appropriate for their ultimate purpose, as mentioned earlier.

It is necessary to know that, just as different categories exist among physical entities, each one having its own particular properties, so different categories exist [in the other realm], all belonging to the general class of the Spiritual; and that just as these categories differ, so do their particular properties. There is, however, one important general rule that applies to the entire class of spiritual entities. That is the fact that their actual nature and properties cannot be grasped

אֲבָל יָדַעְנוּ מְצִיאוּתָם וּקְצָת עִנְיָנִים מֵעִנְיְנֵיהֶם, כְּפִי מַה שֶּׁמָּסְרוּ לָנוּ הַנְּבִיאִים וְהַחֲכָמִים זִכְרוֹנָם לִבְרָכָה.

וְהִנֵּה מִינֵי הַסּוּג הַזֶּה שְׁלֹשָׁה. הָאֶחָד נִקְרָא כֹּחוֹת נִבְדָּלִים, וְהַשֵּׁנִי מַלְאָכִים, וְהַשְּׁלִישִׁי נְשָׁמוֹת. הַכֹּחוֹת הַנִּבְדָּלִים הֵם נִמְצָאִים רוּחָנִיִּים מֻשְׁלָלִים מִגּוּפוֹת, זַכִּים וּמְעֻלִּים מְאֹד, וְהֵם הַיּוֹתֵר קְרוֹבִים אֶל שְׁכִינָתוֹ יִתְבָּרַךְ, וַעֲלֵיהֶם הוּא שׁוֹרֶה תָּמִיד, וְנִקְרָאִים בְּשֵׁמוֹת כְּפִי מַדְרֵגָתָם: גַּלְגַּלֵּי הַכִּסֵּא, אוֹ אוֹפַנִּים וְכַיּוֹצֵא. הַמַּלְאָכִים הֵם נִמְצָאִים רוּחָנִיִּים שֶׁנִּבְרְאוּ לַעֲשׂוֹת שְׁלִיחוּתוֹ שֶׁל הַבּוֹרֵא יִתְבָּרַךְ, בְּכָל מַה שֶּׁיַּחְפֹּץ, וְהֵם מְמֻנִּים כָּל אֶחָד עַל עִנְיָן מַה שֶּׁמָּסַר לוֹ הָרָצוֹן הָעֶלְיוֹן, וְיֵשׁ בָּהֶם מַדְרֵגוֹת שׁוֹנוֹת זוֹ לְמַטָּה מִזּוֹ, וְכָל מַדְרֵגָה מֵהֶם יֵשׁ לָהֶם חֻקִּים וּגְבוּלִים כְּפִי מַה שֶּׁנָּאוֹת לָהֶם עַל פִּי הַחָכְמָה הָעֶלְיוֹנָה. הַנְּשָׁמוֹת, הֵן נִמְצָאִים רוּחָנִיִּים מְעֻתָּדִים לָבוֹא בְּגוּפוֹת וּלְהִתְחַבֵּר בָּהֶם, וְלִקָּשֵׁר בָּהֶם קֶשֶׁר גָּדוֹל; וְלָהֶם חֻקִּים פְּרָטִיִּים כְּפִי עִנְיָנָם וּכְפִי הַמַּצָּבִים שֶׁלָּהֶם: פֵּרוּשׁ – כִּי הִנֵּה מַצָּבִים שׁוֹנִים נִמְצָאִים לַנְּשָׁמוֹת, שֶׁהֲרֵי יֵשׁ לָהֶן מְצִיאוּת חוּץ לַגּוּף וּמְצִיאוּת בְּתוֹךְ הַגּוּף; וְהַמְּצִיאוּת חוּץ לַגּוּף הוּא מִשְּׁנֵי מִינִים, הָאֶחָד מְצִיאוּתָן טֶרֶם הֱיוֹתָן בַּגּוּף, וְהַשֵּׁנִי מְצִיאוּתָן חוּץ לַגּוּף אַחַר שֶׁכְּבָר הָיוּ בוֹ; וּכְפִי כָּל הַמַּצָּבִים הָאֵלֶּה, כֵּן נִגְבָּלִים בִּגְבוּלִים וְנַעֲשִׂים עֲלוּלִים לְמִקְרִים שׁוֹנִים וּמִתְחַלְּפִים, כְּפִי מַה שֶּׁיָּאוּת לַמַּצָּב שֶׁהֵן בּוֹ. הַמַּלְאָכִים כֻּלָּם הִנֵּה הֵם מְשָׁרְתָיו יִתְבָּרַךְ עוֹשֵׂי דְבָרוֹ, וְכָל דִּבְרֵי הָעוֹלָם נַעֲשִׂים עַל יְדֵיהֶם בֵּין לְטוֹב בֵּין לְרָע, וּמִצַּד זֶה מִתְחַלְּקִים לִשְׁתֵּי כִתּוֹת, כַּת הַטּוֹב וְכַת הָרָע, פֵּרוּשׁ – הַמְמֻנִּים לַטּוֹבוֹת, בֵּין הַטּוֹבוֹת הַגּוּפָנִיּוֹת בֵּין הַטּוֹבוֹת הַנַּפְשִׁיּוֹת, וְהַמְמֻנִּים לָרָעוֹת – הַגּוּפָנִיּוֹת וְהַנַּפְשִׁיּוֹת, וְהַמְמֻנִּים עַל הָרָעוֹת נִקְרָאִים מַלְאֲכֵי חַבָּלָה וּמַזִּיקִין.

by us in the way that they truly are. All we know is that such entities exist, and we are aware of some concepts relating to them, as handed down to us by our prophets and sages.

This general class of spiritual beings is divided into three categories. One consists of transcendental Forces, the second of Angels, and the third of Souls.

The transcendental Forces are very pure, superior spiritual entities, which are divorced from the physical. These entities are the very closest to God's Divine Presence (*Shechinah*), and He constantly manifests Himself over them. They are given names according to their levels: the "Wheels of the Throne," "Ophanim," and the like.

Angels are spiritual entities that were created to act as God's agents, doing whatever He desires. Each one is set over a particular concept and placed in charge of it by the Highest Will. Angels have different levels, one below the other, and each level has its own bounds and properties, as deemed proper by the Highest Wisdom.

Souls are spiritual entities that are destined to enter bodies and be attached to them with a very strong bond. They also have their own particular properties, according to their concept and states.

That is, souls exist in a number of states, since they have a level of existence outside the body, as well as within the body. Their existence outside the body is furthermore divided into two categories: one [before birth], before they enter the body, and the second [after death], after they leave the body following their existence in it. Souls have properties that vary according to each of these states, and are given the ability to undergo various experiences, according to what is suitable to each particular state.

The angels are all God's servants, obeying His command. Everything in the world, whether good or bad, is done through them. Consequently, the angels are divided into two groups, one being good, and the other evil. That is, one group is appointed to do good, whether it be physical or spiritual, and the others are appointed for evil, both physical and spiritual. Those appointed for evil are called Angels of Destruction (*Malachey Chavalah*) and Injurers (*Mazzikim*).

371

עוֹד מִין אַחֵר שֶׁל נִבְרָאִים נִמְצָא, שֶׁהוּא מִין אֶמְצָעִי בֵּין גַּשְׁמִי וְרוּחָנִי, וְהַיְנוּ שֶׁיֵּשׁ בּוֹ קְצָת מִגְּבוּלֵי הַגֶּשֶׁם וְעִנְיָנָיו וּמְשֻׁלָּל מִקְצָתָם, וְשֵׁם הַמִּין הַזֶּה נִקְרָאִים שֵׁדִים, וְיֵשׁ בָּהֶם קְצָת גּוּפָנִיּוּת, אַךְ לֹא כַּגּוּפָנִיּוּת שֶׁלָּנוּ, וְיֵשׁ בָּהֶם קְצָת עִנְיְנֵי רוּחָנִיּוּת, אַךְ לֹא כָּרוּחָנִים מַמָּשׁ. וְגַם בָּהֶם יֵשׁ מַדְרֵגוֹת מַדְרֵגוֹת וּמִינִים שׁוֹנִים, וּכְפִי מַדְרֵגוֹתֵיהֶם כָּךְ הֵם הַחֻקִּים וְהַגְּבוּלִים שֶׁלָּהֶם.

אֵין לְךָ דָּבָר בָּעוֹלָם הַתַּחְתּוֹן, בֵּין עֶצֶם בֵּין מִקְרֶה, שֶׁלֹּא יִמָּצֵא כְּנֶגְדּוֹ עִנְיַן מָה – לְמַעְלָה בַּכֹּחוֹת הַנִּבְדָּלִים, וְכֵן אֵין לְךָ דָּבָר לְמַטָּה שֶׁלֹּא יִהְיוּ עָלָיו מְמֻנִּים מִכַּת הַמַּלְאָכִים, שֶׁמַּנְהִיגִים אוֹתוֹ וּמְחַדְּשִׁים בּוֹ עִנְיָנִים וּמִקְרִים, כְּפִי מַה שֶּׁיִּגְזֹר הָאָדוֹן בָּרוּךְ הוּא. וּמַה שֶּׁפּוֹעֲלִים הָעֶלְיוֹנִים בַּגַּשְׁמִיִּים נִקְרָאֵהוּ הַשְׁפָּעָה.

כָּל הַהַשְׁפָּעוֹת הַבָּאוֹת מִן הָעֶלְיוֹנִים לְצֹרֶךְ הַתַּחְתּוֹנִים עוֹבְרוֹת דֶּרֶךְ הַכּוֹכָבִים, וְנִמְצְאוּ הַכּוֹכָבִים הַמַּשְׁפִּיעִים הַיּוֹתֵר קְרוֹבִים לַתַּחְתּוֹנִים, וְאוּלָם הַשְׁפָּעָתָם אֵינָהּ אֶלָּא כְּפִי מַה שֶּׁנִּמְשָׁךְ בָּהֶם מִלְמַעְלָה.

לְכָל אֵלֶּה הָרוּחָנִיִּים נָתַן הָאָדוֹן בָּרוּךְ הוּא רְשׁוּת לִפְעֹל בַּתַּחְתּוֹנִים פְּעֻלּוֹת שֶׁלֹּא כְּדֶרֶךְ הַטִּבְעִי, כְּשֶׁיְּעוֹרְרוּ אוֹתָם הַתַּחְתּוֹנִים עַל יְדֵי אֶמְצָעִים יְדוּעִים שֶׁהוּכְנוּ וְנִתְיַחֲדוּ לָזֶה. אָמְנָם אֵין בְּכֹחַ שׁוּם אֶחָד מֵהֶם לַעֲשׂוֹת כָּל מַה שֶּׁיִּרְצֶה, אֶלָּא לְכָל אֶחָד יֵשׁ גְּבוּל מַה שֶּׁהֻגְבַּל לוֹ, שֶׁעַד אוֹתוֹ הַגְּבוּל וּבְאוֹתָם הַדְּרָכִים בִּלְבַד שֶׁנִּמְסְרוּ לוֹ, יוּכַל לִפְעֹל אוֹתָן הַפְּעֻלּוֹת שֶׁנִּמְסְרוּ לוֹ שֶׁיִּפְעָלֵם. וְיֵשׁ בַּדְּבָרִים הָאֵלֶּה דְּבָרִים מֻתָּרִים לָנוּ וּדְבָרִים אֲסוּרִים לָנוּ, וְהוּא עִנְיַן סֵפֶר יְצִירָה וּמַעֲשֵׂה כְשָׁפִים.

There is another type of created entity that exists, which is intermediate between the spiritual and the physical. That is, in some ways this type of entity shares the limitations of the physical and its concepts, and in some ways it is divorced from some of them. This category is known as *Shedim* (Demons). They have a certain kind of physical properties, but it is not like ours. They also have some spiritual properties, but not the same as true spiritual beings. These entities also have various levels and different species, each one with its own properties and bounds.

There is nothing in the world below, whether an entity or an event, which does not have some counterpart on high among the Transcendental Forces. Likewise, there is nothing down below that does not have over it an Overseer belonging to the category of angels. These direct it, and bring about various concepts and events, as decreed by God. What these higher entities accomplish with the physical entities [below them] is called Influence (*Hashpa'ah*).

All Influences that are directed from the higher entities toward those below, pass through the stars. The stars are therefore the closest things to the terrestrial world having such influence. Their influence, however, depends on what is transmitted to them from above.

God gave each of these spiritual entities the ability to act upon things below in a manner contrary to natural law when they are motivated by [man] below, through special means that were prepared and designated to accomplish this. None of these, however, has the power to do everything it desires, as each has limitations that were circumscribed for it. It is only within these limits and in the manner authorized that these methods can have the desired effect.

Some of these methods are permitted to us, while others are forbidden. Permitted methods involve the Book of Creation (*Sefer HaYetzirah*), while the forbidden ones involve sorcery.

בַּתּוֹרָה וּבַמִּצְווֹת

עִקַּר הַבְּרִיאָה כֻּלָּהּ הוּא, שֶׁרָצָה הַבּוֹרֵא יִתְבָּרַךְ לִבְרֹא הָאָדָם, שֶׁיִּהְיֶה מִתְדַּבֵּק בּוֹ יִתְבָּרַךְ, וְנֶהֱנֶה בַּטּוֹבָה הָאֲמִתִּית, וְזֶה עַל יְדֵי שֶׁיִּהְיוּ לְפָנָיו שְׁנֵי דְרָכִים, דֶּרֶךְ הַטּוֹב וְדֶרֶךְ הָרָע, וְיִהְיֶה לוֹ כֹּחַ לִבְחֹר בְּאֵיזֶה מֵהֶם שֶׁיִּרְצֶה, וּכְשֶׁיִּבְחַר בְּדַעְתּוֹ וּבְחֶפְצוֹ בַּטּוֹב וְיִמְאַס בָּרָע, אָז תִּנָּתֵן לוֹ הַטּוֹבָה הָאֲמִתִּית הַנִּצְחִית. וְאָמְנָם, כָּל שְׁאָר הַנִּבְרָאִים לֹא נִבְרְאוּ אֶלָּא לְשֶׁרָאֲתָה הַחָכְמָה הָעֶלְיוֹנָה צֹרֶךְ בָּם לְשֶׁיִּמָּצֵא עוֹלָם שָׁלֵם, יִמָּצֵא בּוֹ הָאָדָם בִּבְחִינָה זוֹ שֶׁאָמַרְנוּ, וְיוּכַל לַעֲבֹד אוֹתוֹ יִתְבָּרַךְ, לְהַשִּׂיג עַל יְדֵי זֶה הַטּוֹבָה הָאֲמִתִּית. וְאוּלָם מַה הוּא הַצֹּרֶךְ שֶׁיֵּשׁ לָעוֹלָם בְּכָל הַנִּבְרָאִים הָאֵלֶּה אֵינֶנּוּ נוֹדָע אֶצְלֵנוּ. אַךְ מַה שֶּׁקִּבַּלְנוּ מִן הַחֲכָמִים זִכְרוֹנָם לִבְרָכָה הוּא, שֶׁעִקַּר הַכֹּל הָאָדָם, וְשֶׁבַּעֲבוּרוֹ נִבְרְאוּ כָּל שְׁאָר הַנִּבְרָאִים, וְשֶׁעִקַּר בְּרִיאָתוֹ שֶׁל הָאָדָם אֵינָהּ אֶלָּא לְשֶׁיִּזְכֶּה לַטּוֹבָה הָאֲמִתִּית, וְאוּלָם רָאֲתָה הַחָכְמָה הָעֶלְיוֹנָה שֶׁכְּדֵי שֶׁיַּשִּׂיג הַטּוֹבָה הָאֲמִתִּית הַזֹּאת, רָאוּי בִּתְחִלָּה שֶׁיְּנֻסֶּה וְיַעֲמֹד בַּנִּסָּיוֹן, וְהִנֵּה לְצֹרֶךְ זֶה, בָּרָא לוֹ עוֹלָם שֶׁיִּהְיֶה בּוֹ מָקוֹם לְנַסּוֹת בּוֹ, דְּהַיְנוּ שֶׁיִּהְיֶה בּוֹ מְצִיאוּת טוֹב וּמְצִיאוּת רָע, עַד שֶׁיּוּכַל לִמְאֹס בָּרָע וְלִבְחֹר בַּטּוֹב.

וְאָמְנָם מְצִיאוּת הַטּוֹב וְהָרָע הָאֲמִתִּי הוּא, שֶׁהִנֵּה שָׂם הָאָדוֹן בָּרוּךְ הוּא בָּעוֹלָם קְדֻשָּׁה וְטֻמְאָה, פֵּרוּשׁ – קְדֻשָּׁה הִיא מְצִיאוּת קִרְבָה אֵלָיו יִתְבָּרַךְ, וְטֻמְאָה הִיא מְצִיאוּת רִחוּק מִמֶּנּוּ יִתְבָּרַךְ; הַקְּדֻשָּׁה הִיא הַשְׁפָּעָה שֶׁהָאָדוֹן בָּרוּךְ הוּא מַשְׁפִּיעַ בְּמִי שֶׁרָאוּי לָזֶה, וְהַשְׁרָאָה שֶׁשּׁוֹרָה עָלָיו; הַטֻּמְאָה הִיא רִחוּק שֶׁהַקָּדוֹשׁ בָּרוּךְ הוּא מִתְרַחֵק, וְהֶעְלֵם שֶׁמִּתְעַלֵּם. אָמְנָם הָאֱמֶת הוּא, שֶׁהִנֵּה בָּרָא הָאָדוֹן בָּרוּךְ הוּא אֵיזֶה כֹּחוֹת רוּחָנִיִּים לְצֹרֶךְ עִנְיַן

TORAH AND COMMANDMENTS

The main point of creation was that God wanted to create man, who would then have the task of attaching himself to God, thus to enjoy His true good. This is accomplished through the fact that man has two ways before him, one being good and the other evil; and man has the power to choose whichever he desires. When through his own free will and knowledge he chooses good and rejects evil, then this true everlasting good is given him.

All other things were created only because the Highest Wisdom deemed them necessary in order for the universe to be complete, so that man could exist in the state mentioned above, where he could serve God and thus attain true good. Of course, we do not know why every single thing in the world was necessary. But what we do know from our sages is that the main element in all creation is man, and that all other things were created only for his sake, and furthermore, that the main purpose in man's creation was for him to attain the true good. However, the Highest Wisdom perceived that in order for man to attain this true good he must first be tested and pass his test. For this reason God created a world where he could be tested.

This is the physical world, a place where both good and evil exist, and where man can reject evil and choose good.

The ultimate nature of good and evil is respectively the holiness and corruption (*Tum'ah*) that God placed in the world. Holiness is a state of closeness to God, while corruption is that which is distant from Him. Holiness is the Influence that God grants to one who is fit for it, and is a bestowal that abides with him. Corruption, on the other hand, is a state of separation, where God draws away, and a state of hiding, wherein God conceals Himself.

The truth, however, is that God created spiritual Forces especially

זֶה, וְהֵם כֹּחוֹת יַשְׁפִּיעַ מֵהֶם חֹשֶׁךְ וְזֻהֲמָא, אֲשֶׁר בְּכָל מָקוֹם שֶׁתִּמָּצֵא שָׁם הַזֻּהֲמָא הַהִיא מִתְרַחֶקֶת מִמֶּנּוּ הַקְּדֻשָּׁה וְיִתְעַלֵּם מִשָּׁם אוֹרוֹ יִתְבָּרַךְ, וְאֵלֶּה נִקְרָאִים כֹּחוֹת הַטֻּמְאָה.

וְאוּלָם שָׂם הָאָדוֹן בָּרוּךְ הוּא כֹּחַ בְּמַעֲשֵׂי הָאָדָם לְעוֹרֵר אֶת הַשָּׁרָשִׁים הָעֶלְיוֹנִים, וְהַיְנוּ שֶׁיִּהְיוּ מַמְשִׁיכִים אוֹר שֶׁפַע קְדֻשָּׁתוֹ יִתְבָּרַךְ וְאוֹר טוּבוֹ, אוֹ הֶמְשֵׁךְ הַזֻּהֲמָא וְהַטֻּמְאָה הַהִיא. וְהִנֵּה יִחֵד לוֹ מַעֲשִׂים שֶׁעַל יָדָם תִּמָּשֵׁךְ הַקְּדֻשָּׁה, וְצִוָּה לְהַתְמִיד בָּהֶם, וְהֵם כְּלַל הַמִּצְווֹת. וְיִחֵד מַעֲשִׂים שֶׁעַל יָדָם תִּמָּשֵׁךְ הַזֻּהֲמָא, וְצִוָּהוּ לִמְנֹעַ מֵהֶם, וְהֵם כְּלַל הָאִסּוּרִים.

וְאָמְנָם, הַטּוֹבָה הָאֲמִתִּית אֵינָהּ אֶלָּא הַדְּבֵקוּת בּוֹ יִתְבָּרַךְ, וְהִנֵּה הַמִּצְווֹת כְּבָר בֵּאַרְנוּ שֶׁהֵם הַמַּמְשִׁיכִים שֶׁפַע קְדֻשָּׁתוֹ יִתְבָּרַךְ וְאוֹר טוּבוֹ, עַל כֵּן אֵלֶּה הֵם הָאֶמְצָעִים שֶׁעַל יָדָם תּוּשַּׂג טוֹבָה הָאֲמִתִּית, כִּי מִי שֶׁהִרְבָּה לְהִתְקַדֵּשׁ בְּשֶׁפַע קְדֻשָּׁתוֹ יִתְבָּרַךְ, הוּא רָאוּי לְהִדָּבֵק בּוֹ, וְלֵהָנוֹת בַּטּוֹבָה הָאֲמִתִּית, וּמִי שֶׁהִרְבָּה לִטַּמֵּא בַּזֻּהֲמָא שֶׁזָּכַרְנוּ הוּא יִהְיֶה בִּלְתִּי רָאוּי לִדָּבֵק בּוֹ, וְיִדָּחֶה מִמֶּנּוּ. וְאָמְנָם יֵשׁ בְּכָל הַדְּבָרִים הָאֵלֶּה מַדְרֵגוֹת רַבּוֹת, בֵּין בְּשֶׁפַע הַקְּדֻשָּׁה אוֹ הַזֻּהֲמָא שֶׁזָּכַרְנוּ, וְכֵן בַּטּוֹבָה שֶׁנִּקְנֵית עַל יְדֵי הַמַּעֲשִׂים הַטּוֹבִים, וְהַדְּחִיָּה שֶׁנִּדְחֶה הָאָדָם מִמֶּנָּה, עַל יְדֵי הָרָעִים, וְהוּא הַהֶפְרֵשׁ שֶׁבֵּין אָדָם לַחֲבֵרוֹ בַּמַּעֲלָה הָאֲמִתִּית, וּכְמוֹ שֶׁנְּבָאֵר עוֹד בְּסִיַּעְתָּא דִשְׁמַיָּא.

וְצָרִיךְ שֶׁתֵּדַע שֶׁכְּמוֹ שֶׁנִּתַּן לָאָדָם שֶׁיִּהְיֶה מַמְשִׁיךְ לְעַצְמוֹ קְדֻשָּׁה אוֹ זֻהֲמָא, כֵּן נִתַּן לוֹ שֶׁבְּכֹחַ מַעֲשָׂיו יַמְשִׁיךְ בְּכָל הַבְּרִיאָה כֻּלָּהּ הַקְּדֻשָּׁה אוֹ הַזֻּהֲמָא, וְנִמְצָא כָּל הַבְּרִיאָה מִתְקֶנֶת אוֹ מִתְקַלְקֶלֶת עַל יְדֵי הָאָדָם, וְיֵחָשֵׁב זֶה לִזְכוּת לַצַּדִּיקִים

for this purpose. It is from these Forces that darkness and pollution (*zuhamah*) emanate. Wherever such pollution exists, holiness draws away and God's Light hides itself. These Forces are known as the Forces of Corruption.

God gave man the ability to motivate the highest Roots through his deeds. Man's deeds can therefore draw sustenance from God's holiness and the Light of His good. On the other hand, they can also transmit pollution and corruption.

God specified certain deeds through which holiness is transmitted, and commanded us to keep them. These include all the commandments that we are required to obey. On the other hand, He also specified certain deeds that bring about pollution, and commanded us to abstain from them. These include all things that are forbidden.

There is only one true good, however, and that is attachment to God. We have already explained that the commandments are the means which transmit the emanation of God's holiness and the Light of His good. These commandments are therefore the means through which true good can be achieved. The individual who sanctifies himself to a great degree with the emanation of God's holiness becomes fitting to be attached to Him and enjoy His true good. On the other hand, the person who corrupts himself with the pollution that we have mentioned becomes unfit to attach himself to God, and is therefore cast away from Him.

There are, however, many levels with regard to the emanation of both the holiness and the pollution that we have discussed. This is likewise true of the good that is attained through good deeds, as well as the state of being cast away from God as the result of evil deeds. These levels are responsible for the differences that will exist between various individuals with regard to true excellence, as we shall explain shortly.

It is also necessary to realize that just as man was given the power to have both holiness and pollution transmitted to himself, so was he given the ability to have holiness or pollution transmitted to all creation through his deeds. Therefore all creation can be either rectified or damaged spiritually because of man. This is counted as a merit for the righteous who benefit crea-

שֶׁמְּטִיבִים לַבְּרִיאָה, וּלְחוֹבָה לָרְשָׁעִים שֶׁמְּקַלְקְלִים אוֹתָהּ וּכְמוֹ שֶׁזָּכַרְנוּ לְפָנִים.

וְאָמְנָם, הַדֶּרֶךְ שֶׁבּוֹ מַמְשִׁיכִים מַעֲשֵׂי הָאָדָם אֶת הַהַשְׁפָּעוֹת הָאֵלֶּה הוּא בְּכֹחַ הַהַקְבָּלָה שֶׁזָּכַרְנוּ לְמַעְלָה, שֶׁיֵּשׁ בֵּין הַנִּמְצָאִים הַשְּׁפָלִים וּבֵין הַכֹּחוֹת הָעֶלְיוֹנִים, עַד שֶׁכַּאֲשֶׁר יִתְנוֹעַע אֶחָד מִן הַנִּמְצָאִים לְמַטָּה הִנֵּה יַגִּיעַ הִתְעוֹרְרוּת אֶל הַכֹּחַ הַמַּקְבִּיל לוֹ לְמַעְלָה, וְאָז עַל יְדֵי הַכֹּחַ הַהוּא תְּסוֹבֵב הַתּוֹלָדָה שֶׁתְּסוֹבֵב בְּהַמְשָׁכַת הַהַשְׁפָּעוֹת. כִּי הִנֵּה, אִם הַמַּעֲשֶׂה הַהוּא יִהְיֶה מֵחֵלֶק הַמְּצֻוִּים, יִתְעוֹרֵר הַכֹּחַ שֶׁעָלָיו וְיִתְחַזֵּק, וְעַל יָדוֹ תִּמָּשֵׁךְ הַהַשְׁפָּעָה שֶׁל קְדֻשָּׁה מִמֶּנּוּ יִתְבָּרַךְ כְּפִי עִנְיַן הַהִתְעוֹרְרוּת שֶׁנִּתְעוֹרֵר, וְאִם יִהְיֶה הַמַּעֲשֶׂה מֵחֵלֶק הַנִּמְנָעִים יִגְרֹם פְּגָם בַּכֹּחַ הָעֶלְיוֹן, כְּפִי עִנְיַן הַמַּעֲשֶׂה הָרַע הַהוּא, וְיִתְעַלֵּם כְּנֶגֶד זֶה אוֹרוֹ יִתְבָּרַךְ וְיִתְרַחֵק, וְיִתְעוֹרֵר תַּחַת זֶה אֶחָד מִן כֹּחוֹת הַטֻּמְאָה, הַהֵפֶךְ לְהַשְׁפָּעַת הַקְּדֻשָּׁה שֶׁנִּתְעַלְּמָה, וְיִמָּשֵׁךְ מִמֶּנּוּ מֶשֶׁךְ זֻהֲמָא כְּפִי הַהִתְעוֹרְרוּת שֶׁנִּתְעוֹרֵר, וְעַל דֶּרֶךְ זֶה בַּתְּשׁוּבָה יָסוּר הַפְּגָם, וְלֹא יִהְיֶה עוֹד כֹּחַ לְכֹחַ הַטֻּמְאָה לִפְעֹל, וְתָשׁוּב הַשְׁפָּעַת הַקְּדֻשָּׁה וְתִמָּשֵׁךְ כָּרָאוּי.

בַּגְּמוּל

הִנֵּה מִין הָאָדָם נִתְיַחֵד מִכָּל שְׁאָר הַמִּינִים, שֶׁנִּתְּנָה לוֹ הַבְּחִירָה, וְכֹחַ לְמַעֲשָׂיו לְהַמְשִׁיךְ הַמְּשָׁכוֹת שֶׁזָּכַרְנוּ, וּמִצַּד זֶה נוֹסַף בּוֹ עִנְיָן שֶׁאֵינוֹ בְּשׁוּם אֶחָד מִשְּׁאָר הַמִּינִים, וְהוּא, שֶׁיִּגְמְלוּ מַעֲשָׂיו מִדָּה כְּנֶגֶד מִדָּה. וְהַגְּמוּל הַזֶּה נֶחֱלָק לִשְׁנֵי חֲלָקִים, הָאֶחָד בָּעוֹלָם הַזֶּה וְהָאֶחָד בָּעוֹלָם הַבָּא.

גְּמוּל הָעוֹלָם הַבָּא הוּא, שֶׁכְּפִי מַעֲשָׂיו שֶׁעָשָׂה בָּעוֹלָם הַזֶּה

tion, and a liability for the wicked who damage it, as will be discussed later.

The manner in which man's deeds transmit these influences is through the above-mentioned power of parallelism that exists between the entities below [in the physical world] and the highest Forces. Whenever something physical is moved, a certain motivation reaches its counterpart Force on high. That Force then brings about the transmission of a particular influence.

If a particular deed involves the fulfillment of a divine commandment, then this will strengthen its counterpart Force, and as a result an influence of Holiness will be transmitted from God, following the nature of this particular motivation. If, on the other hand, that particular deed is among those which must be avoided, it will cause a blemish in its counterpart Force on high, according to the particular nature of that misdeed. This in turn causes God's Light to conceal itself and retract. In its place, one of the Forces of Corruption is motivated, exactly opposite to the influence that has been concealed. This transmits pollution, according to the particular motivation in question.

Repentance removes the blemish in precisely the same manner. Power to act is taken away from the particular Force of Corruption [that parallels the sin], and therefore, the influence of holiness is brought back and appropriately transmitted.

REWARD AND PUNISHMENT

The human race is unique among all other species insofar as it was given free will, as well as the power to transmit [through its deeds] the flow of forces mentioned above. As a result of this, man has an additional quality that does not exist among any other species, namely, that his deeds are recompensed measure for measure. This recompense is divided into two parts: one in this world, and the other in the World to Come.

The recompense of the World to Come is that, according to the deeds that an individual does in this world, he attains a permanent

כֵּן תִּקָּבַע לוֹ מַדְרֵגָה בַּטּוֹבָה הָאֲמִתִּית, שֶׁהִיא הַדְּבֵקוּת בּוֹ יִתְבָּרַךְ, וְיֵהָנֶה בָּהּ לְנֵצַח נְצָחִים; וְגַם הוּא יְחֻלַּק לִשְׁנֵי חֲלָקִים, בְּעוֹלַם הַנְּשָׁמוֹת וּבְעוֹלַם הַתְּחִיָּה, יְבֹאַר עוֹד לְפָנִים בְּסִיַּעְתָּא דִשְׁמַיָּא. גְּמוּל הָעוֹלָם הַזֶּה הוּא, שֶׁכְּפִי מַעֲשָׂיו יִגָּזֵר עָלָיו הַצְלָחָה אוֹ צָרוֹת מֵאֵיזֶה מִין שֶׁיִּהְיֶה.

וְצָרִיךְ שֶׁתֵּדַע שֶׁעִקַּר הַשָּׂכָר בֶּאֱמֶת הוּא הַטּוֹבָה הָאֲמִתִּית שֶׁיִּזְכּוּ בָהּ הַצַּדִּיקִים לֶעָתִיד לָבוֹא, וְכֵן הָעֹנֶשׁ הַיּוֹתֵר עָצוּם הוּא אִבּוּד הַטּוֹבָה הַהִיא לְגַמְרֵי; אָמְנָם, יֵשׁ מִצְוּוֹת, שֶׁכְּפִי מִדַּת הַדִּין הַצּוֹדֶקֶת, רָאוּי שֶׁיְּגֻמְּלוּ בָּעוֹלָם הַבָּא, וְגַם בָּעוֹלָם הַזֶּה בְּהַצְלָחוֹת הָעוֹלָם הַזֶּה וְטוֹבוֹתָיו, וְכֵן יֵשׁ עֲבֵרוֹת, שֶׁכְּפִי מִדַּת הַדִּין הַצּוֹדֶקֶת, רָאוּי שֶׁיֵּעָנֵשׁ עֲלֵיהֶן בָּעוֹלָם הַזֶּה וּבָעוֹלָם הַבָּא, וְיֵשׁ מִצְוּוֹת שֶׁהַדִּין נוֹתֵן שֶׁיְּגֻמְּלוּ בָּעוֹלָם הַבָּא וְלֹא בָּעוֹלָם הַזֶּה, וַעֲבֵרוֹת שֶׁהַדִּין נוֹתֵן שֶׁיֵּעָנֵשׁ עֲלֵיהֶן בָּעוֹלָם הַבָּא וְלֹא בָּעוֹלָם הַזֶּה, וּמִצְוּוֹת שֶׁהַדִּין בָּהֶן שֶׁיְּגֻמְּלוּ לְגַמְרֵי בָּעוֹלָם הַזֶּה וְאֵין נִשְׁאָר לְבַעֲלֵיהֶם כְּלוּם בָּעוֹלָם הַבָּא, וַעֲבֵרוֹת שֶׁהַדִּין עֲלֵיהֶן לָעוֹלָם הַזֶּה וְלֹא יֵעָנְשׁוּ בַּעֲלֵיהֶם כְּלוּם בָּעוֹלָם הַבָּא; וְהַשּׁוֹפֵט הַצַּדִּיק דָּן אֶת הַכֹּל בִּשְׁלֵמוּת, בְּאֹפֶן שֶׁהַכֹּל נַעֲשֶׂה בְיֹשֶׁר, בְּלִי עַוְלָה כְּלָל וְעִקָּר.

וְהִנֵּה, כְּמוֹ שֶׁהַגּוּף וְהַנֶּפֶשׁ בְּיַחַד עוֹשִׂים הַמַּעֲשִׂים, בֵּין הַטּוֹבִים בֵּין הָרָעִים, כֵּן הַגְּמוּל צָרִיךְ שֶׁיְּגֻמְּלוּ יַחַד. אָמְנָם בְּחֶטְאוֹ שֶׁל אָדָם הָרִאשׁוֹן נִגְזַר עַל הַמִּין הָאֱנוֹשִׁי כֻּלּוֹ מִיתָה, בְּאֹפֶן שֶׁלֹּא יוּכַל לְהַגִּיעַ אֶל הַטּוֹבָה הָאֲמִתִּית בְּלִי שְׁמָמוּת. וְהָעִנְיָן, כִּי הִנֵּה נִשְׁאָב בַּגּוּף זֻהֲמָא שֶׁאִי אֶפְשָׁר לוֹ שֶׁיַּגִּיעַ לַדְּבֵקוּת הָעֶלְיוֹן בִּהְיוֹת זֻהֲמָא זוֹ שְׁאוּבָה בוֹ, וְאֵינוֹ יוֹצֵא מִמֶּנָּה עַד שֶׁיָּמוּת וְיָשׁוּב לֶעָפָר, וְאָז יִנָּקֶה מִמֶּנָּה, וְיָשׁוּב וְיִבָּנֶה בְּטָהֳרָה בְּלִי זֻהֲמָא כְּלָל, וְאָז תָּשׁוּב בּוֹ הַנְּשָׁמָה וְיִחְיֶה, וְיַחְדָּו יָאִירוּ

level in the true good, which is attachment to God, and he enjoys this for all eternity. This in turn is also divided into two parts, one being in the World of Souls, and the other in the World after the Resurrection, which shall be discussed presently. The recompense of this present world is that, according to one's deeds, it is decreed that he have prosperity or suffering, of a determined nature.

It is necessary to realize, however, that the main reward is the true good that the righteous will enjoy in the Ultimate Future. Conversely, the greatest possible punishment is the complete loss of this good.

There are some good deeds which, according to the righteous Attribute of Justice, should be rewarded both in the World to Come and through worldly prosperity and benefits. Likewise, there are sins that, through the righteous Attribute of Justice, should be punished both in this world and in the World to Come. On the other hand, there are good deeds whose proper judgment is that they should be rewarded only in the World to Come, and not in the present world. Likewise, certain sins are punished only in the Future World and not in this world. On the other hand, there are certain good deeds whose proper judgment is that they should be rewarded completely in this world, and that nothing of their merit should remain in the World to Come. Similarly, there are sins whose judgment is in this world; and they are not punished at all in the World to Come.

The Righteous Magistrate judges all deeds perfectly, so that everything is completely fair, with absolutely no inequity whatsover.

Just as all deeds, whether good or evil, are done by the body and soul together, so their recompense must be with body and soul together. When Adam sinned, however, death was decreed upon the entire human race, so that man could no longer attain the true Good without first dying.

The reason for this is that the body absorbed so much pollution then that it became impossible for it to attain the highest attachment [to God] as long as that pollution still exists. This pollution, furthermore, cannot be erased until the individual dies and returns to the dust. He is then cleansed of it and can be reconstructed in purity, without any pollution whatsoever. The soul can then be returned to

381

בְּאוֹר הַחַיִּים לָנֶצַח, וְיֵהָנוּ בַּטּוֹבָה הָאֲמִתִּית כְּפִי הַמַּעֲשִׂים שֶׁעָשׂוּ בְּחַיֵּיהֶם בָּרִאשׁוֹנָה, וְזֶה עִנְיַן תְּחִיַּת הַמֵּתִים הַמְפֻרְסָם בְּכָל יִשְׂרָאֵל.

וְאָמְנָם כָּל הַזְּמַן שֶׁהַגּוּף בֶּעָפָר–הוֹלֵךְ וְאוֹבֵד צוּרָתוֹ הָרִאשׁוֹנָה, הַנְּשָׁמָה עוֹמֶדֶת בִּמְקוֹם מְנוּחָה אִם זוֹכָה, וְהַיְנוּ עוֹלַם הַנְּשָׁמוֹת, וּמַשֶּׂגֶת שָׁם מֵעֵין מַה שֶּׁתַּשִּׂיג לֶעָתִיד לָבוֹא אַחַר הַתְּחִיָּה, כְּפִי הַמַּעֲשִׂים שֶׁעָשְׂתָה בְּחַיֶּיהָ.

בְּגַן עֵדֶן וְגֵיהִנֹּם

וְהִנֵּה הוּכְנוּ מְקוֹמוֹת לַנְּשָׁמוֹת בְּצֵאתָן מִן הַגּוּף, אֶחָד לָנוּחַ בּוֹ – אִם זוֹכָה – עַד זְמַן הַתְּחִיָּה, וְאֶחָד לְצָרֵף בּוֹ בָּעֳנָשִׁין, אִם עֲווֹנוֹת בָּהּ שֶׁמּוֹנְעִים אוֹתָהּ מִמְּנוּחָה. וְהִנֵּה מְקוֹם הַמְּנוּחָה נִקְרָא גַּן עֵדֶן, וְיֵשׁ בּוֹ מַדְרֵגוֹת שׁוֹנוֹת. וְיֵשׁ גַּן עֵדֶן תַּחְתּוֹן וְגַן עֵדֶן עֶלְיוֹן. בַּתַּחְתּוֹן יוֹשְׁבוֹת הַנְּשָׁמוֹת בִּדְמוּת הַגּוּפִים שֶׁהָיוּ בָּם, וְנֶהֱנוֹת שָׁם בְּמִינֵי הֲנָאוֹת רוּחָנִיּוֹת, וְהַמָּקוֹם מוּכָן לְמִינֵי הַהֲנָאוֹת הָהֵן שֶׁהוּחַקּוּ לִמָּצֵא שָׁם; וּבָעֶלְיוֹן יוֹשְׁבוֹת הַנְּשָׁמוֹת בִּבְחִינַת נְשָׁמוֹת מַמָּשׁ, וְנֶהֱנוֹת בְּמִינֵי הֲנָאוֹת רוּחָנִיּוֹת, גְּדוֹלוֹת וְנִשְׂגָּבוֹת מֵהַהֲנָאוֹת שֶׁבַּתַּחְתּוֹן; וְיֵשׁ שָׁם חִלּוּף זְמַנִּים וְשִׁנּוּי עִתִּים לַהֲנָאוֹת שׁוֹנוֹת וּמִתְחַלְּפוֹת, וּמַדְרֵגוֹת שׁוֹנוֹת לַנֶּהֱנִים בָּהֶן.

וְהַגֵּיהִנֹּם הוּא מָקוֹם לַנְּשָׁמוֹת הָרְאוּיוֹת לָעֹנֶשׁ, וְשָׁם מַגִּיעַ לָהֶן צַעַר וּמַכְאוֹבִים כְּפִי מַה שֶּׁשַּׁיָּךְ בָּהֶן לְפִי עִנְיָנָן. וְיֵשׁ מַדְרֵגוֹת שׁוֹנוֹת שֶׁל צַעַר כְּמוֹ שֶׁיֵּשׁ מַדְרֵגוֹת שׁוֹנוֹת שֶׁל תַּעֲנוּג, וּבַצַּעַר הַהוּא יִשְׂאוּ הַחוֹטְאִים אֶת עֲוֹנָם, וְאִם רְאוּיִים הֵם

the body, and it can be resurrected. Body and soul together then bask in the Light of Life for all eternity, and enjoy true Good according to their deeds in their first life. This is the concept of the Resurrection of the Dead, which is well known among all Jews.

As long as the body rests in the dust, it continues to lose its original form. During this time, if the soul is worthy, it abides in the World of Souls, attaining a small portion of what it will attain in the Ultimate Future after the Resurrection, according to the deeds it did while still alive.

PARADISE AND GEHENOM

There are certain "places" that were prepared for the soul after it leaves the body. One such place is where the soul can repose, if it is worthy, until the Resurrection. The other is a place where it is purified with punishments if it bears sins that prevent it from enjoying such repose.

The place of repose is called the Garden of Eden (Paradise), and it has various levels. There is an upper Garden of Eden and a lower one.

In the lower Garden of Eden, the souls repose in the form of the bodies in which they once existed, enjoying various types of spiritual delights. This place therefore contains such delights as were decreed to exist there.

The upper Garden of Eden is a place where souls exist in their true essence. Here they enjoy greater and higher spiritual delights than exist in the lower Garden of Eden.

In the Garden of Eden, there are changes of times and passage of seasons, each having its own special delights. There are also different levels for those enjoying these delights.

Gehenom is the place where souls are punished. They experience pain and suffering according to what is necessary for their particular situation. Just as there are different levels of delight, so are there various levels of suffering.

As a result of this suffering the wrongdoings of sinners are

לְשָׂכָר אַחַר כָּךְ, הִנֵּה יִטָּהֲרוּ מֵחֶטְאָם וְיֵלְכוּ לִמְנוּחָה, וְאִם לֹא, יֵעָנְשׁוּ עַד אָבְדָם; וְדָבָר זֶה לֹא יִקְרֶה לְיִשְׂרָאֵל אֶלָּא מְעַט מִן הַמְּעַט.

בַּהַשְׁגָּחָה

הִנֵּה הָאָדוֹן בָּרוּךְ הוּא מַשְׁגִּיחַ תָּמִיד עַל כָּל בְּרִיּוֹתָיו, וּמְקַיְּמָם וּמְנַהֲלָם כְּפִי הַתַּכְלִית שֶׁבַּעֲבוּרוֹ בְּרָאָם.

וְאָמְנָם, בִּהְיוֹת שֶׁנִּתְיַחֵד הַמִּין הָאֱנוֹשִׁי לִהְיוֹת בּוֹ הַשָּׂכָר וְהָעֹנֶשׁ כְּפִי מַעֲשָׂיו, וּכְמוֹ שֶׁאָמַרְנוּ לְמַעְלָה, גַּם הַהַשְׁגָּחָה בּוֹ מְשֻׁנָּה מֵהַהַשְׁגָּחָה בִּשְׁאָר הַמִּינִים. וְזֶה, כִּי הַהַשְׁגָּחָה בִּשְׁאָר הַמִּינִים הוּא לְקִיּוּם הַמִּין הַהוּא בְּאוֹתָם הַחֻקִּים וְהַגְּבוּלִים שֶׁרְצָהוּ יִתְבָּרַךְ שְׁמוֹ. וְהִנֵּה יַשְׁגִּיחַ בִּפְרָטֵי כָּל מִין וָמִין לְמַה שֶׁמַּגִּיעַ מֵהֶם אֶל כְּלַל הַמִּין כֻּלּוֹ, אַךְ לֹא לְמַה שֶּׁהֵם אִישִׁים, כִּי הִנֵּה אֵין הַתַּכְלִית בָּם אֶלָּא לִשְׁלֵמוּת הַמִּין הַכְּלָלִי. אָמְנָם הַמִּין הָאֱנוֹשִׁי, כָּל אִישׁ וְאִישׁ מִמֶּנּוּ, מִלְּבַד מַה שֶׁמַּגִּיעַ מִמֶּנּוּ אֶל כְּלָלוּת הַמִּין, הִנֵּה יֻשְׁגַּח בְּיִחוּד עַל מַה שֶּׁהוּא בִּפְנֵי עַצְמוֹ, וְיוּדְנוּ מַעֲשָׂיו כֻּלָּם בְּיִחוּד, וְיִגָּזְרוּ עָלָיו גְּזֵרוֹת בְּיִחוּד, כְּפִי פְּרָטוּת עִנְיָנוֹ.

וְצָרִיךְ שֶׁתֵּדַע, שֶׁאָמְנָם פְּעֻלּוֹת הָאָדָם תִּתְחַלֵּקְנָה לִשְׁנֵי מִינִים: הָאֶחָד הוּא מַה שֶׁהוּא לוֹ זְכוּת אוֹ חוֹבָה, דְּהַיְנוּ שֶׁיֵּעָשֶׂה בָּהּ מִצְוָה אוֹ עֲבֵרָה; וְהַשֵּׁנִי מַה שֶּׁאֵינוֹ לֹא זֶה וְלֹא זֶה, כִּי אֵין בָּהּ עִנְיָן לֹא לְמִצְוָה וְלֹא לַעֲבֵרָה. וְהִנֵּה כָּל מַה שֶׁנּוֹגֵעַ לְמִצְוָה אוֹ עֲבֵרָה, יִהְיֶה בְּאֵיזֶה צַד שֶׁיִּהְיֶה, כֻּלּוֹ מָסוּר בְּיָדוֹ שֶׁל הָאָדָם, אֵין לוֹ מִי שֶׁיַּכְרִיחֵהוּ עָלָיו כְּלָל, וְעַל כֻּלָּם יַשְׁקִיף הַשּׁוֹפֵט הָעֶלְיוֹן, לָדוּן אוֹתָם כְּפִי מַה שֶּׁהֵם, וְלִגְזֹר כְּנֶגְדָּם הַגְּמוּל

expiated, and if they are then worthy of reward they are cleansed of their sins and can go to their repose. If they are not [worthy of reward, however], they are punished until they are completely destroyed. This, however, occurs only to a minuscule minority of Jews.

PROVIDENCE

God constantly oversees all things that He created, and He sustains and directs each entity according to the purpose for which it was created.

Since man is unique in that he is rewarded and punished for his deeds, as discussed earlier, the providence that applies to him must be different from that over all other species. The providence over any other species exists only to maintain that particular species within the bounds and limitations that God desires. He thus oversees each individual creature of that species only with respect to its effect on the species as a whole, but not as an individual. The individual merely fulfills the purpose of maintaining the species as a whole.

This is not the case, however, with regard to man. Besides what each individual experiences as part of the human race as a whole, providence is also extended to him individually, for his own sake. He is thus judged individually for his deeds, and decrees are issued regarding him as an individual, according to all the details of his situation.

It is necessary to know that man's activities are divided into two general categories: One category includes activities that result in some merit or liability for the individual, this being the category of good deeds and sins. The second category includes all activities that do not result in any merit or liability, since they do not involve a concept of either good deeds or sins.

With respect to everything that involves a good deed or sin in any manner whatsoever, man has absolute free will, and Providence does not cause anything to coerce him. The Highest Judge oversees all this, judging these deeds according to their particular nature, and decreeing the proper recompense for each one.

385

הָרָאוּי. וַאֲשֶׁר אֵינוֹ עִנְיָן לֹא לְמִצְוָה וְלֹא לַעֲבֵרָה, הִנֵּה עִנְיַן הָאָדָם בָּהֶם כְּעִנְיַן שְׁאָר הַמִּינִים בְּמִקְרֵיהֶם, שֶׁהִנֵּה יָבוֹאוּ לוֹ מִכֹּחַ עֶלְיוֹן שֶׁיְּנוֹעֲעוּ אֵלָיו, אִם לִשְׁמִירַת חֻקּוֹת מִינוֹ, אוֹ לְהַגִּיעַ לוֹ שָׂכָר אוֹ עֹנֶשׁ כְּפִי מַה שֶּׁרָאוּי לוֹ.

וְהִנֵּה הָאָדוֹן בָּרוּךְ הוּא, הוּא הַמַּשְׁגִּיחַ עַל הַכֹּל, וְדָן אֶת הַכֹּל, וְגוֹזֵר כָּל הַגְּזֵרוֹת. וְהַמַּלְאָכִים הֵם מְשָׁרְתָיו מְמֻנִּים כָּל אֶחָד בְּתַפְקִידוֹ לְהָנִיעַ אֶת הַכֹּל בִּגְבוּלָיו, וְאִם לְהַמְצִיא לָאָדָם כִּדְרָכָיו עַל צַד הַגְּמוּל כְּמוֹ שֶׁאָמַרְנוּ לְמַעְלָה.

וְצָרִיךְ שֶׁתֵּדַע, שֶׁאַף עַל פִּי שֶׁהָאָדוֹן בָּרוּךְ הוּא בֶּאֱמֶת יוֹדֵעַ כֹּל, וְלֹא נֶעְלָם מִמֶּנּוּ דָּבָר, וְאֵין יְדִיעָה מִתְחַדֶּשֶׁת אֶצְלוֹ כְּלָל, הִנֵּה הַנְהָגַת עוֹלָמוֹ וּמִשְׁפָּטָיו לֹא יָסַד אוֹתָם עַל פִּי זֶה, אֶלָּא עַל פִּי סֵדֶר הַמִּשְׁפָּטִים שֶׁרָצָה בּוֹ, מִתְדַּמֶּה לְנִמּוּסֵי מַלְכוּת הָאָרֶץ, וְדָן אֶת הַדְּבָרִים בְּבָתֵּי דִינִים שֶׁל מַלְאָכִים, בְּעֵדִים שֶׁיָּעִידוּ עַל הָעִנְיָנִים, וְקָטֵגוֹרִים שֶׁיִּתְבְּעוּ דִּין, וּמְלִיצִים שֶׁיָּלִיצוּ זְכוּת, וְכֻלָּם מַלְאָכִים שֶׁמַּשָּׂאָם מַה שֶּׁזָּכַרְנוּ, אֵלֶּה לְהָעִיד עַל הַנַּעֲשֶׂה בָּעוֹלָם, אֵלֶּה לְקַטְרֵג וְאֵלֶּה לְהָלִיץ, וְנִגְמָר הַדִּין כְּפִי הַמִּשְׁפָּט הַנָּכוֹן וְהַיָּשָׁר.

בַּנְּבוּאָה וּנְבוּאַת מֹשֶׁה

רָצָה הָאָדוֹן בָּרוּךְ הוּא וְהֵכִין מִין גִּלּוּי שֶׁיִּהְיֶה מִתְגַּלֶּה בּוֹ אֶל בְּנֵי הָאָדָם, עוֹדָם בַּחַיִּים בָּעוֹלָם הַזֶּה, וּכְשֶׁיִּתְגַּלֶּה לָהֶם יְגַלֶּה לָהֶם עִנְיָנִים מַה שֶּׁיַּחְפֹּץ: מִסְתָּרָיו וְסוֹדוֹתָיו, וּמֵעִנְיְנֵי הַשְׁגָּחָתוֹ, וּמִמַּה שֶּׁיָּבִיא עַל בְּרִיּוֹתָיו, וְזֶה נִקְרָא נְבוּאָה.

הַגִּלּוּי הַזֶּה הִנֵּה הוּא בִּדְרָכִים מְיֻחָדִים, מַה שֶּׁרָאֲתָה חָכְמָתוֹ יִתְבָּרַךְ הֱיוֹתוֹ נָאוֹת לָזֶה, וְיֵשׁ בּוֹ מַדְרֵגוֹת עַל מַדְרֵגוֹת שׁוֹנוֹת,

With regard to deeds that do not pertain to virtue or sin, however, man is no different in his experiences from any other species. In such cases he can be motivated by higher Forces, both in order to maintain the human race as a whole, and to bring each individual his appropriate reward or punishment.

God Himself oversees all, judges all, and issues all decrees. The angels are His servants, and each one is given its own appointed task. They therefore either cause things to happen within their own particular realm, or bring matters about for each individual according to his ways, following the rules of recompense discussed earlier.

It is necessary to realize that God truly knows everything; nothing is hidden from Him; and [since He knew all things from the very beginning] no new knowledge actually comes to Him. Nevertheless, God's direction and judgment of the world are not founded on this Knowledge, but rather on the system of judgment that He desired. This system resembles the ways of an earthly government, and matters are judged in tribunals consisting of angels. [This judgment includes] witnesses giving testimony, prosecutors seeking judgment, and advocates pleading the individual's cause. All of these are angels appointed to such tasks, some bearing witness about things that have happened in the physical world, others prosecuting, and still others defending. The judgment is then completed according to a system of justice that is both fair and correct.

MOSES AND PROPHECY

God desired to reveal His will to man, and therefore prepared a process of revelation through which He makes Himself known to mortal man in the physical world. Through this process, God reveals whatever He desires, whether it be His secrets and mysteries, concepts of His providence, or decrees that He is issuing regarding the world. This process is called prophecy.

This revelation takes place in special ways, in a manner that God's wisdom saw fitting. It also has various levels. The one thing

אַךְ הַכְּלָל בְּכֻלָּן, שֶׁיִּתְבָּרֵר לַנָּבִיא בְּוַדָּאוּת גָּמוּר, שֶׁהַמִּתְגַּלֶּה לוֹ הוּא כְּבוֹדוֹ יִתְבָּרַךְ, וְיַשְׂכִּיל מַה שֶּׁיְּגַלֶּה לוֹ, וְלֹא יִשָּׁאֵר לוֹ שׁוּם סָפֵק בִּנְבוּאָתוֹ כְּלָל.

וְאָמְנָם בְּהַגִּיעַ עִנְיָן זֶה לַנָּבִיא, הִנֵּה תִּקְדַּם לוֹ רְעָדָה גְּדוֹלָה וְכָל אֵיבְרֵי גוּפוֹ יִזְדַּעְזְעוּ, וְיִבָּטְלוּ הַרְגָּשׁוֹתָיו, וְיִשָּׁאֵר כְּאִישׁ יָשֵׁן, וְאָז מִתּוֹךְ תַּרְדֵּמָתוֹ זֹאת יִתְרָאוּ לְעֵינָיו מַרְאוֹת מַה שֶּׁיִּתְרָאוּ, יַשִּׂיג בָּם גִּלּוּי הַכָּבוֹד אֵלָיו, וְיֵדַע מַה שֶּׁיִּהְיֶה הָרָצוֹן הָעֶלְיוֹן שֶׁיִּוָּדַע לוֹ.

וְהִנֵּה מִלְּבַד הַיְדִיעוֹת שֶׁיַּרְוִיחַ הַנָּבִיא בְּגִלּוּי הַנְּבוּאָה, הִנֵּה, מִי שֶׁיַּגִּיעַ לִהְיוֹת נָבִיא, מֻכְרָח הוּא שֶׁיִּתְדַּבֵּק בּוֹ יִתְבָּרַךְ דְּבֵקוּת גָּדוֹל, עַד שֶׁיִּזְכֶּה לַגִּלּוּי הַזֶּה, וְאוּלָם מִצַּד דְּבֵקוּתוֹ זֶה תִּהְיֶה מַעֲלָתוֹ מַעֲלָה גְּדוֹלָה, וּכְבָר יַגִּיעַ לַעֲשׂוֹת נִסִּים וְנִפְלָאוֹת, כְּפִי מַדְרֵגַת הַדְּבֵקוּת שֶׁהִשִּׂיג.

וְאָמְנָם צָרִיךְ שֶׁתֵּדַע, שֶׁכָּל הַמַּדְרֵגוֹת כֻּלָּן שֶׁבַּנְּבִיאִים, כֻּלָּן שְׁפָלוֹת מִמַּדְרֵגַת נְבוּאָתוֹ שֶׁל מֹשֶׁה רַבֵּנוּ עָלָיו הַשָּׁלוֹם, וְנִבְדָּלוֹת מִמֶּנָּה הֶבְדֵּל גָּדוֹל, שֶׁכֻּלָּן אֶפְשָׁר שֶׁיַּגִּיעַ לָהֶן כָּל אָדָם שֶׁיִּזְכֶּה, אַךְ נְבוּאַת מֹשֶׁה רַבֵּנוּ עָלָיו הַשָּׁלוֹם הִיא מַדְרֵגָה אַחַת שֶׁנִּתְיַחֲדָה לוֹ, אִי אֶפְשָׁר לְאַחֵר שֶׁיַּשִּׂיגָהּ כְּלָל.

וְהִנֵּה לְמַטָּה מִמַּדְרֵגַת הַנְּבוּאָה יֵשׁ מַדְרֵגָה נִקְרֵאת רוּחַ הַקֹּדֶשׁ, וְהוּא עִנְיָן שֶׁיַּשְׁפַּע שֶׁפַע מִמֶּנּוּ יִתְבָּרַךְ אֶל שֵׂכֶל הָאָדָם שֶׁבְּהַגִּיעוֹ אֵלָיו יִקָּבַע בּוֹ יְדִיעַת עִנְיָן מַה בְּבִלְתִּי סָפֵק וּבְבִלְתִּי טָעוּת וְיֵדַע הַדָּבָר בִּשְׁלֵמוּת, סִבּוֹתָיו וְתוֹלְדוֹתָיו כָּל דָּבָר בְּמַדְרֵגָתוֹ.

וְאוּלָם עַל יְדֵי הַשֶּׁפַע הַזֶּה, אֶפְשָׁר שֶׁיַּשְׂכִּיל דְּבָרִים שֶׁמִּגֶּדֶר הַהַשְׂכָּלָה הָאֱנוֹשִׁית הַטִּבְעִית לְהַשְׂכִּיל אוֹתָם; אָמְנָם יִתְרוֹן הַשְׂכִּיל אוֹתָם עַל זֶה הַדֶּרֶךְ מֵהַשְׂכִּיל אוֹתָם עַל הַדֶּרֶךְ הָאֱנוֹשִׁי הוּא, שֶׁעַל זֶה הַדֶּרֶךְ יַשִּׂגוּ בְּלִי עָמָל, וְיַשִּׂגוּ בְּלִי טָעוּת, וְלֹא

that all prophecy has in common is that the prophet is positive, with absolute certainty, that what is revealed to him is God's own glory. He is aware of what is revealed to him, and has absolutely no doubt whatsoever about his prophecy.

When a revelation comes to a prophet, he first experiences a great trembling, and all his limbs quake. His senses cease to function and he loses all consciousness. While he is in such a trance, certain visions become apparent to him, and through these visions he attains a revelation of the Glory. In this manner, he knows what the Highest Will has decreed that he should know.

One who attains the status of a prophet must first achieve a great attachment to God in order to be worthy of such a revelation. As a result of this attachment, he attains a great spiritual height, and is granted the ability to perform wonders and miracles, according to the level of attachment that he attains. [This is apart from the knowledge that he attains through his prophecy.]

It is necessary to realize that the levels attained by all [other] prophets were lower than that of Moses, and were also of a very different nature. All other levels could be attained by any individual who was worthy, while the level of Moses was unique and singular, and was beyond the power of any other human being.

Below the level of actual prophecy, there is also a level known as Divine Inspiration (*Ruach HaKodesh*). Here, God grants an emanation to an individual's intellect, and when he receives it, information is set in his mind without any doubt or error. The individual then knows the [revealed] concept completely, with all its causes and effects, each on its particular level.

Through such inspiration, one can become aware of things that are also accessible to man's natural intellect. The person who becomes aware of them through revelation, however, has a distinct advantage over one who does so in a normal human manner. When one gains knowledge through inspiration, he does so without effort, and attains it with neither doubt nor error, which is not possible when one gains knowledge through mere human reason.

יִשָּׁאֵר בָּם סָפֵק, מַה שֶּׁאֵין כֵּן בַּהַשְׂכָּלָה שֶׁעַל דֶּרֶךְ הָאֱנוֹשִׁי; וְאֶפְשָׁר שֶׁיַּשִּׂיג גַּם כֵּן עִנְיָנִים מַה שֶּׁאֵין בְּגֶדֶר הַהַשְׂכָּלָה הָאֱנוֹשִׁית שֶׁתַּשְׂכִּילֵם, וּמִכְּלָלָם הַנִּסְתָּרוֹת וְהָעֲתִידוֹת.

וְהִנֵּה רוּחַ הַקֹּדֶשׁ זֶה הִנֵּה הוּא נִרְגָּשׁ לְמַשִּׂיגָיו, שֶׁהַמְקַבְּלוֹ יַכִּיר בְּלִי סָפֵק שֶׁהוּא שֶׁפַע נִשְׁפָּע לוֹ. אָמְנָם עוֹד יִקְרֶה לִפְעָמִים, שֶׁיִּשָּׁפַע בְּלֵב אָדָם שֶׁפַע שֶׁיַּעֲמִידֵהוּ עַל תֹּכֶן עִנְיָן מֵהָעִנְיָנִים, אַךְ לֹא יַרְגִּישׁ בּוֹ הַמֻּשְׁפָּע, אֶלָּא יַגִּיעַ לוֹ כְּמִי שֶׁנּוֹפֶלֶת מַחֲשָׁבָה בְּלִבּוֹ, וְנִקְרָא עַל דֶּרֶךְ הַהַרְחָבָה וְשֶׁלֹּא בְּדִקְדּוּק – רוּחַ הַקֹּדֶשׁ.

בַּ גְּ א וּ לָּ ה

הִנֵּה מִבְחַר הַמִּין הָאֱנוֹשִׁי הוּא יִשְׂרָאֵל, וְהוּא עַם הַמְעֻתָּדִים לַדְּבֵקוּת בּוֹ יִתְבָּרַךְ, וְרָאוּי לָהֶם שֶׁיִּהְיוּ מְעֻטָּרִים בְּעִטּוּרֵי קְדֻשָּׁה גְּדוֹלָה, וְתִהְיֶה שְׁכִינָתוֹ יִתְבָּרַךְ שׁוֹרָה עֲלֵיהֶם וּמִתְדַּבֶּקֶת בָּם, שֶׁיִּשְׁתַּלְּמוּ בָּזֶה, עַד שֶׁיִּזְכּוּ לַטּוֹבָה הָאֲמִתִּית.

וְצָרִיךְ שֶׁתֵּדַע, שֶׁאַף עַל פִּי שֶׁהַטּוֹבָה הָאֲמִתִּית נִקְנֵית מִכָּל אֶחָד וְאֶחָד בִּפְנֵי עַצְמוֹ כְּפִי מַעֲשָׂיו, אָמְנָם אֵין כְּלַל הַבְּרִיאָה מִשְׁתַּלֵּם עַד שֶׁתְּסֻדַּר כְּלַל הָאֻמָּה הַנִּבְחֶרֶת בְּסֵדֶר נָכוֹן, וְתִשְׁתַּלֵּם בְּכָל עִטּוּרֶיהָ, וְתִתְדַּבֵּק בָּהּ הַשְּׁכִינָה, וְאַחַר כָּךְ יַגִּיעַ הָעוֹלָם לַמַּצָּב הַשָּׁלֵם, וְיִזְכּוּ הַפְּרָטִים כָּל אֶחָד וְאֶחָד כְּפִי מַה שֶּׁזָּכָה בְּמַעֲשָׂיו.

וְאוּלָם דָּבָר זֶה עֲדַיִן לֹא נִשְׁלַם מִתְּחִלַּת הַבְּרִיאָה וְעַד הֵנָּה, כִּי מִיָּד שֶׁנִּבְרָא אָדָם חָטָא, וְאַחַר כָּךְ שֶׁהִתְחִילוּ הָאָבוֹת וְנִמְשְׁכוּ הַבָּנִים אַחֲרֵיהֶם לִהְיוֹת לְעַם סְגֻלָּה, עִם כָּל זֶה מֵעוֹלָם לֹא נִשְׁלַם הַדָּבָר כָּרָאוּי, מִפְּנֵי כַּמָּה חֲטָאִים, שֶׁנָּזוֹרוּ בָם אָחוֹר

It is also possible, however, for a person to gain knowledge of things that are outside the realm of human reason. These include hidden [mysteries] as well as future events.

Divine Inspiration is something that is actually felt by the individuals who achieve it. They are aware, without any doubt whatsoever, that they are experiencing an emanation, and that it is being granted to them.

Sometimes, however, an emanation is granted in a person's mind, allowing him to perceive the full meaning of a concept where the person granted this emanation is not aware of it. In such a case, it seems like a thought that occurs to him [as a spontaneous inspiration]. In a broader sense, this is sometimes inaccurately also called Divine Inspiration.

THE REDEMPTION

The ones elected and destined for the ultimate attachment to God are the Jewish people. It is therefore fitting that they be wreathed in a great aura of holiness, and that God's Divine Presence (*Shechinah*) should rest upon them and attach itself to them. In this way, they can be perfected until they attain the true good.

It is necessary to know that even though true good is attained by each individual according to his deeds, creation as a whole cannot be perfected until the entire Chosen People exists in its optimum state. They must be perfected through every possible aura [of holiness], and the Divine Presence must attach itself to them. Only then can the world attain a perfect state where each individual can attain [the reward] that he deserves according to his deeds.

Since the beginning of creation, however, this state has not been attained. Adam sinned directly after he was created. The Patriarchs began [the process of rectification] and their descendants continued to develop into a Chosen People (*Am Segulah*). Nevertheless, the condition was never properly and completely attained, because of the numerous sins which caused the final rectification to be retarded and delayed.

מֵהַתִּקּוּן הַשָּׁלֵם. וְנִמְצָא שֶׁעַל כָּל פָּנִים צָרִיךְ שֶׁנַּגִּיעַ לְזֶה, שֶׁתִּהְיֶה הָאֻמָּה בִּשְׁלֵמוּתָהּ בְּכָל הַתְּנָאִים הַצְּרִיכִים לְזֶה, וְתִקַבֵּל הַבְּרִיאָה כֻּלָּהּ שְׁלֵמוּתָהּ, וְאָז יִקְבַּע הָעוֹלָם בְּמַצָּב הַמְתֻקָּן, שֶׁבּוֹ יִקְבְּעוּ הַצַּדִּיקִים לַהֲנָאָה הַנִּצְחִית, וְתִהְיֶה הֲנָאָתָם בָּהּ כָּל אֶחָד לְפִי מַעֲשֵׂיהֶם.

וְהִנֵּה שִׁתָּא אַלְפֵי שָׁנָה הִגְבִּילָה הַחָכְמָה הָעֶלְיוֹנָה לַעֲבוֹדַת בְּנֵי הָאָדָם וְהִשְׁתַּדְּלוּתָם עַל הַשְּׁלֵמוּת, וְאַחַר כָּךְ יִתְחַדֵּשׁ הָעוֹלָם בְּצוּרָה אַחֶרֶת, רְאוּיָה לְמַה שֶּׁיֵּעָשֶׂה בּוֹ אַחֲרֵי כֵן, דְּהַיְנוּ, הַהֲנָאָה הַנִּצְחִית לַזּוֹכִים לָהּ. וְטֶרֶם יִכְלוּ שֵׁשֶׁת אֲלָפִים אֵלֶּה, הִנֵּה צָרִיךְ שֶׁתַּעֲמֹד הָאֻמָּה הַנִּבְחֶרֶת בְּמַצָּבָהּ הַשָּׁלֵם, שֶׁיּוּכְלוּ לְעַתֵּק הַדְּבָרִים אַחַר כָּךְ אֶל הַנִּצְחִיּוּת, וְזֶה מַה שֶּׁהִבְטִחָנוּ עָלָיו שֶׁיִּהְיֶה עַל כָּל פָּנִים, וְהָאֶמְצָעִי לְזֶה יִהְיֶה אֶחָד מִזֶּרַע דָּוִד שֶׁיִּבְחָרֵהוּ הָאָדוֹן בָּרוּךְ הוּא לְזֶה, וִיַעַזְרֵהוּ שֶׁיַּצְלִיחַ בּוֹ, וְהוּא מֶלֶךְ הַמָּשִׁיחַ. וְהִנֵּה בִּזְמַנּוֹ וְעַל יָדוֹ יִתָּקְנוּ יִשְׂרָאֵל תִּקּוּן גָּדוֹל וְכָל הַבְּרִיאָה אַחֲרֵיהֶם, שֶׁיִּרְבֶּה הַטּוֹב בְּכָל הַצְּדָדִים, וְיָסוּר הָרַע לְגַמְרֵי, בֵּין בְּמַה שֶּׁנּוֹגֵעַ לַנֶּפֶשׁ וּבֵין בְּמַה שֶּׁנּוֹגֵעַ לַגּוּף, דְּהַיְנוּ, לֵב הָאֶבֶן יֵעָשֶׂה לֵב בָּשָׂר, וְהוּא שֶׁתִּגְבַּר בִּבְנֵי הָאָדָם הַנְּטִיָּה לְטוֹבוֹת, וּבְאֹפֶן שֶׁלֹּא יִמָּשְׁכוּ אַחֲרֵי הַחֹמֶר כְּלָל אֶלָּא יִנָּטוּ תָּמִיד לָעֲבוֹדָה וְלַתּוֹרָה וְיִתְגַּבְּרוּ בָהּ, וּכְנֶגֶד זֶה תִּרְבֶּה הַשַּׁלְוָה וְהָרְוָחָה, וְלֹא יִמָּצְאוּ נְזָקִים וְלֹא הֶפְסֵדִים כְּלָל, וְהוּא מַה שֶּׁהִבְטִיחוּ הַנְּבִיאִים: "לֹא יָרֵעוּ וְלֹא יַשְׁחִיתוּ בְּכָל הַר קָדְשִׁי" (ישעיהו יא, ט), וְלֹא יִהְיֶה סִכְלוּת בָּעוֹלָם, אֶלָּא כָּל הַלְּבָבוֹת יִהְיוּ מְלֵאֵי חָכְמָה, וְרוּחַ הַקֹּדֶשׁ יִהְיֶה שָׁפוּךְ עַל כָּל בָּשָׂר, בְּאֹפֶן שֶׁיִּזְכּוּ לוֹ הַכֹּל, בְּלִי קֹשִׁי כְּלָל, וְהוּא מַה שֶּׁאָמַר הַנָּבִיא: "אֶשְׁפֹּךְ אֶת רוּחִי עַל כָּל בָּשָׂר" וְגוֹ' (יואל ג, א). וְהִנֵּה יִשְׂמְחוּ וְיַעַלְצוּ בְּרֹב הַטּוֹבָה, וְהֵם מִתְדַּבְּקִים בַּבּוֹרֵא יִתְבָּרַךְ וְעוֹבְדִים לְפָנָיו עֲבוֹדָה שְׁלֵמָה, וְעַל יְדֵי זֶה יִהְיוּ

In any event, it is necessary that the Chosen People achieve perfection with all its required conditions, and that creation as a whole thus be perfected. Only then will the world be able to exist permanently in a totally rectified state. In such a world, the righteous will be able to experience permanently the everlasting delights, each one's enjoyment depending on his individual deeds.

The Highest Wisdom set a time limit of 6000 years for the effort of man and his striving for perfection. After that time limit, the world will be renewed in a different form, appropriate for its ultimate destiny, namely the eternal delight of those individuals who are worthy of it.

Before this 6000-year period comes to an end, it is necessary that the Chosen People attain its perfected state. Only after this happens can the world be transmuted into its eternal state.

It has been promised that this will take place no matter what happens. The instrument for this will be a descendent of David, whom God will choose especially for this purpose, assuring his success. This individual will be the Messiah (*Mashiach*).

Through the Messiah, at the proper time, a great degree of rectification will be attained by Israel, and subsequently by all creation. Good will be increased in every form, and evil will be eliminated completely. This will affect man both physically and spiritually, as alluded to by the Prophet when he speaks of the "heart of stone that will be transformed into a heart of flesh" (*Ezekiel* 36:26). That is, the inclination toward good will be strengthened in man, in such a manner that he will not be drawn after the physical at all. Rather, he will constantly lean toward serving God and following His Torah, and in this manner man will strengthen himself [spiritually].

As a result, prosperity and tranquility will increase, while injury and destruction will cease to exist. This is what [God promised] through His prophet, when He said, "They will not do evil nor cause harm on all of My holy mountain" (*Isaiah* 11:9).

When this time comes, folly will cease to exist in the world, and all hearts will be filled with wisdom. Divine Inspiration will be "poured out over all flesh" in such a manner that all mankind will attain it without any difficulty whatsoever. Thus the prophet said [in

393

מִתְעַלִּים וְהוֹלְכִים עִלּוּי עַל עִלּוּי, עַד שֶׁיַּגִּיעוּ לְמַה שֶּׁצָּרִיךְ שֶׁיַּגִּיעוּ לוֹ, לַעֲבֹר מִמֶּנּוּ אֶל מַצַּב הַנִּצְחִיּוּת בְּחִדּוּשׁ הָעוֹלָם.

וְאָמְנָם, הַחַיִּים כֻּלָּם צָרִיךְ שֶׁיָּמוּתוּ וְיַחְזְרוּ לֶעָפָר לְפָחוֹת שָׁעָה אַחַת קֹדֶם תְּחִיַּת הַמֵּתִים, וְאַחַר כֵּן יָשׁוּבוּ וְיִחְיוּ, אוֹתָם הָרְאוּיִים לָקוּם בַּתְּחִיָּה.

וְהִנֵּה בַּתְּחִיָּה יָקוּמוּ צַדִּיקִים וּרְשָׁעִים, וְהָרְשָׁעִים שֶׁחָטְאוּ וְלֹא נִשְׁלַם בָּהֶם הָעֹנֶשׁ הָרָאוּי, יֵעָנְשׁוּ אָז כָּרָאוּי לָהֶם. וְאָמְנָם אַחֲרֵי הַתְּחִיָּה יִהְיֶה יוֹם הַדִּין הַגָּדוֹל, שֶׁיָּדִין הַבּוֹרֵא יִתְבָּרַךְ אֶת כֻּלָּם, וְיִשְׁפֹּט הָרְאוּיִם לְשָׁאֵר לַנִּצְחִיּוּת וְהָרְאוּיִם לֶאֱבֹד. הָרְאוּיִים לֶאֱבֹד יֵעָנְשׁוּ לְפִי מַה שֶּׁרָאוּי לָהֶם, וּלְבַסּוֹף יֹאבְדוּ לְגַמְרֵי, וְהָרְאוּיִים לְשָׁאֵר, יִשָּׁאֲרוּ בַּמַּדְרֵגָה שֶׁתַּגִּיעַ לָהֶם כְּפִי הַמִּשְׁפָּט, בָּעוֹלָם שֶׁיִּתְחַדֵּשׁ.

וְהִנֵּה בְּאֻמּוֹת הָעוֹלָם יֵעָשֶׂה בֵּרוּר גָּדוֹל בְּאוֹתָם שֶׁיִּמָּצְאוּ בְּאוֹתוֹ הַזְּמַן, אוֹתָם שֶׁכְּפִי הַמִּשְׁפָּט הָעֶלְיוֹן יִהְיוּ רְאוּיִים לִכְלָיָה, יִשָּׁמְדוּ בְּחֶרֶב וּבְדֶבֶר וּבְכָל מִינֵי עֳנָשִׁים. וְאוֹתָם שֶׁיִּהְיוּ רְאוּיִים לְהִנָּצֵל, יִנָּצְלוּ וְיִשָּׁאֲרוּ, וְיַכִּירוּ בֶּאֱמֶת, וְיַעַזְבוּ אֱלִילֵיהֶם וְיִשְׁתַּעְבְּדוּ לְיִשְׂרָאֵל, וְיִהְיֶה לָהֶם לְתִפְאֶרֶת עֲבֹד אֶת יִשְׂרָאֵל וְשָׁרֵת אוֹתָם, כַּאֲשֶׁר יַכִּירוּ וְיֵדְעוּ שֶׁהִנֵּה עַל יְדֵי זֶה יַגִּיעוּ לָהֶם מַה שֶּׁאֶפְשָׁר שֶׁיְּקַבְּלוּ מִן הַקְּדֻשָּׁה וְאוֹר ה'. וְהִנֵּה יִמָּצֵא הָעוֹלָם כֻּלּוֹ נִמְשָׁךְ אַחַר עֲבוֹדַת הַבּוֹרֵא יִתְבָּרֵךְ, וְלֹא תִהְיֶה עֲבוֹדָה זָרָה כְּלָל בָּעוֹלָם, וְהוּא מַה שֶּׁאָמַר הַנָּבִיא ז"ל, "כִּי אָז אֶהְפֹּךְ אֶל־עַמִּים שָׂפָה בְרוּרָה" (צפניה ג, ט); וּכְתִיב, "בַּיּוֹם הַהוּא יִהְיֶה ה' אֶחָד וּשְׁמוֹ אֶחָד" (זכריה יד, ט).

וְהִנֵּה אַחַר שֶׁהוּכְנוּ הָרְאוּיִים לְשָׁאֵר בַּנִּצְחִיּוּת, כָּל אֶחָד בְּמַדְרֵגָתוֹ, הִנֵּה הָעוֹלָם הַזֶּה יַחֲזֹר לְתֹהוּ וָבֹהוּ, דְּהַיְנוּ שֶׁתִּפָּסֵד צוּרָתוֹ וְיָשׁוּב מַיִם בְּמַיִם כְּמוֹ בִּתְחִלַּת הַבְּרִיאָה, וּבֵין כָּךְ וּבֵין כָּךְ הַצַּדִּיקִים שֶׁזָּכוּ לַנִּצְחִיּוּת, הַקָּדוֹשׁ בָּרוּךְ הוּא יַעֲמִידֵם

God's name]: "I will pour out My spirit upon all flesh" (*Joel* 3 :6).

People will then rejoice and delight in this great good, and will be attached to God, serving Him in a fulfilled manner. As a result, they will continually elevate themselves, step by step, until they attain what is necessary in order for them to pass over into the permanent state that will exist when the universe is renewed.

All those who are alive at the time will then have to die and return to the dust, at least for a short period before the Resurrection. Those who are worthy of being resurrected will then be brought back to life.

At the time of the Resurrection, both the righteous and the wicked will be brought back to life. The wicked who have not yet been adequately punished for their sins will then be given an appropriate punishment. This involves the great Day of Judgment which will take place after the Resurrection, when God will judge all mankind. He will determine who are worthy of enduring forever, and who should be annihilated. Those deemed worthy of annihilation will be punished in an appropriate manner, and in the end will be totally obliterated. Those who are worthy of existing will remain in the renewed world on the level that they attain according to their judgment.

Through the nations of the world a great selection will then be made, among those extant at that time. Those who, according to the Highest Judgment, should be due for extirpation, will be destroyed by sword, pestilence, and all kinds of punishments. Those who deserve to be rescued will be saved and will survive; and they will recognize the truth and abandon their idols, and become subservient to Jewry. It will be their pride and glory to be subject to the Jewish people and serve them, as they will realize and know that through this they will attain as much as they can accept of the holiness and the light of *Hashem*. Now the whole world will become drawn to the worship of the blessed Creator, and there will be no idolatry at all in the world. As the prophet of blessed memory said, "For then I will make a transformation for the peoples: a pure language [without idolatry]" (*Zephaniah* 3:9); and it is written further, "On that day *Hashem* will be one, and His name one" (*Zechariah* 13:9).

After those who are worthy are prepared for their eternal exis-

בְּמַאֲמָרוֹ כְּמַלְאֲכֵי הַשָּׁרֵת, בְּלִי שֶׁיִּצְטָרְכוּ לָעוֹלָם הַזֶּה. וְאָמְנָם לֹא יַשִּׂיגוּ עֲדַיִן הַטּוֹבָה הָאֲמִתִּית כָּרָאוּי לָהֶם, אֶלָּא אַחַר שֶׁעָמַד הָעוֹלָם תֹּהוּ הַזְּמַן שֶׁגָּזְרָה הַחָכְמָה הָעֶלְיוֹנָה, יָשׁוּב וִיחֻדַּשׁ בְּצוּרָה אַחֶרֶת, נְאוֹתָה לְמַה שֶּׁרָאוּי שֶׁיִּהְיֶה לְנִצְחִיּוּת, וְיָשׁוּבוּ הַצַּדִּיקִים וְיֵשְׁבוּ וְיִתְקַיְּמוּ בוֹ לָנֶצַח, נֶהֱנִים בַּטּוֹבָה הָאֲמִתִּית, כָּל אֶחָד כְּפִי מַדְרֵגָתוֹ.

בְּעִנְיַן הַנִּסִּים

הִנֵּה כָּל הַנִּבְרָאִים כֻּלָּם לֹא נִהְיוּ אֶלָּא מִפְּנֵי שֶׁכָּךְ גָּזַר רְצוֹנוֹ יִתְבָּרַךְ, וְכֵן כָּל הַחֻקִּים וְהַגְּבוּלִים שֶׁלָּהֶם לֹא הוּחַקּוּ בָהֶם אֶלָּא מִפְּנֵי שֶׁכָּךְ גָּזְרָה חָכְמָתוֹ יִתְבָּרַךְ הֱיוֹתוֹ נָאוֹת בָּהֶם. וְאָמְנָם כְּמוֹ שֶׁחָקַק הַחֻקִּים הָאֵלֶּה בִּרְצוֹנוֹ, כָּךְ יָכוֹל לְבַטְּלָם וּלְשַׁנּוֹתָם כִּרְצוֹנוֹ בְּכָל עֵת וּזְמַן שֶׁיִּרְצֶה. וְאָמְנָם הָעִנְיָנִים שֶׁיְּחַדֵּשׁ יִתְבָּרַךְ שְׁמוֹ בָּעוֹלָם שֶׁלֹּא בְּדֶרֶךְ הַחֹק שֶׁחָקַק לַטֶּבַע, הוּא הַנִּקְרָא נֵס. וְהִנֵּה עַל הָרֹב הָאָדוֹן בָּרוּךְ הוּא רוֹצֶה לְקַיֵּם הַטֶּבַע בְּחֻקּוֹתָיו, כִּי כֵיוָן שֶׁבָּחַר בּוֹ וַעֲשָׂהוּ כְּמוֹת שֶׁהוּא, וַדַּאי שֶׁיָּדַע הֱיוֹת זֶה הַמֻּבְחָר שֶׁבְּפָנִים, אָמְנָם אַף עַל פִּי כֵן לֹא יֶחְדַּל מִלְּשַׁנּוֹת אוֹתוֹ בִּזְמַן שֶׁיִּרְצֶה, לִטְעָמִים נוֹדָעִים אֶצְלוֹ.

וְאוּלָם אֶפְשָׁר שֶׁיַּעֲשֶׂה נֵס לְהוֹדִיעַ אֲמִתַּת הַשְׁגָּחָתוֹ וִיכָלְתּוֹ, וְאֶפְשָׁר שֶׁיַּעֲשֵׂהוּ לְפִי שֶׁכָּךְ יֵאוֹת בַּמַּעֲשֶׂה הַהוּא, וַאֲמִתַּת הַדָּבָר, אֶפְשָׁר שֶׁתִּהְיֶה מֻשֶּׂגֶת וְנִגְלֵית לְפִי פְּשַׁט הַמַּעֲשֶׂה וְעִנְיָנוֹ הַמְפֻרְסָם, וְאֶפְשָׁר שֶׁיִּהְיֶה לְפִי הַנִּסְתָּר שֶׁבַּדָּבָר וְסִתְרֵי הַהַשְׁגָּחָה שֶׁבּוֹ, וְאֶפְשָׁר עוֹד שֶׁיִּהְיֶה לִטְעָמִים אֲחֵרִים רַבִּים בִּלְתִּי־מֻשָּׂגִים לָנוּ כְּלָל. וְהִנֵּה כְּבָר יִקְרֶה שֶׁיַּעֲשֶׂה הַקָּדוֹשׁ בָּרוּךְ

tence, each one on his particular level, the world will be returned to a state of desolation and emptiness. It will lose all semblance of form, and will once again be "water in water," as it was at the beginning of creation.

During this interim period, the righteous who are prepared for eternity will be sustained by God like ministering angels, in such a manner that they will have no need for the physical world. They will not attain their true destined good, however, until after the world has remained desolate for the period of time decreed by the Highest Wisdom. The world will then be renewed in a new form, best suited for its eternal state. The righteous will then return to the world, and will exist and live in it forever, each enjoying the true good according to his particular level.

MIRACLES

All created things exist only because God's will decrees that they exist. The same is true of all their laws and properties, which exist solely because they were decreed by God's wisdom to be appropriate. Just as He ordained these rules through His will, however, He is likewise able to suspend or change them as He desires, at any time that He pleases.

The things that God causes to happen outside the realm of natural law are called miracles. In the vast majority of cases, however, God desires to maintain nature according to its natural laws. Since He Himself determined [this natural law] and made it in the way that it is, He certainly knows that it is the best possible system. Nevertheless, this does not prevent Him from changing it any time He so desires for whatever reasons He may determine.

Sometimes God may bring a miracle about to demonstrate the true nature of His providence and ability. At other times, a miracle may be appropriate for a certain time or circumstance. Sometimes the reason for the miracle is obvious to anyone knowing the nature of the situation; and at other times, its reason may be some secret element in the situation, and the hidden way that Providence deals

הוּא נִסִּים עַל יְדֵי עֲבָדָיו הַקְּרוֹבִים לוֹ, לְהַרְאוֹת הַחִבָּה שֶׁהוּא מְחַבֵּב אוֹתָם בַּכֹּחַ שֶׁמּוֹסֵר לָהֶם לִהְיוֹתָם שׁוֹלְטִים עַל הַבְּרִיאָה, וּכְפִי מַדְרֵגָתָם בַּקִּרְבָה אֵלָיו יִתְבָּרַךְ כָּךְ יִהְיֶה כֹּחָם לְשֶׁיֵּעָשׂוּ עַל יָדָם נִסִּים וְנִפְלָאוֹת.

וּמִכְּלַל זֶה הָעִנְיָן, שֶׁהִנֵּה רָצָה הָאָדוֹן בָּרוּךְ הוּא לִקָּרֵא בְּשֵׁמוֹת שׁוֹנִים, כְּפִי סִתְרֵי הַהַשְׁפָּעוֹת שֶׁהוּא מַשְׁפִּיעַ לְעוֹלָמוֹ וְהַהַנְהָגָה שֶׁמַּנְהִיג, וְאָמְנָם רָצָה וְחָקַק שֶׁבְּכֹחַ שְׁמוֹתָיו הַקְּדוֹשִׁים, בְּהֶזְכֵּרָם – יִתְחַדְּשׁוּ גַּם כֵּן נִפְלָאוֹת רַבּוֹת בָּעוֹלָם; וְאוּלָם חִלֵּק וְסִדֵּר הַדְּבָרִים בְּחָכְמָה נִפְלָאָה, וְשָׂם סְגֻלָּה בְּכָל שֵׁם וָשֵׁם כְּמוֹ שֶׁגָּזְרָה חָכְמָתוֹ, לְהַמְשִׁיךְ בְּהַזְכָּרָתוֹ הַשְׁפָּעוֹת הָהֵמָּה שֶׁעַל יְדֵיהֶן יִתְחַדְּשׁוּ הַנִּפְלָאוֹת הָאֵלֶּה.

בְּעִנְיַן הַתּוֹרָה שֶׁבְּעַל פֶּה וְהַשַּׁ״ס

הִנֵּה הָאָדוֹן בָּרוּךְ הוּא לֹא רָצָה לִכְתֹּב אֶת הַתּוֹרָה בְּבֵאוּר מַסְפִּיק שֶׁלֹּא יִצְטָרֵךְ לָהּ פֵּרוּשׁ, אֶלָּא אַדְרַבָּה כָּתַב בָּהּ דְּבָרִים הַרְבֵּה סְתוּמִים מְאֹד, שֶׁלֹּא הָיָה אֶפְשָׁר בְּיַד אָדָם בָּעוֹלָם לַעֲמֹד עַל כַּוָּנָתָם הָאֲמִתִּית, בִּלְתִּי שֶׁיִּמָּסֵר הַפֵּרוּשׁ – בְּקַבָּלָה שֶׁתָּבוֹא מִמֶּנּוּ יִתְבָּרַךְ, שֶׁהוּא בַּעַל הַדְּבָרִים; דֶּרֶךְ מָשָׁל, מִצְוַת תְּפִלִּין, מִצְוַת מְזוּזָה וְכַיּוֹצֵא בָהֶם, שֶׁבָּא הַצִּוּוּי עֲלֵיהֶם, וְלֹא נִתְבָּאֵר בַּכָּתוּב מָה עִנְיָנָם. אָמְנָם הָאֱמֶת הוּא, שֶׁבְּכַוָּנָה מְכֻוֶּנֶת הֶעְלִים הָאָדוֹן בָּרוּךְ הוּא כַּוָּנַת דְּבָרָיו הָאֲמִתִּית, לִטְעָמִים נוֹדָעִים אֶצְלוֹ. וְאָמְנָם כָּל זֶה שֶׁהֶעְלִים בַּתּוֹרָה שֶׁבִּכְתָב הִנֵּה מְסָרוֹ לְמֹשֶׁה רַבֵּנוּ עָלָיו הַשָּׁלוֹם בְּעַל פֶּה, וּמִמֶּנּוּ נִמְשַׁךְ הַמָּסֹרֶת לַחֲכָמִים דּוֹר אַחַר דּוֹר. וְהִנֵּה בַּמָּסֹרֶת הַזֶּה נִתְבָּאֲרָה כַּוָּנַת הַכְּתוּבִים לַאֲמִתָּהּ, וְנוֹדַע לָנוּ אֲמִתַּת מַעֲשֵׂה הַמִּצְוֹת כְּמוֹ שֶׁהָאָדוֹן בָּרוּךְ הוּא רוֹצֶה בָהֶם.

with it. It is also possible that miracles should occur for many other reasons that are not comprehensible to us at all.

Sometimes God also performs miracles by means of His servants who are close to Him, showing His love for them through the power that He grants them, giving them authority over His creation. Their power to bring about miracles and wonders depends on their level of closeness to God.

There is another concept that also comes into play in this respect. God wanted to be called by various Names, paralleling the hidden Influences (*Hashpa'os*) that emanate from Him to His world, controlling and directing it. He desired and decreed that the mention of His holy Names should furthermore have the power to bring about various miraculous events in the world. Through His incomprehensible Wisdom, He set up a system where each Name has a unique power that, when mentioned, should transmit those Influences, and thus bring about such miracles.

THE UNWRITTEN TORAH

God did not desire to write the Torah so clearly that it would not need any explanation. Quite to the contrary, He wrote in it many undefined concepts, so that no man could possibly know its true meaning without being given an explanation. This explanation must come through a tradition emanating from God Himself, who is the Author of the Torah.

Thus, for example, the Torah speaks of such commandments as Tefillin and the Mezuzah, without offering any written explanation of their true nature. The truth is, however, that God concealed the real meaning of His words for a specific reason and purpose known only to Him.

Everything that was concealed in the Written Torah, however, was taught to Moses, and from him the tradition was transmitted

וְהִנֵּה נִמְצְאוּ דִּבְרֵי הַתּוֹרָה שֶׁבִּכְתָב בִּבְחִינַת הַסְכָּמָתָם עִם הַפֵּרוּשׁ הַמְקֻבָּל מִתְחַלְּקִים לִשְׁלֹשָׁה חֲלָקִים.

הַחֵלֶק הָרִאשׁוֹן הוּא, כְּלַל עִנְיָנִים בָּא כְלָלָם בַּכָּתוּב, אַךְ לֹא פְּרָטֵיהֶם, וְנִתְבָּאֲרוּ הַפְּרָטִים בַּמָּסֹרֶת.

הַחֵלֶק הַשֵּׁנִי הוּא, כְּלַל כְּתוּבִים שֶׁבֵּאוּרָם מְסֻפָּק, בַּאֲשֶׁר יִסְבְּלוּ פֵּרוּשִׁים שׁוֹנִים, וְנִתְבָּאֲרָה הַהַכְרָעָה בַּמָּסֹרֶת.

הַחֵלֶק הַשְּׁלִישִׁי הוּא, כְּלַל כְּתוּבִים שֶׁלְּפִי הַמִּלּוֹת בֶּאֱמֶת תִּהְיֶה הַכַּוָּנָה אַחַת, וְנִתְבָּאֵר בַּמָּסֹרֶת הֱיוֹת הַנִּרְצֶה מִתְחַלֵּף מְאֹד מֵהַנִּרְאֶה, וְעַל זֶה אָמְרוּ זִכְרוֹנָם לִבְרָכָה: "הֲלָכָה עוֹקֶבֶת* אֶת הַמִּקְרָא" (סוטה טז). אָמְנָם אֵין פְּרָטֵי הַחֵלֶק הַזֶּה רַבִּים, וְלֹא עוֹד אֶלָּא שֶׁאִם תִּטְרַח וְתַעֲמִיק בַּדָּבָר תִּמְצָא שֶׁלֹּא יִהְיֶה הַפְּשָׁט מַכְחִישׁ לְגַמְרֵי הַהֲלָכָה וְלֹא מִתְנַגֵּד לָהּ, אֲבָל יוּבַן בְּאֵיזֶה בְחִינָה וּבְאֵיזֶה גְּבוּל.

וּמִמַּה שֶּׁקִּבַּלְנוּ, שֶׁאָמְנָם בַּעַל הַתּוֹרָה יִתְבָּרַךְ שְׁמוֹ כְּתָבָהּ עַל דְּרָכִים פְּרָטִיִּים וְחֻקִּים מְיֻחָדִים, וּכְשֶׁנִּרְצֶה לְהָבִין כַּוָּנַת בַּעַל הַדְּבָרִים בָּרוּךְ הוּא, הִנֵּה צָרִיךְ שֶׁנְּהַלֵּךְ בָּהֶם עַל פִּי הַחֻקִּים הָהֵם וּבַדְּרָכִים הָהֵם, וְזוּלַת זֶה אַף עַל פִּי שֶׁכְּבָר הָיָה אֶפְשָׁר שֶׁיִּנָּתֵן פֵּרוּשׁ בַּדְּבָרִים תִּסְבֹּלְנָה אוֹתוֹ הַמִּלּוֹת הֵיטֵב, וְאֶפְשָׁר שֶׁתּוֹרֶינָה עָלָיו בְּיוֹתֵר הַרְוָחָה, אָמְנָם עַל כָּל פָּנִים לֹא יִהְיֶה הַפֵּרוּשׁ הַהוּא אֲמִתִּי בַּדְּבָרִים הָהֵם, כֵּיוָן שֶׁבַּעַל הַדְּבָרִים כִּוֵּן בָּהֶם כַּוָּנָה שׁוֹנָה מִזּוֹ. וְאָמְנָם הַחֻקִּים הָאֵלֶּה וְהַדְּרָכִים, הֵם כְּלַל הַשְּׁלֹשׁ עֶשְׂרֵה מִדּוֹת שֶׁהַתּוֹרָה נִדְרֶשֶׁת בָּהֶם עִם כָּל פְּרָטֵיהֶן.

וְצָרִיךְ שֶׁתֵּדַע עוֹד, כִּי הִנֵּה עִקְּרֵי הַדִּינִים כֻּלָּם, מַה שֶּׁבְּמִצְווֹת עֲשֵׂה וּמַה שֶּׁבְּמִצְווֹת לֹא־תַעֲשֶׂה, כֻּלָּם מְקֻבָּלִים הֵם

* בילקוט הגירסא בשני מקומות "עוקרת" ובמקום שלישי "עוקבת" ופה בדפוס הישן כתוב "עוקפת".

orally to the sages of each successive generation. In this tradition the true meaning of the written word is accurately explained, and we therefore know how the commandments must be observed according to God's will.

There are three ways in which the Written Torah is modified by its traditional interpretation.

The first includes concepts which are mentioned in a general manner in writing, but whose details are explained in the [oral] tradition.

The second category includes concepts that are fully explained in the Written Torah, but which can be interpreted in various ways. In such cases, the tradition is the determining factor.

There is a third category, where the actual words appear to have one meaning, while the [oral] tradition explains that the desired observance is very different from that implied by the obvious meaning. Regarding such cases, our sages say, "the Law supersedes the text" (*Sotah* 16a). Not many cases, however, are included in this category. Furthermore, if a person delves deeper, he will discover that the literal meaning of the text does not contradict the law completely. Rather than contradicting the law, the text can be interpreted so as to agree with it, at least in some aspect and within some limited sense.

Among the things that we know from tradition is the fact that God, the Author of the Torah, wrote it in a specific manner, following definite rules. When we want to understand the intent of its Author, we must follow these rules in delving into the Torah. Even though it may be possible to explain a passage in a way that fits every word without resorting to these rules, the interpretation will not be the correct one. This is true even when the interpretation seems to fit the words more easily [than that predicated by the rules]. This is because the Author Himself had a different intent.

These rules and procedures make up the Thirteen Formulas (*Middoth*) through which the Torah is interpreted, together with all their details.

It is also necessary to know that the main laws involved in both the positive and the negative commandments are all known by tradition from Moses. Nevertheless, our sages had a tradition that

מִמֹּשֶׁה רַבֵּנוּ עָלָיו הַשָּׁלוֹם. אָמְנָם קִבְּלוּ זִכְרוֹנָם לִבְרָכָה שֶׁדִּבְרֵי הַמָּסֹרָה רְמוּזִים הֵם בַּתּוֹרָה שֶׁבִּכְתָב בִּרְמָזִים שׁוֹנִים, עַל פִּי דַּרְכֵי הָרְמִיזָה הַיְדוּעִים לָהֶם, וְהָיָה מְפֻרְסָם וּמֻסְכָּם אֶצְלָם שֶׁטּוֹב בְּעֵינֵי ה׳ שֶׁנַּעֲמֹל גַּם בְּזֶה הַחֵלֶק, פֵּרוּשׁ – בִּידִיעַת מְקוֹם רִמְזֵי הַתּוֹרָה שֶׁבְּעַל פֶּה בַּתּוֹרָה שֶׁבִּכְתָב, וְעַל כֵּן יִטְרְחוּ כָּל אֶחָד מֵהֶם לְבַקֵּשׁ הָרְמָזִים הָאֵלֶּה, כְּפִי מַה שֶּׁיֵּרָאֶה לוֹ יוֹתֵר נָכוֹן, וְזֶה מַה שֶּׁתִּמְצָא פְּעָמִים רַבּוֹת בַּשַּׁ״ס מַשָּׂא וּמַתָּן לְבַקֵּשׁ רְאָיוֹת לְדִין מִן הַדִּינִים, וּכְבָר יִהְיֶה בֵּינֵיהֶם מַחְלֹקֶת עַל הָרְאָיוֹת. וְתִמְצָא הָרְאָיוֹת עַצְמָן שֶׁאָמְנָם לְפִי דַּרְכֵי הַהֲבָנָה הַפַּשְׁטִית לֹא יֵאוֹתוּ יָפֶה, אַךְ הָעִנְיָן הוּא מַה שֶּׁאָמַרְתִּי לְךָ, שֶׁהִנֵּה הַדִּין אֶצְלָם בְּקַבָּלָה, אֲבָל יִטְרְחוּ לְבַקֵּשׁ לוֹ הָרֶמֶז בַּתּוֹרָה שֶׁבִּכְתָב, עַל הַשֹּׁרֶשׁ שֶׁזָּכַרְנוּ לְמַעְלָה; וְהִנֵּה לֹא יִרְצוּ בְּאוֹתָם הַפֵּרוּשִׁים, שֶׁהָיְתָה זֹאת כַּוָּנַת הֶמְשֵׁךְ הַמִּקְרָא הַהוּא, אֲבָל יִרְצוּ שֶׁלָּזֶה כִּוֵּן בַּעַל הַתּוֹרָה בָּרוּךְ הוּא בְּמַה שֶּׁרָצָה לִרְמֹז בְּדַרְכֵי הַמִּקְרָא הַהוּא בְּדַרְכֵי הָרֶמֶז, נוֹסָף עַל מַה שֶּׁרָצָה לְבָאֵר בְּדַרְכֵי הַפְּשָׁט, וְיִקְרָאוּהוּ לִפְעָמִים אַסְמַכְתָּא. וְהִנֵּה כָּל זֶה שֶׁאֲנִי מְדַבֵּר עַתָּה הוּא בְּחֵלֶק הַמִּצְוֹת וְהַדִּינִים, אַךְ בְּחֵלֶק הַהַגָּדוֹת יֵשׁ עוֹד עִקָּרִים אֲחֵרִים, בֵּאַרְתִּים לְךָ בְּמָקוֹם בִּפְנֵי עַצְמוֹ.

וְאָמְנָם יֵשׁ עוֹד עִנְיָנִים אֲחֵרִים שֶׁהֵם תַּקָּנוֹת מִן הַחֲזַ״ל, וְאַף עַל פִּי כֵן יִמְצְאוּ לָהֶם רֶמֶז רָחוֹק מְאֹד בַּכְּתוּבִים, וְנִקְרָא גַּם זֶה אַסְמַכְתָּא. אָמְנָם הִיא אַסְמַכְתָּא יוֹתֵר שִׁטְחִית הַרְבֵּה מֵהָרִאשׁוֹנָה שֶׁזָּכַרְנוּ, וִיכַוְּנוּ בָּהּ לְזִכָּרוֹן לָעִנְיָן, וְלֹא יַחְדְּלוּ לְכַוֵּן בָּזֶה גַּם כֵּן הֱיוֹת אֲפִלּוּ זֶה רָמוּז בַּתּוֹרָה, אַף עַל פִּי שֶׁהוּא

concepts contained in the [oral] tradition are also alluded to in the Written Torah in various ways, according to various formulas known to them. It was well known and agreed upon by them that God desired that they involve themselves in this area, demonstrating where elements of the Unwritten Torah are alluded to in the Written Torah.

All of our sages therefore strove to seek out these allusions in the manner that appeared most fitting. This is why, many times in the Talmud, we find discussions seeking out such "proofs" for various laws. In many cases, there might even be a dispute regarding the proof itself.

There are many cases where the proofs do not seem to fit very well into the literal meaning of the passages in question. The idea, however, is the same as that discussed earlier. The law itself was known from tradition, and they were merely attempting to find an allusion to it in the Written Torah, according to the principles set down above.

In such cases, the sages did not intend that this be the literal meaning of the passage when taken in context. The intent was that this is what God, the Author of the Torah, wanted to imply in the written word, following the procedures used for such allusions. This is in addition to what He wished to express in the literal meaning of the passage. Sometimes this is called a "support" (*Asmachta*) [for a given law].

All this relates to the commandments and laws of the Torah. With respect to the non-legal parts of the Torah (*Aggadah*), there are other principles, which I have discussed in a separate Essay [on Aggadoth].

Besides the [laws handed down by tradition] there are other laws, decreed by the sages themselves. Even in such cases, some allusion can often be found in the written word, and this too is called a "support." In such cases, however, it is a much shallower support than that discussed earlier, and its main purpose is to serve as a reminder for the law.

Nevertheless, even [for laws decreed by the sages themselves] they did not refrain from considering such allusions genuine, even when they were very forced allusions. Such references were con-

רֶמֶז רָחוֹק מְאֹד, וְהוּא עַל צַד הַצְּפִיָּה בָעֲתִידוֹת, שֶׁהַכֹּל גָּלוּי לְפָנָיו יִתְבָּרַךְ, וְעַל כָּל רֶמֶז, אֶלָּא שֶׁרְמָזוֹ בְדֶרֶךְ רְחוֹקָה, כֵּיוָן שֶׁאֵין הַדָּבָר הַהוּא חֵלֶק מִבֵּאוּר הַמִּצְוָה כְלָל. וְאָמְנָם יֵשׁ עוֹד פְּרָטֵי דִינִים שֶׁלֹּא קִבְּלוּם וְהוֹצִיאוּם בְּדַרְכֵי הַסְּבָרָה אוֹ בְדַרְכֵי הַמִּדּוֹת, וְאֶפְשָׁר שֶׁיַּחְלְקוּ בָם, וּכְפִי הַפְּסָק שֶׁיִּהְיֶה לַמַּחֲלֹקֶת כֵּן תִּהְיֶה הַחוֹבָה עָלֵינוּ לִשְׁמֹר וְלַעֲשׂוֹת, מִבְּלִי שֶׁיִּהְיֶה הַמַּחֲלֹקֶת שֶׁהָיָה בָם חֻלְשָׁה לַפְּסָק כְּלָל, כִּי אוּלָם כָּךְ צִוָּנוּ יִתְבָּרַךְ שְׁמוֹ, שֶׁבִּהְיוֹת מַחֲלֹקֶת בְּדִינֵי הַתּוֹרָה יַכְרִיעַ הַדָּבָר בְּבֵית דִּין, וּמַה שֶּׁיֵּצֵא מִן הַהַכְרָעָה יִשָּׁמֵר בְּכָל תֹּקֶף.

וּמִמַּה שֶּׁקִּבַּלְנוּ עוֹד, שֶׁמִּצְוַת "לֹא תָסוּר מִן הַדָּבָר אֲשֶׁר־יַגִּידוּ לְךָ יָמִין וּשְׂמֹאל" (דברים יז, יא), הַכַּוָּנָה שֶׁכִּוֵּן הָאָדוֹן בָּרוּךְ הוּא בְּמִצְוָה זוֹ הִיא, שֶׁיִּהְיֶה כֹּחַ בְּיַד בָּתֵּי דִינֵי יִשְׂרָאֵל וַחֲכָמֵיהֶם לִגְזוֹר גְּזֵרוֹת וּלְתַקֵּן תַּקָּנוֹת, וְנִהְיֶה כֻּלָּנוּ חַיָּבִים לִשְׁמֹעַ לָהֶם וְשֶׁלֹּא לַעֲבֹר עַל דִּבְרֵיהֶם כְּלָל, וְנֵדַע שֶׁכָּל הַתַּקָּנוֹת הָאֵלוּ שֶׁיְּתַקְּנוּ לִשְׁמִירַת מִצְווֹת הַתּוֹרָה עַצְמָהּ, וְלַעֲשׂוֹת הָרָצוּי לְפָנָיו יִתְבָּרַךְ, הִנֵּה דַעְתּוֹ יִתְבָּרַךְ שְׁמוֹ מַסְכֶּמֶת שֶׁיִּשְׁמְרוּ שְׁמִירָה מְעֻלָּה כְּכָל מִצְווֹת הַתּוֹרָה עַצְמָהּ. וְלֹא עוֹד, אֶלָּא שֶׁכָּךְ בָּאָה הַמִּצְוָה בַּקַּבָּלָה לַעֲשׂוֹת סְיָגִים לַתּוֹרָה, וּכְבָר הָיָה רָאוּי שֶׁיְּצַוֶּה עֲלֵיהֶם הוּא יִתְבָּרַךְ שְׁמוֹ בַּתּוֹרָה עַצְמָהּ, אֶלָּא שֶׁהָיָה הָרָצוֹן לְפָנָיו שֶׁיָּבוֹא הַדָּבָר מִצִּדֵּנוּ, וְשֶׁנִּהְיֶה אֲנַחְנוּ הַמַּעֲמִידִים עָלֵינוּ מִצְווֹת עַל פִּי דֶרֶךְ תּוֹרָתוֹ, וּבְאוֹתָם הַחֻקִּים וְהַגְּבוּלִים שֶׁנָּתַן לַדָּבָר. וְהִנֵּה אֵין הֶפְרֵשׁ בֵּין חִיּוּבֵנוּ בְּמִצְווֹת הַמְבֹאָרוֹת בַּתּוֹרָה וּבֵין חִיּוּבֵנוּ בְּתַקָּנוֹת הַחֲזַ"ל וּגְזֵרוֹתֵיהֶם, שֶׁכָּךְ הָרָצוֹן לְפָנָיו שֶׁנִּשְׁמֹר הַמְבֹאָרוֹת בַּתּוֹרָה כְּמוֹ שֶׁנִּשְׁמֹר אֶת אֵלֶּה, וְכָךְ

sidered very much like predictions of the future. All is foreseen by God, and therefore He could allude to even such [a later decree in the Torah]. Thus all was implied, but in a very abstract manner, since the [decree] is not considered part of the explanation of the commandment.

There are also other details of laws which were not known from tradition, but which were derived from the Torah, either through logic or by means of [the above-mentioned] specific formulas. It is possible, too, that there might be a dispute regarding these laws. Even in such a case, however, the final decision is binding upon us, and we must abide by it. The fact that there is a dispute [initially] does not weaken the final decision at all. God commanded that every dispute involving Torah law should be decided by the Sanhedrin (Supreme Court), and that the decision of the Sanhedrin must be obeyed absolutely.

One of the things we know from tradition is that by the commandment "You shall not stray from the word that they tell you, either to the right or to the left" (*Deuteronomy* 17:11), God intended that the Sanhedrins and their sages hould have the power to issue decrees and pass legislation which would be binding on all Israel, and that none should violate their word in any manner. We must realize that the intent of all such legislation was to safeguard the commandments of the Torah itself, so that God's will would be obeyed.

God's authority [also] decreed that these [legislated laws] be kept just like the commandments of the Torah itself. Besides this, there was also a tradition that [the Sanhedrin had] the responsibility to make a "fence around the Torah." It would have been appropriate that these [laws] be included in the Torah itself, but God willed that they should originate from our side. We must therefore legislate [rabbinical] commandments, following the way of God's Torah, as well as the rules and regulations that He provided for that purpose.

There is therefore no difference between our obligation regarding commandments that are stated in the Torah and our duty regarding decrees legislated by our sages. For God willed that we observe these [legislated] laws just as we keep those expressed in the Torah. One who violates these transgresses His word as much as one who violates the explicit commandments.

405

מַמְרֶה אֶת פִּיו הָעוֹבֵר עַל הַמְבֹאָרוֹת כָּעוֹבֵר עַל אֵלֶּה, וְאֵין הֶבְדֵּל בֵּינֵיהֶם אֶלָּא בַּמֶּה שֶׁהֵם זִכְרוֹנָם לִבְרָכָה הִבְדִּילוּם, דְּהַיְנוּ שֶׁהַסְּפֵקוֹת בְּדִינֵי תוֹרָה יוֹדְנוּ לְחֻמְרָה, וּבְדִבְרֵי סוֹפְרִים יוֹדְנוּ לְקֻלָּה, וַהֲרֵי זוֹ כְּמוֹ שֶׁתֹּאמַר שֶׁהָעֲרָיוֹת תִּהְיֶינָה בְּכָרֵת וּמִיתַת בֵּית דִּין וּלְבִישַׁת שַׁעַטְנֵז בְּאַזְהָרָה, וְשֶׁבָּשָׂר בְּחָלָב יִהְיֶה אָסוּר בַּהֲנָאָה וְחֵלֶב יִהְיֶה מֻתָּר, שֶׁאֵין אֵלֶּה אֶלָּא הַגְּבוּלִים שֶׁכְּפִי רְצוֹנוֹ יִתְבָּרַךְ. אָמְנָם בְּעִנְיַן חִיּוּב הַמִּצְווֹת בַּגְּבוּל שֶׁהִגְבִּלוּ, אֵין הֶפְרֵשׁ בֵּין אֵלֶּה לְאֵלֶּה כְּלָל. וּמִזֶּה נִמְשַׁךְ שֶׁיִּשְׂאוּ וְיִתְּנוּ כָּל כָּךְ בְּתַקָּנוֹת רַבּוֹת וּגְזֵרוֹת רַבּוֹת שֶׁבֶּאֱמֶת אֵינָן אֶלָּא מִדִּבְרֵי סוֹפְרִים, וְיִרְבּוּ בָהֶם הַפְּרָטִים וְהַמַּחֲלוֹקוֹת, כָּל זֶה מִפְּנֵי שֶׁשָּׁווּ בְּעֵינֵיהֶם הַדְּבָרִים הָאֵלֶּה בִּבְחִינַת הַחִיּוּב בָּהֶם כְּמוֹ כָּל שְׁאָר הַמִּצְווֹת שֶׁבַּתּוֹרָה, שֶׁאָמְנָם רְצוֹנוֹ יִתְבָּרַךְ הָיָה שֶׁיָּבוֹאוּ עַל זֶה הַצַּד, פֵּרוּשׁ שֶׁיָּבוֹאוּ מֵאִתָּנוּ. וְהִנֵּה הַדָּבָר שָׁוֶה שֶׁיְּצַוֵּנוּ שֶׁנָּשִׂים טוֹטָפוֹת בֵּין עֵינֵינוּ אוֹ שֶׁיְּצַוֵּנוּ שֶׁנִּגְזֹר עָלֵינוּ גְּזֵרוֹת לִשְׁמִירַת תּוֹרָתוֹ, זוֹ מִצְוָה שֶׁצּוּרַת עֲשִׂיָּתָהּ בְּאֹפֶן זֶה, וְזוֹ צוּרַת עֲשִׂיָּתָהּ בְּאֹפֶן זֶה, וְגִדְרָם אֶחָד, שֶׁהוּא עֲשִׂיַּת רְצוֹנוֹ יִתְבָּרַךְ וּגְזֵרָתוֹ.

וּמִמַּה שֶּׁקִּבְּלוּ זִכְרוֹנָם לִבְרָכָה בְּפֵרוּשׁ הַמִּצְוָה הַזֹּאת, גַּם כֵּן הוּא, שֶׁיִּהְיֶה כֹּחַ בְּיַד בֵּית דִּין לְבַטֵּל דָּבָר מִן הַתּוֹרָה כְּשֶׁיִּהְיֶה לְתַכְלִית שְׁמִירַת הַתּוֹרָה עַצְמָהּ, וּבִגְבוּל שֶׁיִּהְיֶה בְּשֵׁב וְאַל תַּעֲשֶׂה וְלֹא בְּקוּם עֲשֵׂה, וְעַל פִּי זֶה הַשֹּׁרֶשׁ גָּזְרוּ מַה שֶּׁגָּזְרוּ בְּשׁוֹפָר וּבְלוּלָב בְּיוֹם שַׁבָּת, כַּמְבֹאָר בַּמִּשְׁנָה וְשַׁ״ס (ראש השנה כט, סוכה מב). כְּפִי הַקַּבָּלָה הַזֹּאת שֶׁהָיְתָה בְּיָדָם.

The only distinction [between Biblical and legislated laws] are those differences decreed by the sages themselves. Thus, where there is a doubt whether something is forbidden or not, in the case of Biblical law one must take the stricter course, whereas in the case of legislated law one may take the more lenient course. This, however, is very much like the fact that for serious sexual misdeeds the punishment is to be "cut off" [spiritually] (*Koreth*) or to be sentenced to death, while *Shaatnez* (wearing a mixture of linen and wool) is only forbidden by a negative commandment. Similarly, no use whatsoever may be made of milk [cooked] with meat, while forbidden fat (*Chelev*) may be [used for non-food purposes, even though it may not be eaten]. All these involve bounds set up according to God's will. With regard to our obligation to keep the commandments within their given bounds, however, there is absolutely no difference between one and the other.

It is for this reason that many rules and decrees that were legislated by the Sanhedrin are discussed so extensively [in the Talmud]. The reason for all this careful debate is that our sages considered them equal to all the other commandments of the Torah as far as our obligation is concerned.

God willed, however, that these commandments originate in a specific manner, namely, through us. We therefore have the same obligation to legislate decrees to safeguard God's Torah as we have to wear Tefillin. Just as the commandment [of Tefillin] has its own form of observance, so does the [commandment of safeguarding the Torah]. Both have the same significance, inasmuch as both involve doing God's will and [obeying His] decrees.

Among the things that our sages knew from tradition regarding this commandment is the fact that the Sanhedrin has the power even to set aside one of the Torah's commandments when the purpose is to safeguard the Torah itself. The only condition regarding this is that it involve a passive rather than an active [violation of a commandment]. Following this principle, they legislated that [the Shofar not be sounded and the Lulav not be taken] on the Sabbath, as explained in the Talmud (*Rosh HaShanah* 29a, *Succah* 52a). This, too, is based upon the tradition that was given over to them.